JN220266

アルディス・ザリンス、サンディス・コンドラッツ

スカルプターのための美術解剖学

ANATOMY FOR SCULPTORS

ANATOMY FOR SCULPTORS 日本語版

Born Digital, Inc.

著者紹介と本書誕生の経緯

大きな期待を胸に

1990年代初頭、ソビエト連邦からの独立を果たしたばかりのラトビア共和国で、理想と希望に燃える1人の若者、アルディス・ザリンス（Uldis Zarins）は彫刻家になることを夢見ていました。1994年、彼はアート・カレッジ・オブ・リガ（Art College of Riga）に入学します。アートを学ぶのは容易ではなく、競争は苛烈でしたが、充実した日々を送り、毎日有名な古代ギリシャ彫刻の肖像、胸像、全身像を粘土で模刻しました。そのように古代彫刻の模刻を数多く行うことが、形状の理解につながると考えられていたのです。

半年もすると、アルディスはものの見方を理解して自分のものにし、手も早く動くようになりました。しかし、形状の理解には至らなかったのです。

アマゾンの頬

ある日、有名な彫刻家ポリュクレイトスのアマゾン像の頭部を模刻していたとき、彼は問題にぶつかりました。「どうやって頬を構築したらいいのだろう？」 頬の形状が単なる球ではなく、いくつかの複雑な形が組み合わさったものであることは明らかでした。そして彼はこう考えたのです。「これらの形状が何なのか、そしてどうやって1つになっているのか分かったら素晴らしいじゃないか！」

教師たちは「観察しなさい、研究しなさい、計測しなさい！」と言って彼をがっかりさせるばかりでした。でも何を計測しろというのでしょう。角もなければ、面もないのに。教師の答えはこうでした。「アナトミー（解剖学）を学びなさい。何らかしらの役に立つと思うよ」

アナトミーの最初の研究

造形の教師はアルディスにこう言いました。「すべてを理解したいのなら、ここに人間の頭蓋骨と人体構造に関する本がある。よく研究して、私たちのために人体模型を作ってみないか？」 そこでアルディスは肩を含めた胸像を作ることにしました。ところが、すべての筋肉を正しく配置したのに、彫刻の見た目はひどいものでした。なにより、形状に対する理解がまったく向上していなかったのです！ 形状について学ぶつもりが、筋肉を学んだだけで終わってしまいました。

アナトミーの書籍を山のように読みあさった結果、アルディスはそれらがすべて絵を描く人のために書かれたものだと気付きました。彼が読んだ本はどれもみな一様に退屈で、ごちゃごちゃとした分かりにくい図が少し添えられているだけでした。「結局、だれも彫刻家のことなんか考えてこなかったんだ！」 アルディスが見つけた、解剖学的な形状という観点から人体とその部位にわずかながらでも触れているアナトミーの本は、ゴットフリート・バムス（Gottfried Bammes）の『Der nackte Mensch』だけでした。そして彼はこう自問したのです。「どうしてこれらの本は、図がほんの少ししか載っていなくて文章ばかりなんだ！」

学術的な研究

カレッジを卒業後、アルディスはラトビア芸術アカデミー（Latvijas Makslas Akademija）に入学しましたが、そこでもカレッジ同様、形状をどのように作り出すかを理解することではなく、実践に重きを置いていました。アルディスは新しい彫刻を作るたびに、準備として、彫刻の骨組みや粘土を用意するだけではなく、小さいスケッチを描いて形状を分かりやすく分析しました。

数年のうちに、そうしたドローイング、スケッチ、アナトミーの本、うまく撮れた写真などが増えていきました。そしていつしか、彼の描いたスケッチや集めた画像類は、仲間の間で高い人気を得るようになっていたのです。また、それらすべてをまとめて本を出版したらどうかと提案されることもよくありました。そうすれば、形状の総合的な分析になるだけでなく、彫刻家が知る必要のある、アナトミーに関する基本的な情報が得られる本になるというのです。これが、アルディスが『Anatomy For Sculptors』という参考書を作ろうと思い立った経緯です。

Kickstarter

何年かして、アルディスはWebサイト（anatomy4sculptors.com）、人体比率の計算機、Facebookページを開設し、アナトミーに関する参考画像や自分が描いたドローイングを公開するようになりました。Facebookページでは、積極的にコミュニケーションを交わし、人体構造を説明する方法をいろいろと試しました。2013年の春に、友人サンディス・コンドラッツ（Sandis Kondrats）の助けを借りてKickstarterキャンペーンを開始し、『Anatomy for Sculptors』を出版するというアルディスの夢の実現を支援する国際的なチームが作られました。プロジェクトが進むうちに、サンディスとアルディスの他にラトビアの友人、サビナ・グラムス（Sabina Grams）とエドガース・ヴェグナース（Edgars Vegners）が加わり、グラフィックデザインと写真の専門知識を生かして協力してくれました。また、サンディスの弟ジャニス・コンドラッツ（Janis Kondrats）の多大な協力を得て、Webサイトでユニークなサブスクリプションシステムを作り、プロジェクトの支援者を巻き込んで書籍のコンテンツを検討しました。アルディスとサンディスにとって英語は第二言語なので、編集者および校正者のモニカ・ハンレー（Monika Hanley）、ジョハンナ・ラーセン（Johannah Larsen）の支援と、医学的な訓練を受けた解剖学者のパウルス・キア（Pauls Keire）博士の協力も欠かせないものでした。本プロジェクトを通して交友を深めたクリス・ローリンソン（Chris Rawlinson）とセルジオ・アレッサンドロ・サヴィロ（Sergio Alessandro Servillo）は、3Dスキャンと3Dスカルプティングの参考資料の面で協力してくれました。Shutterstockサービスには、本書のコンテンツを構築するための素晴らしいアートワークを数多く提供してもらい、とても助かりました。砂の彫刻の国際的なコミュニティの友人たちにも感謝しています。アルディスとサンディスが1年にわたって旅をしたときに、本書について彼らと交わした会話は、その開発プロセスで大いに助けになりました。プロジェクトに取り組んでいた間の、シアトルのラトビアコミュニティの支援もとても特別なものでした。また、アルディスとサンディスの家族や友人の支援と理解がなければ、このプロジェクトが実現することはなかったでしょう。

最後に、本書はアルディスがこんな本を作りたいという夢を抱いてから、20年にわたり多大な努力と熱意を注いだ末にようやく書籍という形になりました。古典芸術を学んだ11年という年月、200を超える国際的な彫刻のフェスティバル、シンポジウム、展覧会に参加した9年間、そして本書のための調査や身体構造に関する詳しい研究、イラストの作成に費やした4年間があって、本書は実現したのです。

目 次

全身&胴体 5

人体の骨格 6
胴体の重要なランドマーク 7
男女の骨格の主な違い 10
魅力的な体形にする方法 12
マッスの比率 17
リアルなものから単純化したものまで 18
胴体の動くマッスの角度の関係 20
胴体の水平断面 21
筋肉模型 22
胴体の主な筋肉と骨とランドマーク 24
腹筋 26
胴体前面の最も重要な筋肉 28
背中の最も重要な筋肉 29
鎖骨 31
大胸筋 32
胸と肩の特徴 34
女性の胸 35
肩の筋肉(三角筋) 40
僧帽筋 44
広背筋 48
大円筋、小円筋、棘下筋 50
外腹斜筋 51
男女の腰 52
臀部の詳細 53
皮下脂肪 54
プロポーションの変化 58
脂肪蓄積の影響が少ない体の部位 60
3Dスキャン 61
人体比率 88

頭部&首 91

主要な頭蓋骨 92
頭部の主要な筋肉 93
主要な頸筋 94
頭蓋骨を形成する形状 96
3Dの頭蓋骨のモデリング 97
頭部の形状とマッス 98
乳幼児の頭部 99
頭部の形状 100
目の縁取り 101
目の詳細 102
古典的な目の概形を形成する 104
多種多様な目の形 105
目の動き 106
頑丈な顎 108
口の屈曲を理解する 109
平静時の口の形 110
口の表情 112
広頸筋 115
僧帽筋、胸鎖乳突筋 117
鼻の詳細 121
顔の筋肉の機能 122
加齢によるしわ 123
頭部の比率 124
理想的な成人頭部の性別による違い 129
感情 130

上肢 141

手と手首の筋肉 142
手と手首の骨 144
上肢の主要な筋肉 145
回外と回内 146
上腕二頭筋 154
二頭筋 155
上腕三頭筋 156
三頭筋 157
上腕筋、烏口腕筋 158
腕橈骨筋、長橈側手根伸筋 160
前腕の肘筋、尺側手根伸筋、小指伸筋、総指伸筋 162
回外と回内 163
屈筋 164
長母指外転筋、短母指伸筋 167
尺骨体 168
腕の概形 171
手の形 174
理想的な手の比率 175
手と指の形成 177
手の動き 178
手首の姿勢 179
指のしわとすき間 180
手の加齢 182

下肢 183

下肢の骨 184
足の骨 185
下肢の筋肉 186
3Dスキャン 188
下肢の骨ランドマーク 190
男性の脚の形 193
大腿四頭筋 194
縫工筋 195
恥骨筋、長内転筋、薄筋、大内転筋 196
ハムストリング筋 197
ふくらはぎ 198
長趾伸筋、前脛骨筋 200
短腓骨筋、長腓骨筋 201
下肢の断面 203
膝の仕組み 204
3Dスキャン 206
女性の脚 209
四方から見た脚の形 210
3Dスキャン 211
下肢を走る筋肉 212
脚と足のその他の形 213
足の筋肉 214
足の形 215
3Dスキャン 218
乳幼児の足 220

索 引 221

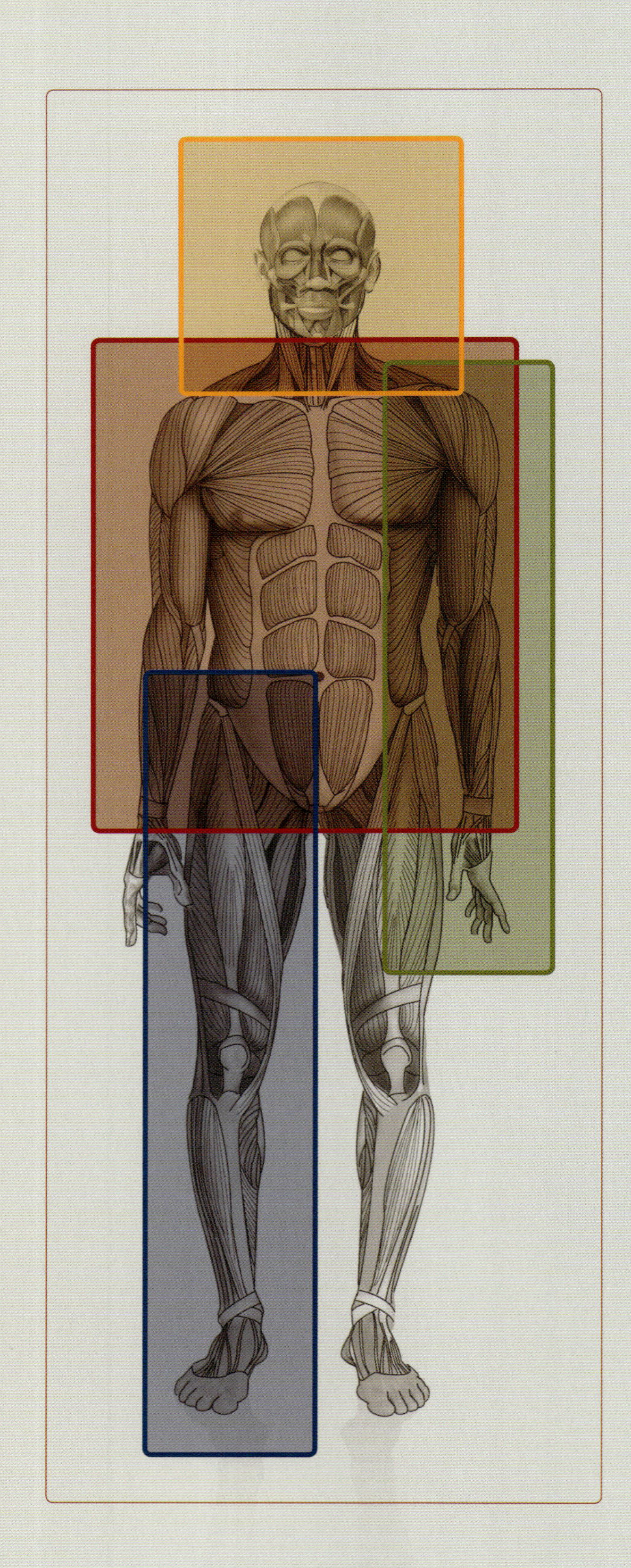

ANATOMY FOR
SCULPTORS

人体の骨格

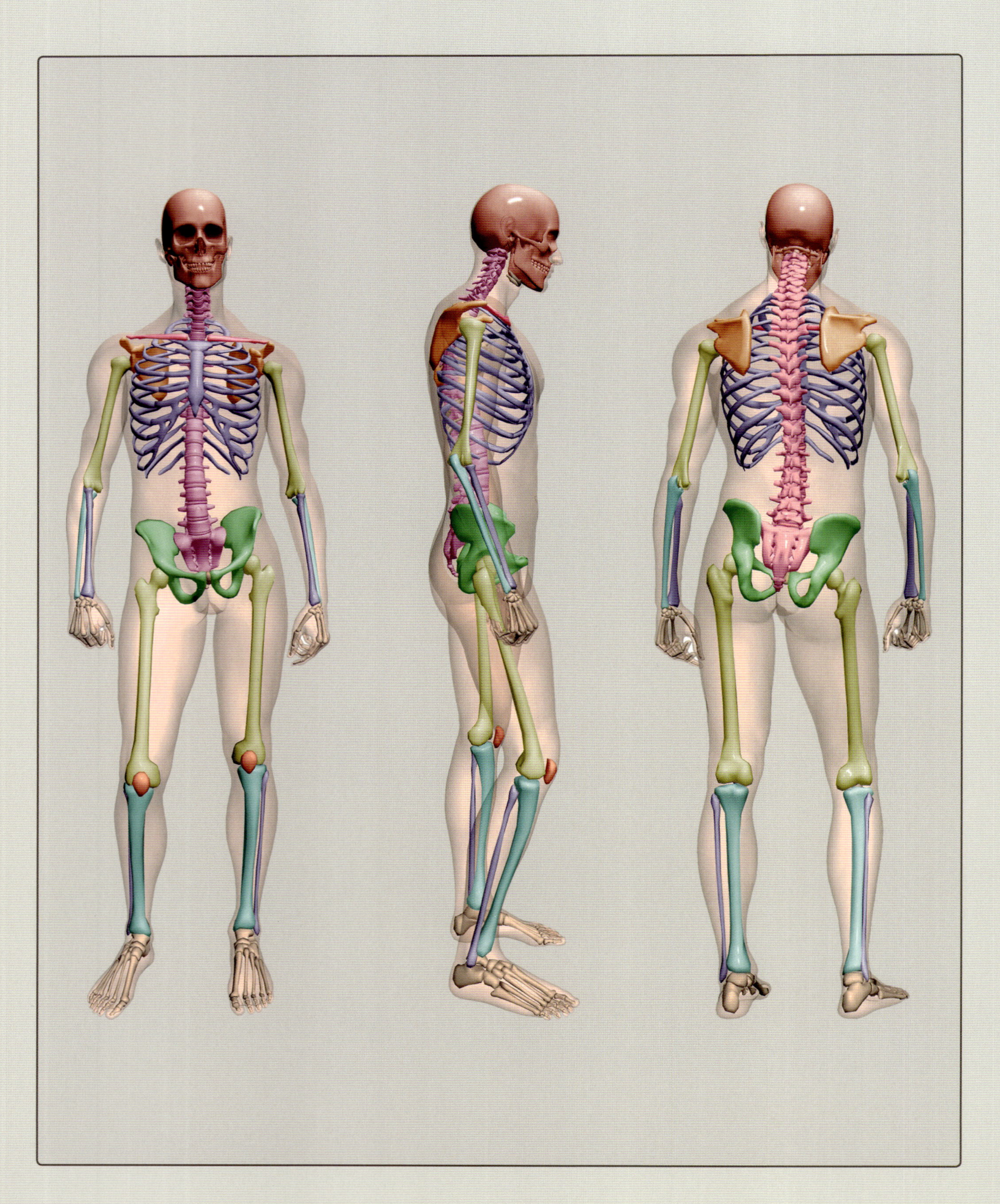

胴体の重要なランドマーク

目立つ皮下の突起（通常は骨の突端だが、骨全体で形成されることもある）は、骨ランドマークあるいはランドマークと呼ばれる。人体の比率を計測する際の重要な点となる場合もある。ランドマークは骨格全体の正確な位置を理解する鍵であり、大部分は人体の軟部組織に埋め込まれている。

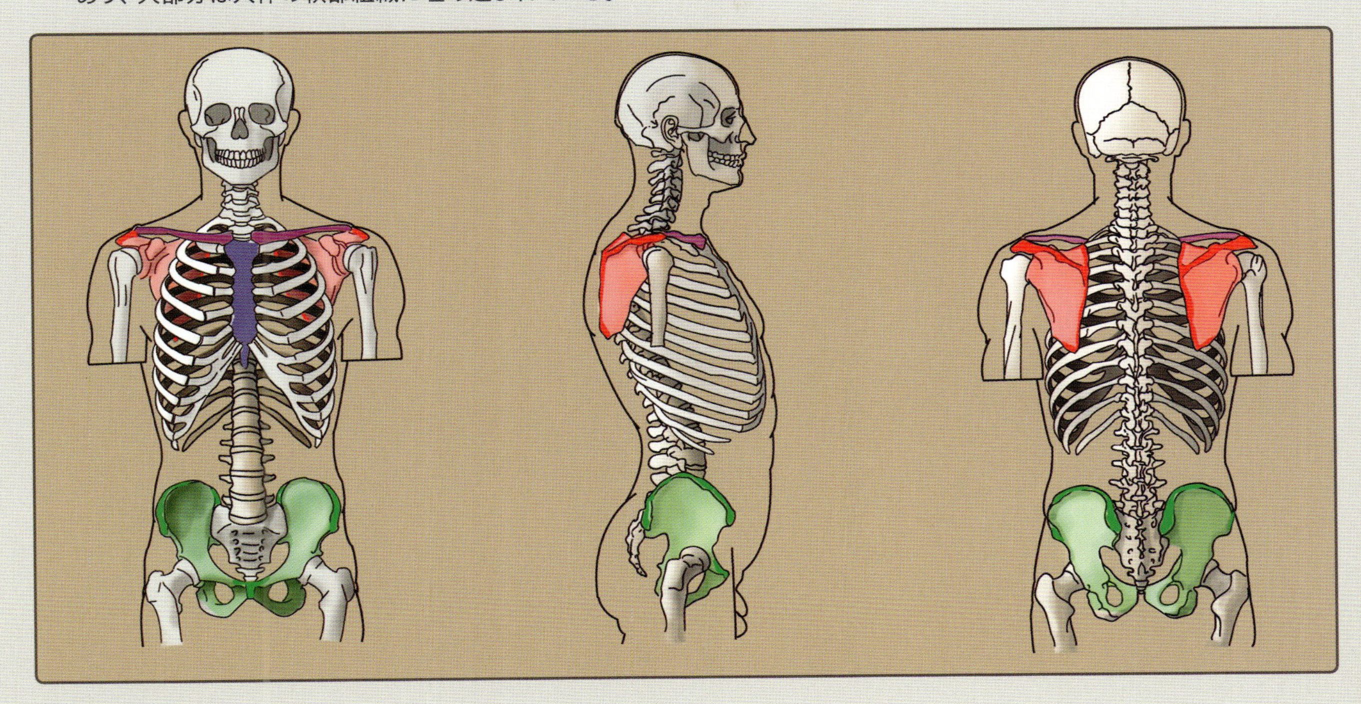

肩甲骨（けんこうこつ）

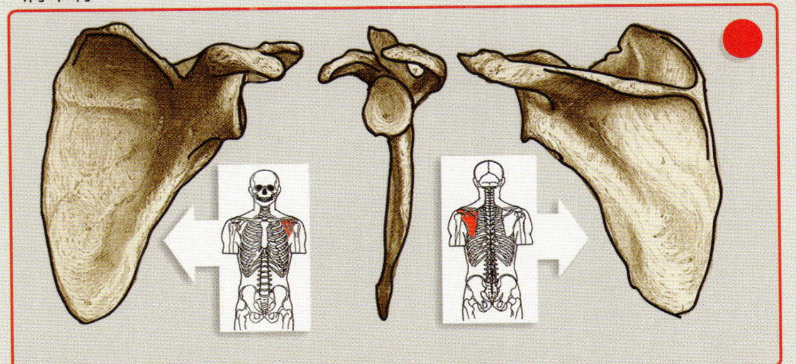

胸骨（きょうこつ）

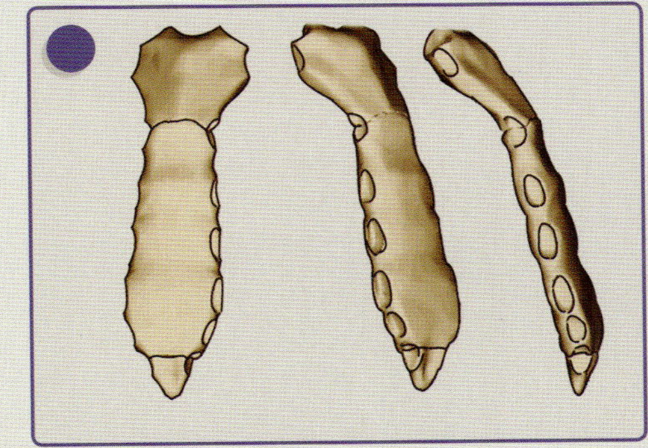

骨盤（こつばん）

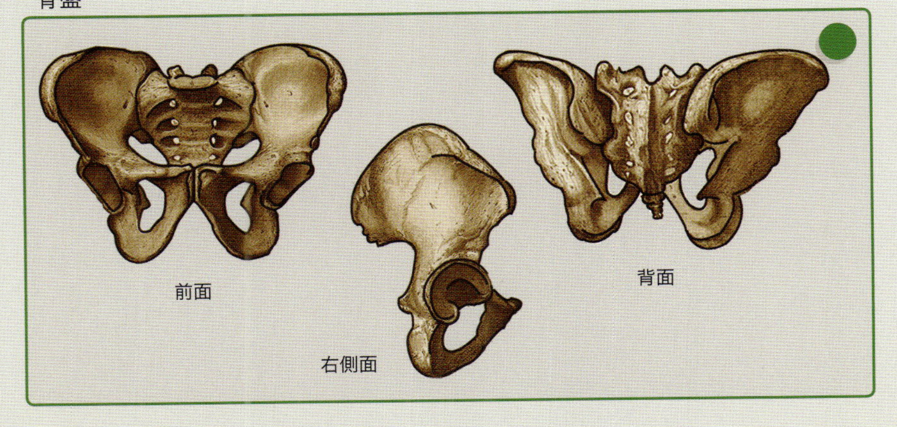
前面
右側面
背面

鎖骨（さこつ）

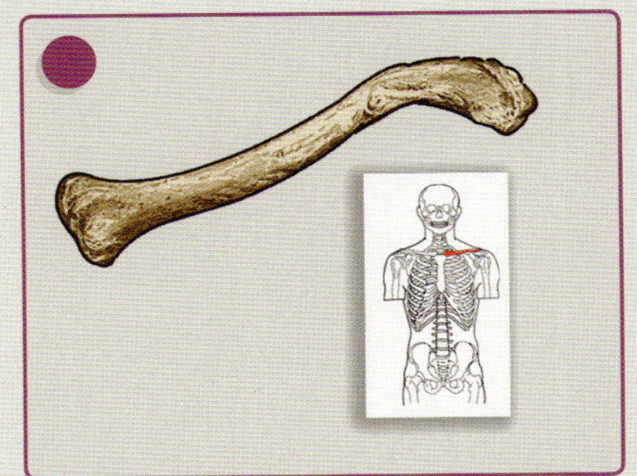

胴体背面の主要なランドマーク

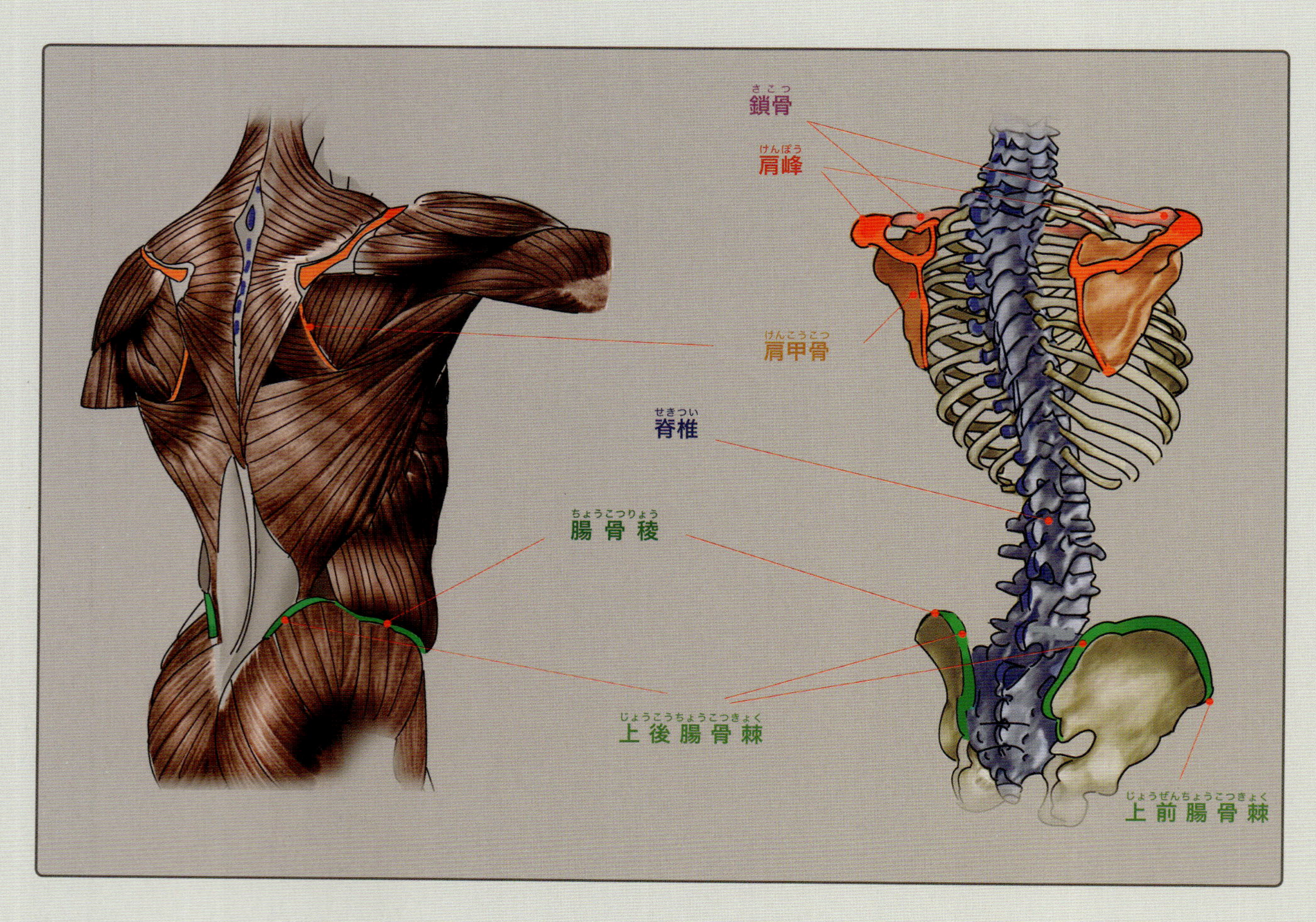
鎖骨
肩峰
肩甲骨
脊椎
腸骨稜
上後腸骨棘
上前腸骨棘

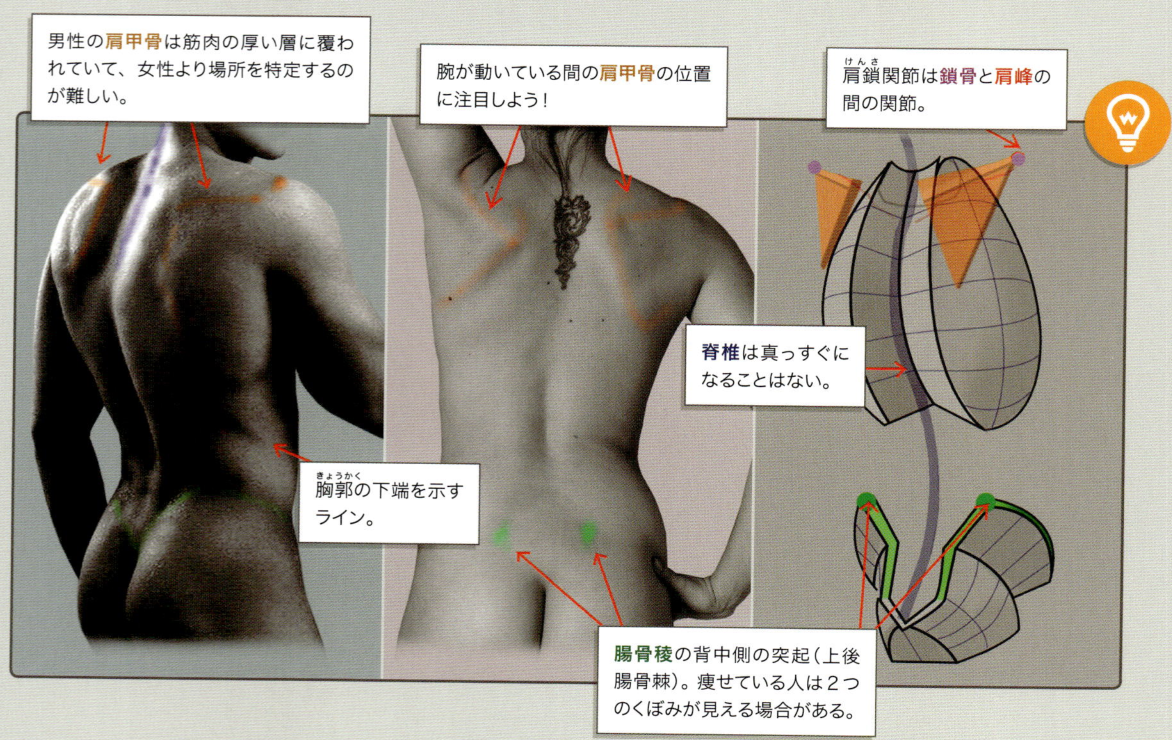
男性の肩甲骨は筋肉の厚い層に覆われていて、女性より場所を特定するのが難しい。
腕が動いている間の肩甲骨の位置に注目しよう！
肩鎖関節は鎖骨と肩峰の間の関節。
脊椎は真っすぐになることはない。
胸郭の下端を示すライン。
腸骨稜の背中側の突起（上後腸骨棘）。痩せている人は2つのくぼみが見える場合がある。

胴体前面の主要なランドマーク

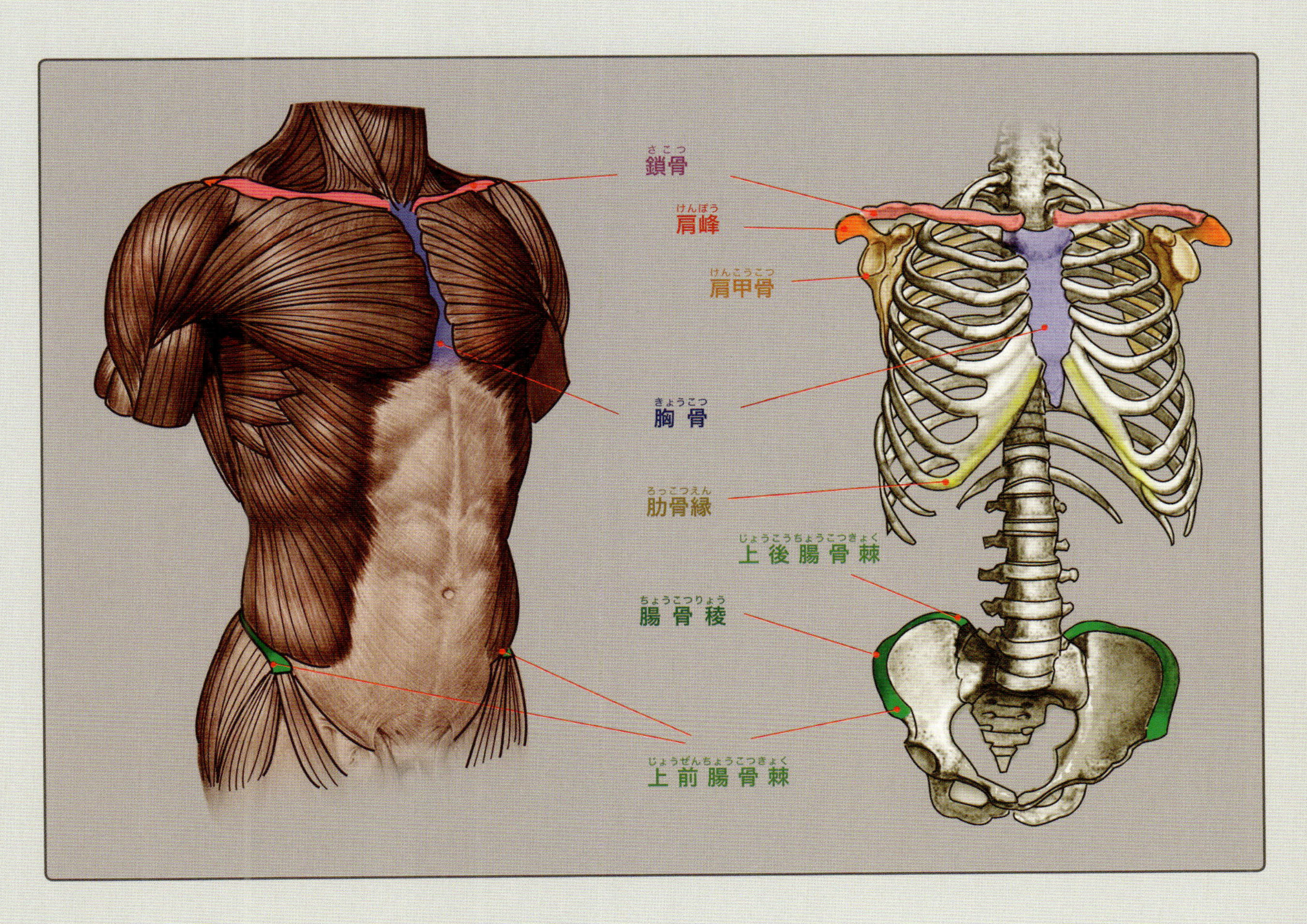

鎖骨
肩峰
肩甲骨
胸骨
肋骨縁
上後腸骨棘
腸骨稜
上前腸骨棘

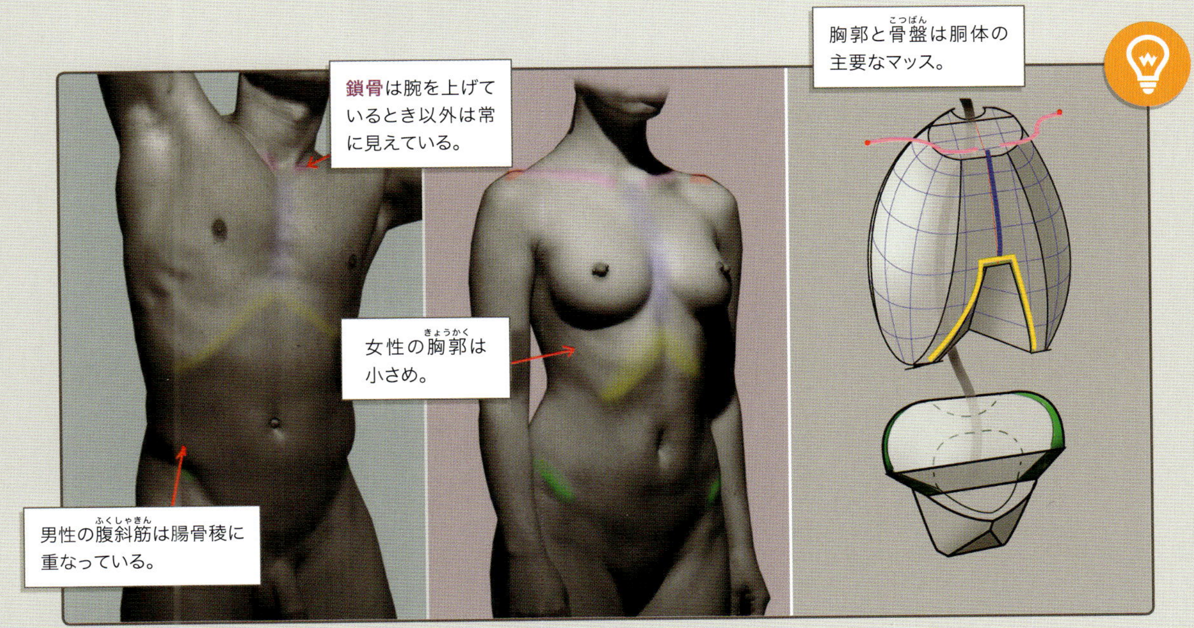

胸郭と骨盤は胴体の主要なマッス。
鎖骨は腕を上げているとき以外は常に見えている。
女性の胸郭は小さめ。
男性の腹斜筋は腸骨稜に重なっている。

男女の骨格の主な違い

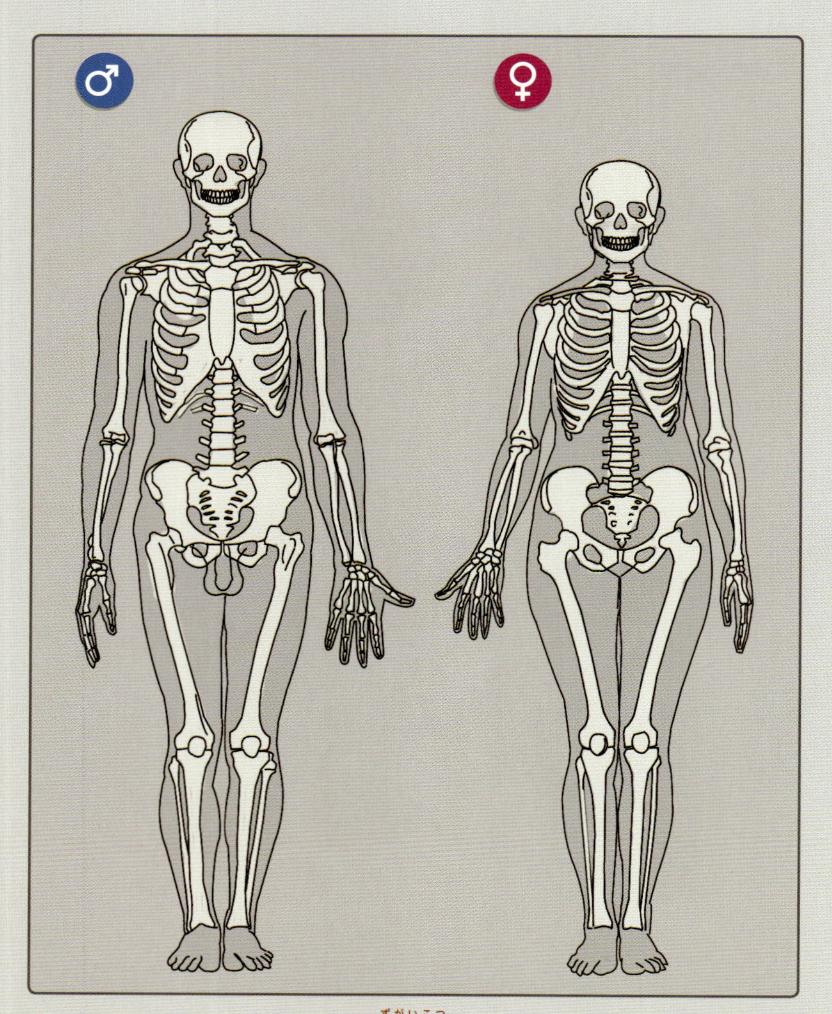
♂
♀

骨盤

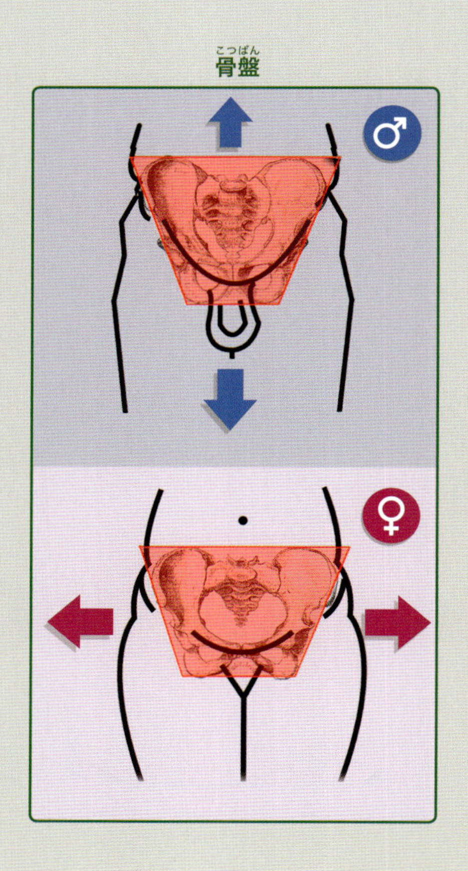
♂
♀

頭蓋骨

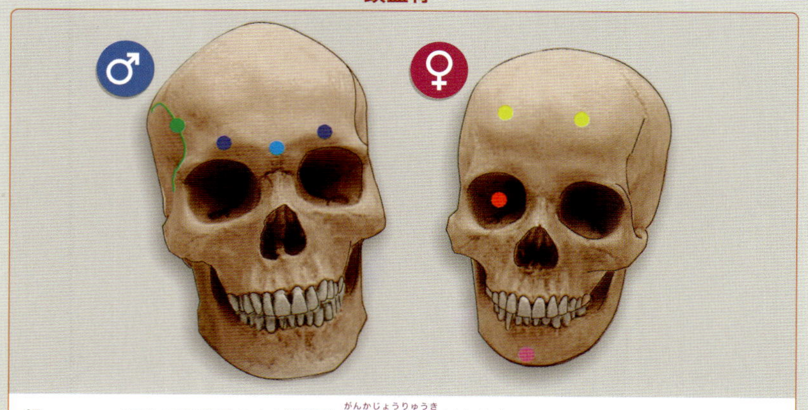
♂
♀

額：男性の頭蓋骨の方が**眉間**と**眼窩上隆起**が突き出している
こめかみ：男性の頭蓋骨は**側頭線**がはっきりしている
眼窩：女性の**眼窩**の方が丸みがある
顎：女性の**顎**は細くて丸みがあり、男性より傾斜が大きい
前頭骨：女性の頭蓋骨は**眉弓が目立たない**
側面：横から見た場合、男性の額は傾斜して丸みが少なく、女性は丸みがあってより垂直に近い

胸郭

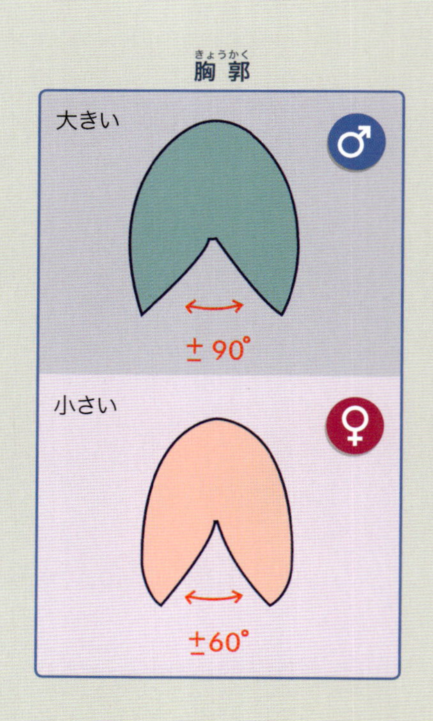
大きい
♂
±90°
小さい
♀
±60°

男女の体型の最も重要な違い

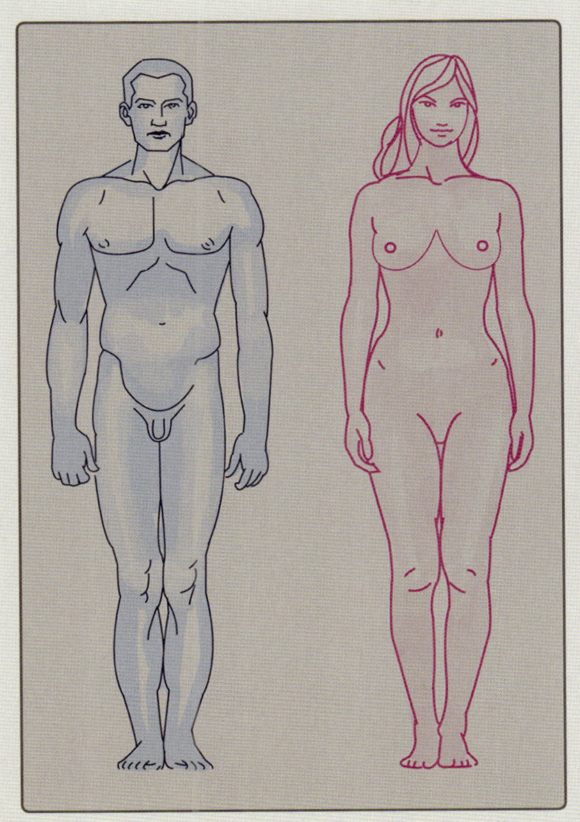

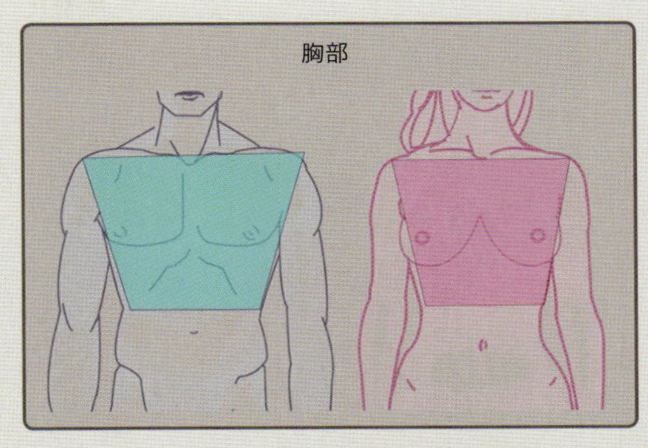
胸部

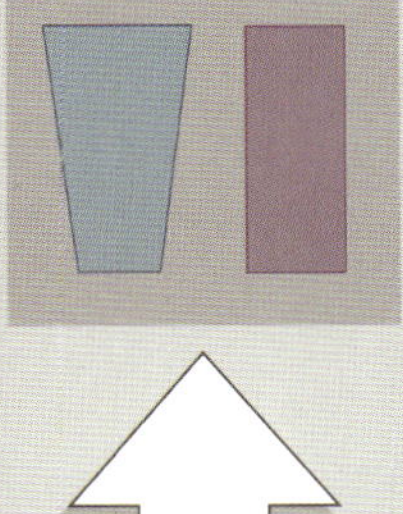

注意：
肩と腰の
シルエットの違い。

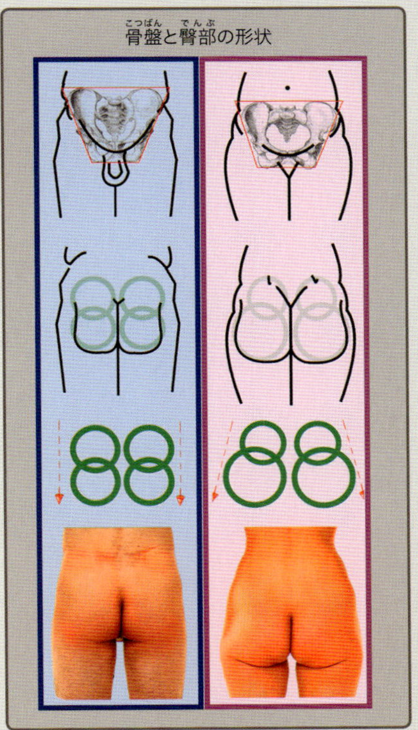
骨盤と臀部の形状

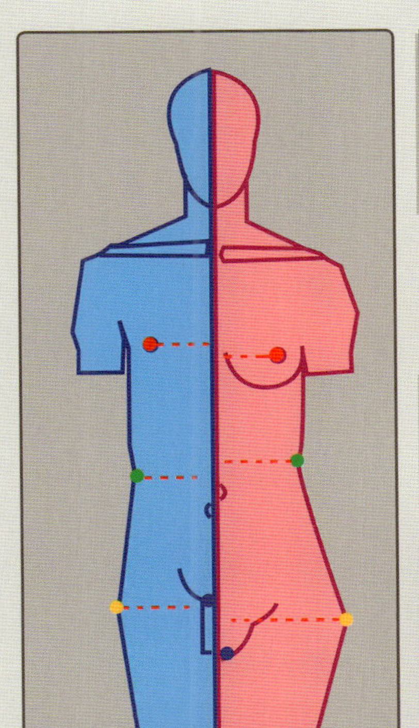

女性の形状は柔らかくて
曲線的。
男性の形状は角張っている。

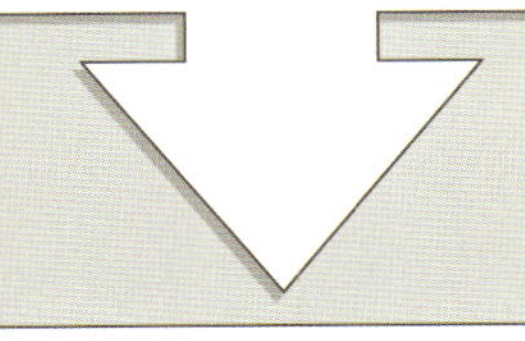

女性の方が皮下脂肪が
少し厚い。

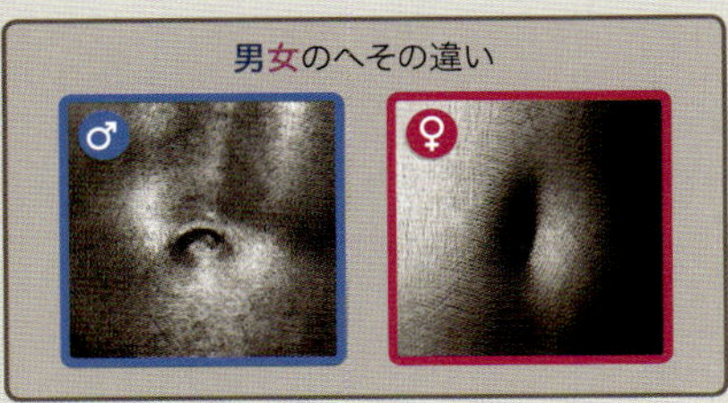
男女のへその違い
♂
♀

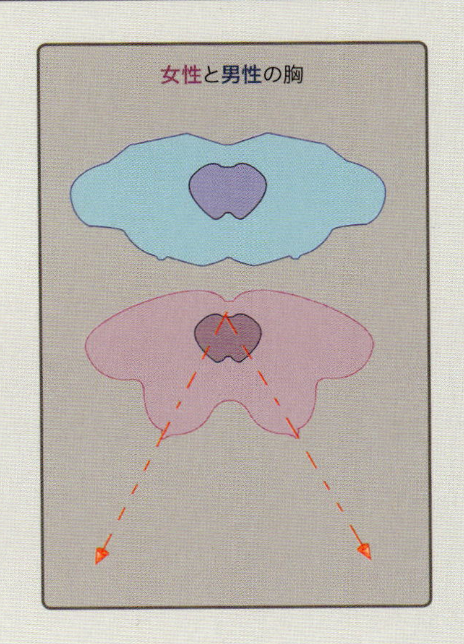
女性と男性の胸

魅力的な体形にする方法

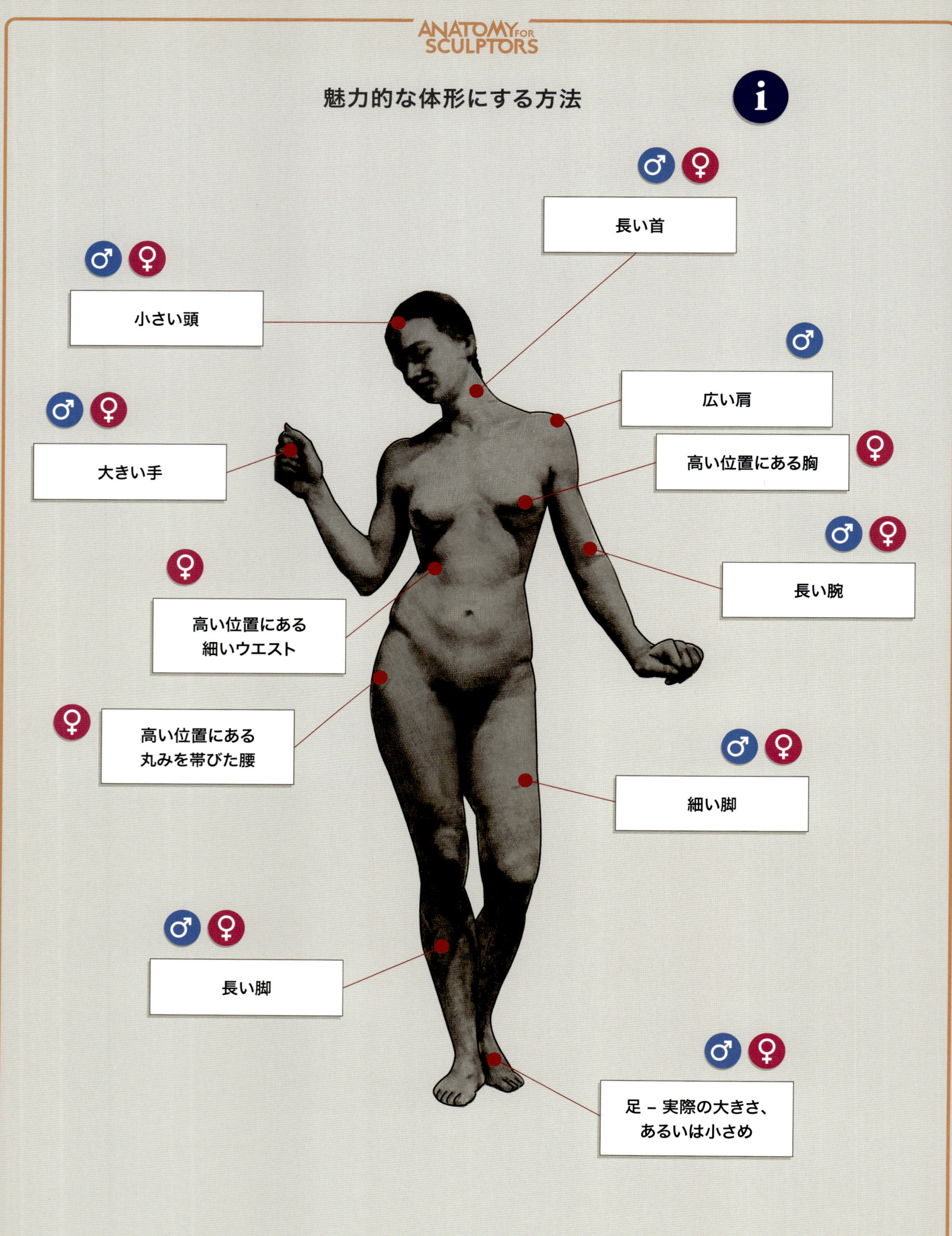

i
♂ ♀
長い首
♂ ♀
小さい頭
♂
広い肩
♂ ♀
大きい手
高い位置にある胸
♀
♂ ♀
長い腕
♀
高い位置にある
細いウエスト
♀
高い位置にある
丸みを帯びた腰
♂ ♀
細い脚
♂ ♀
長い脚
♂ ♀
足 – 実際の大きさ、
あるいは小さめ

サイレントキラー

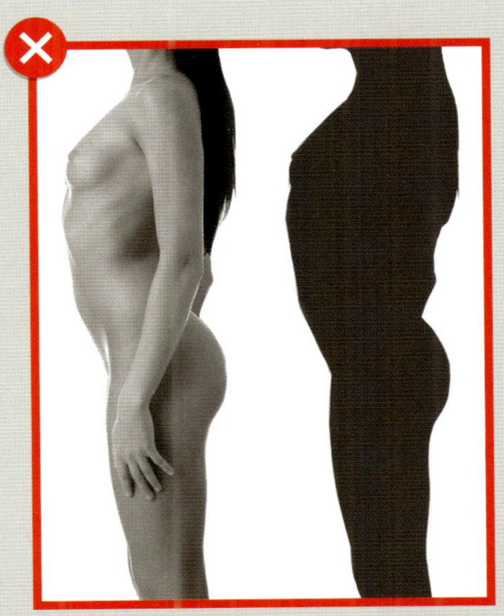

人体の重要な要素は、十分離れた所から見ても識別できる必要がある。シルエットだけで各部位を容易に識別できない場合は構図を見直そう。不明瞭なシルエットはデザインにとって、気づきにくいが命取りになる「サイレントキラー」だ。

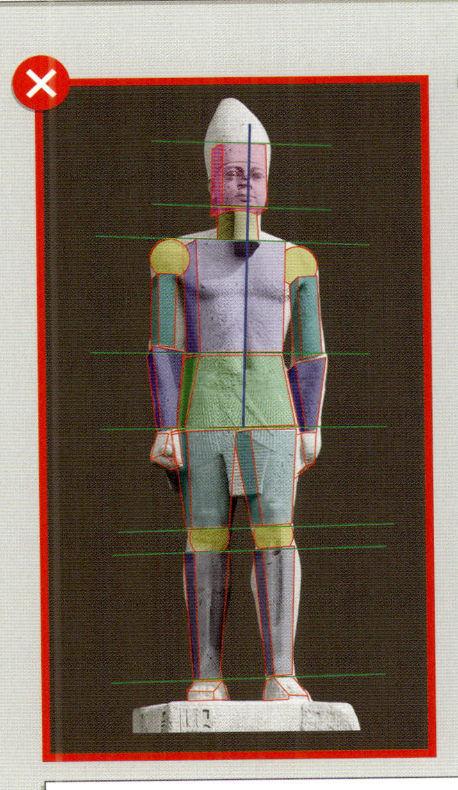

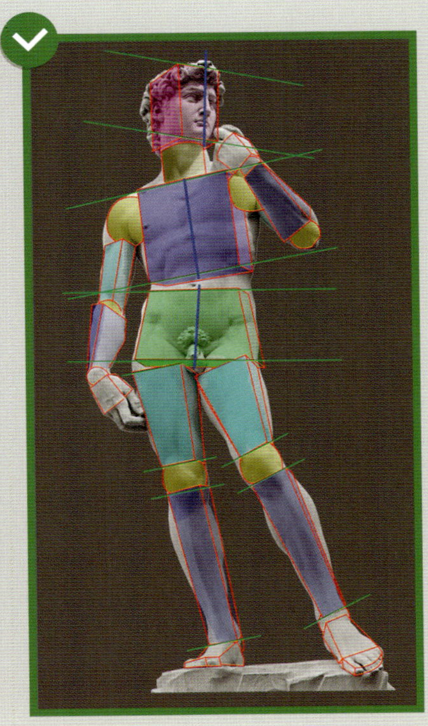

左右対称もサイレントキラーだ。左右対称の人体は精彩を欠き、退屈に見える(ただし、歴史的な観点では左右対称と人体のサイズには別の意味合いがあった)。

コントラポスト

「コントラポスト」とは、腰と脚が肩と頭とは違う方向に曲がり、全身が縦軸上でよじれている姿勢を表す用語だ。体やポーズが、ヘビのように曲がりくねった**S**字を描いている。

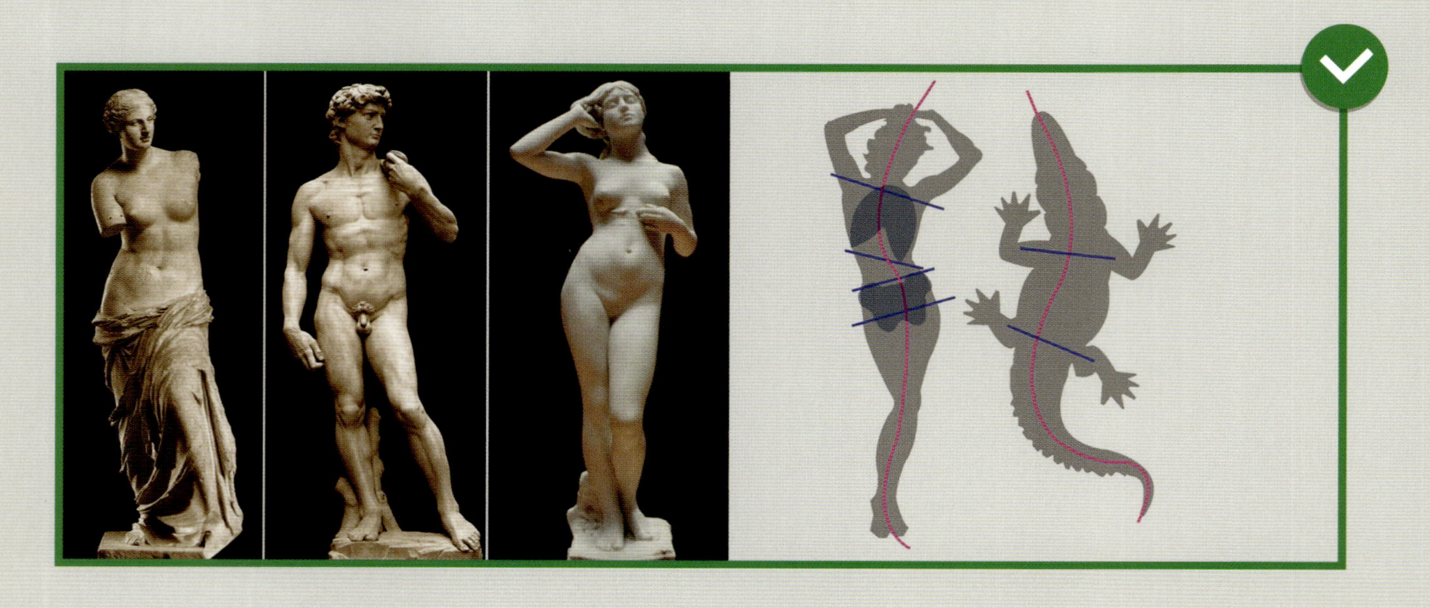

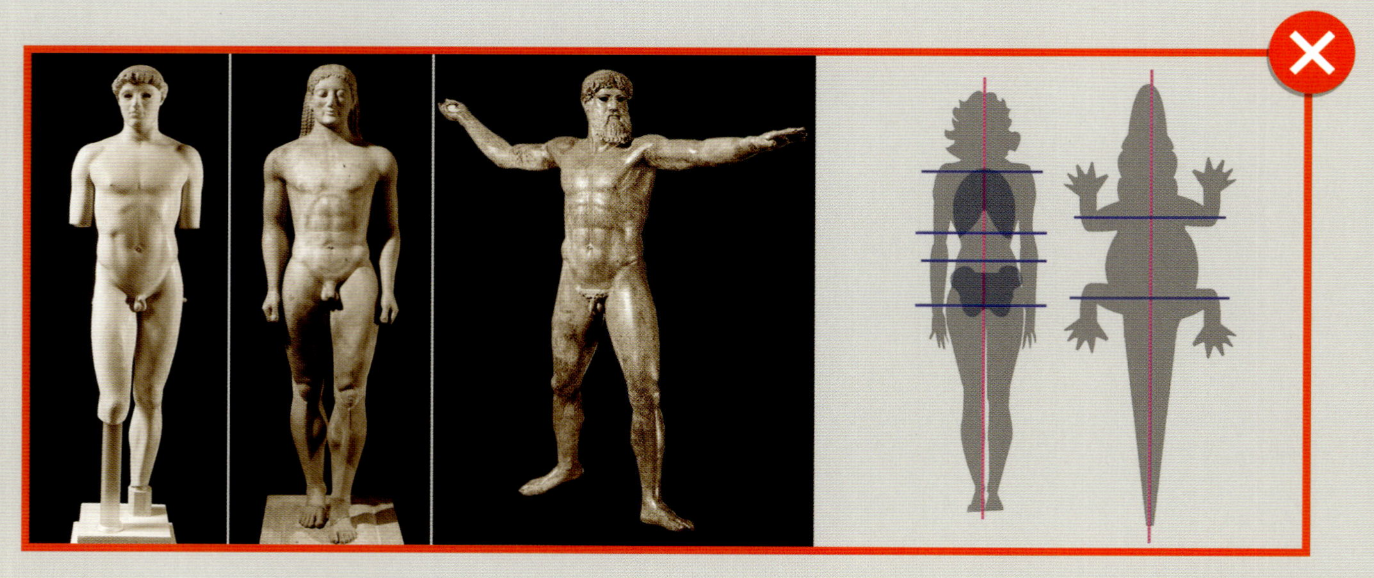

便利なＳ字

想像上のＳ字曲線を引いてそれに従えば、人体の曲線を簡単に構築できる。

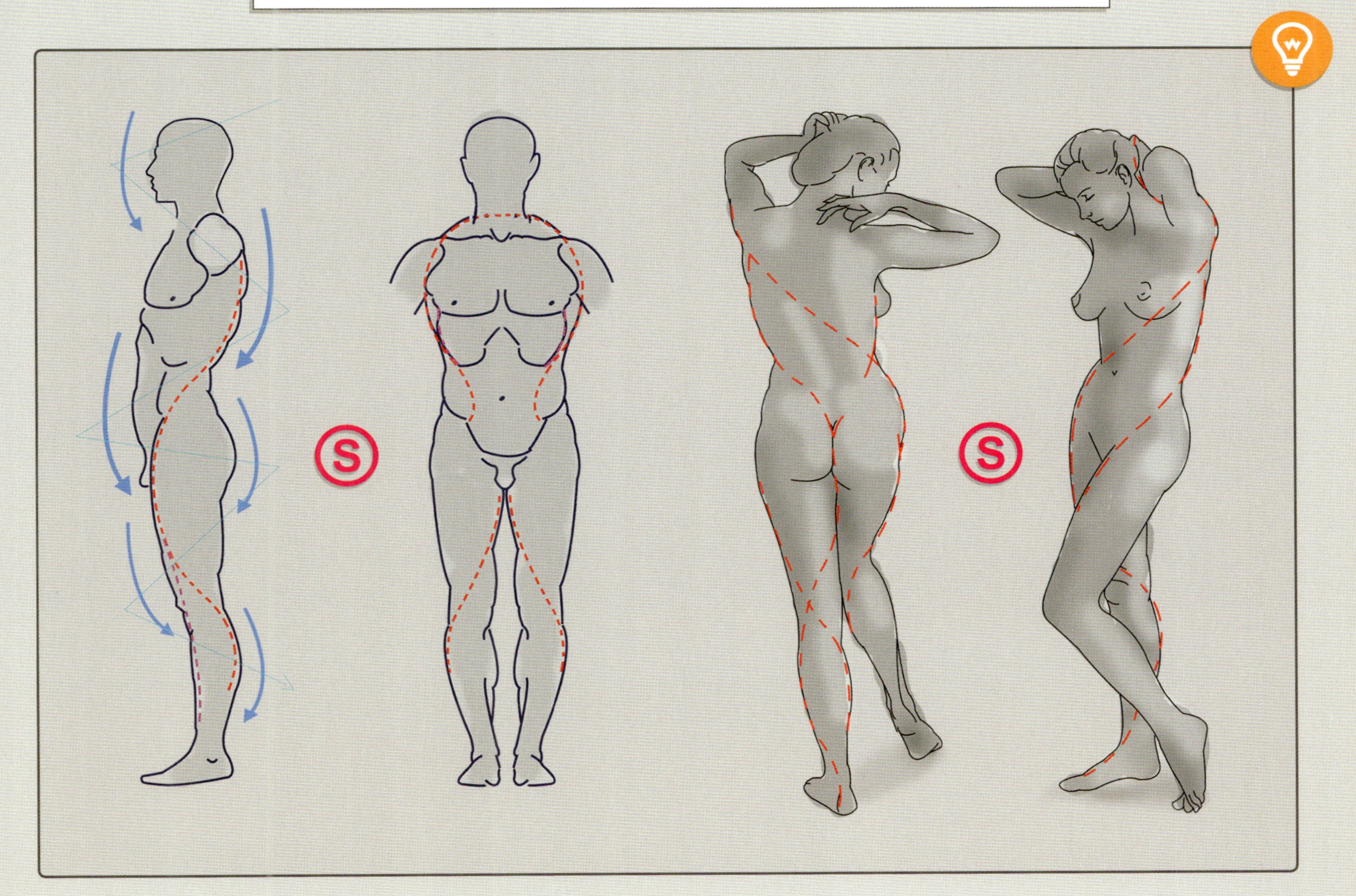
S
S

動くマッスを組み合わせた５つの姿勢

直立する

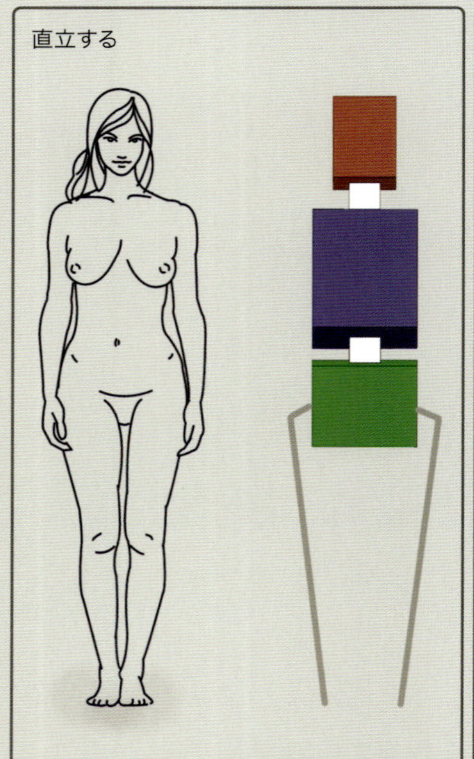

のけぞる

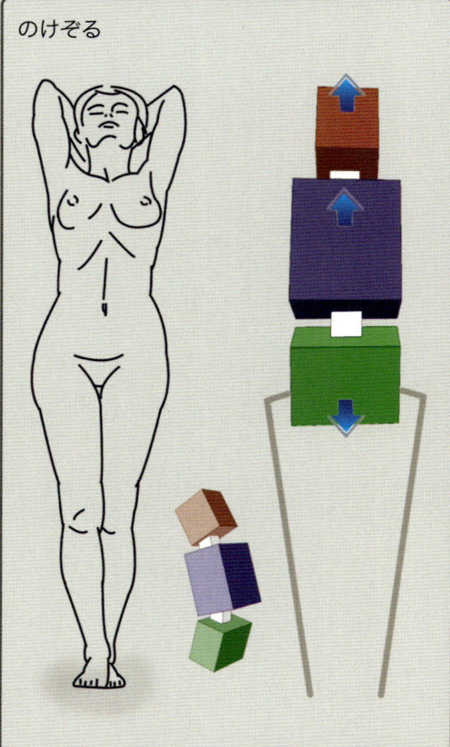

組み合わせる

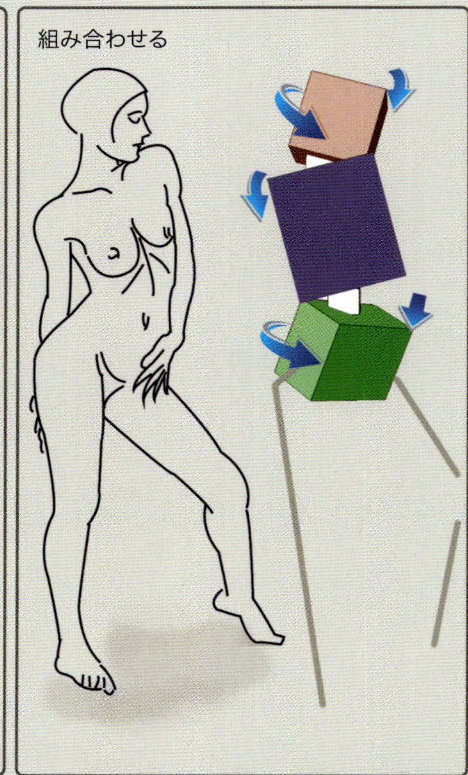

回転する

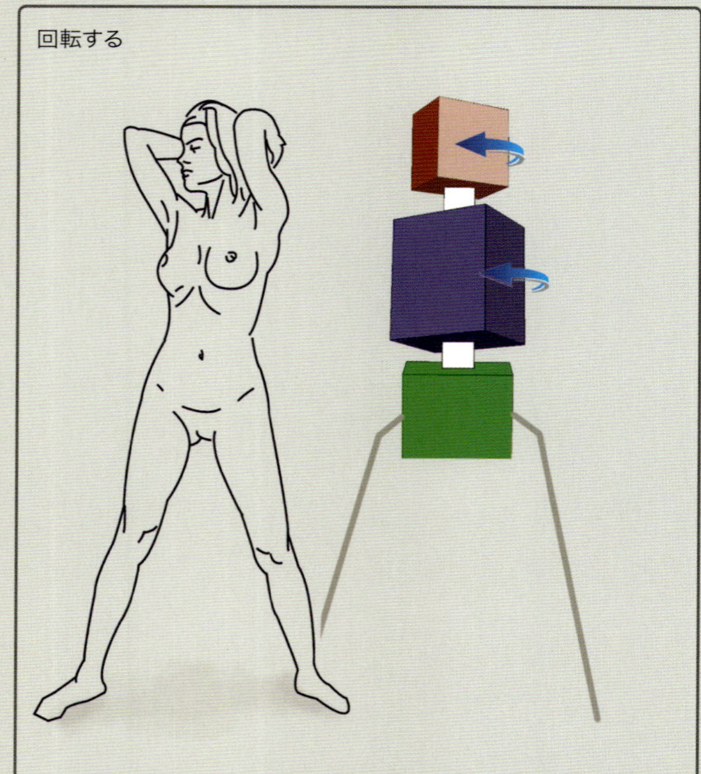

傾ける

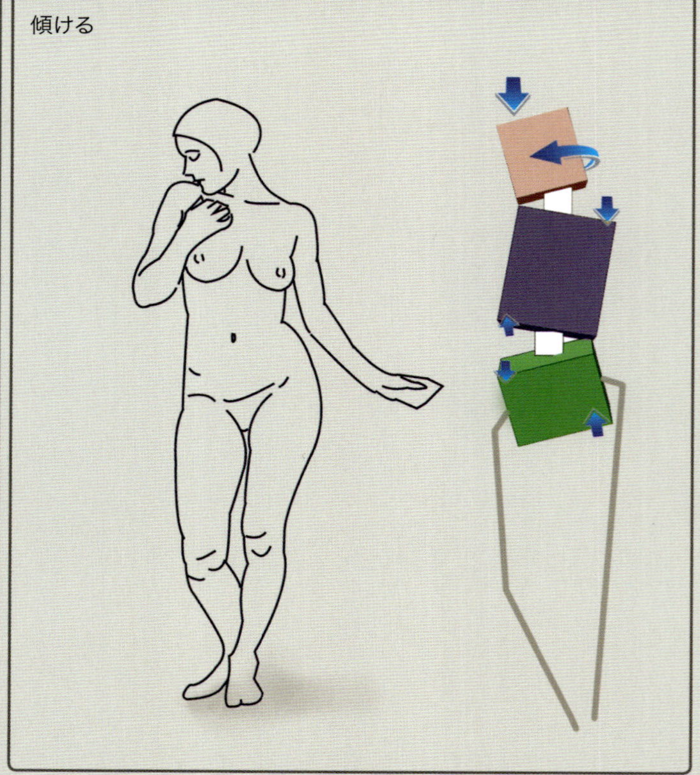

頭部を１ユニットとした動くマッスの比率

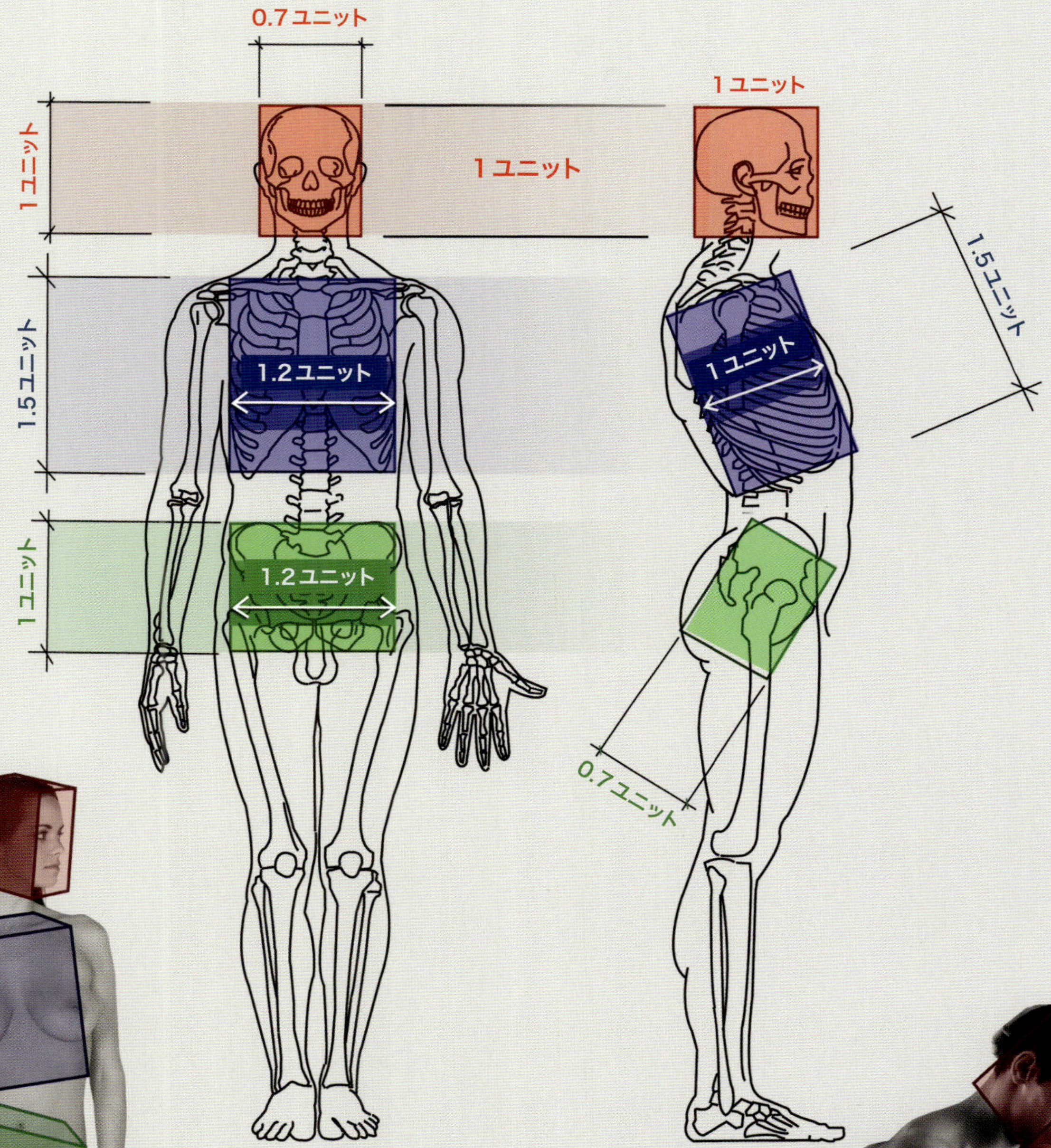

0.7ユニット
1ユニット
1ユニット
1ユニット
1.5ユニット
1.2ユニット
1.5ユニット
1ユニット
1ユニット
1.2ユニット
0.7ユニット

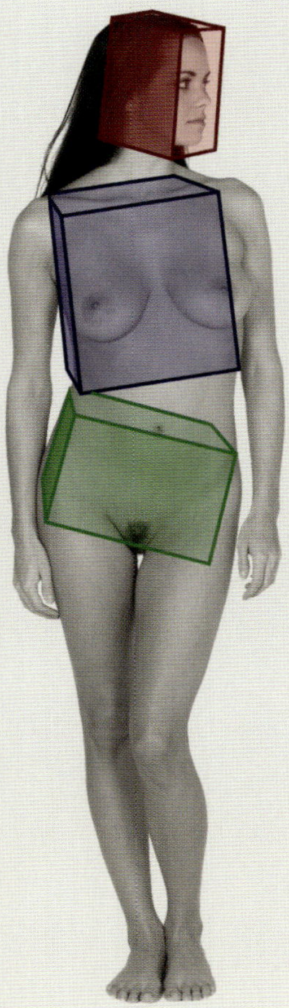

女性の胴体（リアルなものから単純化したものまで）

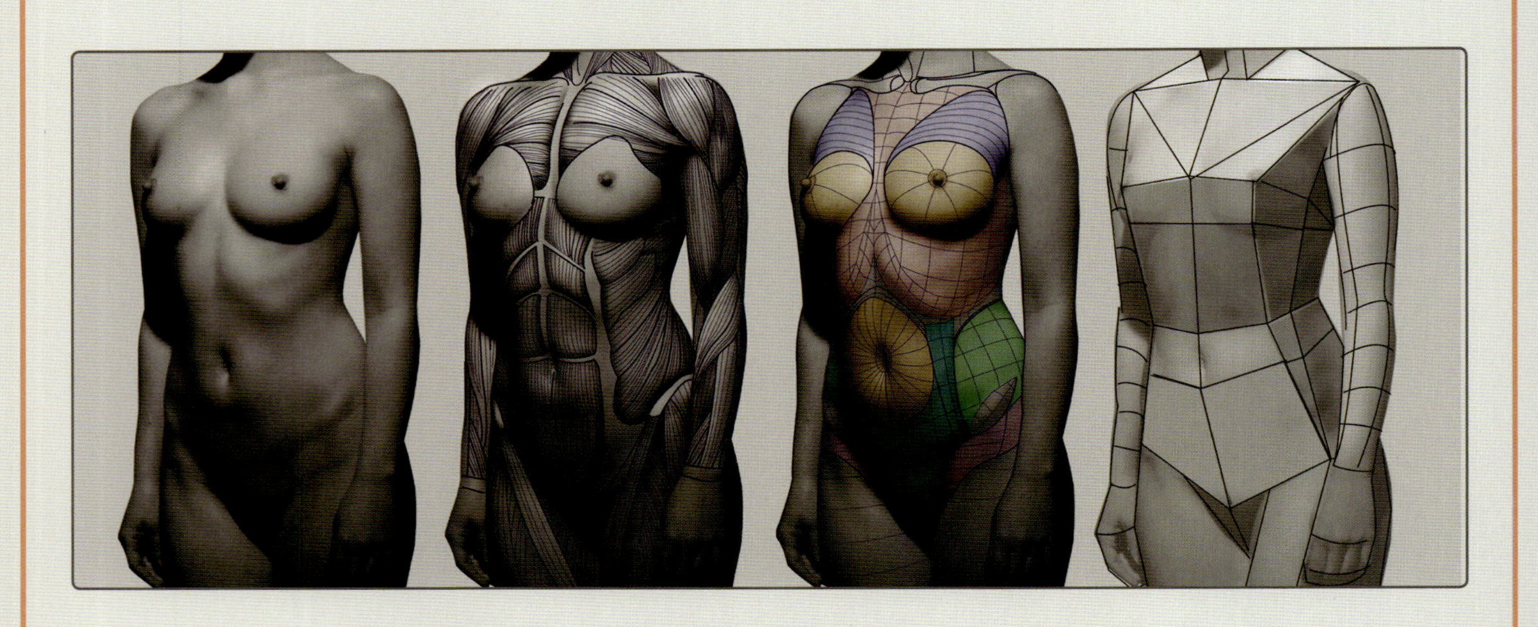

リアル　筋肉　形状　概形

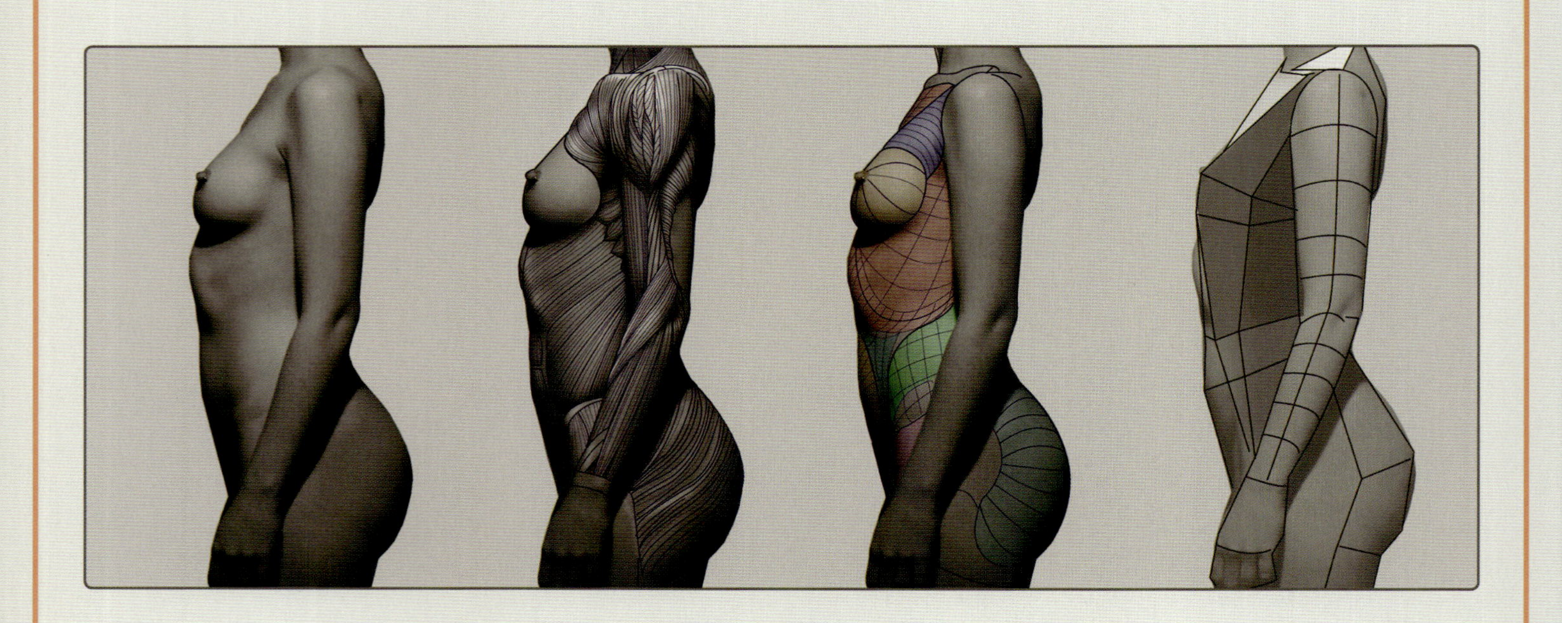

男性の胴体（リアルなものから単純化したものまで）

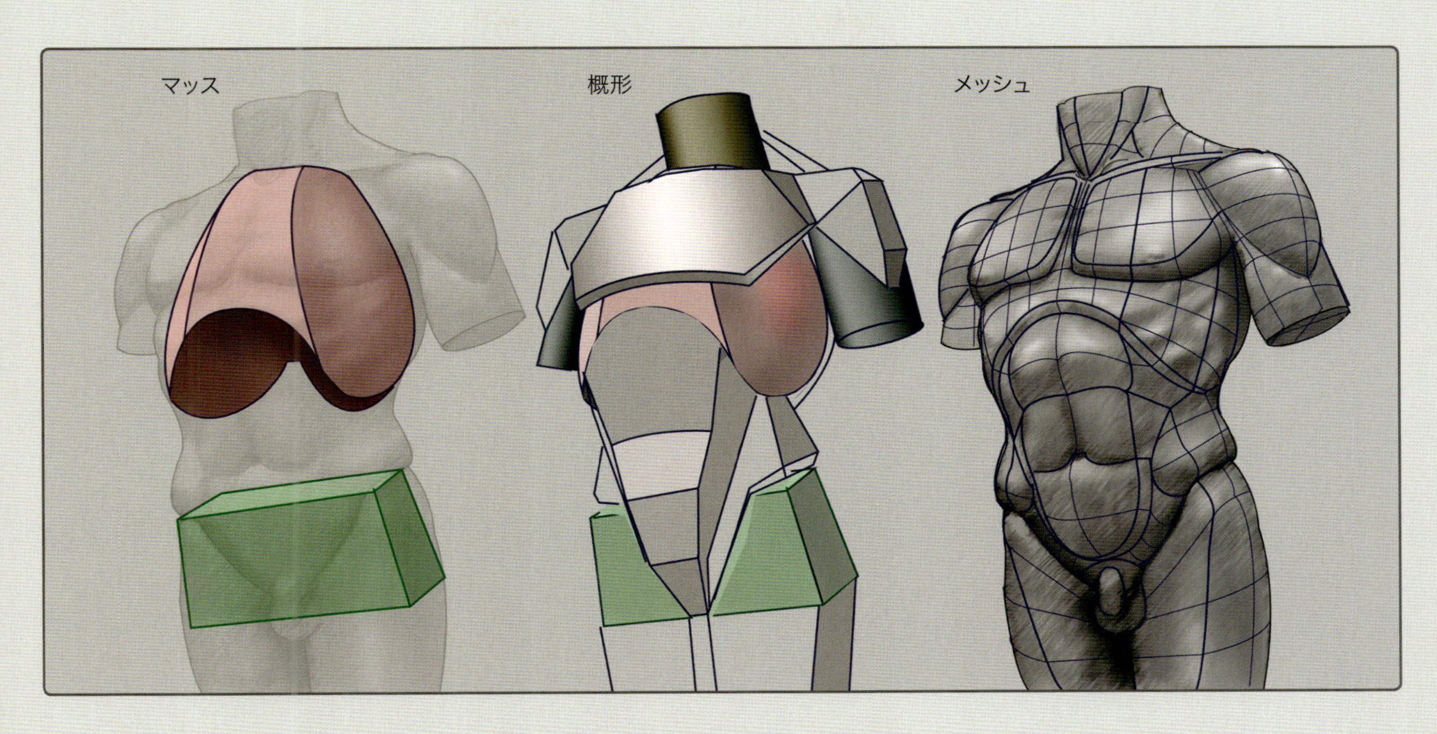
マッス
概形
メッシュ

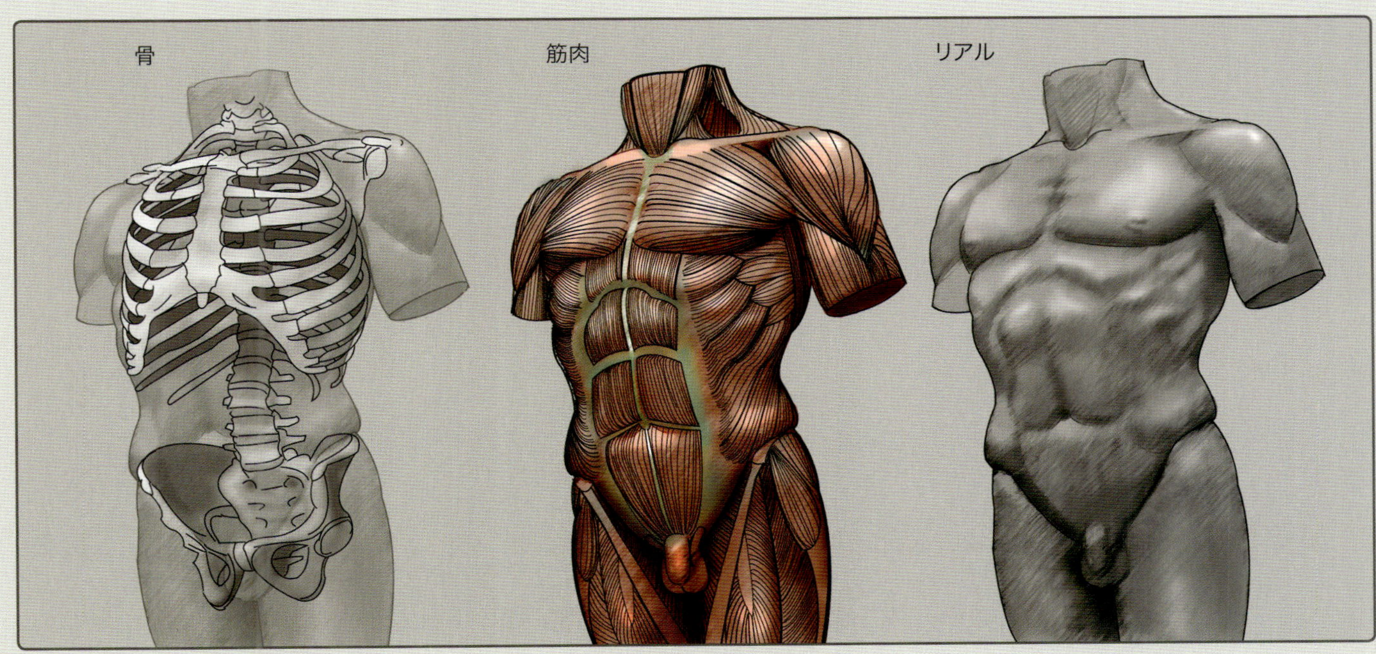
骨
筋肉
リアル

胴体の動くマッスの角度の関係

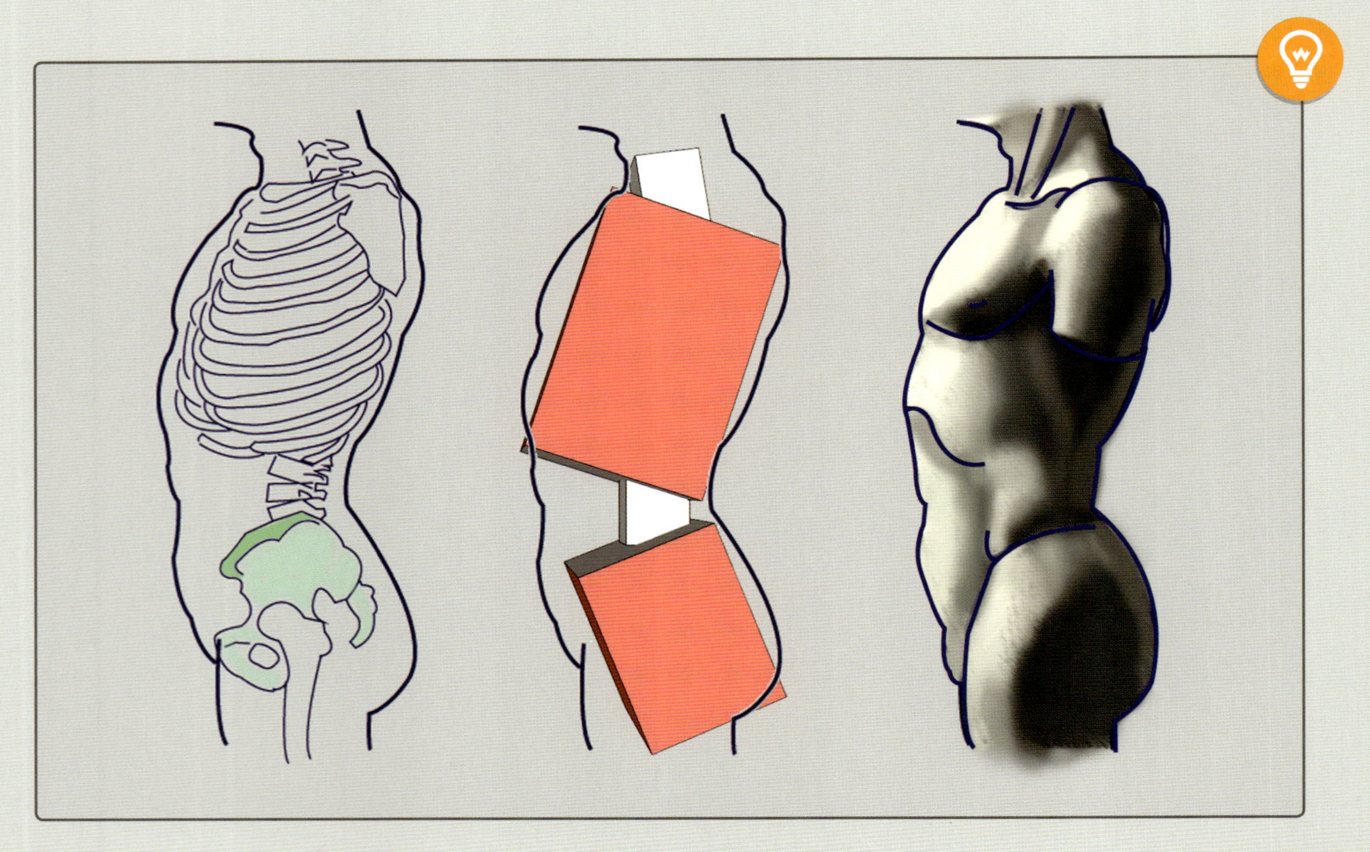

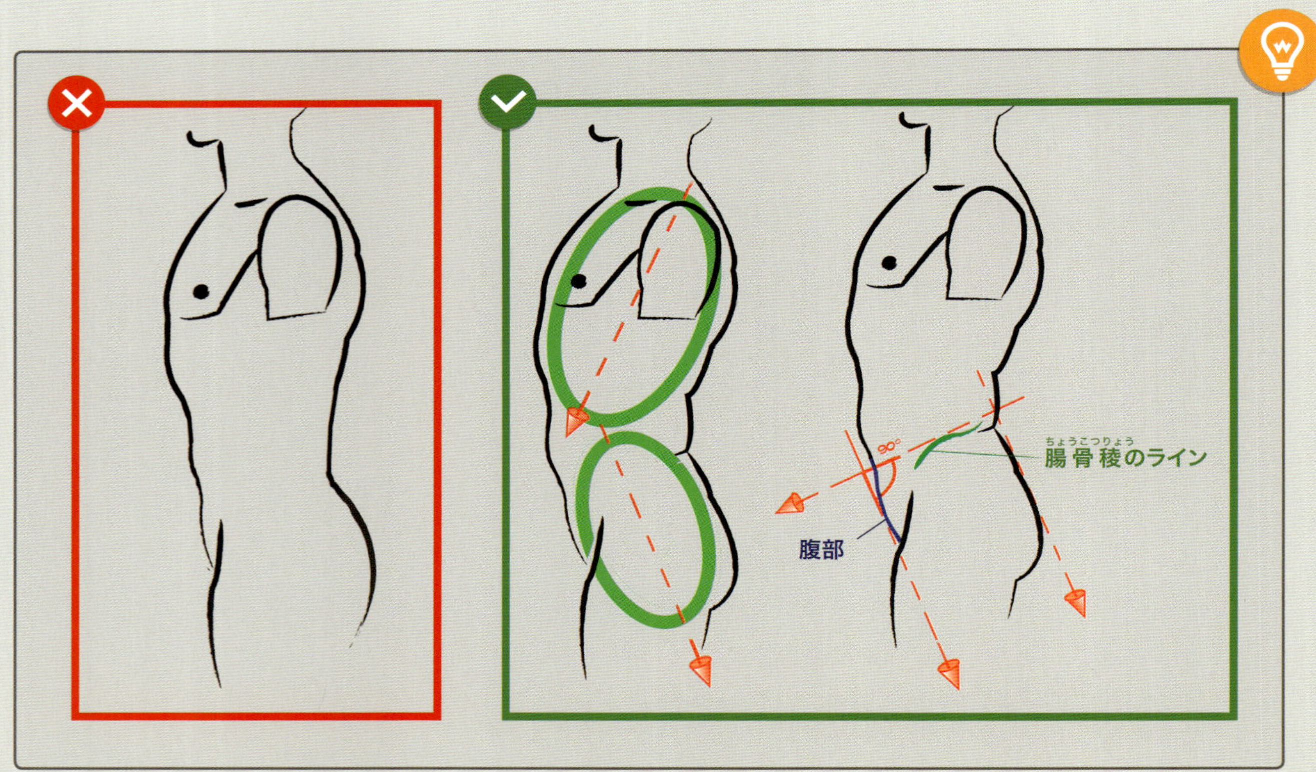
90°
ちょうこつりょう
腸骨稜のライン
腹部

胴体の水平断面

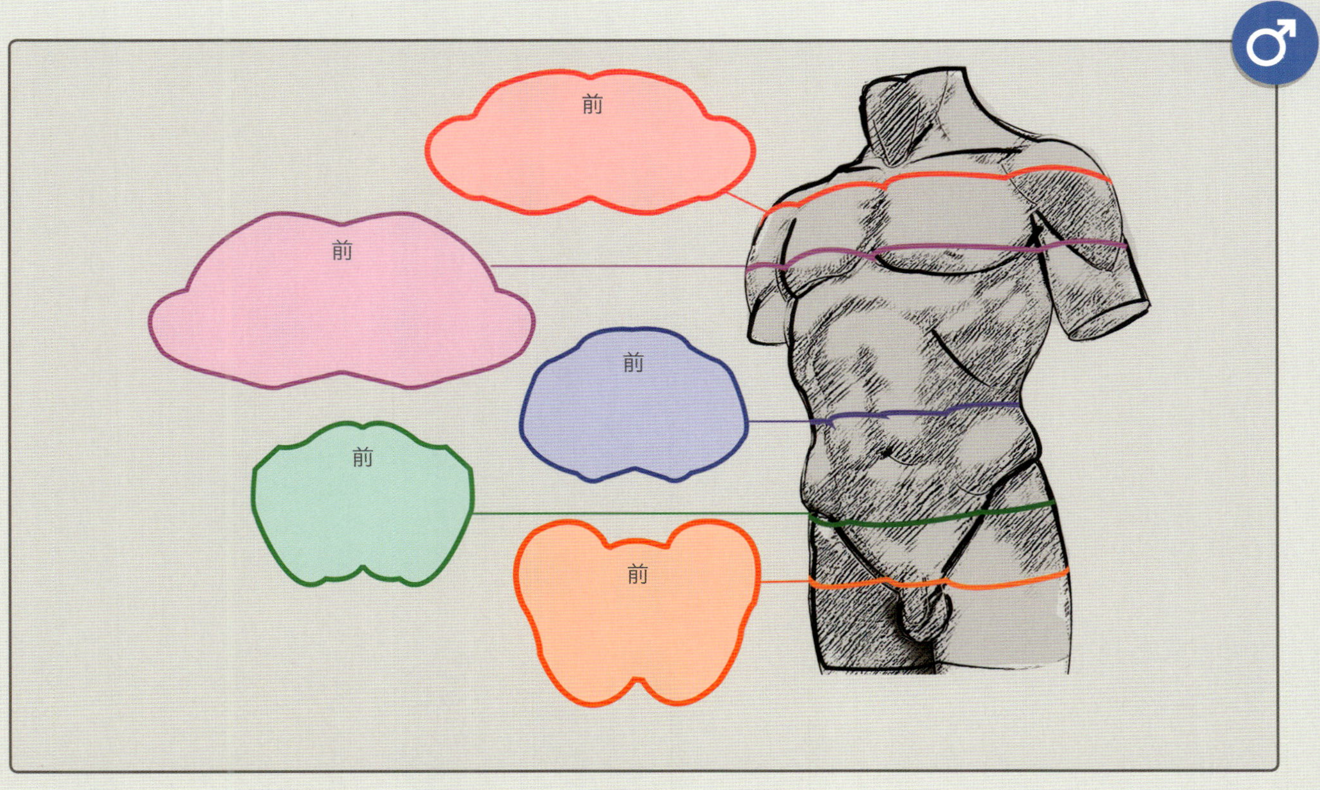
前
前
前
前
前

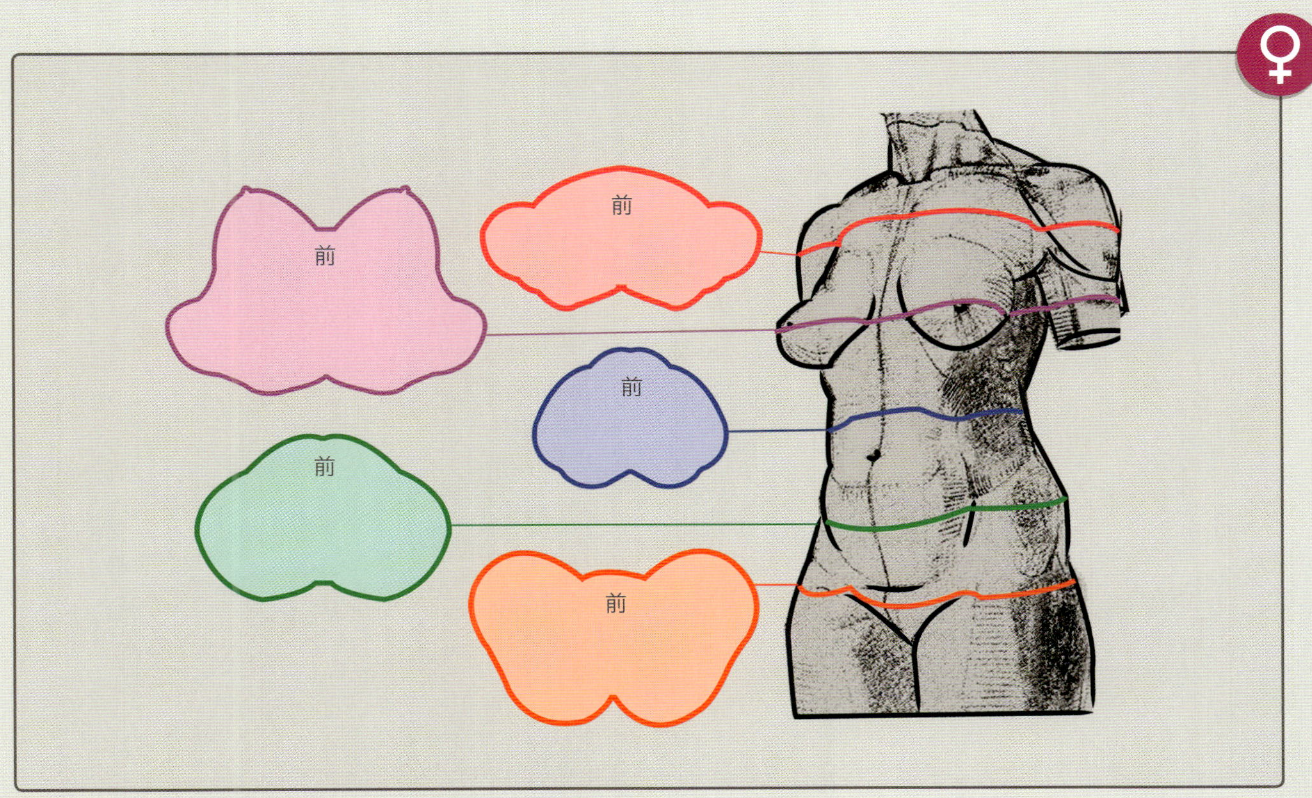
前
前
前
前
前

筋肉模型

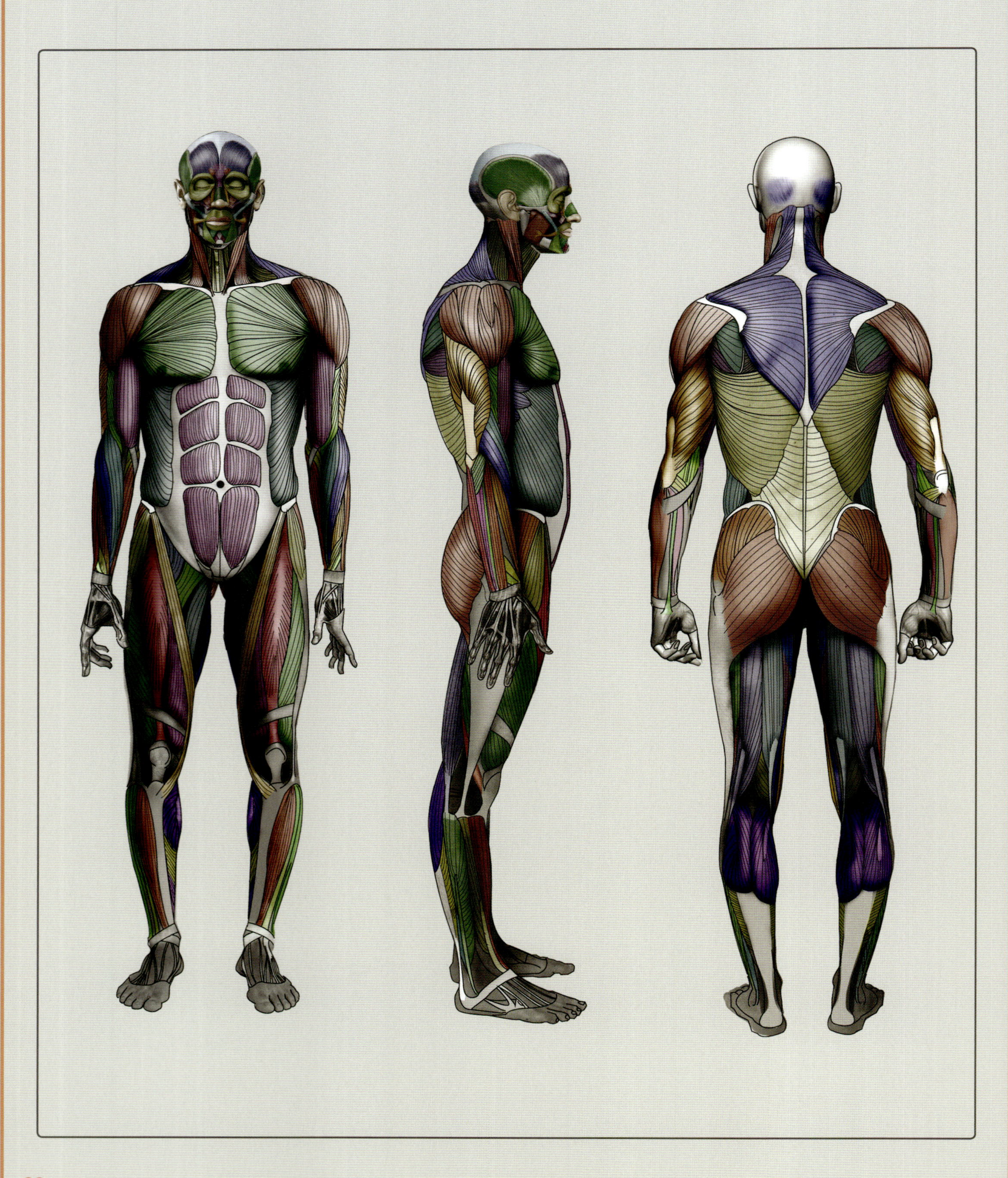

男性の身体

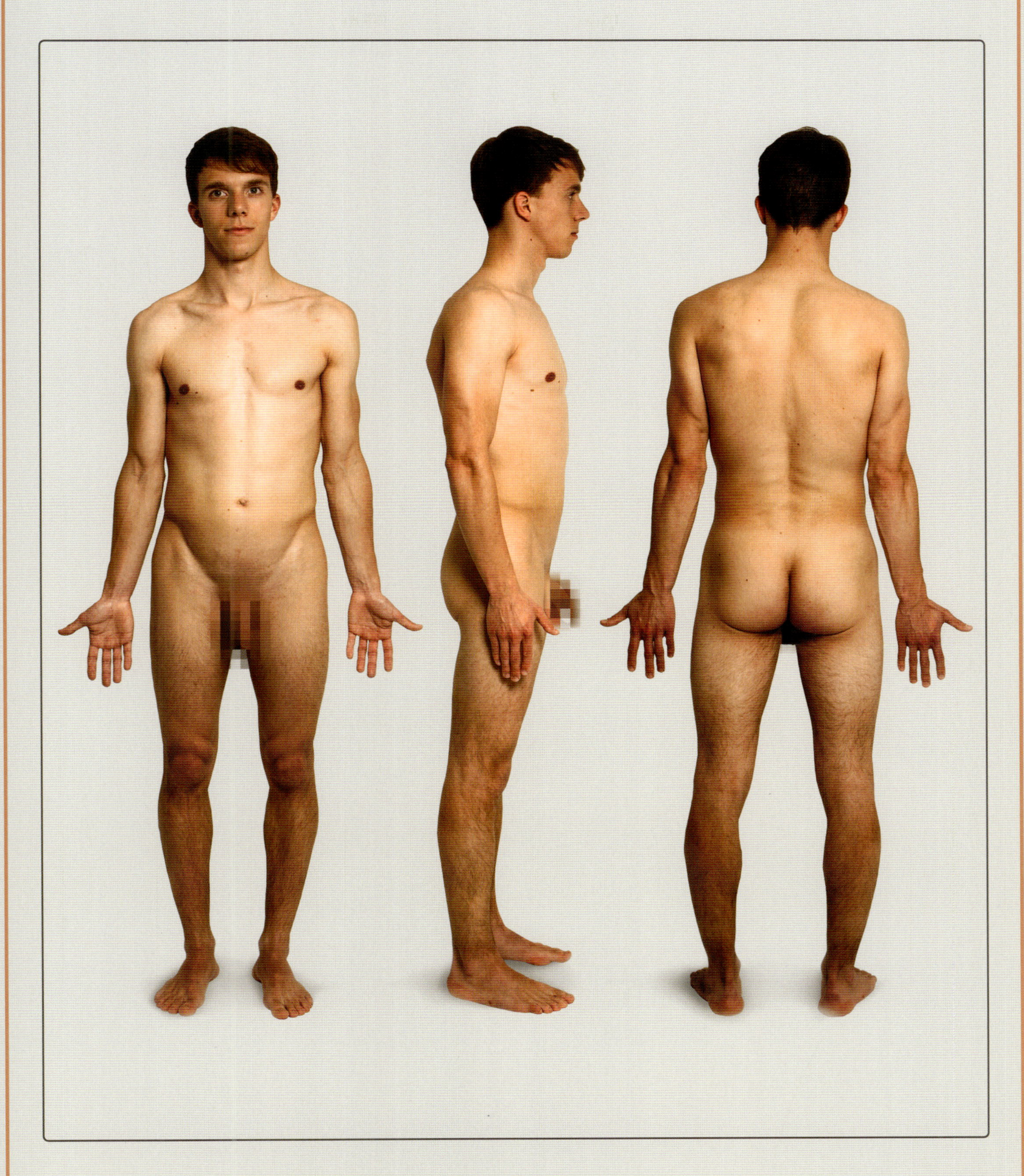

胴体前面の主な筋肉と骨とランドマーク

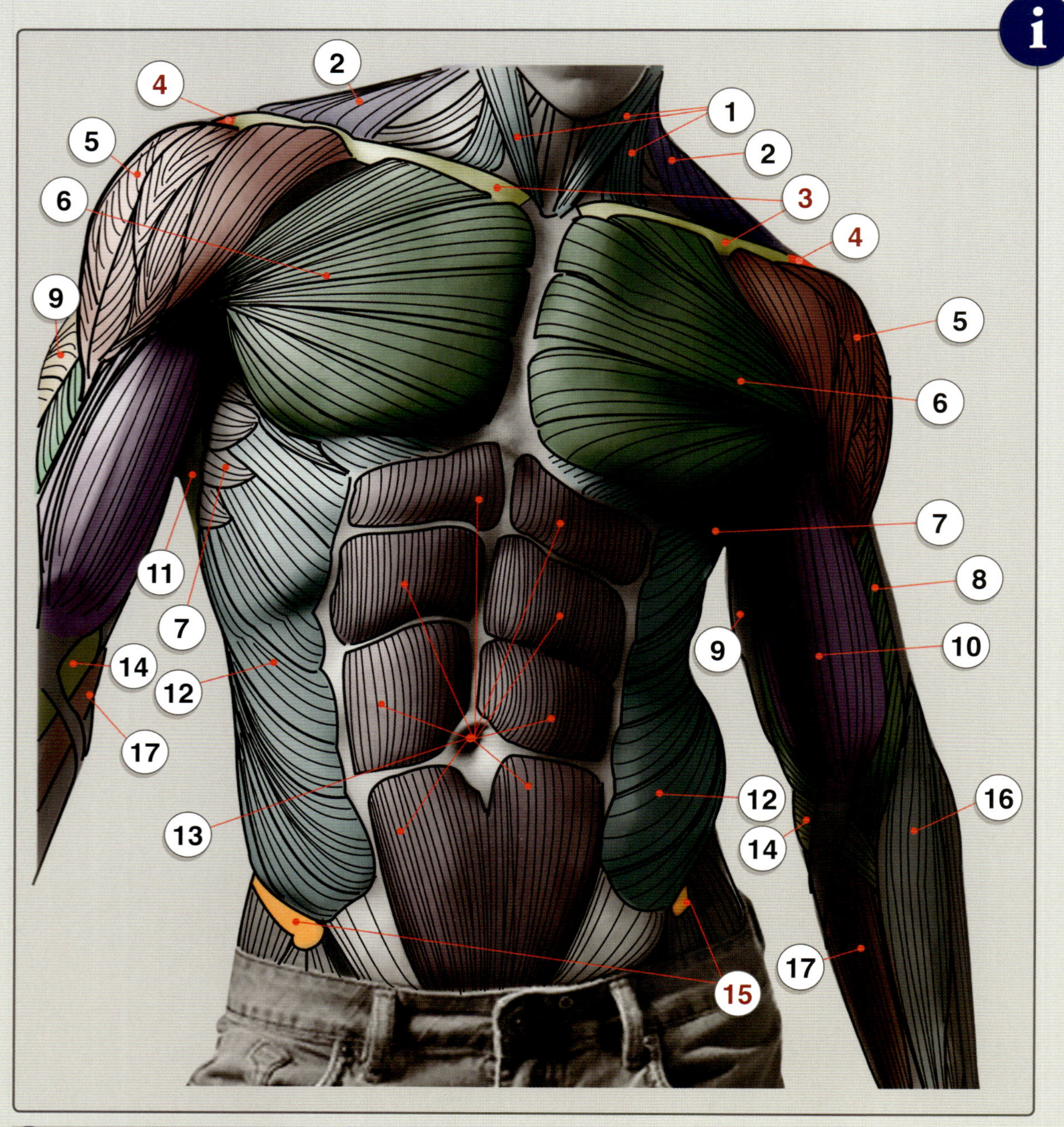

1. 胸鎖乳突筋
2. 僧帽筋
3. 鎖骨
4. 肩甲骨
5. 三角筋
6. 大胸筋
7. 前鋸筋
8. 上腕筋
9. 上腕三頭筋
10. 上腕二頭筋
11. 広背筋
12. 外腹斜筋
13. 腹直筋
14. 円回内筋
15. 上前腸骨棘
16. 腕橈骨筋
17. 橈側手根屈筋

胴体背面の主要な筋肉と骨とランドマーク

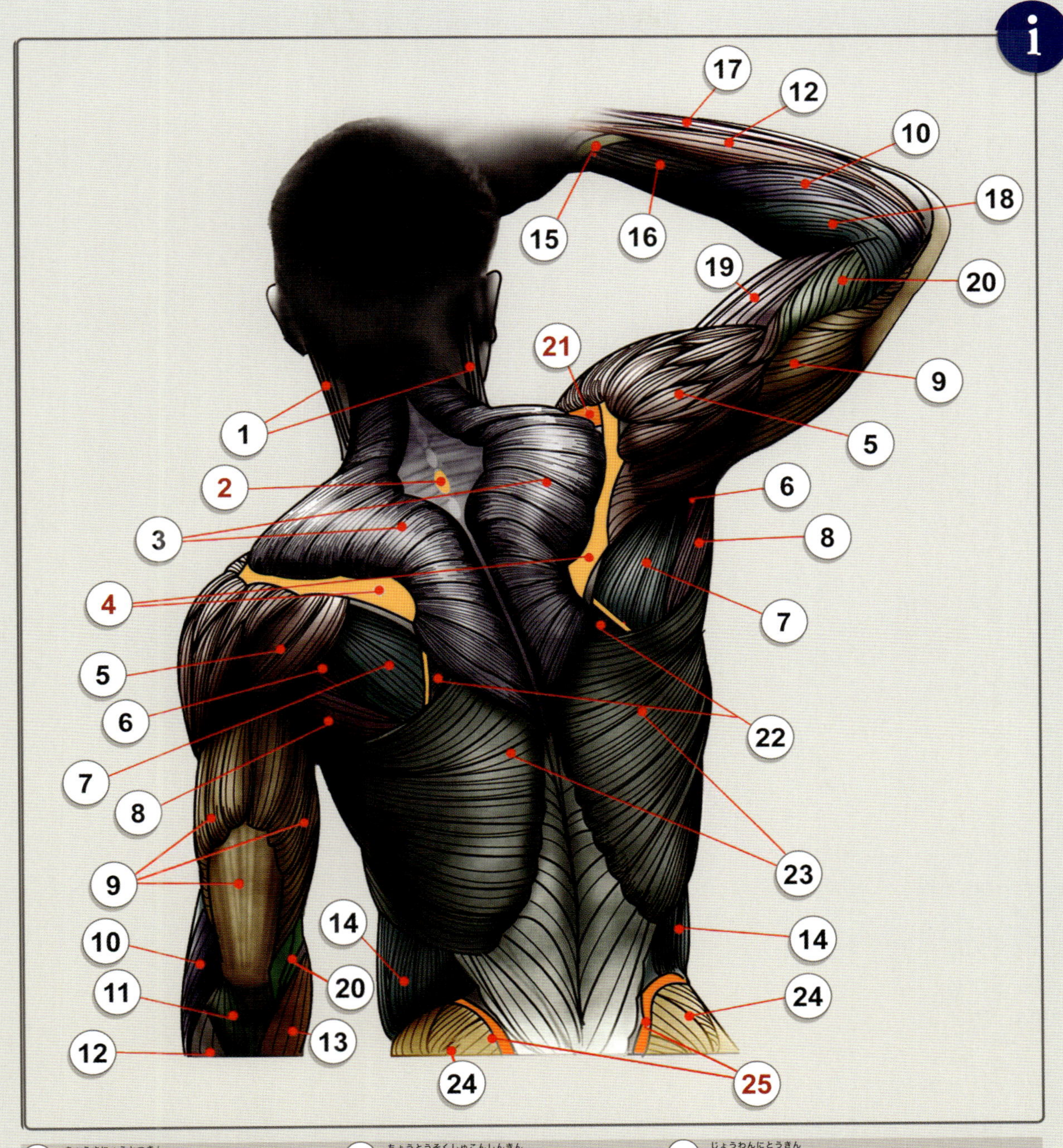

1. 胸鎖乳突筋
2. 第七頸椎
3. 僧帽筋
4. 肩甲棘
5. 三角筋
6. 小円筋
7. 棘下筋
8. 大円筋
9. 上腕三頭筋
10. 長橈側手根伸筋
11. 肘筋
12. 総指伸筋
13. 尺側手根屈筋
14. 外腹斜筋
15. 長母指外転筋
16. 短橈側手根伸筋
17. 尺側手根伸筋
18. 腕橈骨筋
19. 上腕二頭筋
20. 上腕筋
21. 鎖骨
22. 大菱形筋
23. 広背筋
24. 大臀筋
25. 上後腸骨棘

腹筋

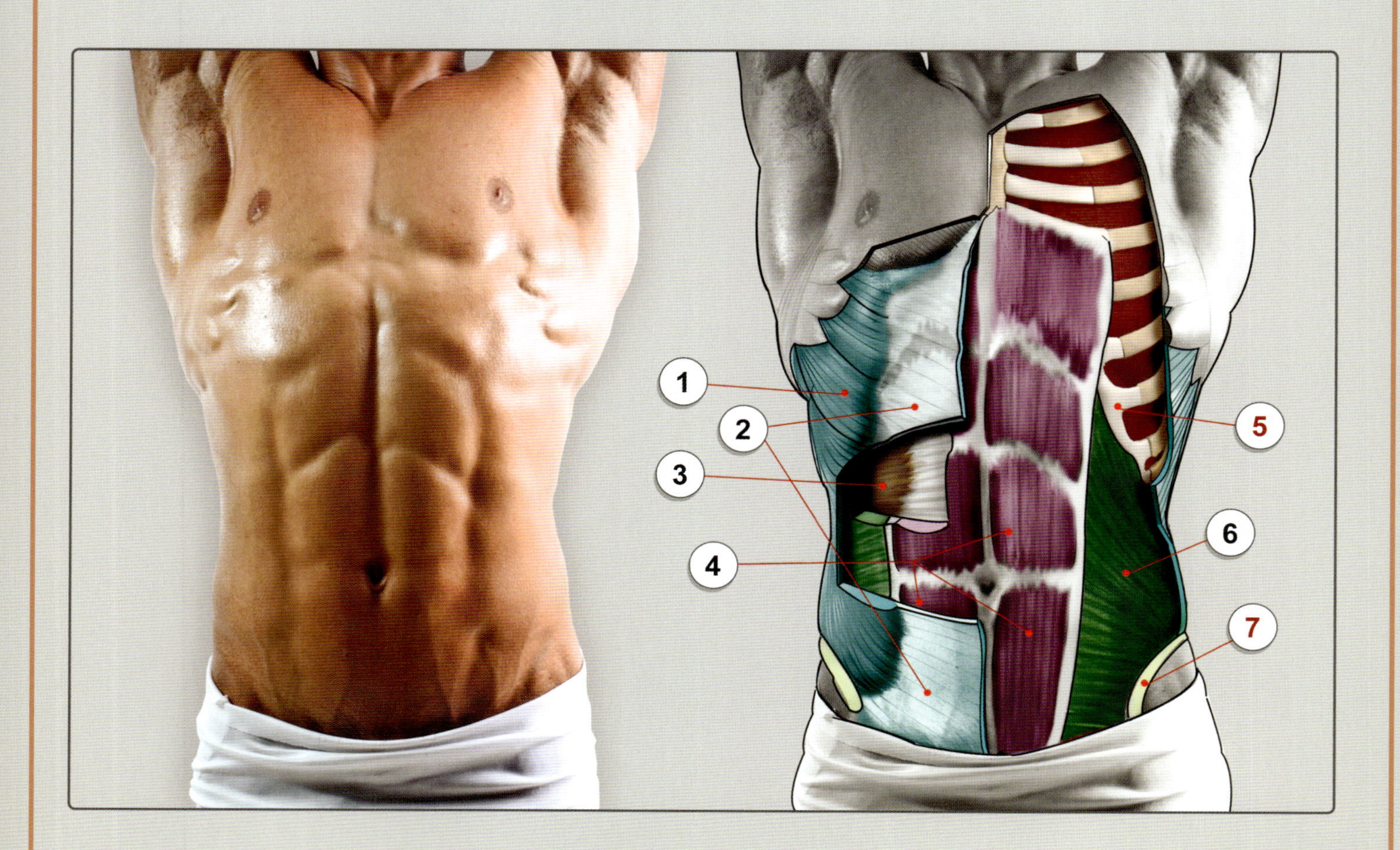
1
2
3
4
5
6
7

1. **外腹斜筋**：腹部の側面と前面に位置する
2. **外腹斜筋腱膜**：**外腹斜筋**の平らに広がった腱の部分
3. **腹横筋**：**腹斜筋**の下に位置し、腹筋の中で一番深いところにある筋肉。脊椎を包み込んで保護し、安定させている
4. **腹直筋**：腹部の前面に位置し、俗に**「腹筋」**や**「シックスパック」**と呼ばれる、最もよく知られた腹筋
5. **胸郭**
6. **内腹斜筋**：**外腹斜筋**の下に位置し、逆方向に伸びている
7. **腸骨翼**：一般に**「腰骨」**と呼ばれる部分（腸骨稜）

「シックスパック」は本当は「エイトパック」?

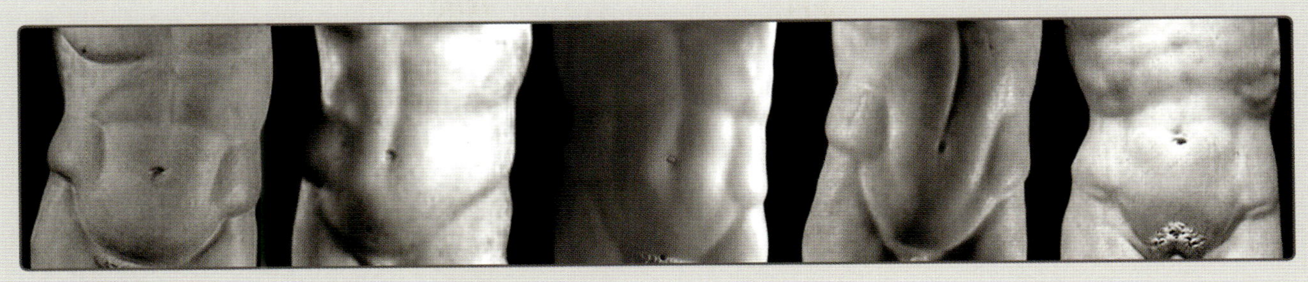

古典彫刻

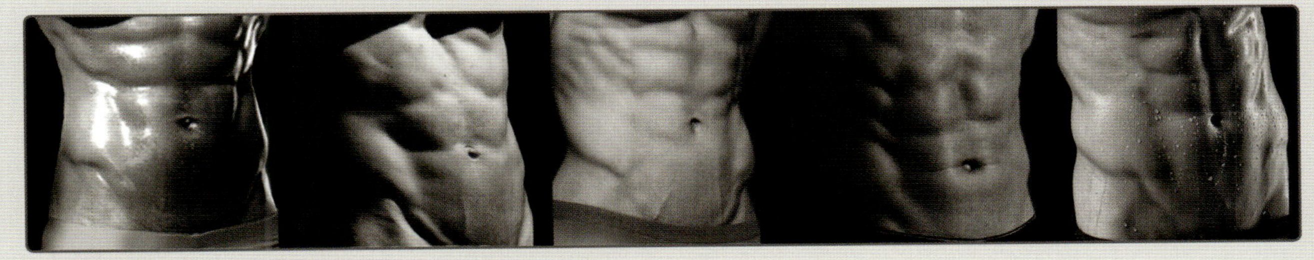

鍛えた腹筋

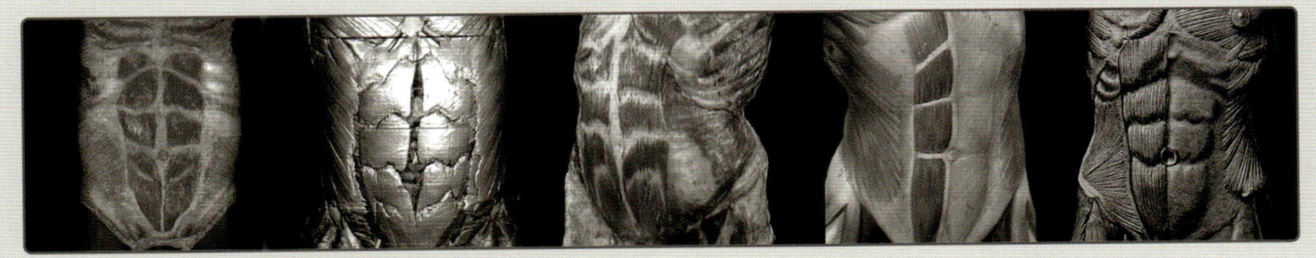

皮膚のない状態

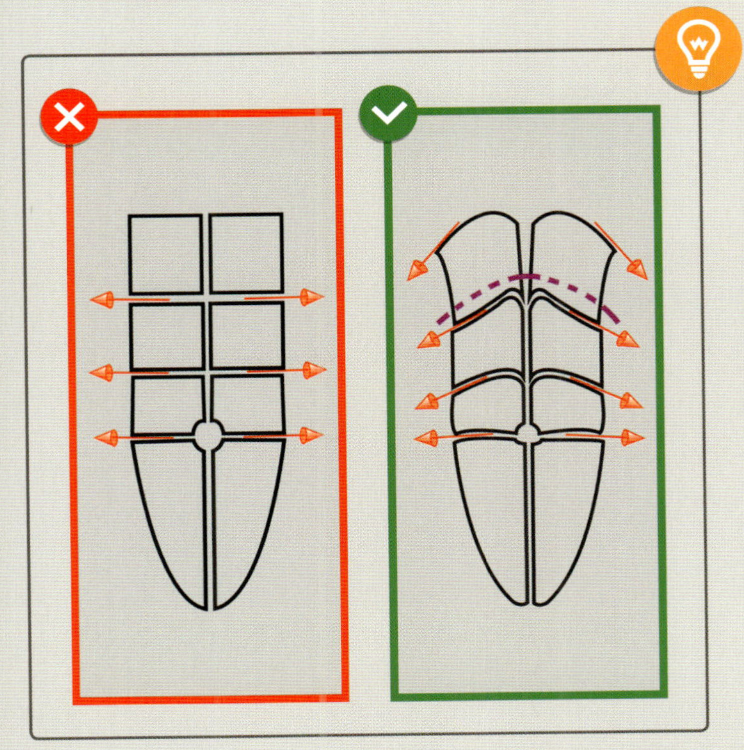

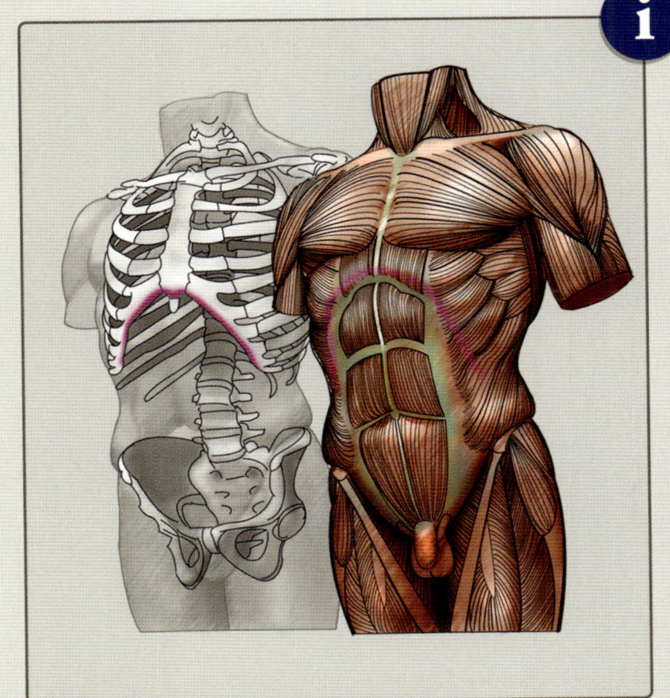

胴体前面の最も重要な筋肉

（層ごとに説明）

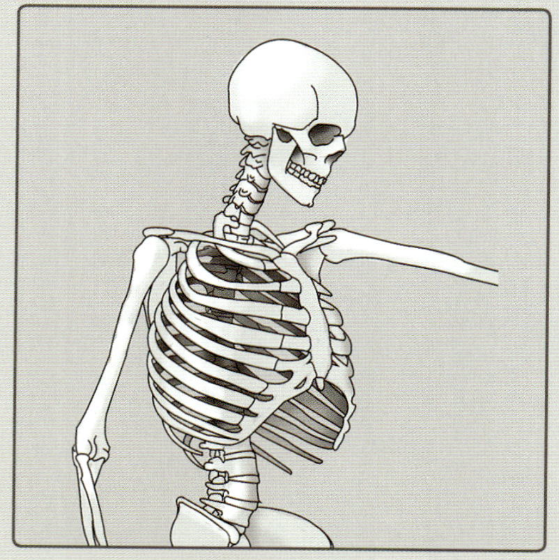

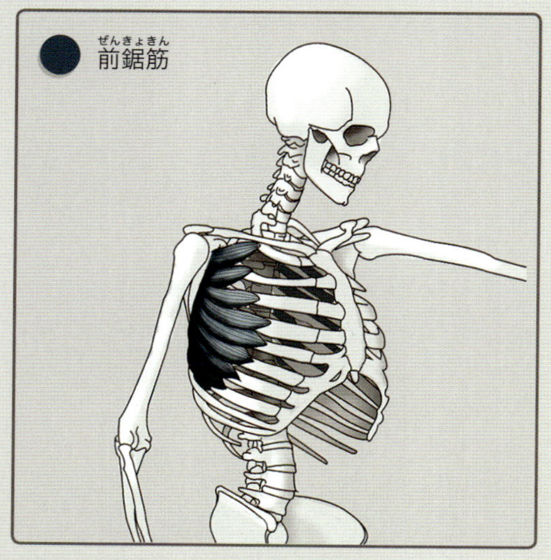
前鋸筋

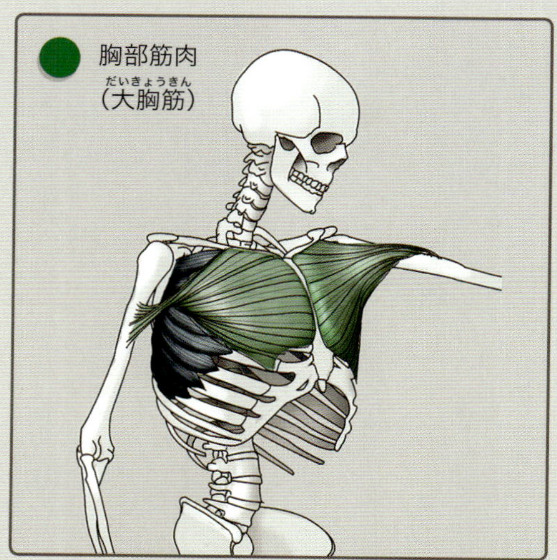
胸部筋肉
（大胸筋）

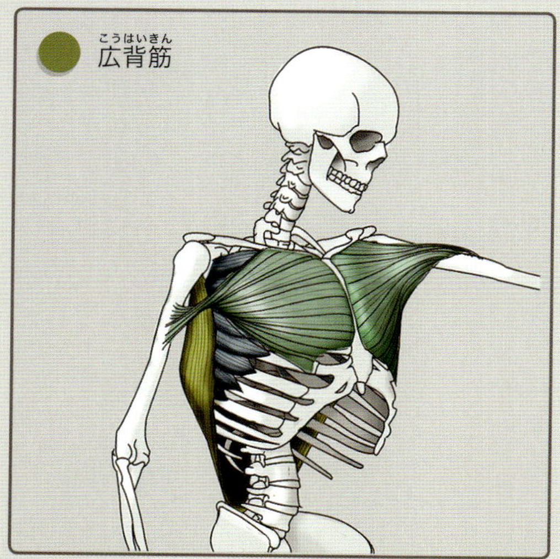
広背筋

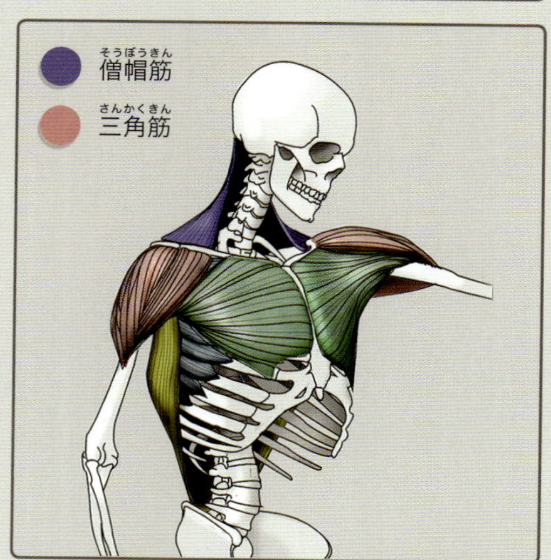
僧帽筋
三角筋

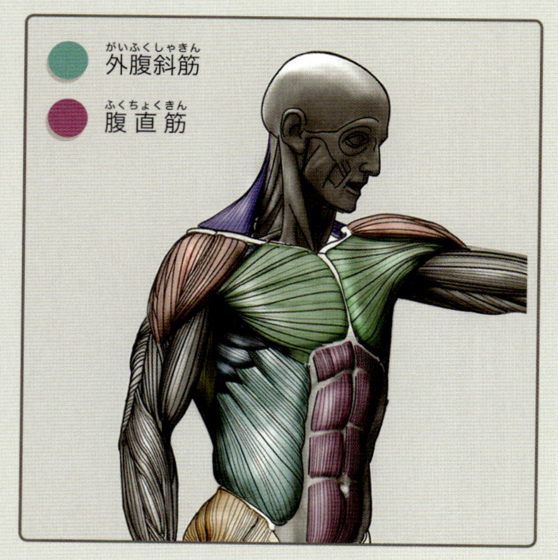
外腹斜筋
腹 直 筋

最も重要な背中の筋肉

（層ごとに説明）

i

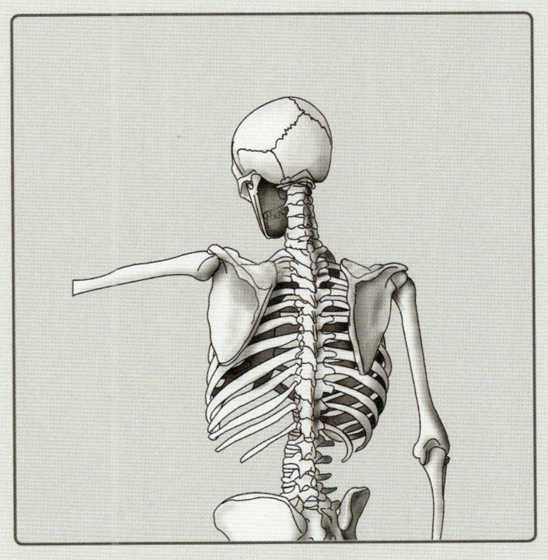

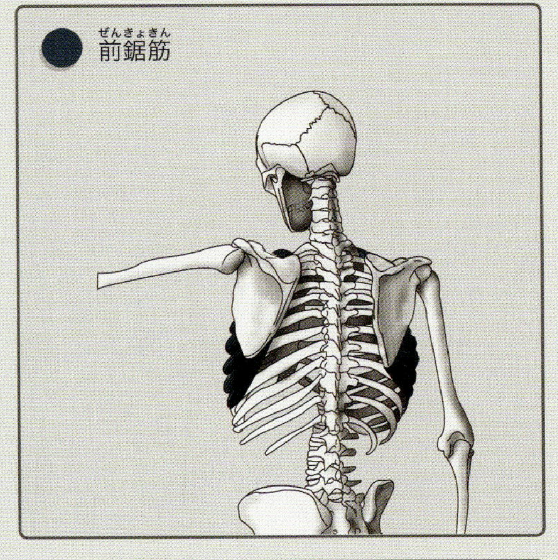
前鋸筋

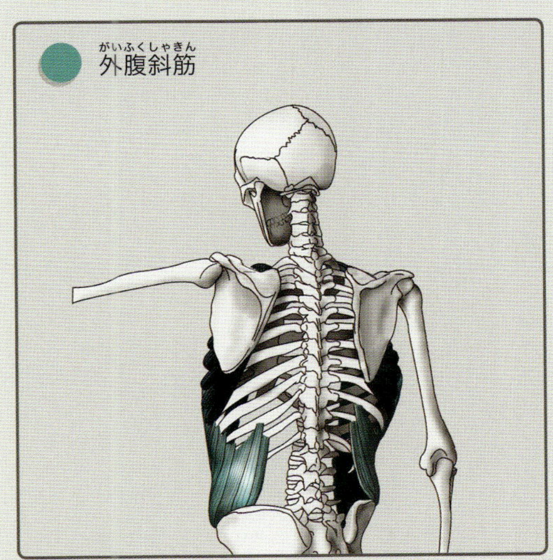
外腹斜筋

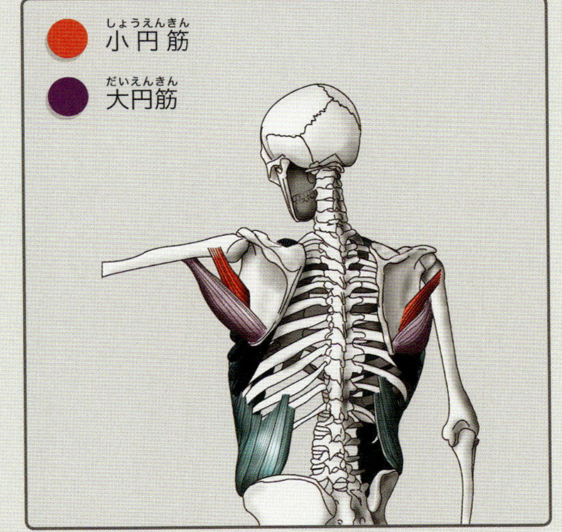
小円筋
大円筋

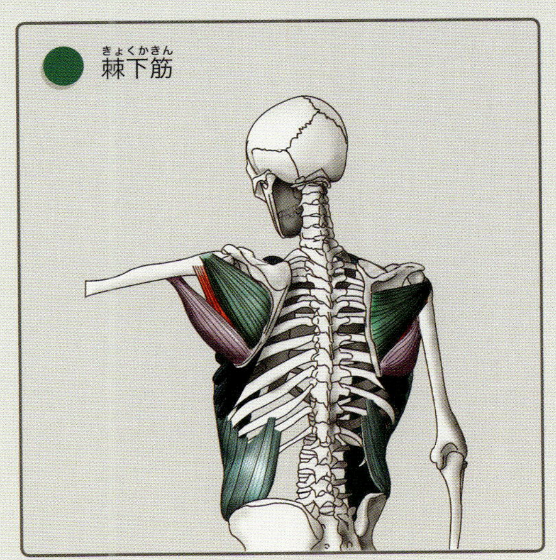
棘下筋

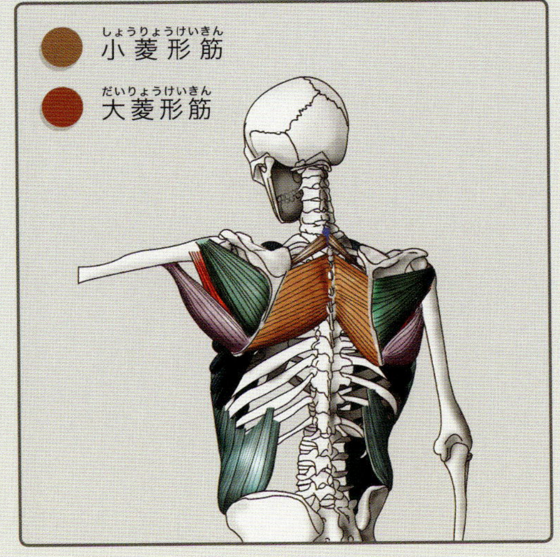
小菱形筋
大菱形筋

背中の最も重要な筋肉

（層ごとに説明）

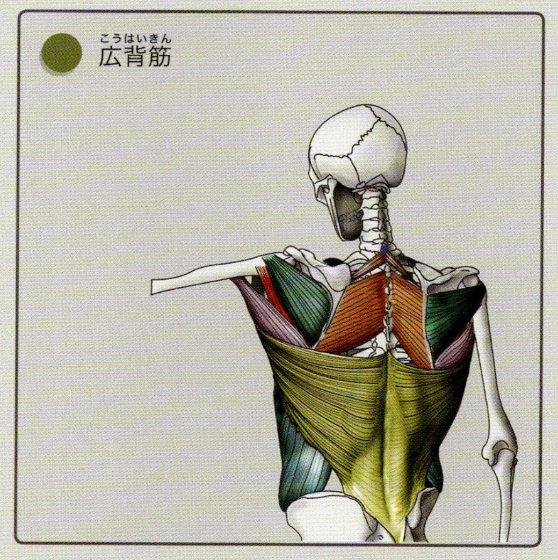
広背筋

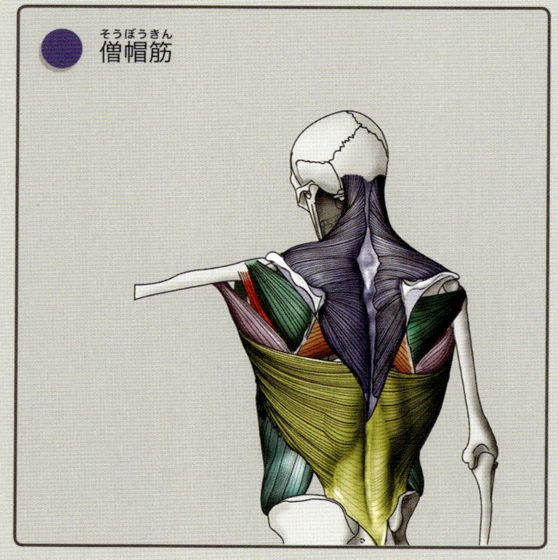
僧帽筋

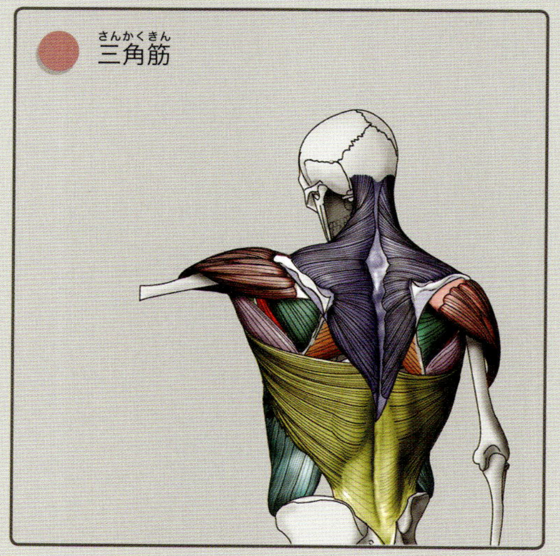
三角筋

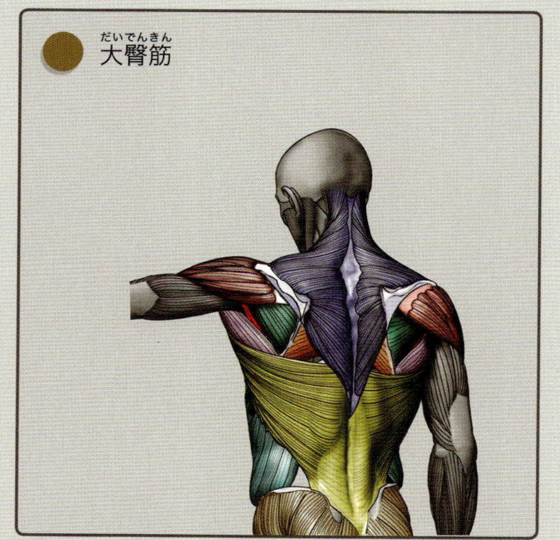
大臀筋

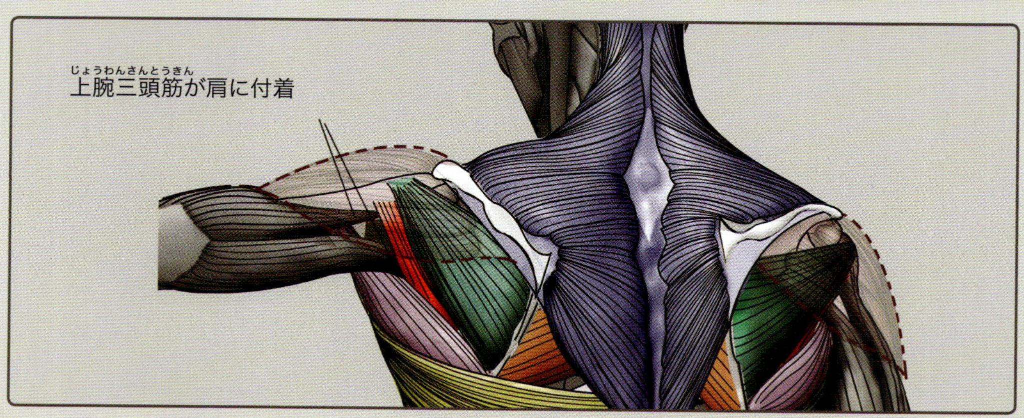
上腕三頭筋が肩に付着

鎖骨（さこつ） – 形状と連結部

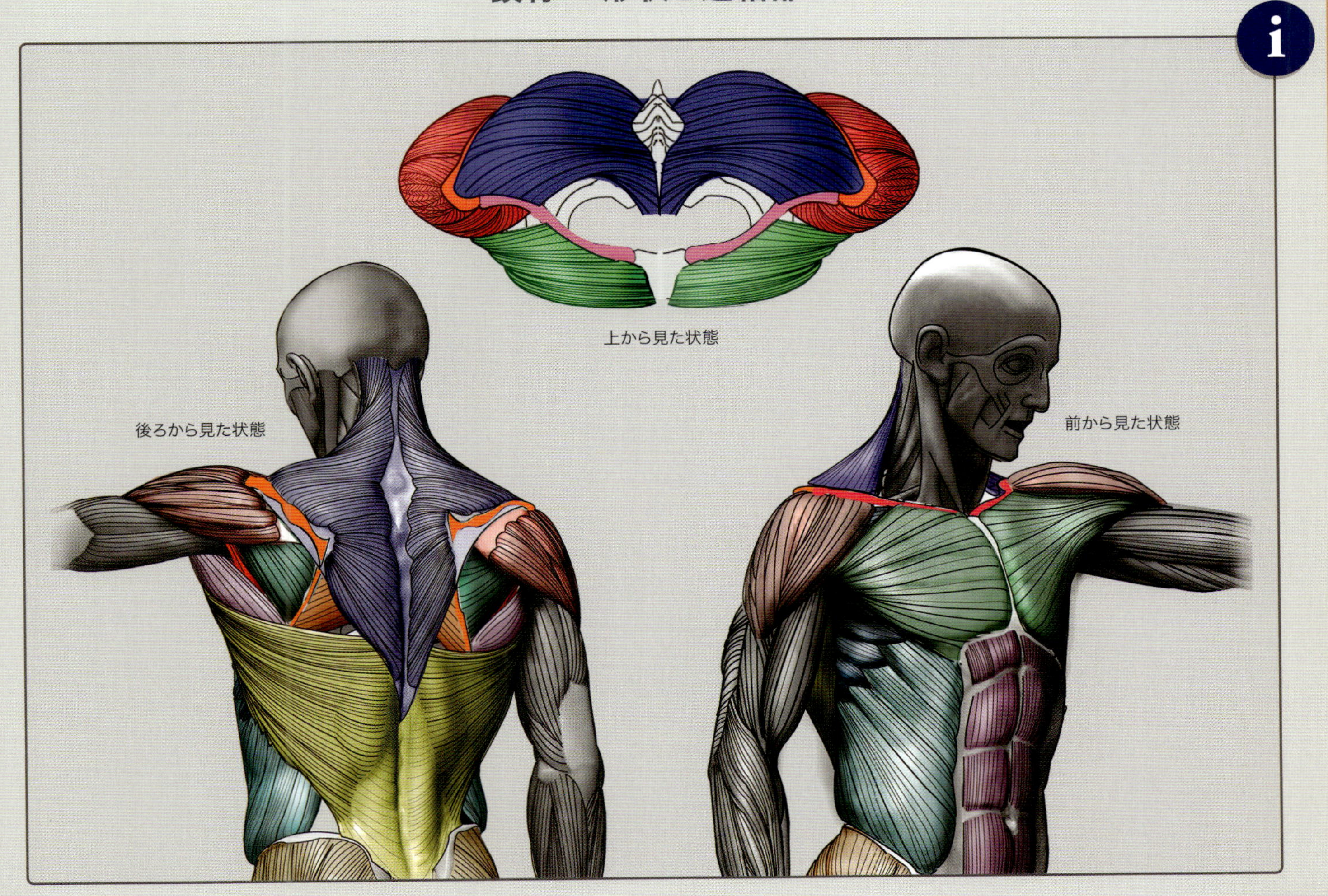
上から見た状態
後ろから見た状態
前から見た状態

鎖骨は上から見るとS字を描いている。

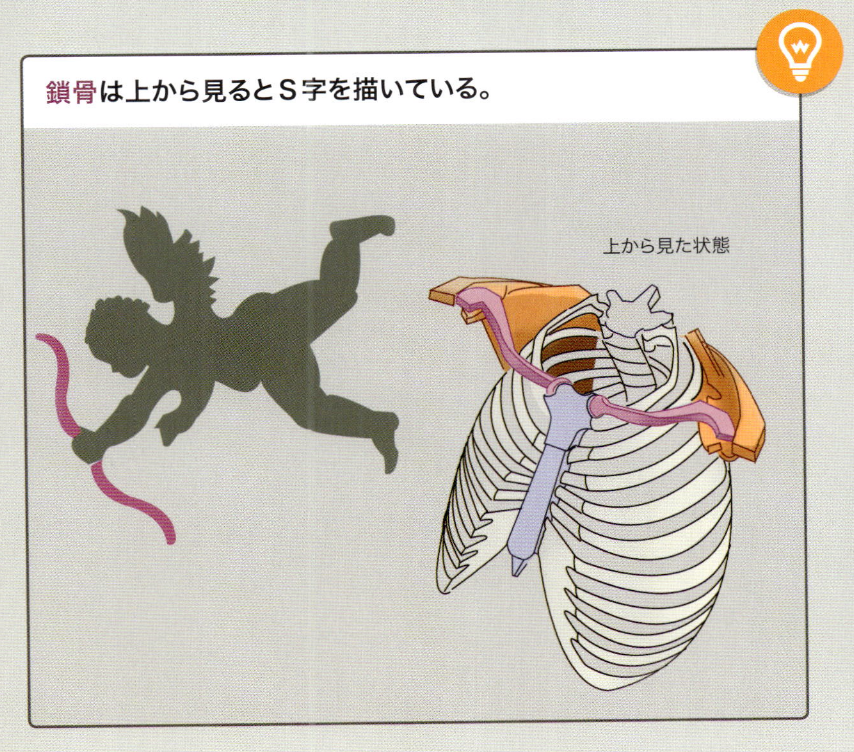
上から見た状態

三角筋（さんかくきん）と**僧帽筋（そうぼうきん）**は
鎖骨の外側3分の1につながっている。

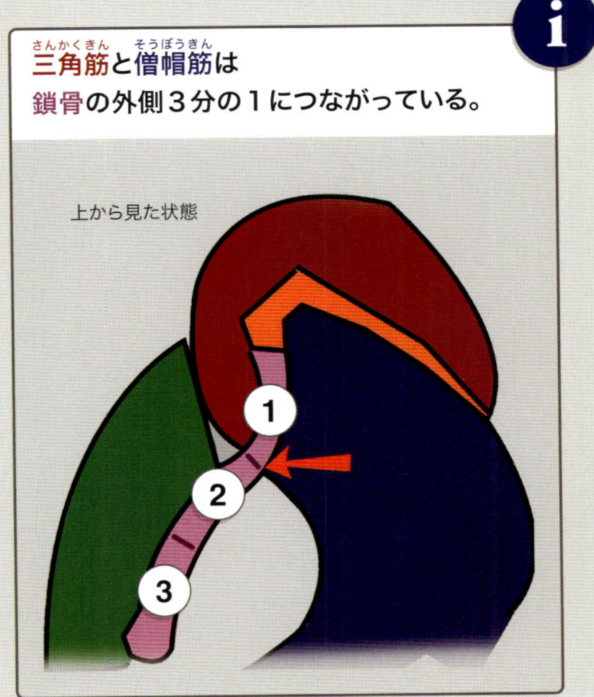
上から見た状態
1
2
3

大胸筋

大胸筋の一方の端は上腕骨に、もう一方の端は以下につながっている。

A：**鎖骨**の５分の３
B：**胸骨**
C：**肋骨**
D：外腹斜筋腱膜

A：この部分は大胸筋とは別々の筋肉として見えることがよくある

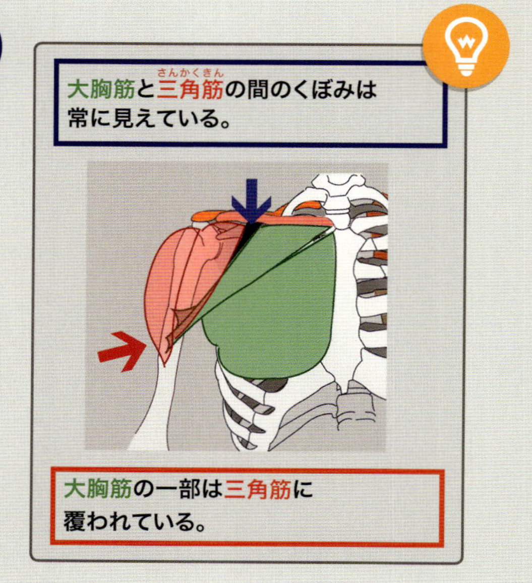
大胸筋と三角筋の間のくぼみは常に見えている。
大胸筋の一部は三角筋に覆われている。

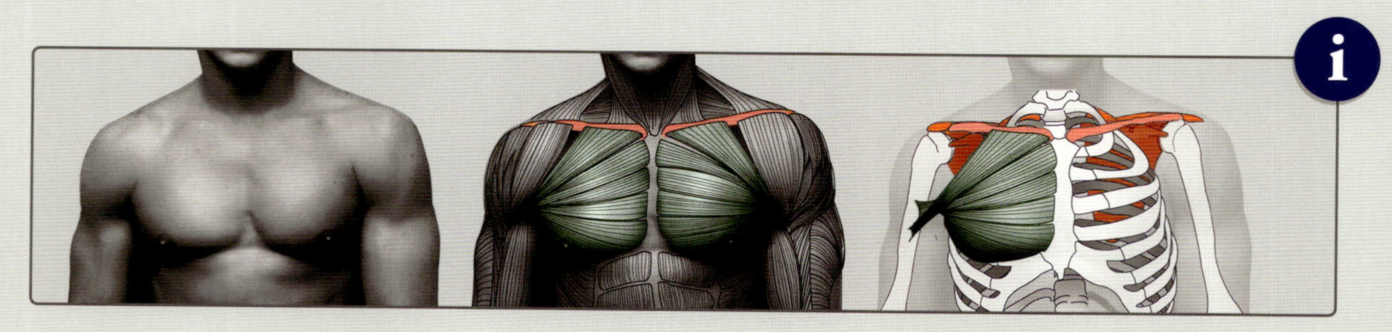

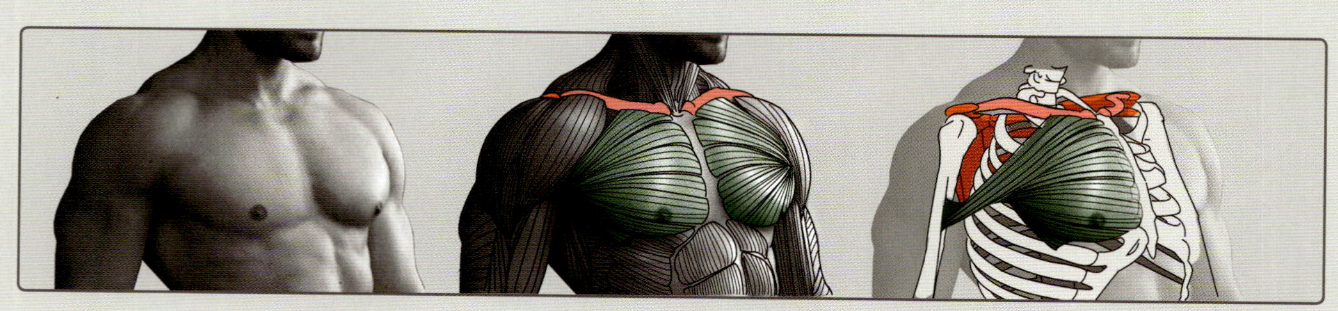

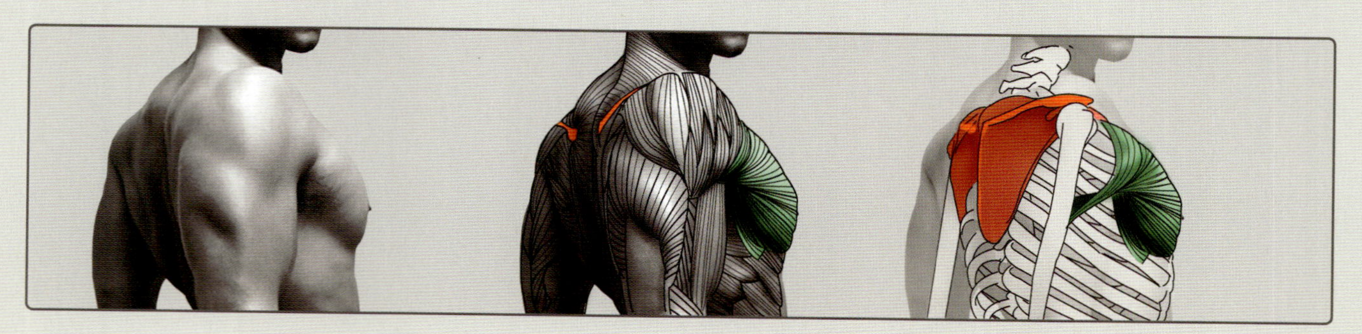

この膨らみの正体は？

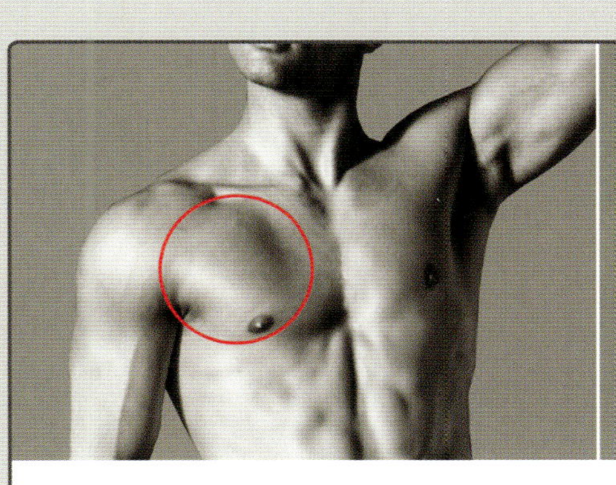

小胸筋が下（深部）から**大胸筋**を押し出している。

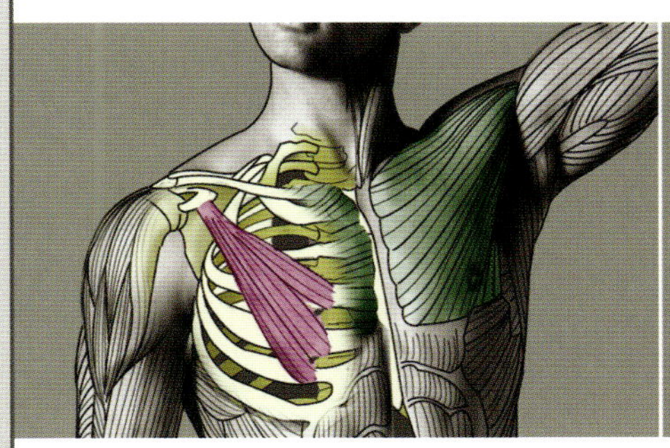
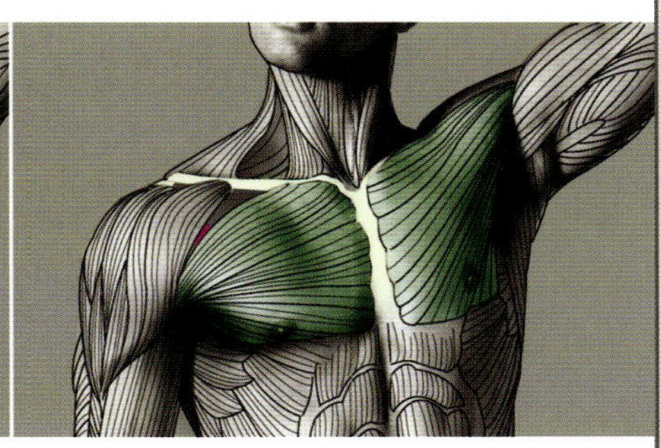

起始部：第三～五肋骨の胸骨側
停止部：肩甲骨烏口突起
作用：肩甲骨を前および下に動かす

胸部の筋肉が発達するほど**鎖骨**は見えにくくなる。

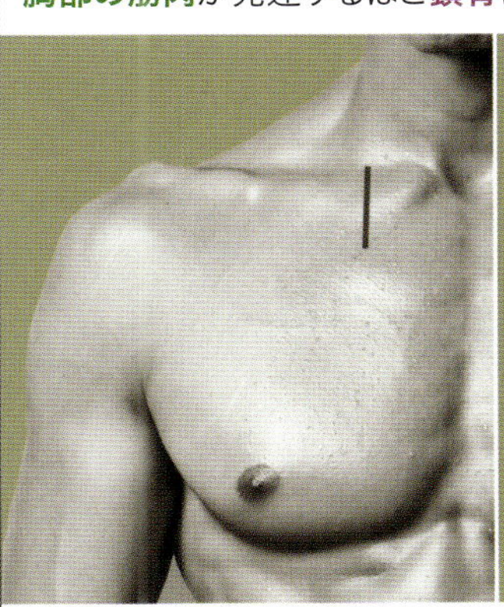
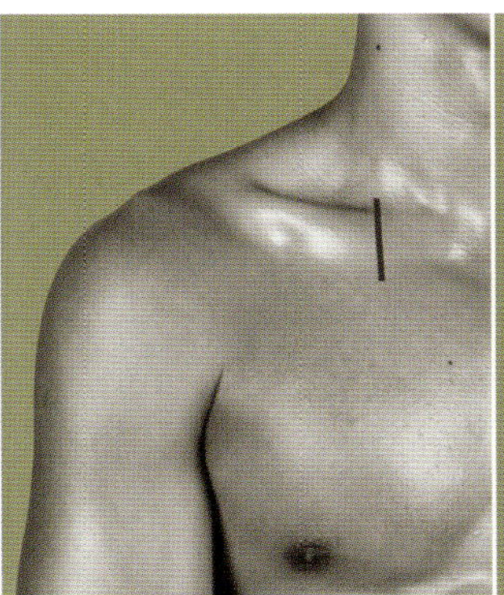
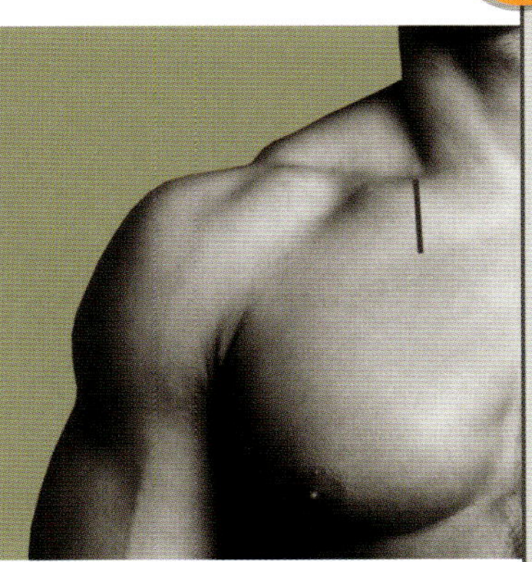

鎖骨の断面と**大胸筋**。

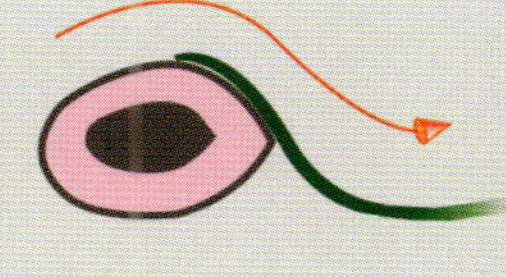
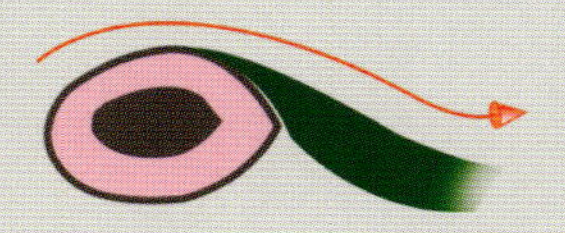
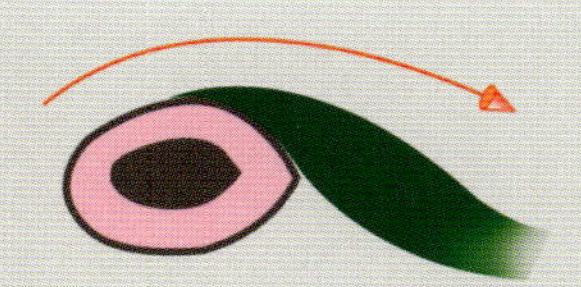

胸と肩の特徴

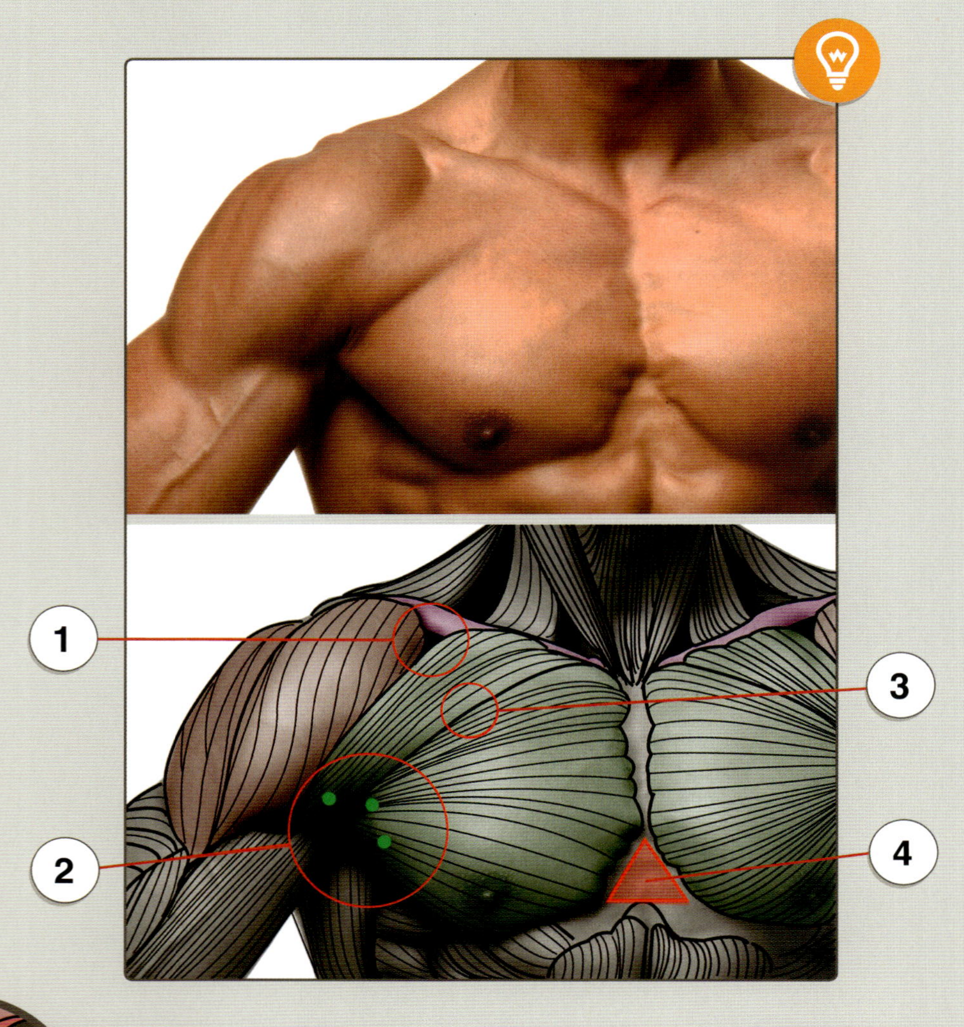
1
2
3
4

1. **鎖骨**は谷にかかった橋のようなものだ。その下には**鎖骨下窩**と呼ばれる、**胸の筋肉（大胸筋）**と**肩の筋肉（三角筋）**の間に形成された三角形のくぼみがある。**鎖骨**は常に見えている。

2. **大胸筋**の各塊（●●●）は、それぞれ**上腕骨**の異なる部分に停止する。筋繊維は織り合わさって交差し、**わきの下の端にいくつかのマッスを形成する。**

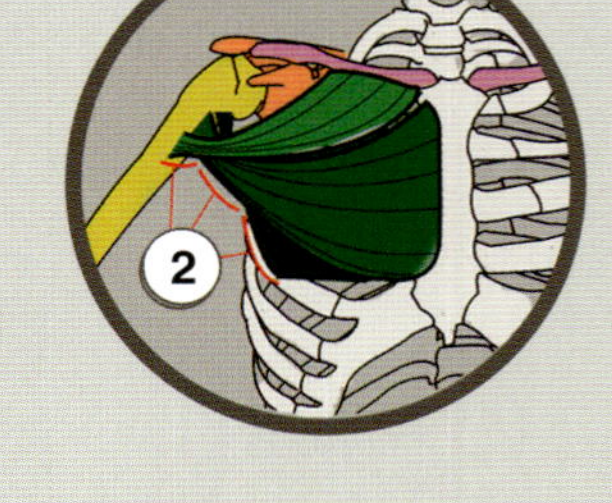
2

3. 筋肉隆々の人の場合、**大胸筋**の**鎖骨部分**と**胸骨部分**が分かれて見えることがある。

4. **大胸筋**と**腹直筋**の間に見える**骨の三角形**。

女性の胸

胸と大胸筋の境界をイメージすると、正しく彫刻する助けになることがある。

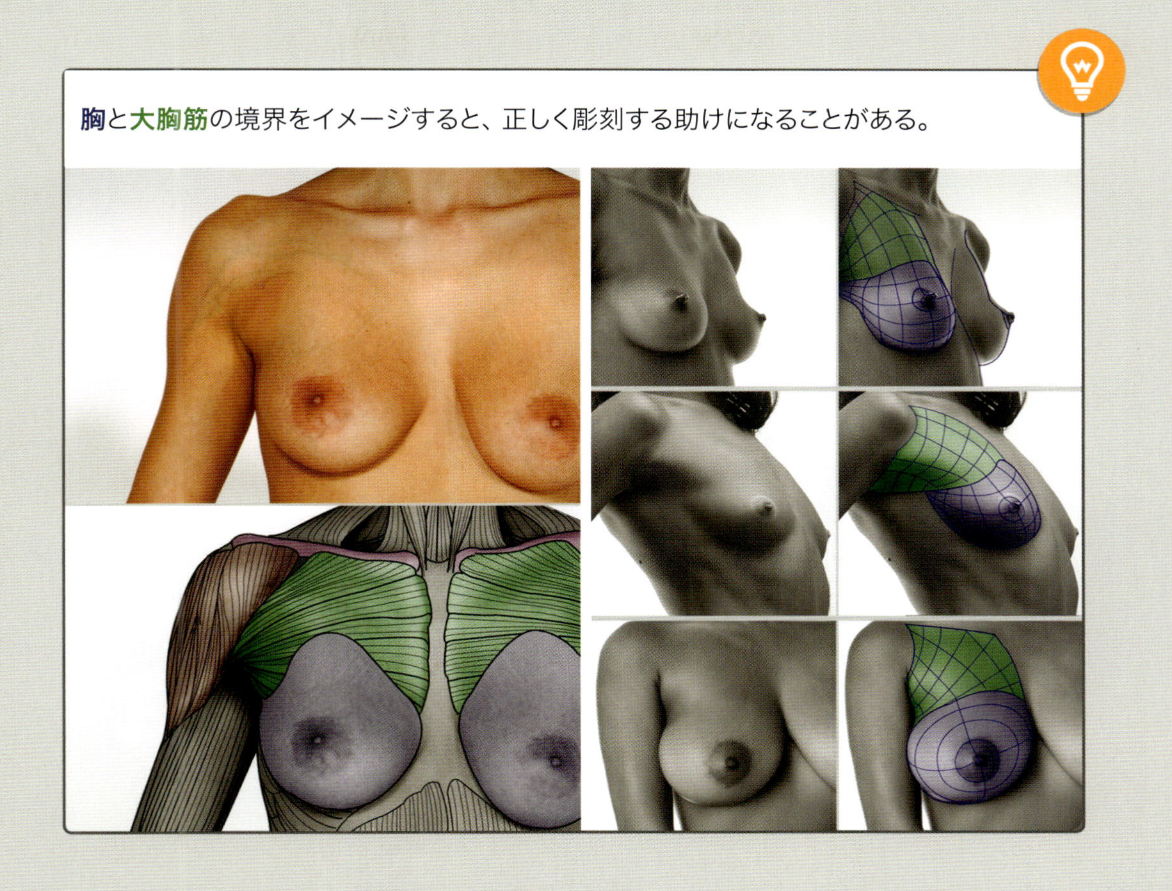

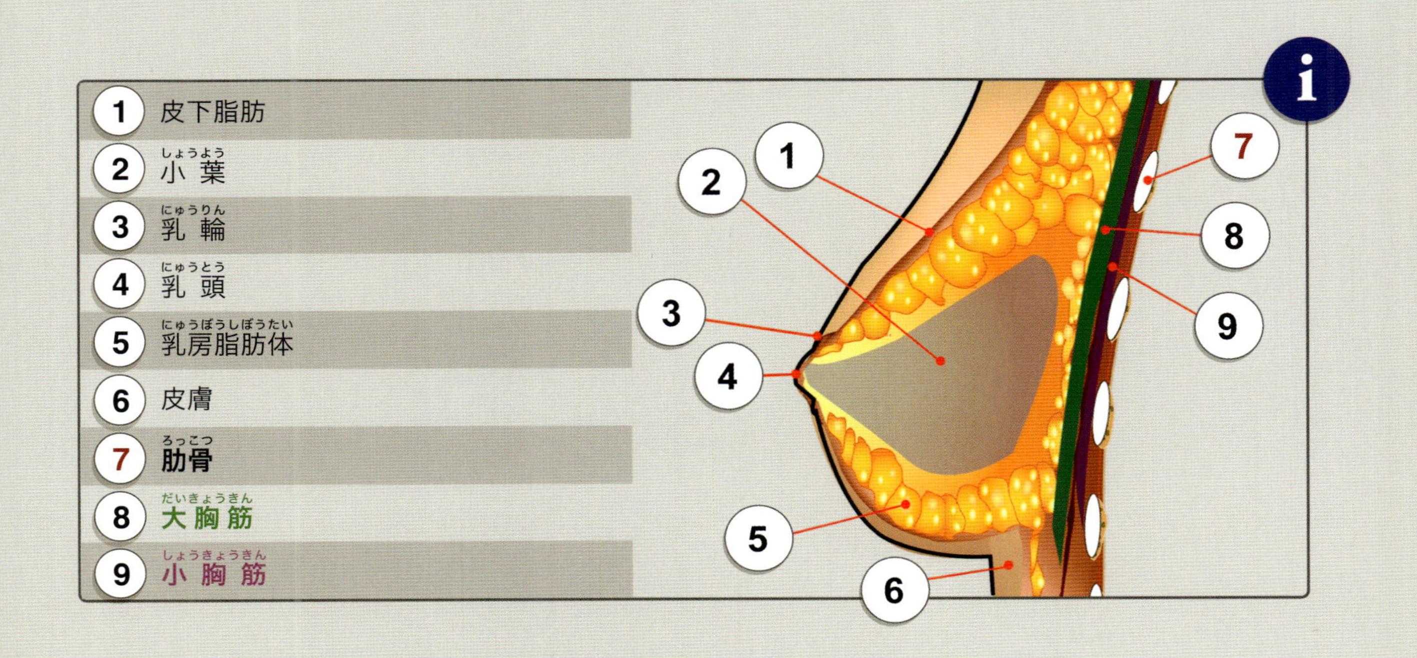

1. 皮下脂肪
2. 小葉（しょうよう）
3. 乳輪（にゅうりん）
4. 乳頭（にゅうとう）
5. 乳房脂肪体（にゅうぼうしぼうたい）
6. 皮膚
7. 肋骨（ろっこつ）
8. 大胸筋（だいきょうきん）
9. 小胸筋（しょうきょうきん）

女性の胸の角度は形や大きさによって異なる

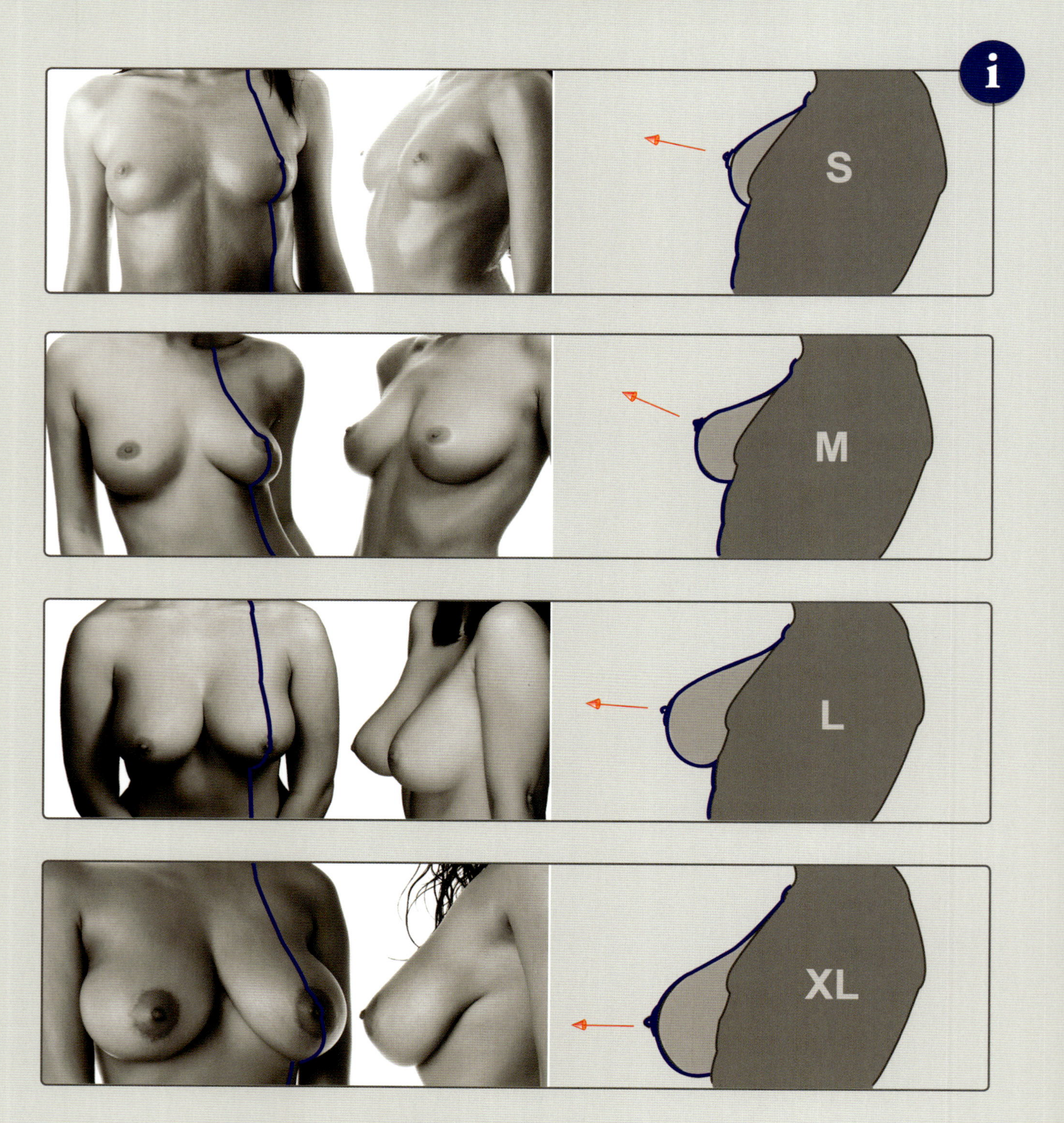
i
S
M
L
XL

形は変わるがボリューム（体積）は変わらない。

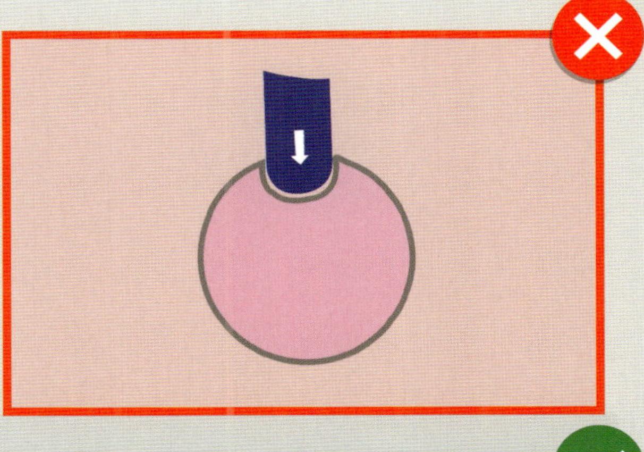

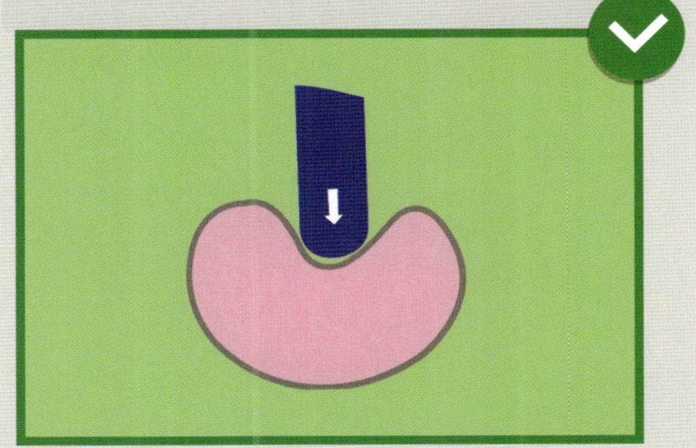

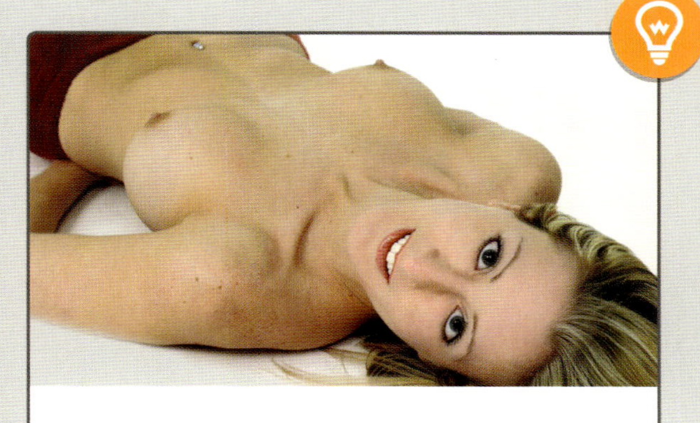

女性があお向けに横たわると、胸が大きいほど重力による形の変化が大きくなる。

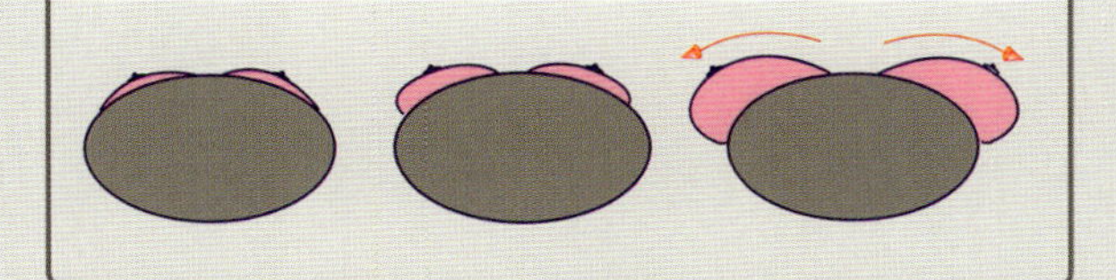

女性の胸を若々しく見せる３つのポイント

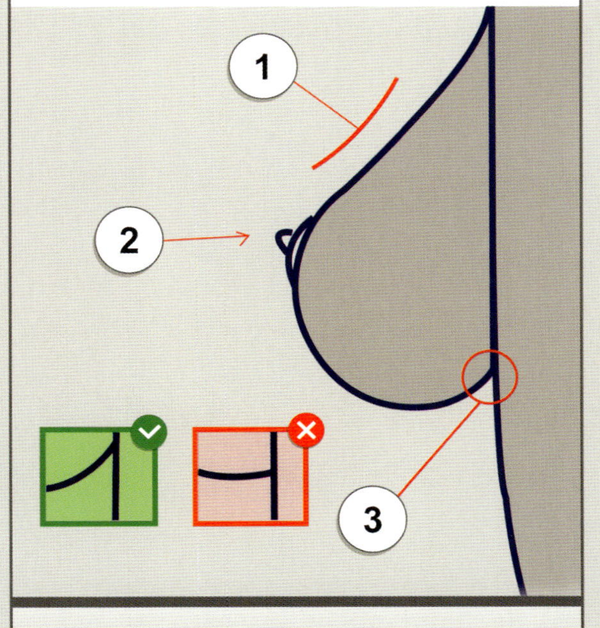
1
2
3

1. 上面：直線または凹んでいる（決して凸状にはならない）
2. 乳頭が上を向いている
3. 胸が胸壁につながる下の境界を持ち上げる

女性の胸の重みとマッスの配分

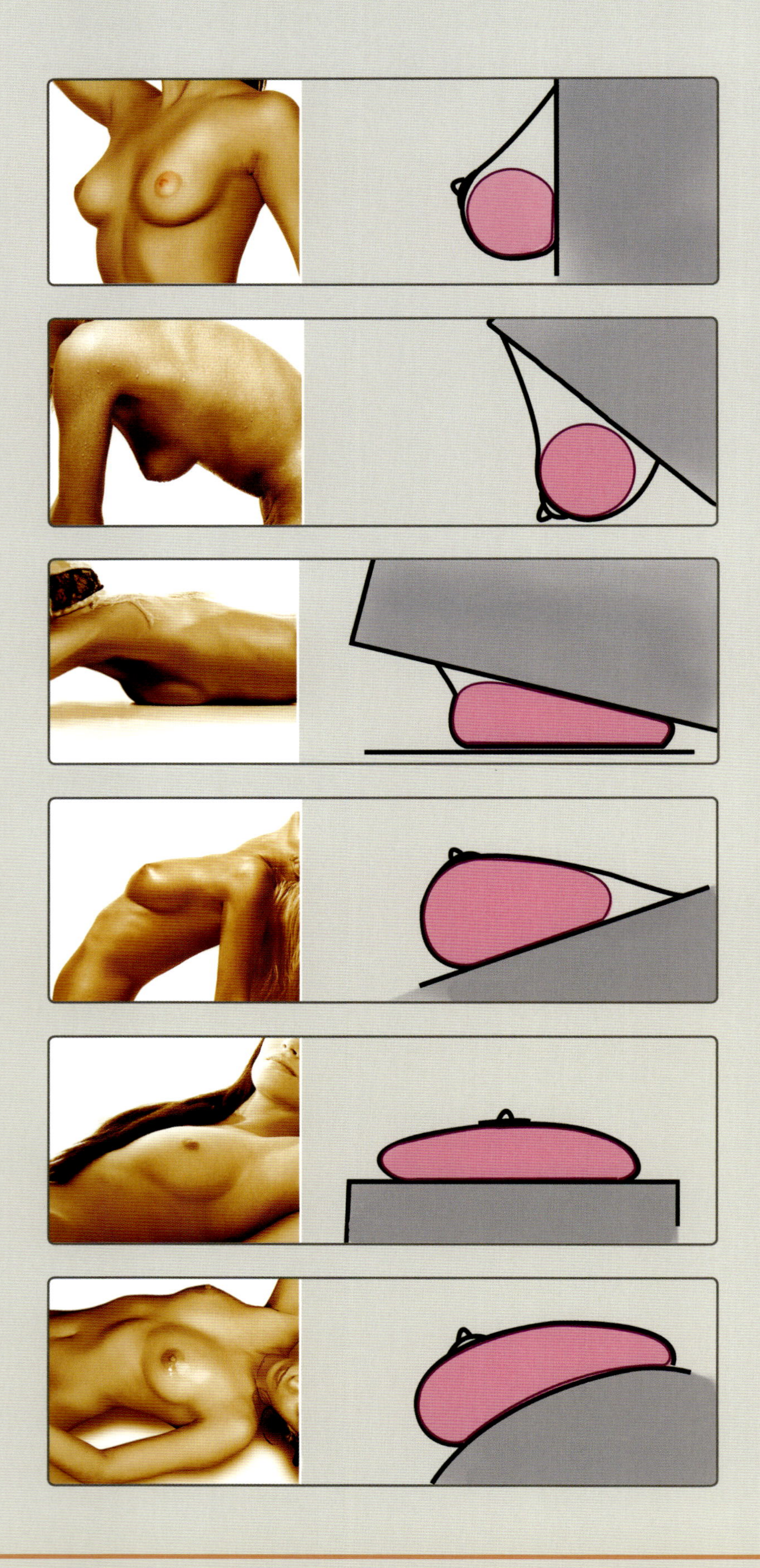

肩のシルエットを形成しているもの

i

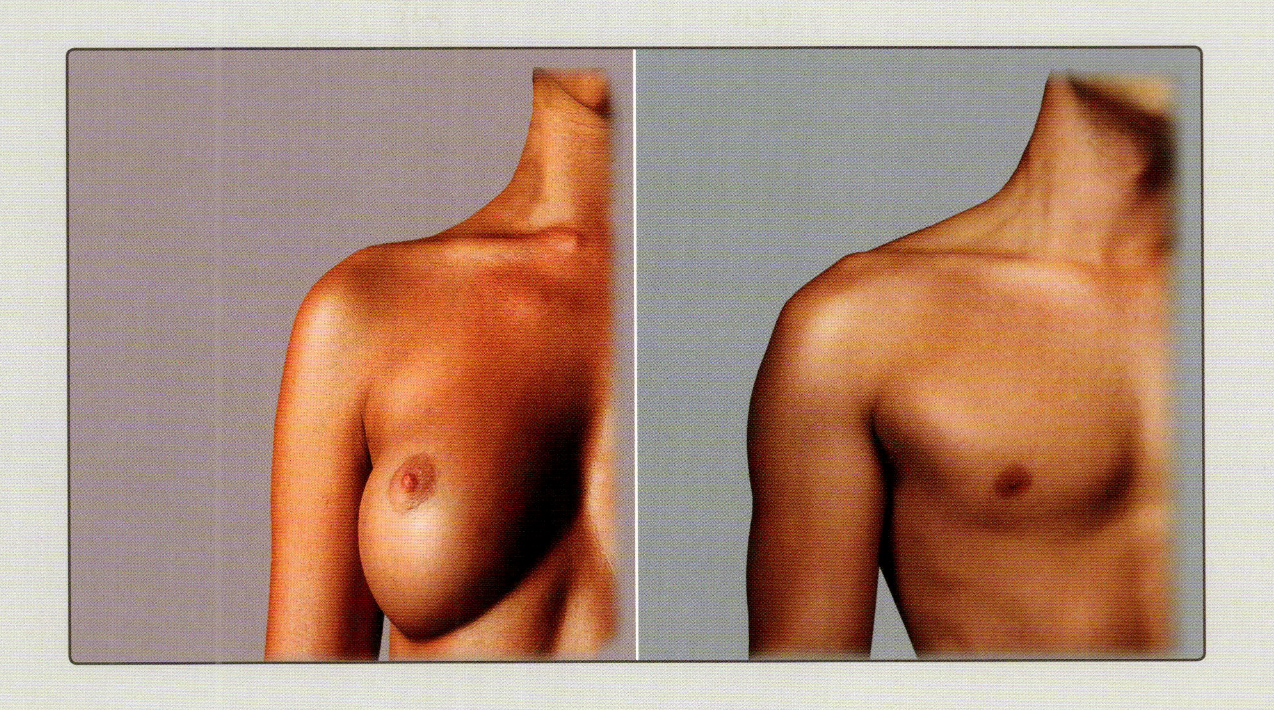

骨

筋肉

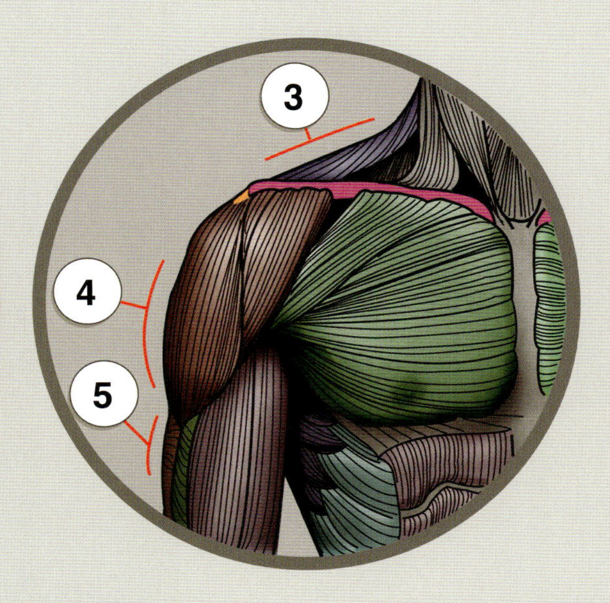
3
4
5

1. 鎖骨外側端
2. 上腕骨頭が肩の筋肉(三角筋)を押し出している。
3. 僧帽筋
4. 肩の筋肉(三角筋)の外側頭
5. 上腕三頭筋の外側頭

肩の筋肉(三角筋)

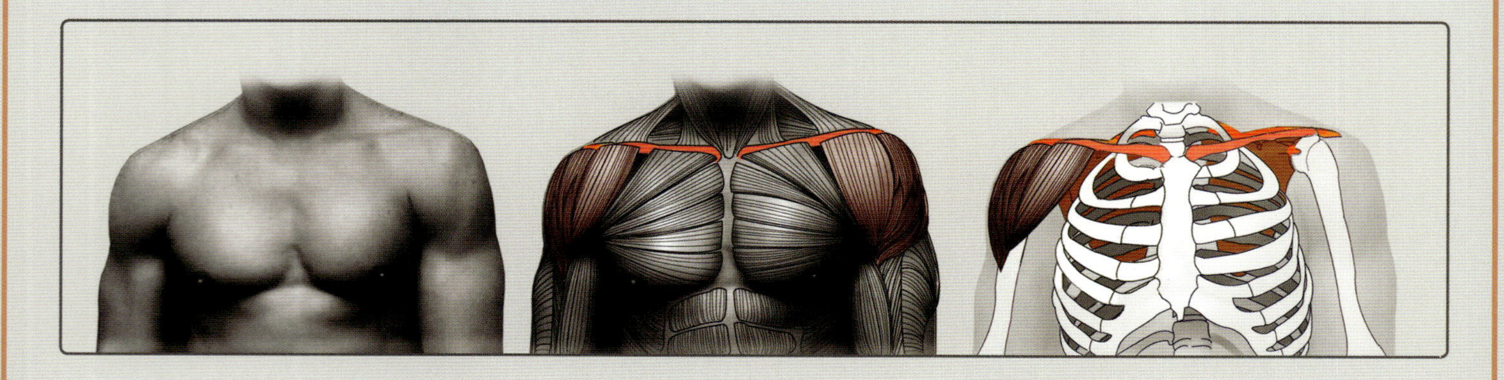

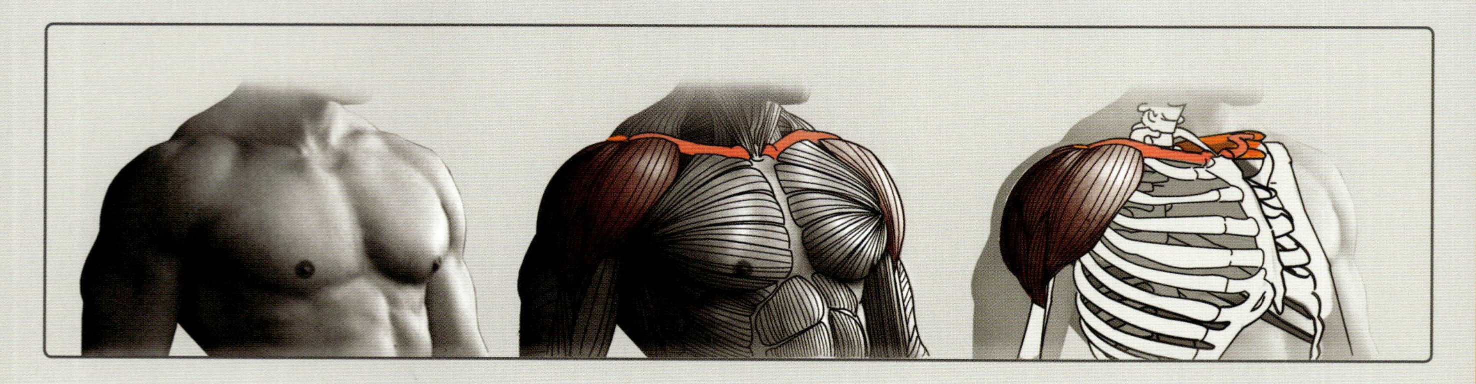

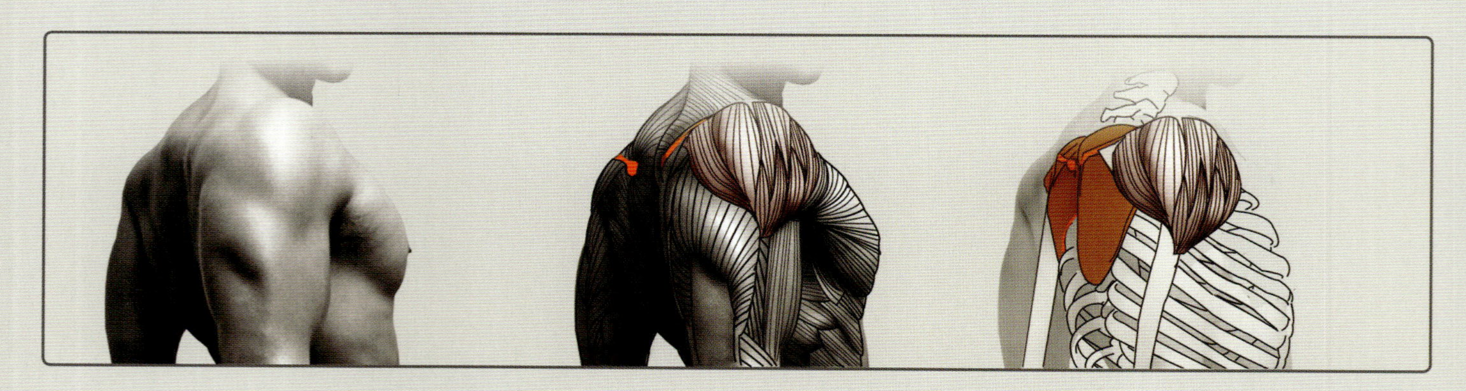

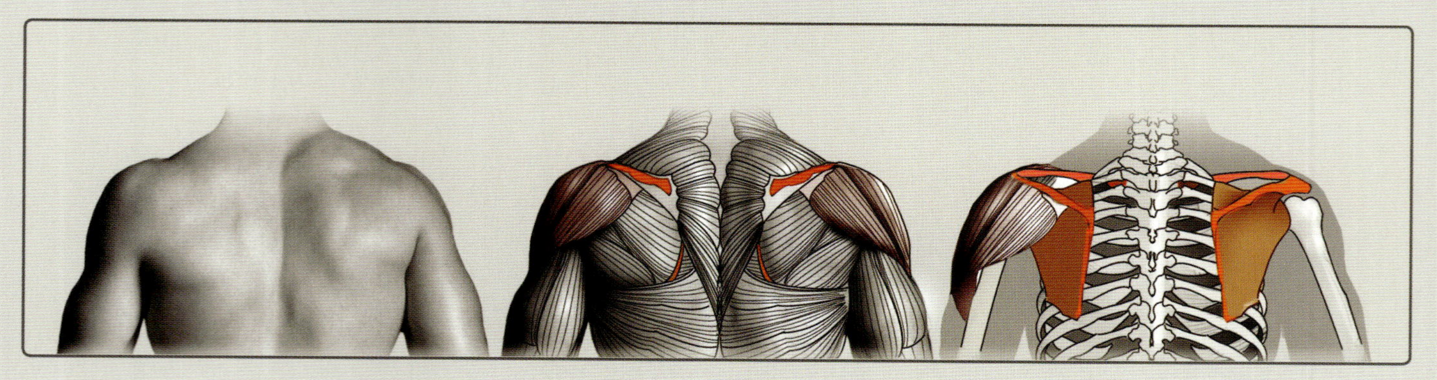

肩の筋肉(三角筋)の3つの部位：前部(前面)、中部(側面)、後部(背面)

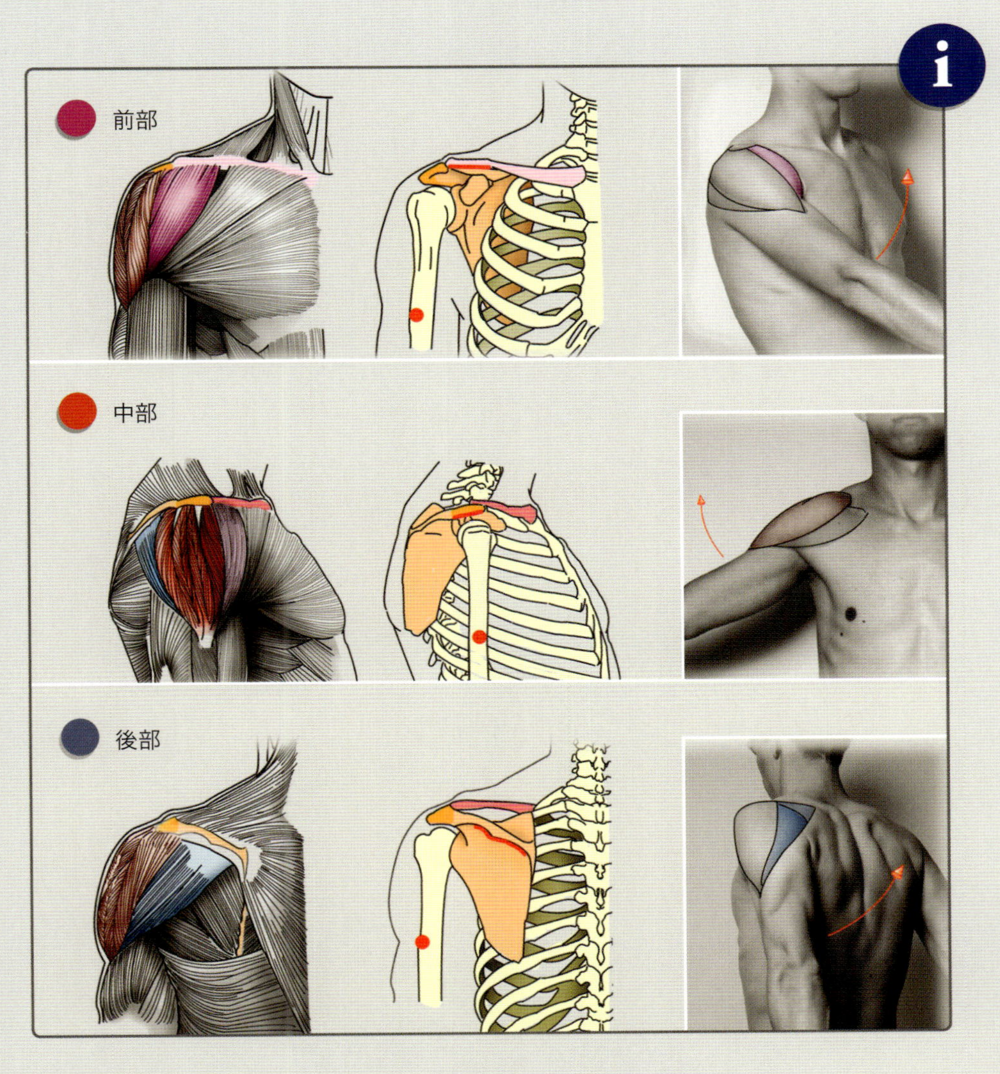
前部
中部
後部

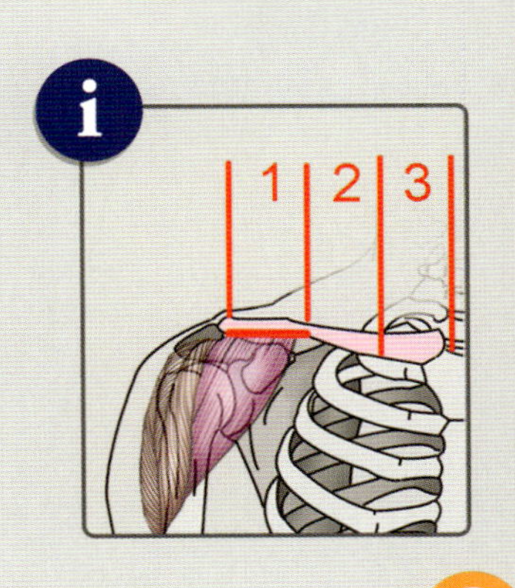
1
2
3

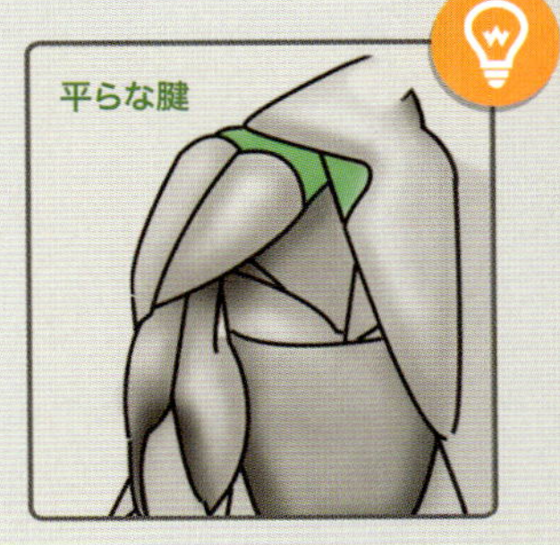
平らな腱

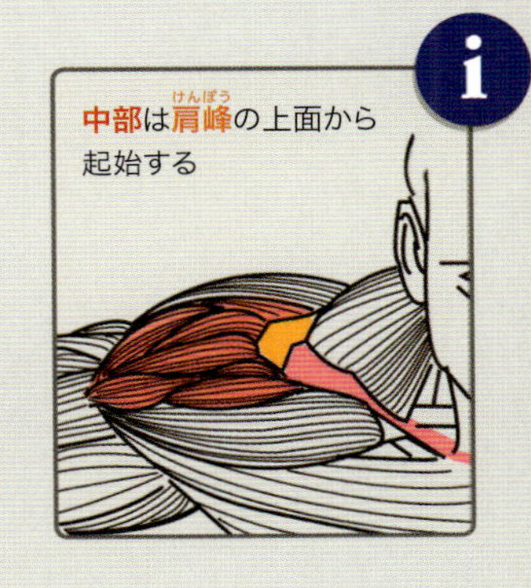
中部は肩峰の上面から起始する

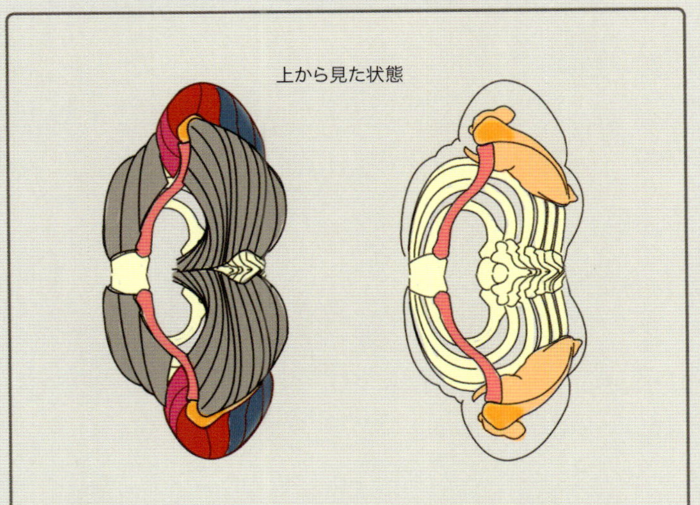
上から見た状態

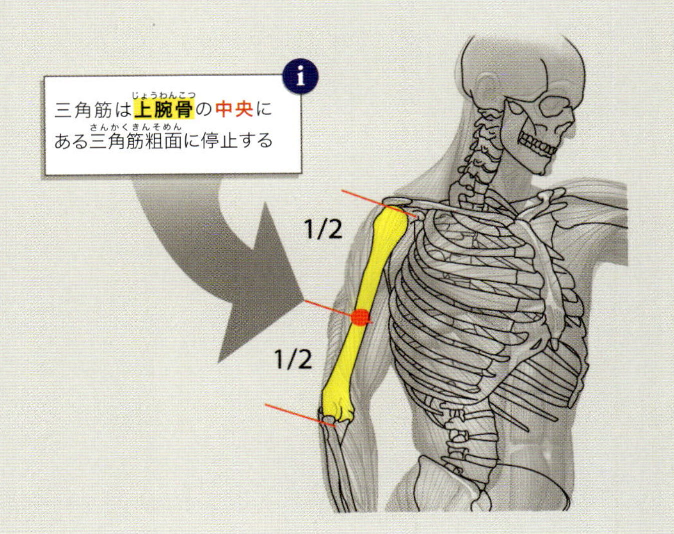
三角筋は上腕骨の中央にある三角筋粗面に停止する
1/2
1/2

腕をどの方向に回しても、三角筋の先細になった下端は常に「B」の表面にある

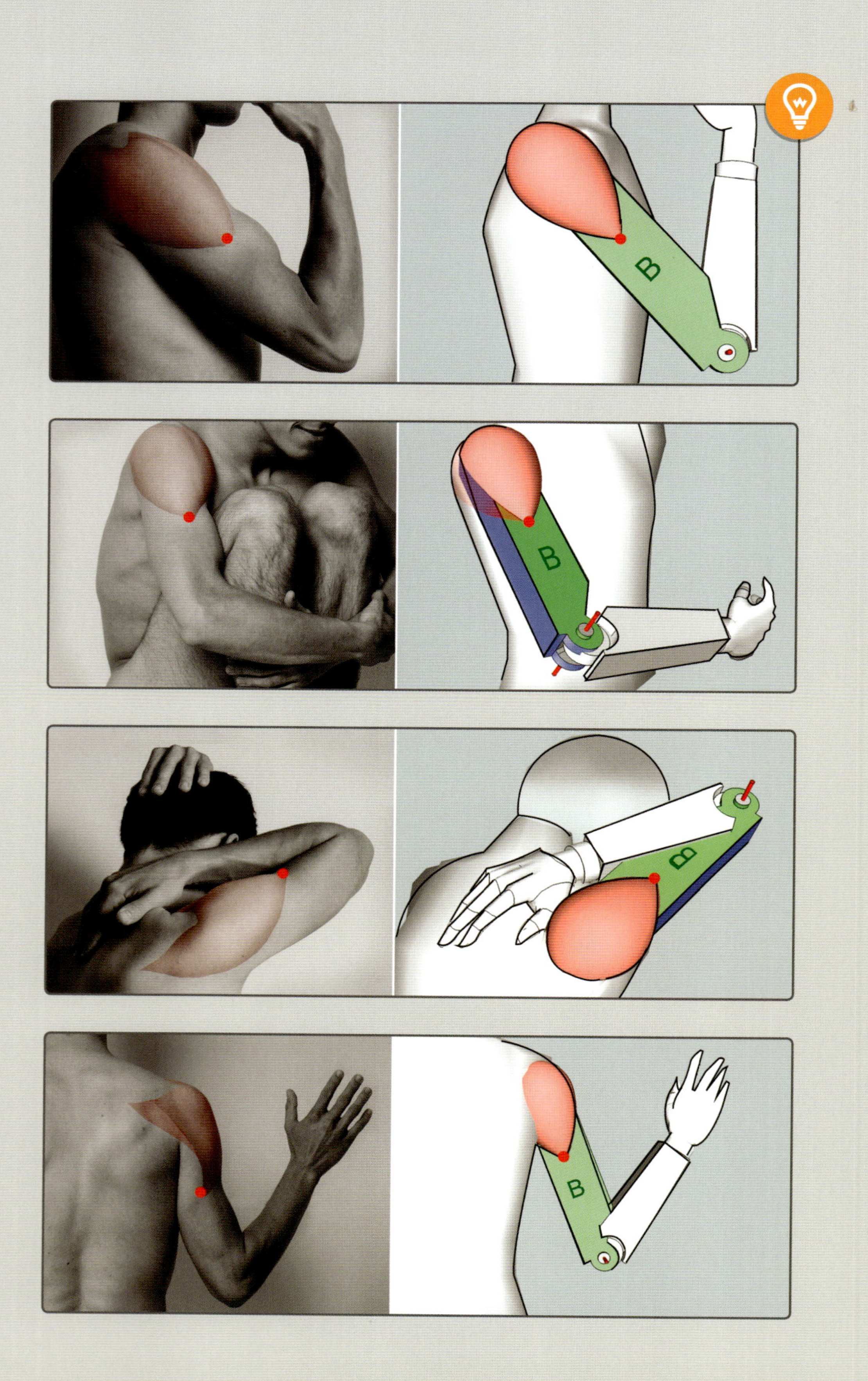
B
B
B
B

どこに行った？

腕を上げたとき、肩の筋肉（三角筋）はどこに消えるのだろうか。後ろを向くだけなので、背後から見れば確認できる。

鎖骨は皮膚のみに覆われ、腕を上げているとき以外は常に見えている。腕を上げると大胸筋に隠れる。

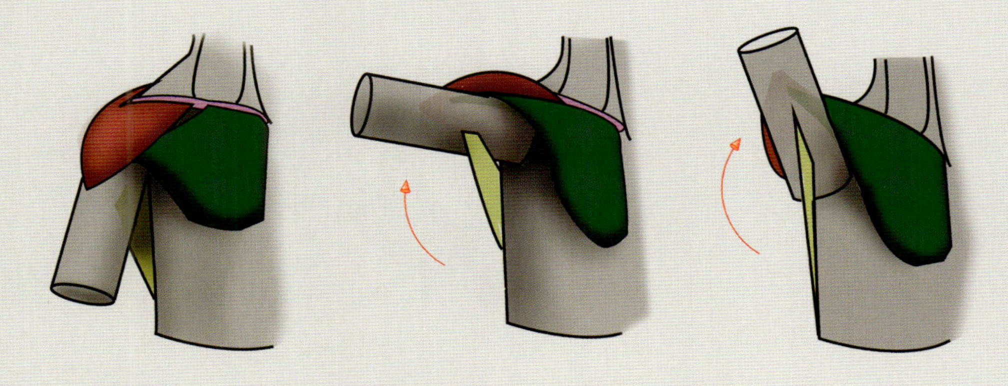

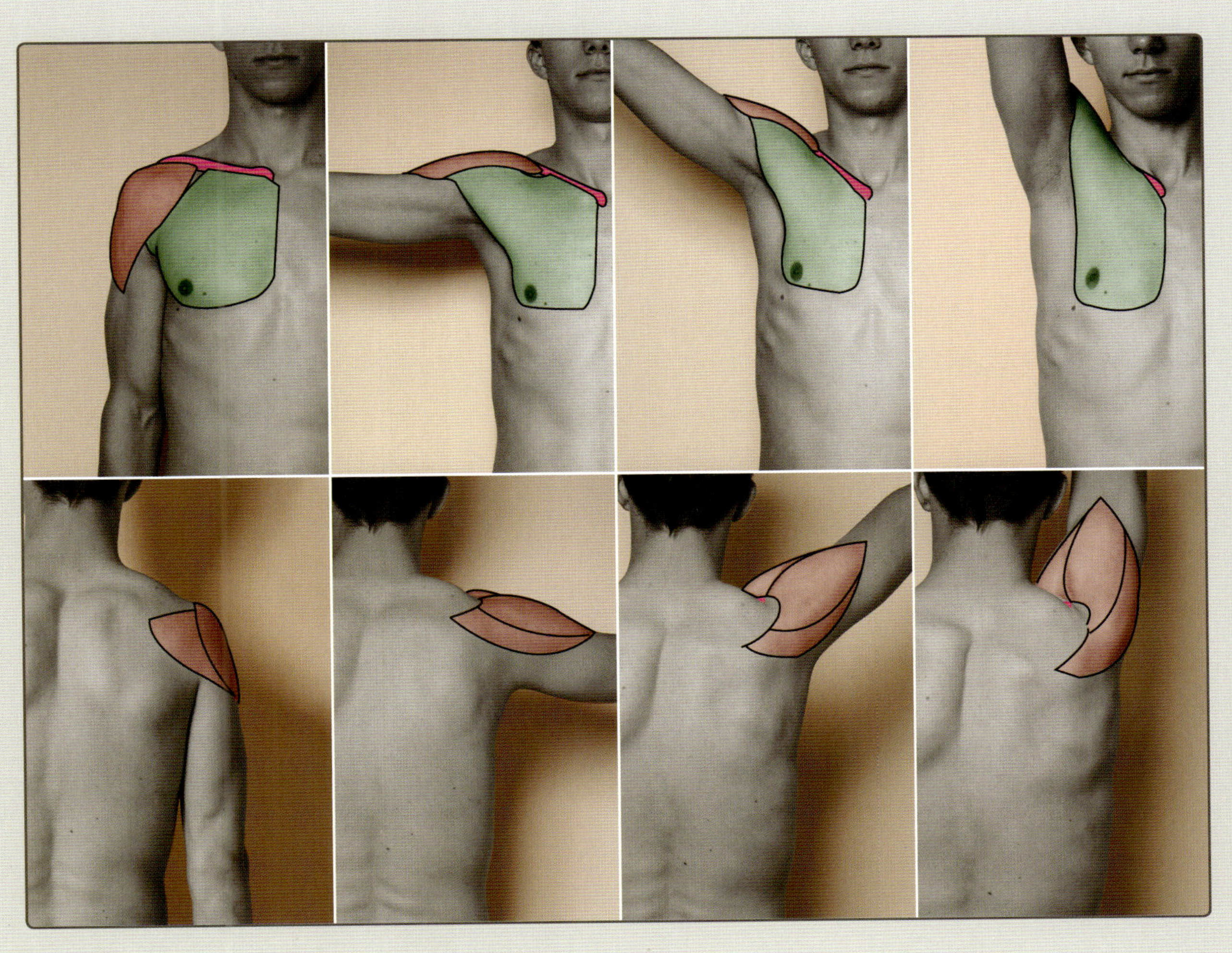

僧帽筋（そうぼうきん）

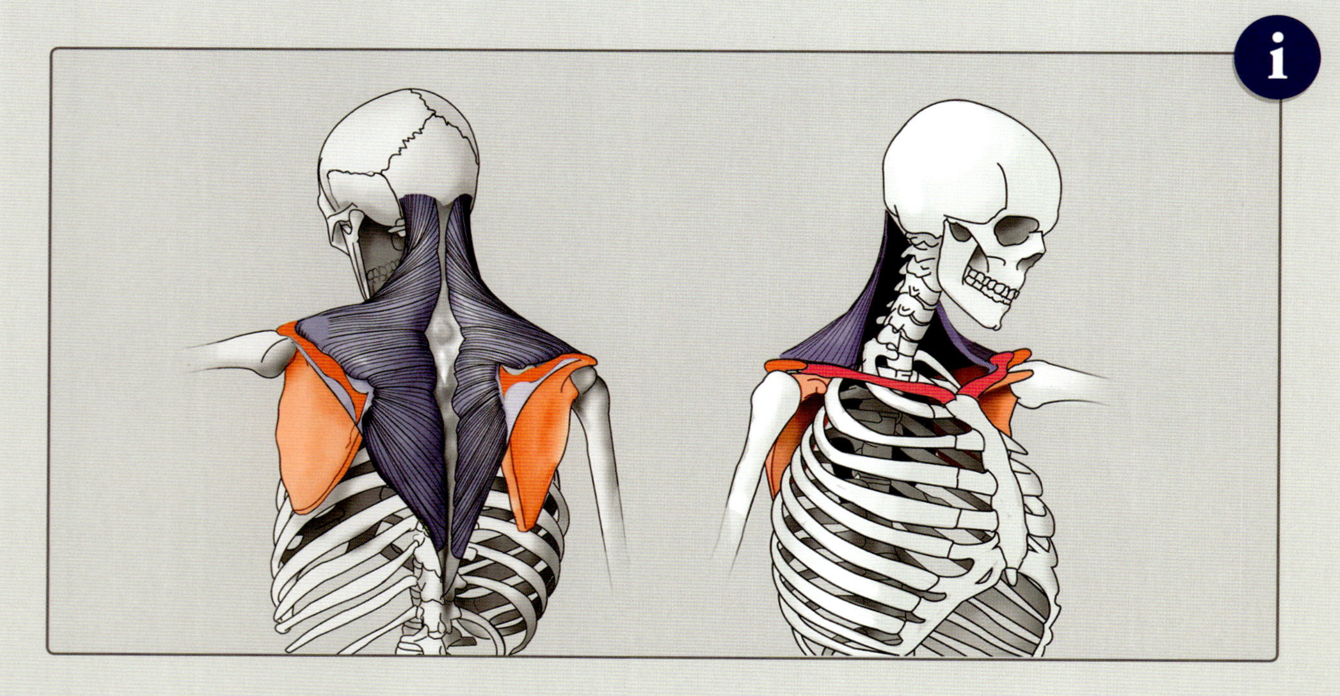

起始部：上項線（じょうこうせん）の内側、頭蓋骨（ずがいこつ）の外後頭隆起（がいこうとうりゅうき）
停止部：鎖骨外側（さこつがいそく）、肩峰（けんぽう）、肩甲棘（けんこうきょく）

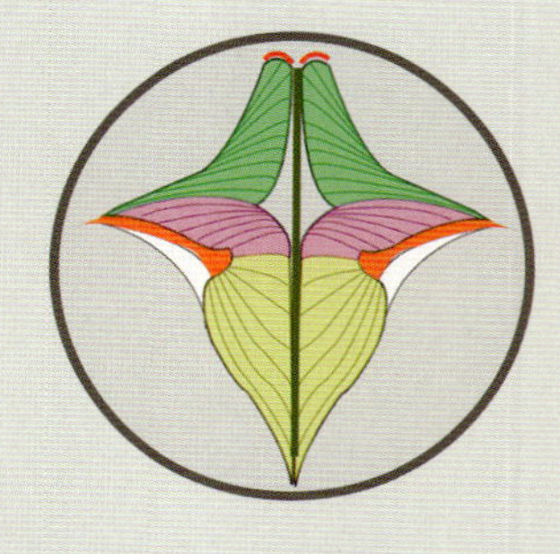

作用：
上部繊維：肩甲骨（けんこうこつ）の挙上と上方回旋、首の伸展
中部繊維：肩甲骨の内転（後退）
下部繊維：肩甲骨の下制、上部繊維による肩甲骨の上方回旋を補助

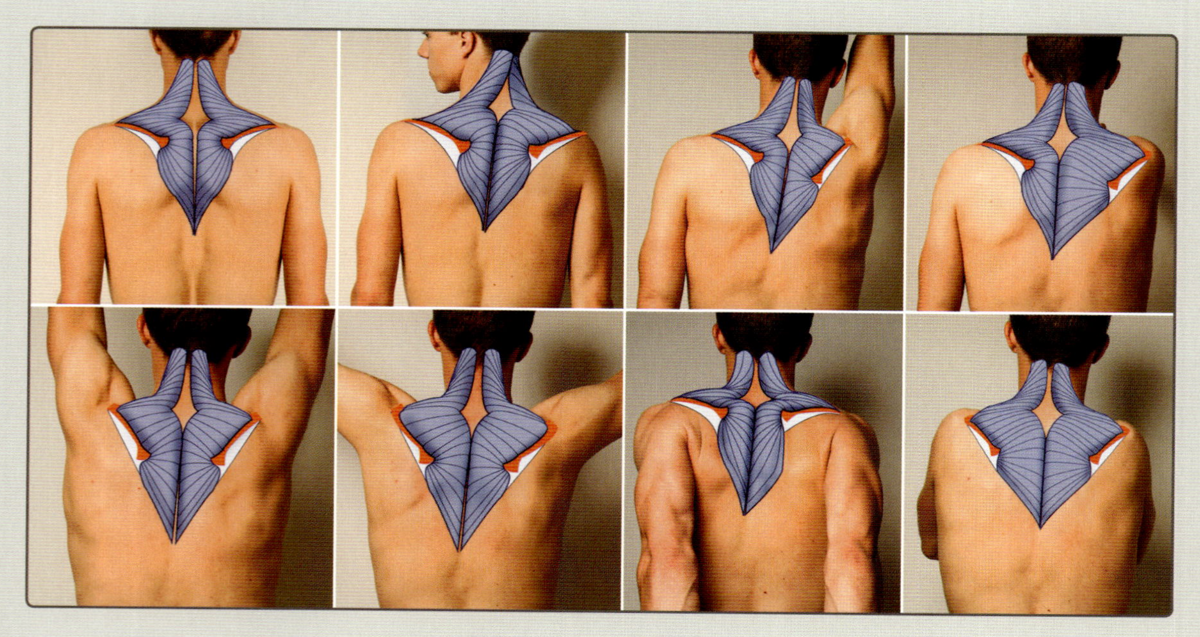

僧帽筋（そうぼうきん）

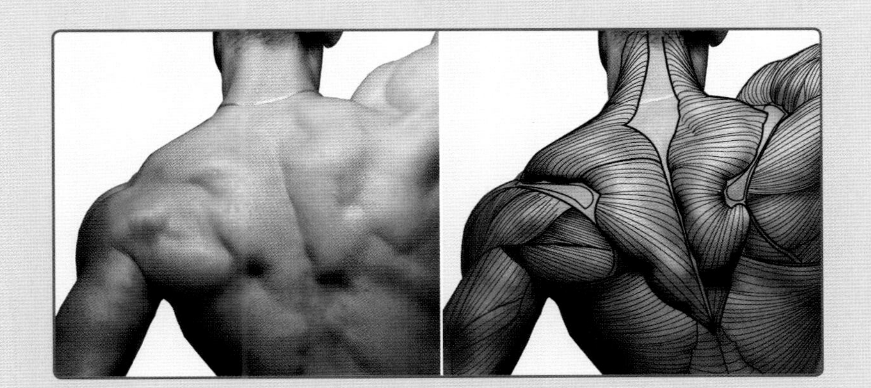

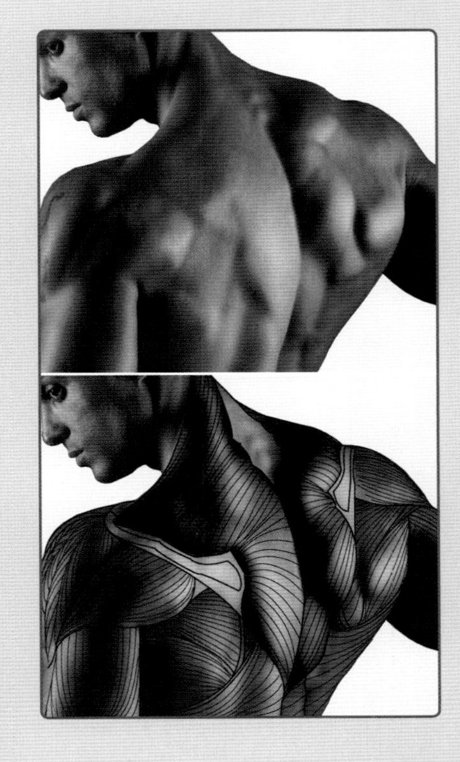

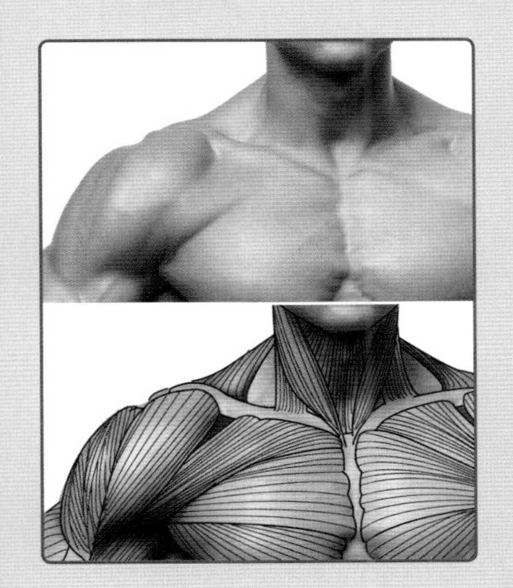

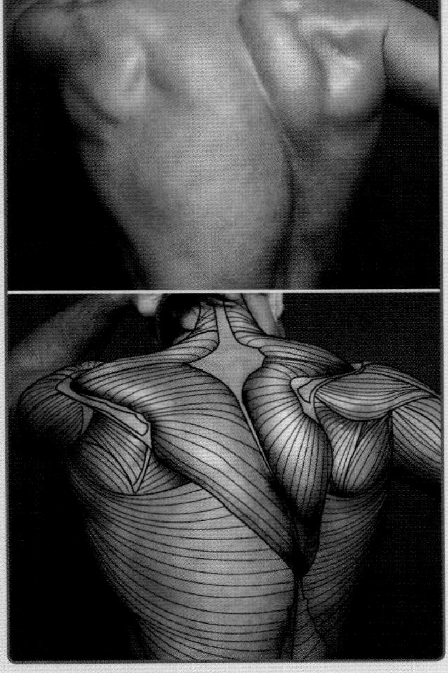

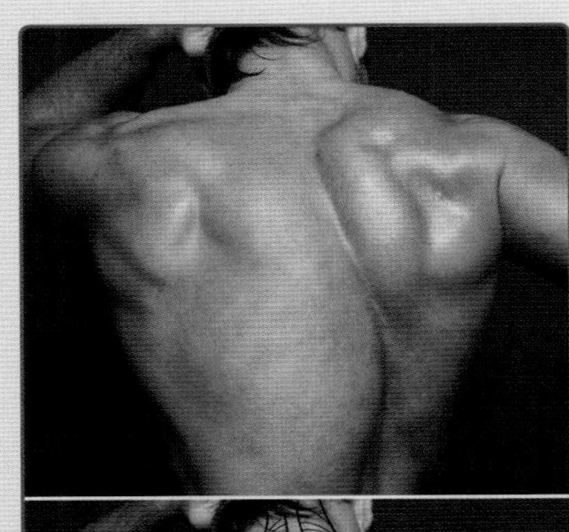

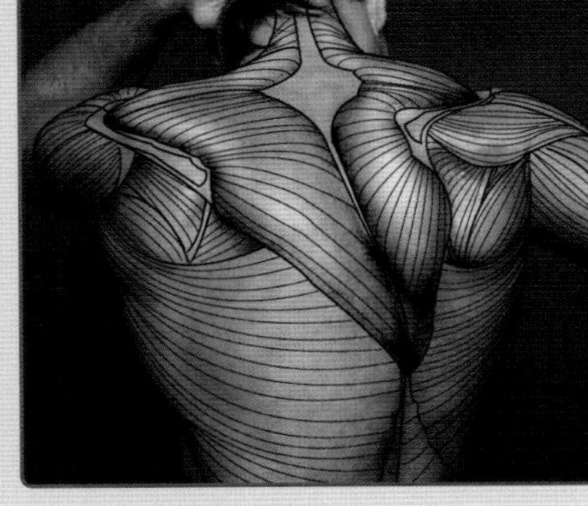

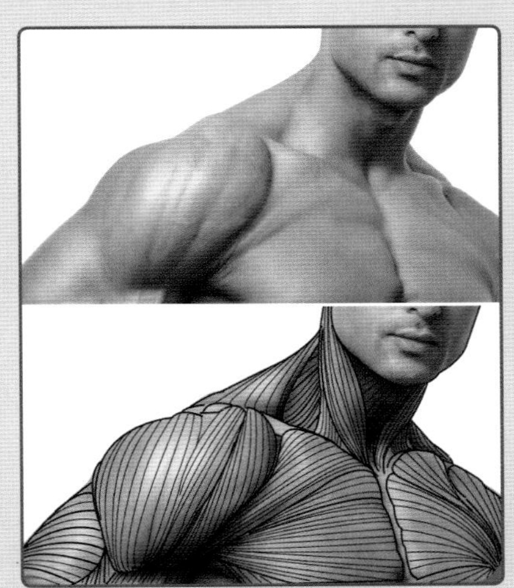

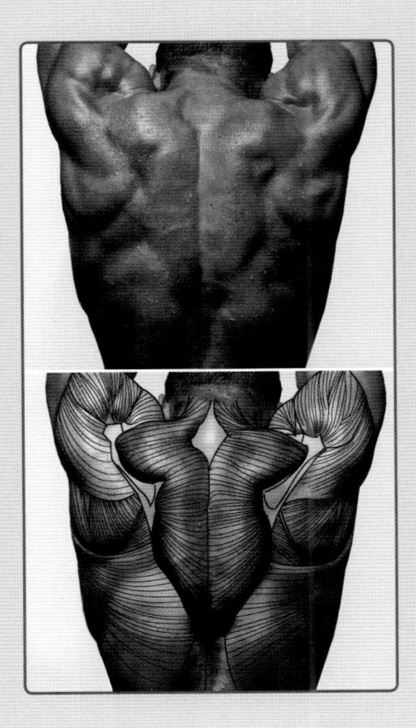

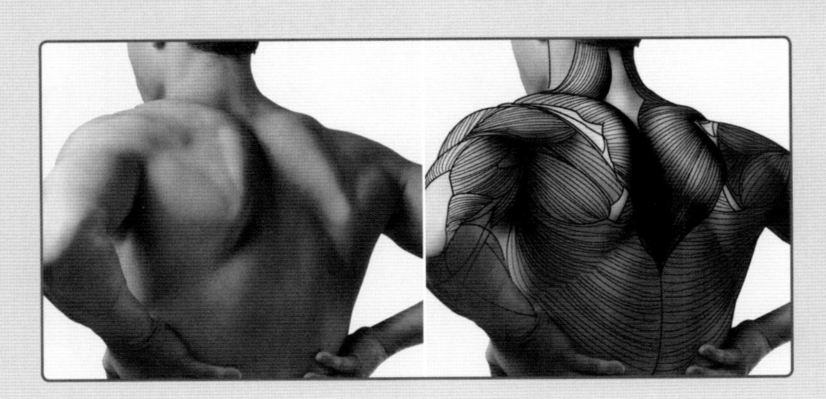

これは肋骨？

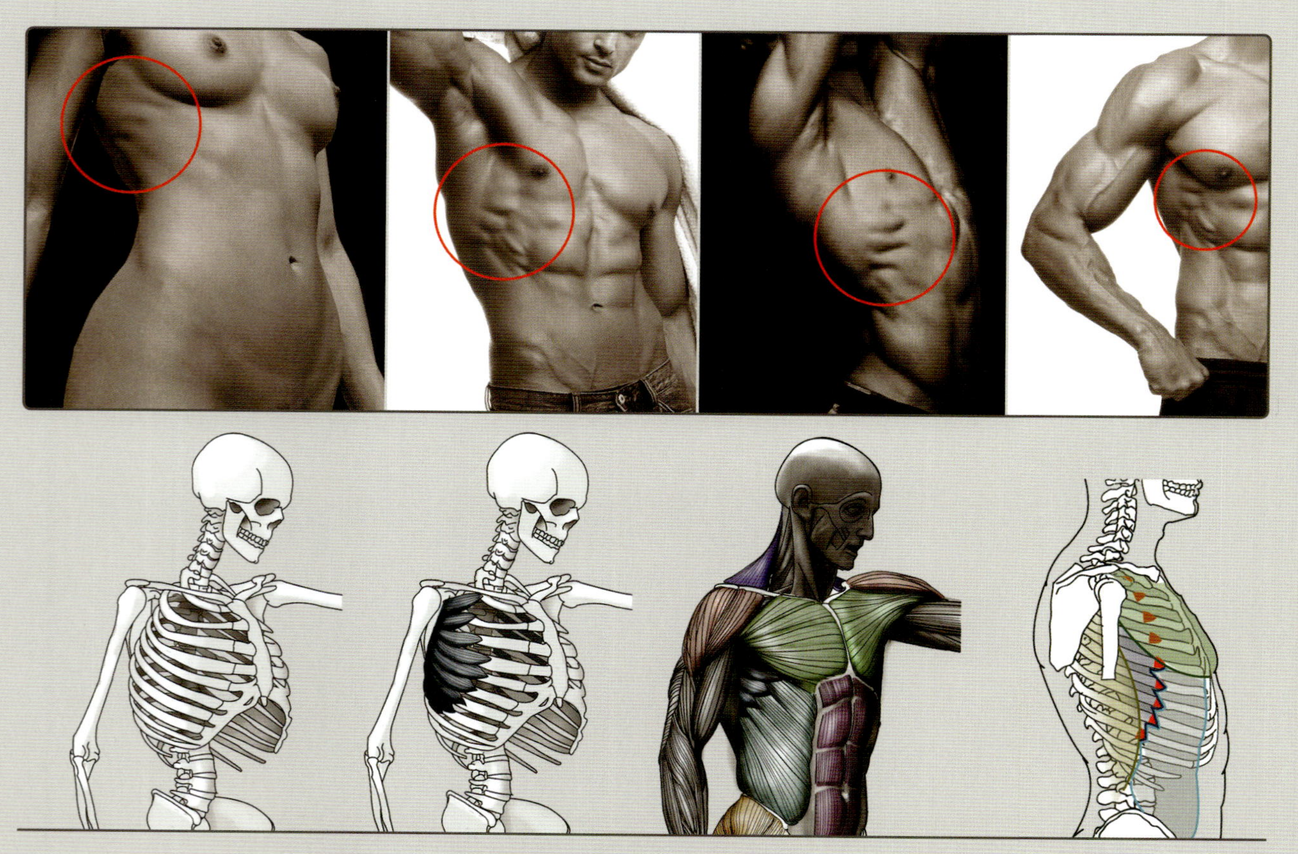

肋骨ではなく、**前鋸筋**と呼ばれる筋肉

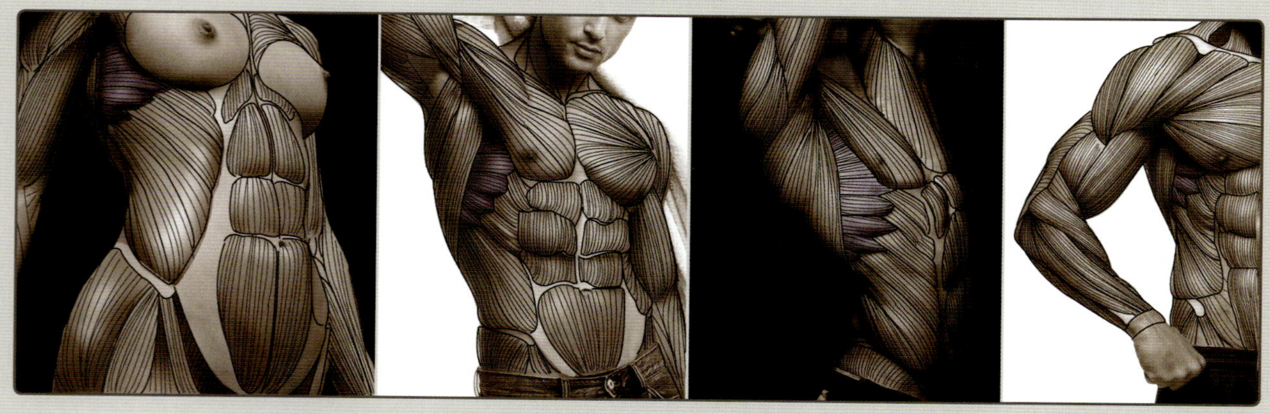

かなり痩せている人の場合、
鋸筋は厚みがなくて見えない。

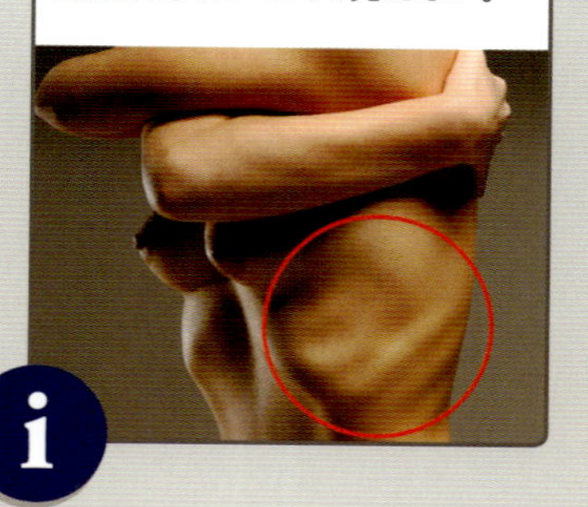

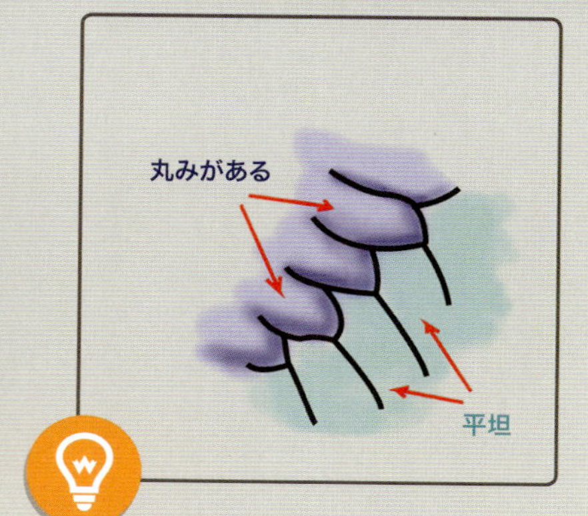
丸みがある
平坦

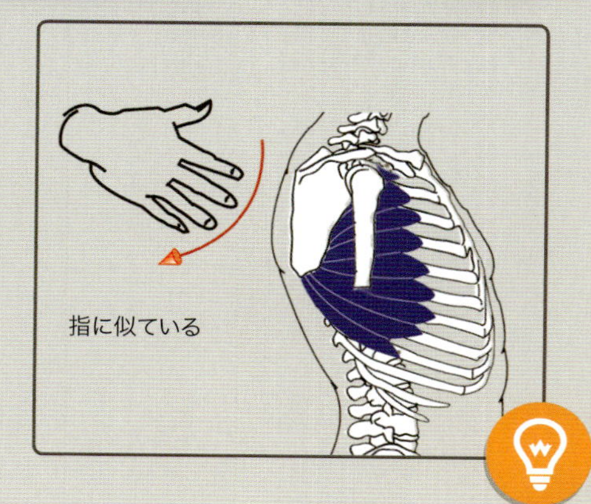
指に似ている

肩甲骨の下の膨らみの正体

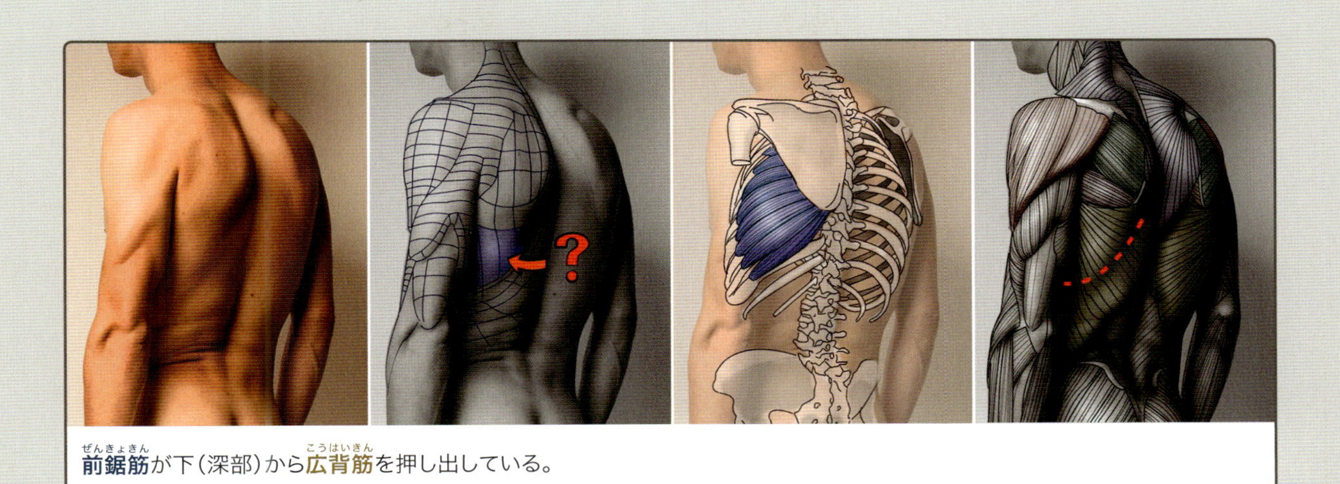
?

前鋸筋が下（深部）から**広背筋**を押し出している。

前鋸筋は、**第一～八**肋骨の表面（胸の側面）から起始し、肩甲骨の内側縁前方に沿って停止する筋肉。

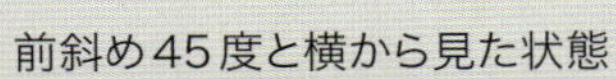
前斜め45度と横から見た状態

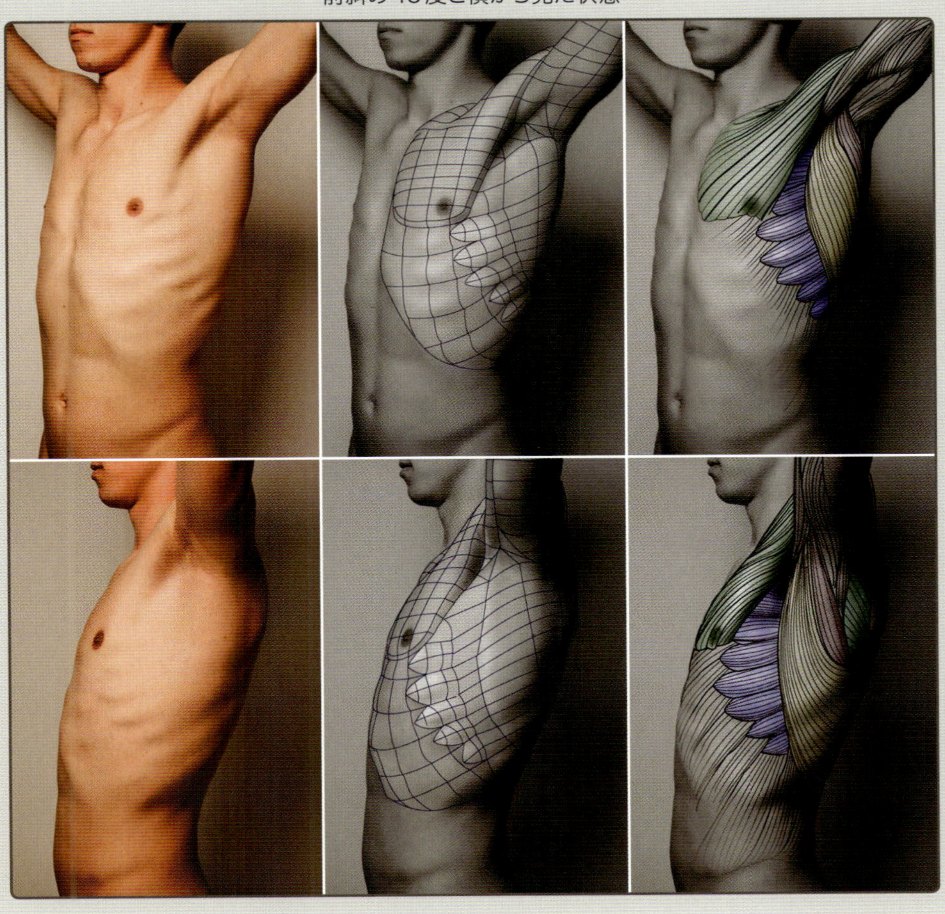

広背筋

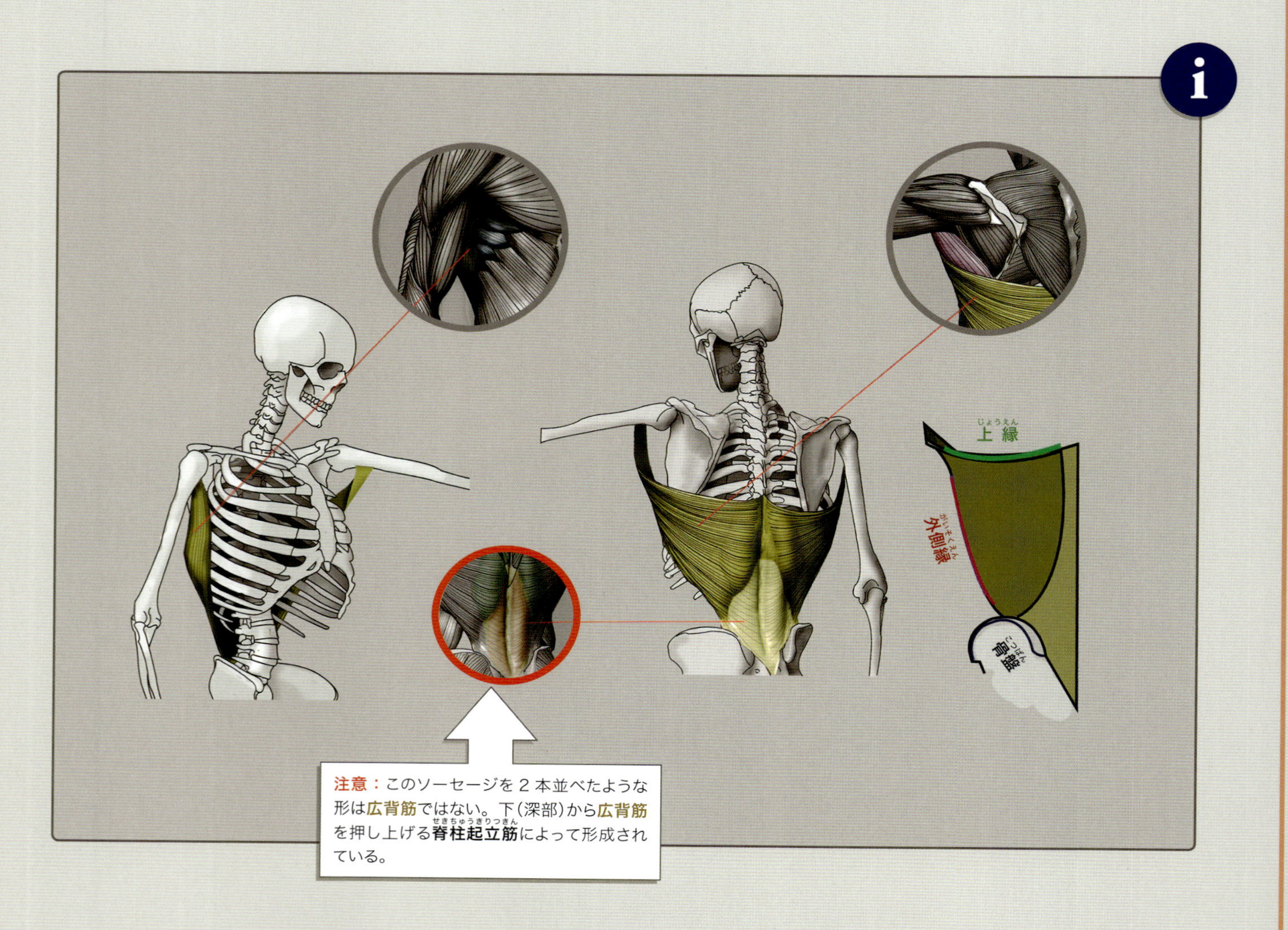
上縁
外側縁
骨盤

注意：このソーセージを２本並べたような形は**広背筋**ではない。下（深部）から**広背筋**を押し上げる**脊柱起立筋**によって形成されている。

広背筋に覆われた**大円筋**が、男性の胴体の逆三角形を形作っている。

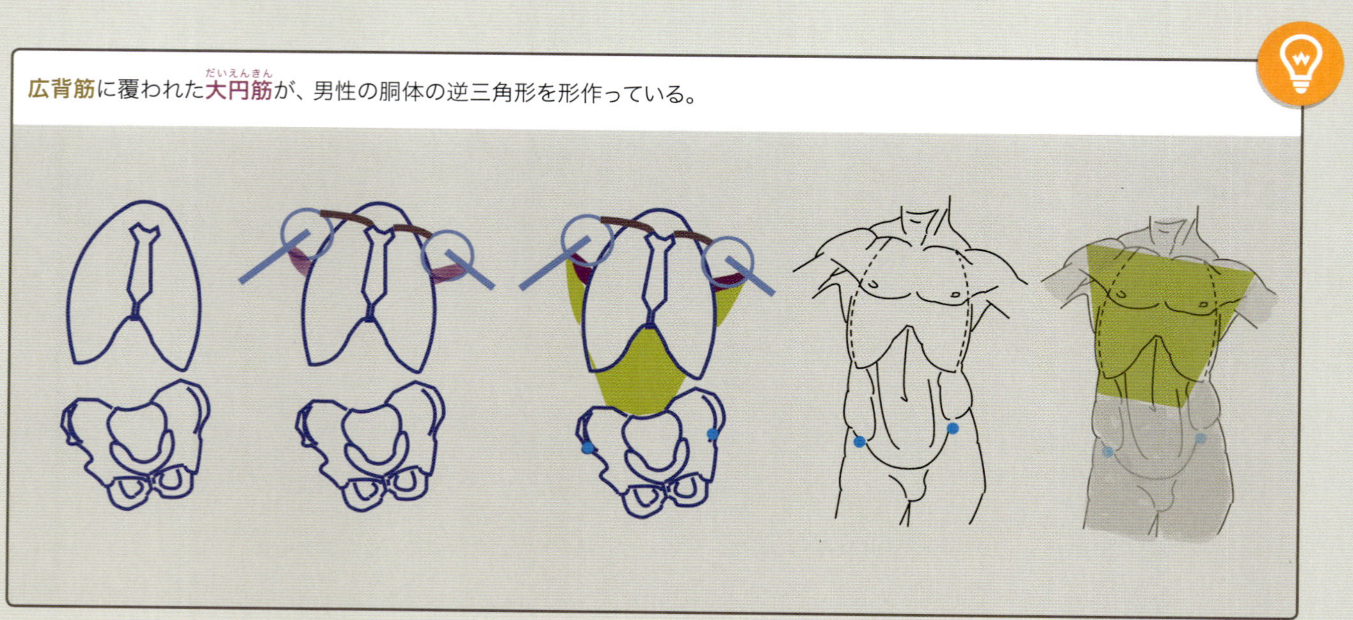

広背筋(こうはいきん)の識別

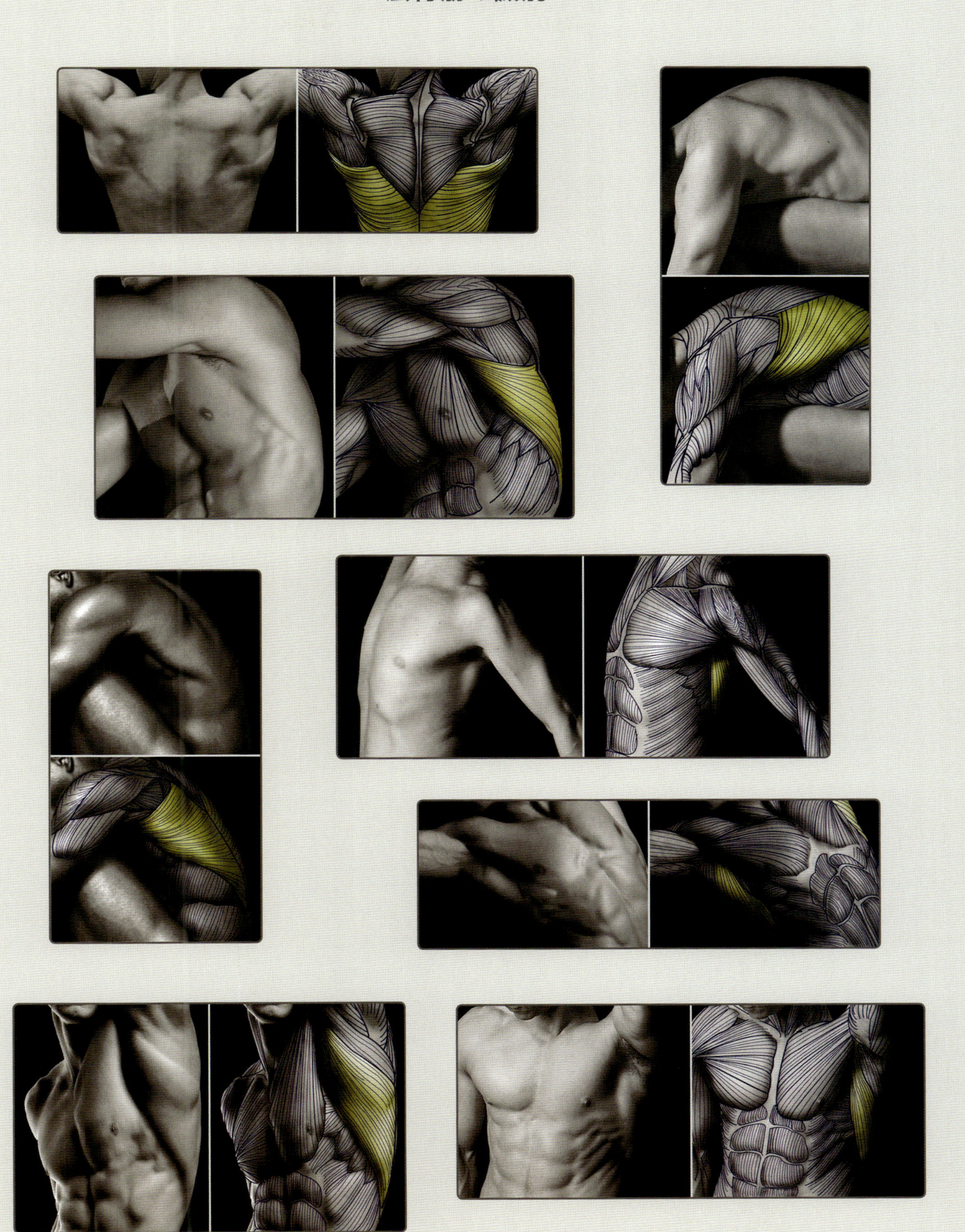

大円筋、小円筋、棘下筋

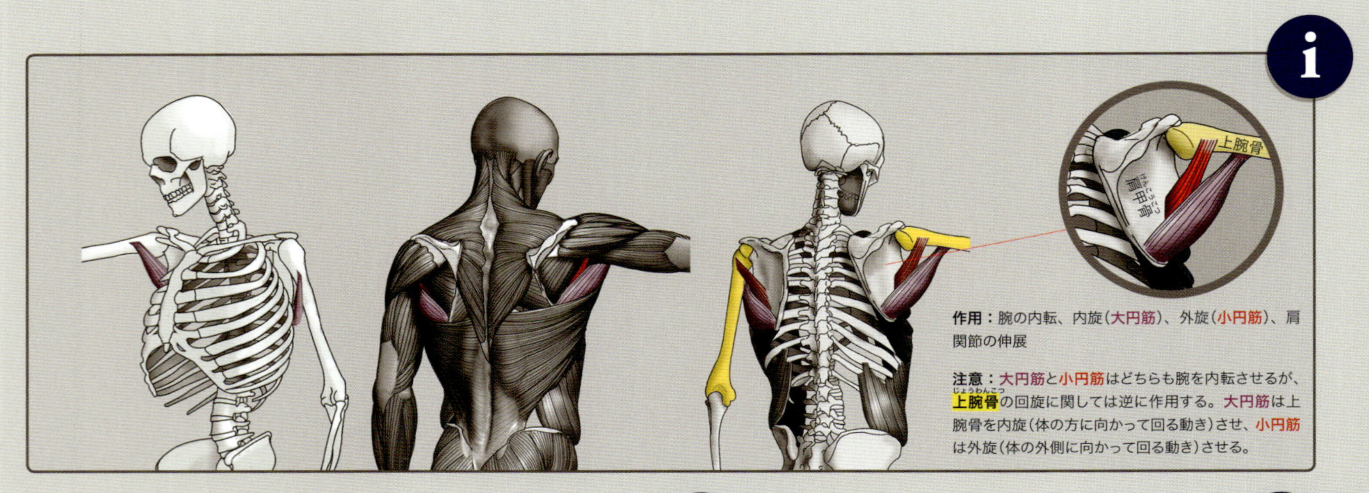
上腕骨
肩甲骨

作用：腕の内転、内旋（大円筋）、外旋（小円筋）、肩関節の伸展

注意：大円筋と小円筋はどちらも腕を内転させるが、上腕骨の回旋に関しては逆に作用する。大円筋は上腕骨を内旋（体の方に向かって回る動き）させ、小円筋は外旋（体の外側に向かって回る動き）させる。

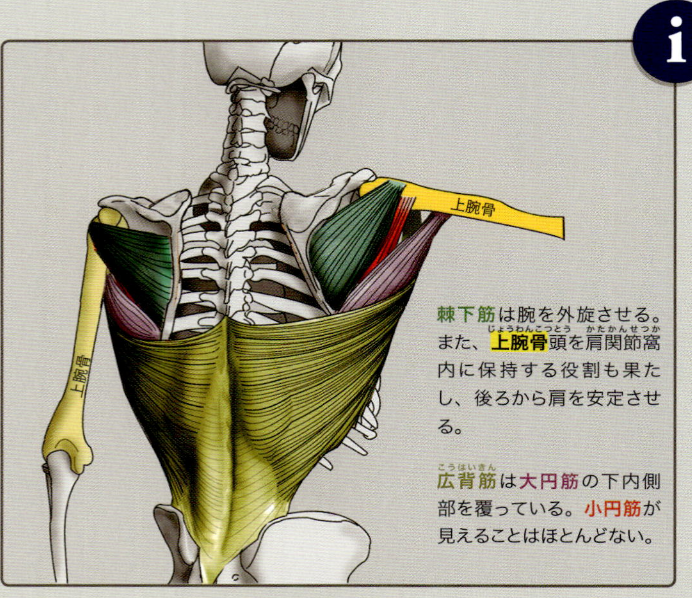
上腕骨
上腕骨

棘下筋は腕を外旋させる。また、上腕骨頭を肩関節窩内に保持する役割も果たし、後ろから肩を安定させる。

広背筋は大円筋の下内側部を覆っている。小円筋が見えることはほとんどない。

小円筋が見えることはほとんどない。

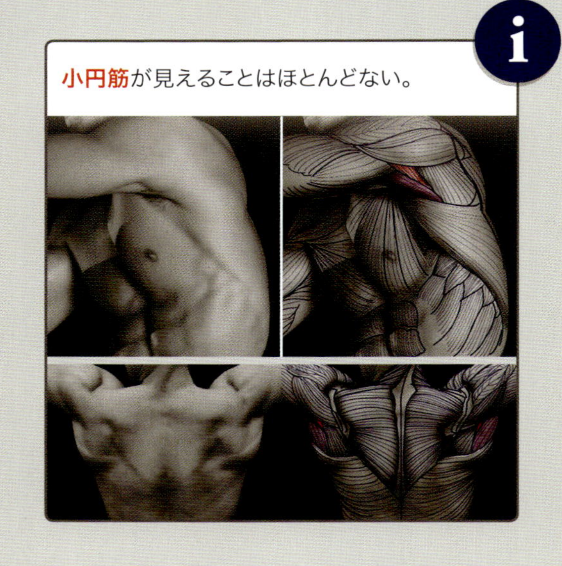

大円筋は腕を胴体の後ろに引くと顕著になる。

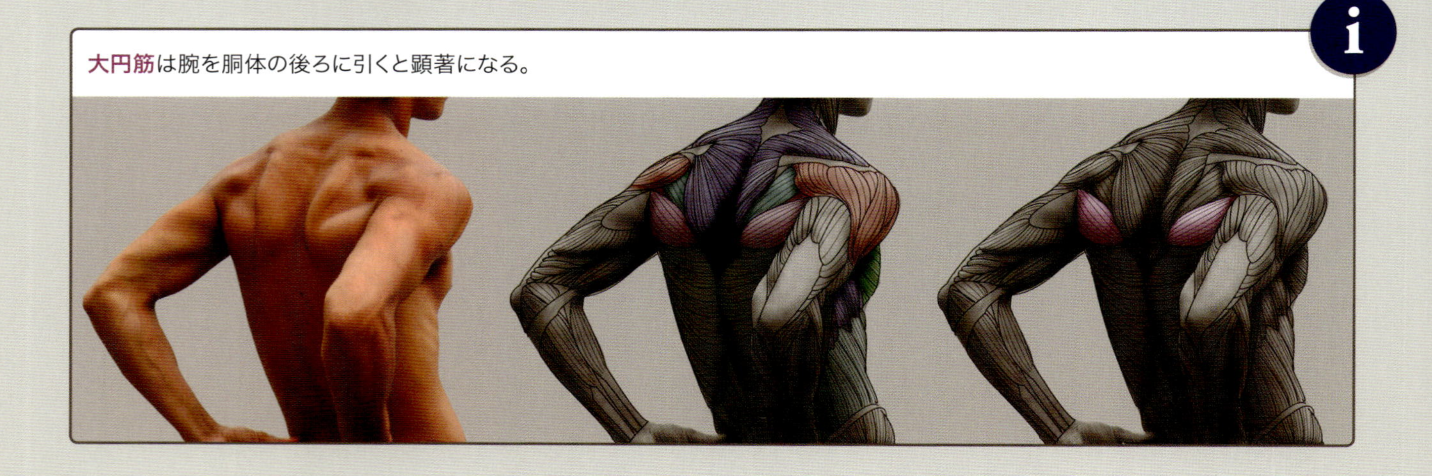

外腹斜筋（がいふくしゃきん）

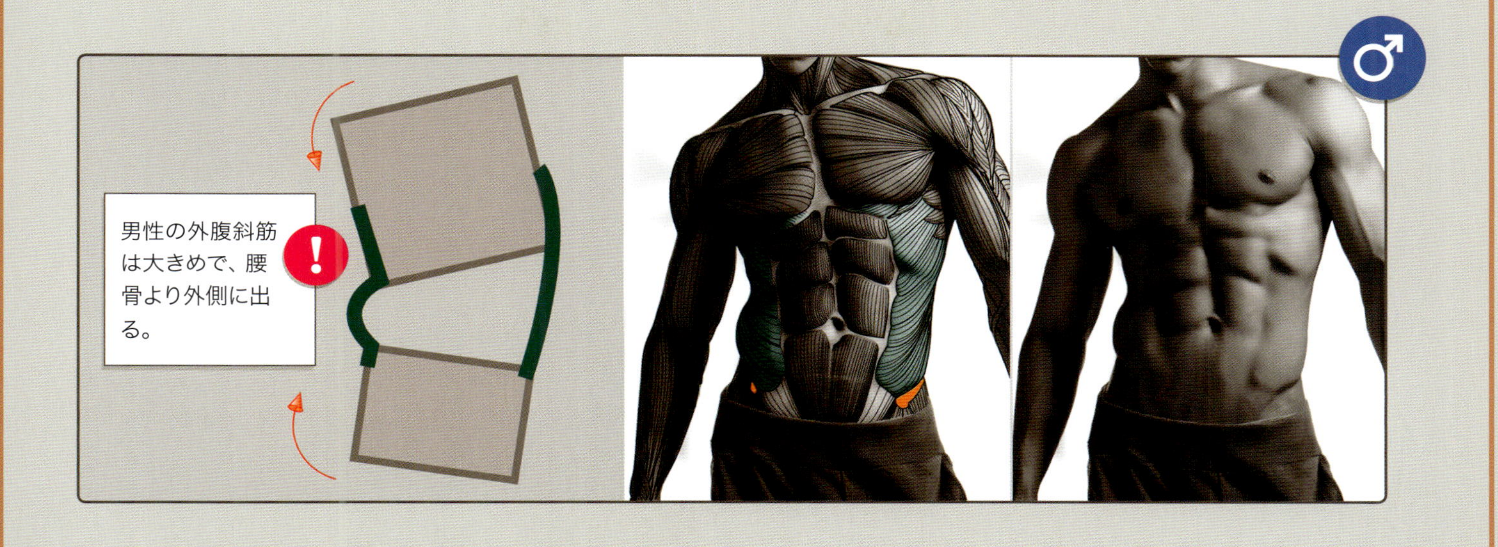
男性の外腹斜筋は大きめで、腰骨より外側に出る。

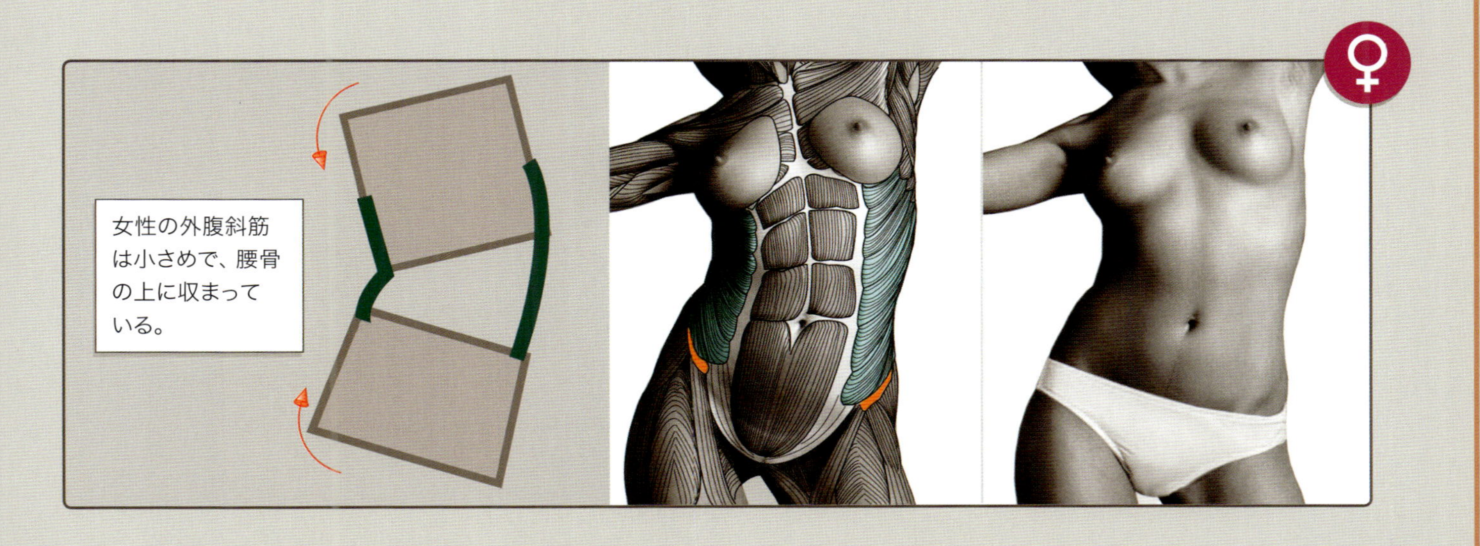
女性の外腹斜筋は小さめで、腰骨の上に収まっている。

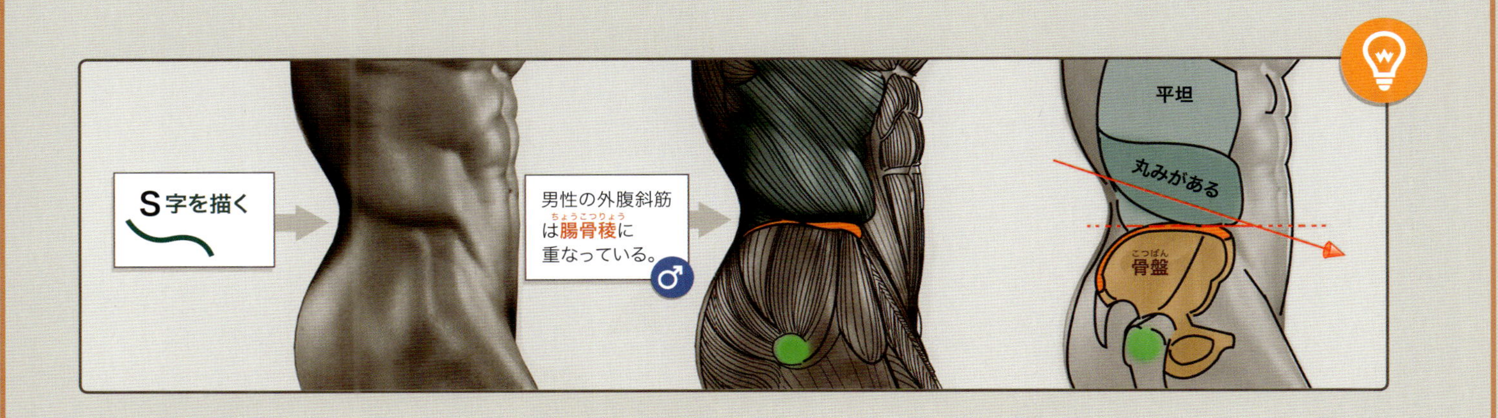
S字を描く
男性の外腹斜筋は腸骨稜（ちょうこつりょう）に重なっている。
平坦
丸みがある
骨盤（こつばん）

男女の腰

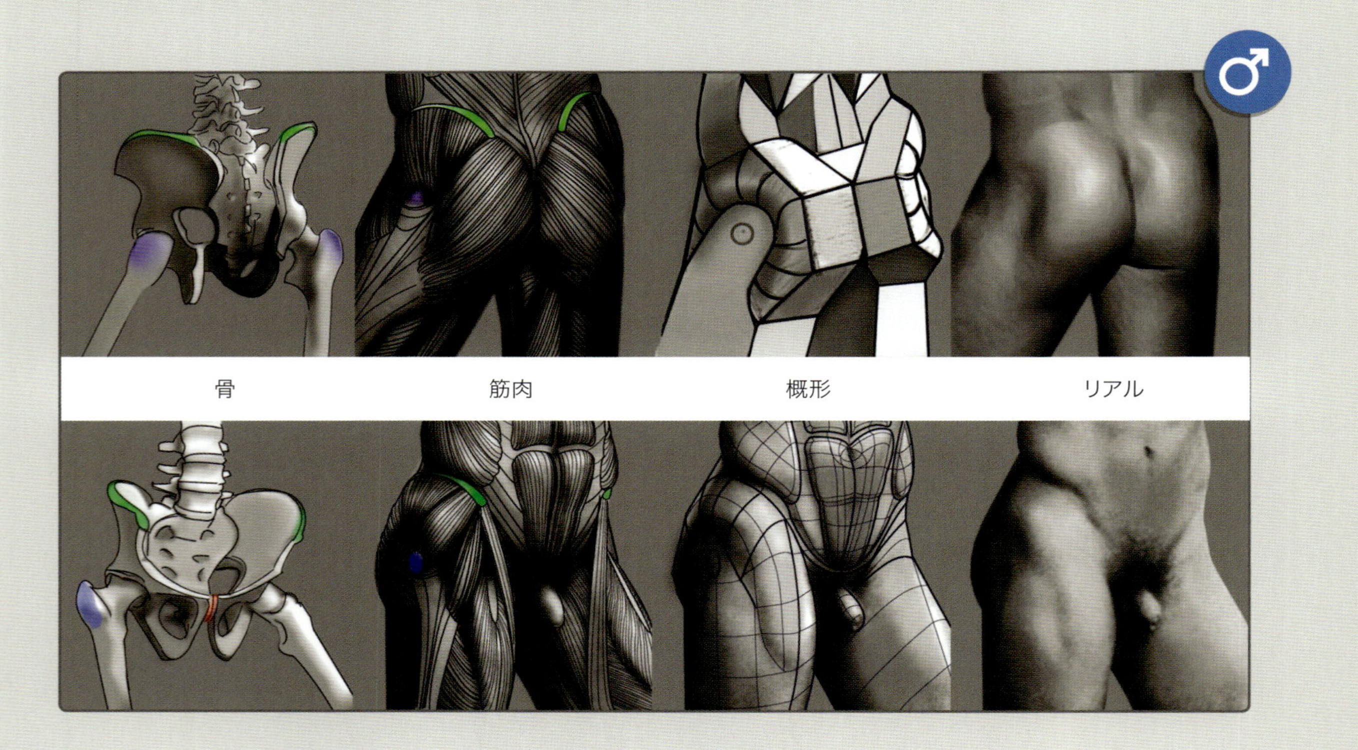

♂
骨
筋肉
概形
リアル

大転子（だいてんし）　腸骨稜（ちょうこつりょう）　恥骨結合（ちこつけつごう）

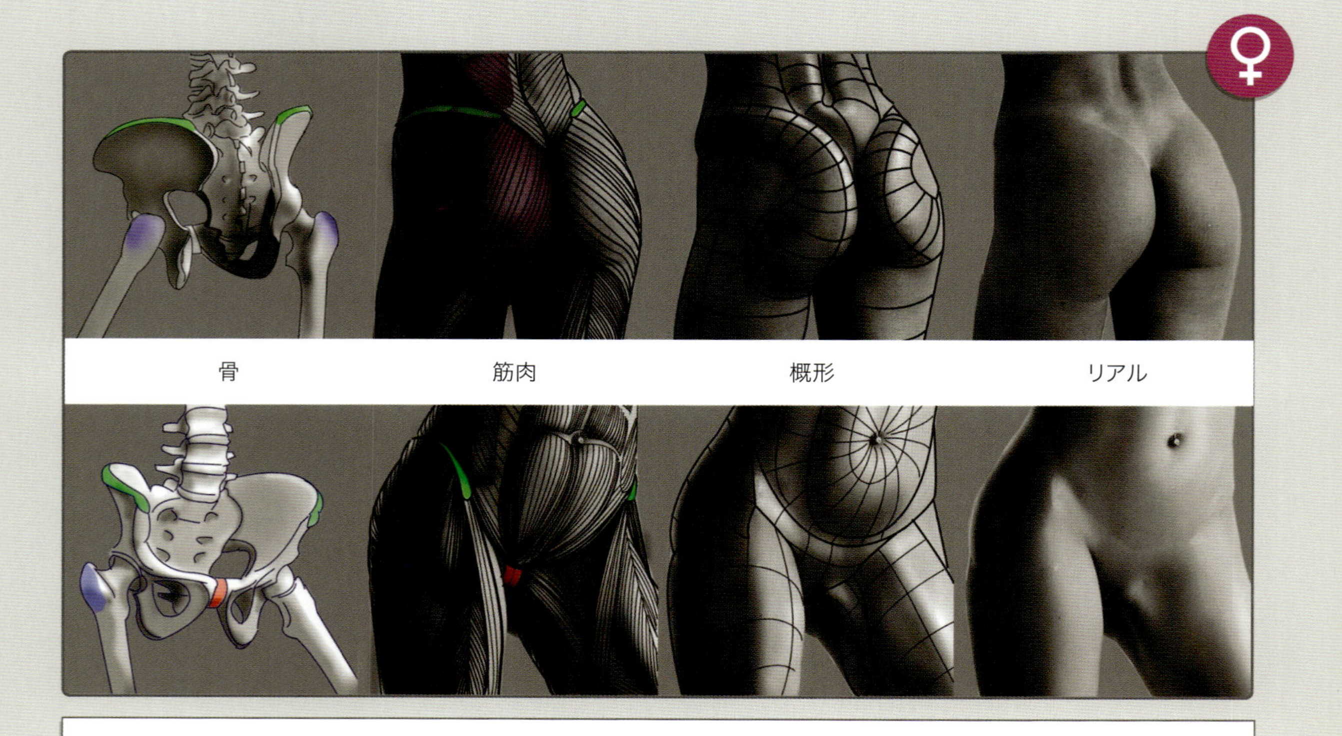

♀
骨
筋肉
概形
リアル

皮下の**脂肪組織**が女性の腰の曲線的な形状を作り出している。

臀部の詳細

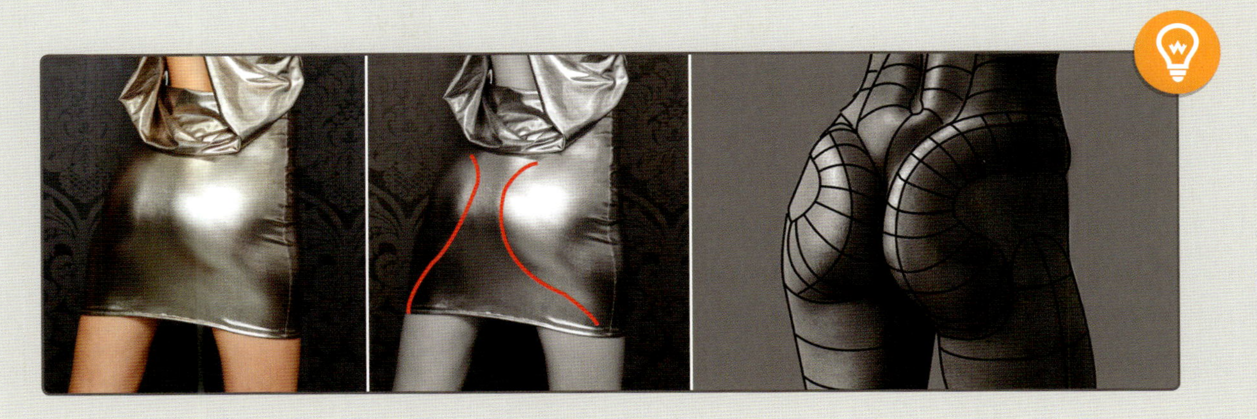

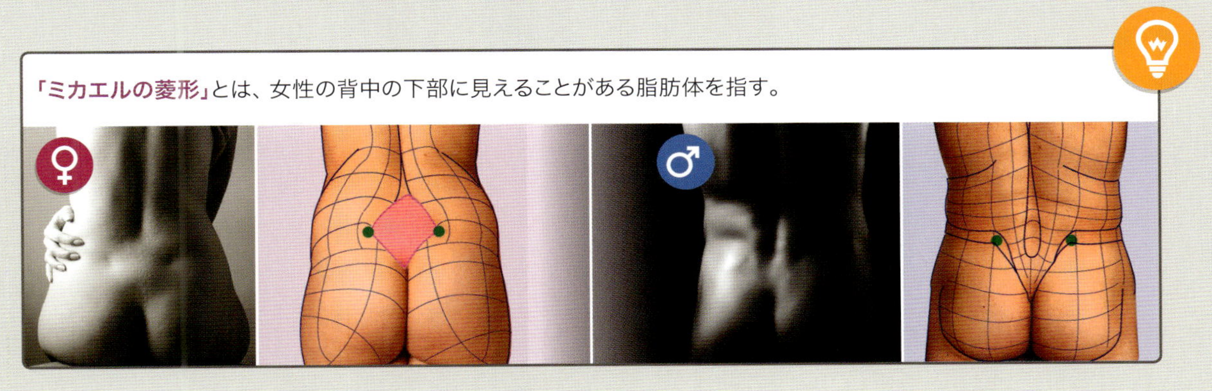

「ミカエルの菱形」とは、女性の背中の下部に見えることがある脂肪体を指す。

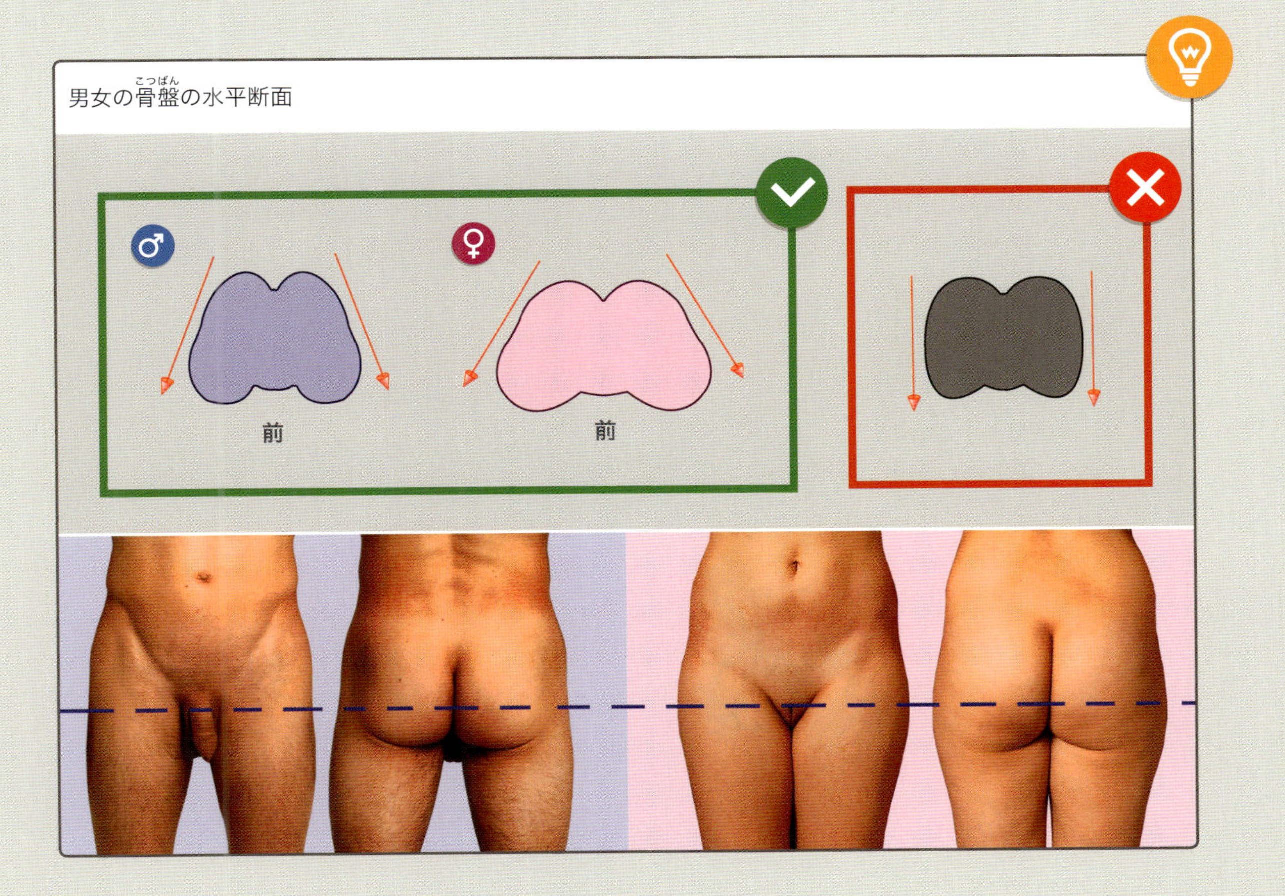
前
前

男女の骨盤（こつばん）の水平断面

男性の皮下脂肪

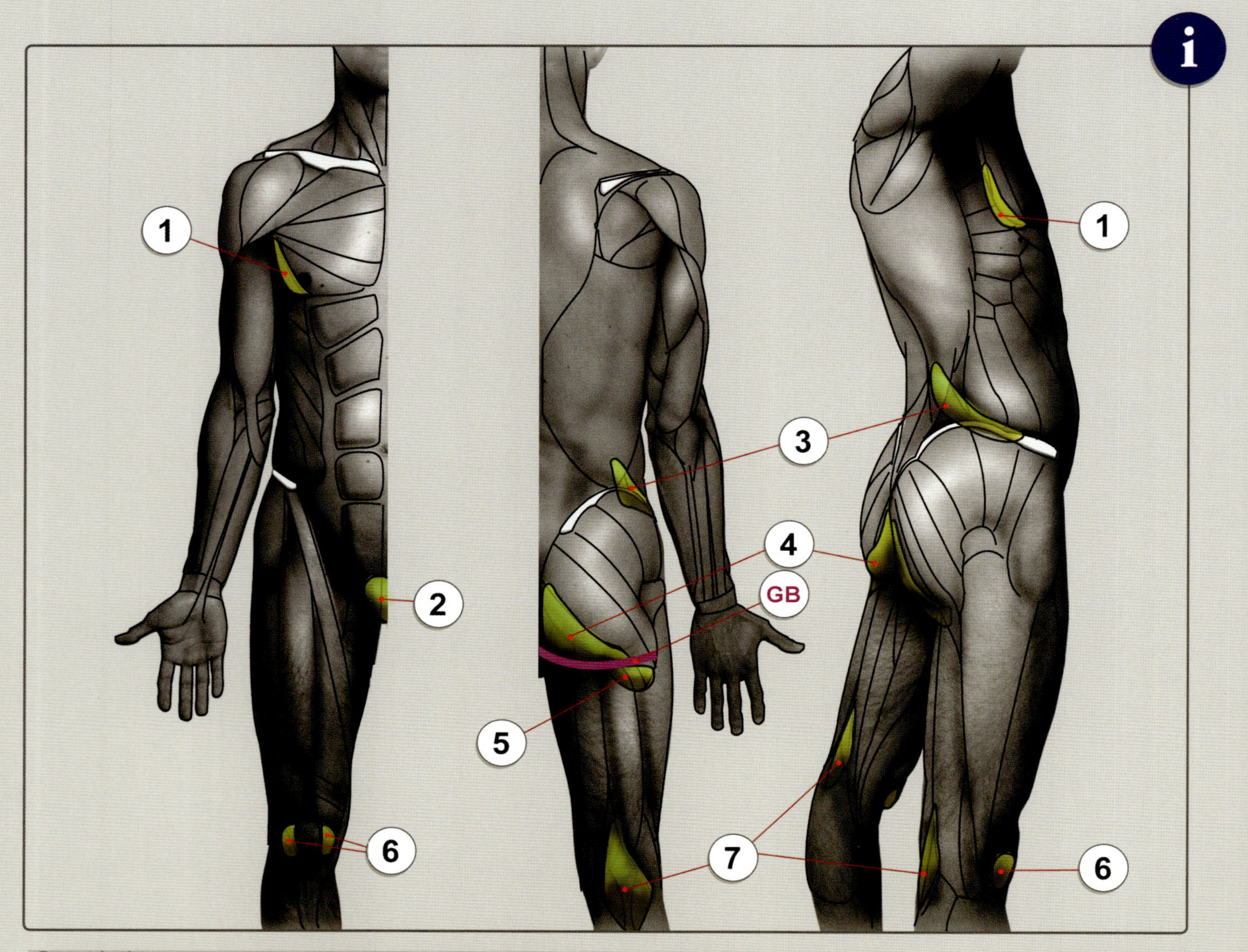
1
2
3
4
GB
5
6
7

1 乳房脂肪体
2 恥骨脂肪体
3 側腹脂肪体
4 臀部周辺の脂肪体
5 臀部下の脂肪の広がり
6 膝蓋下脂肪体
7 膝窩脂肪体
GB 臀溝 – 皮膚のひだができる。大腿部を曲げる(ももを上げる)とひだは消える。

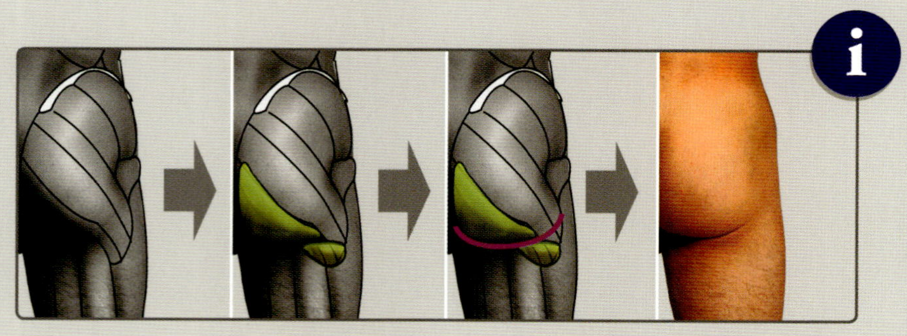

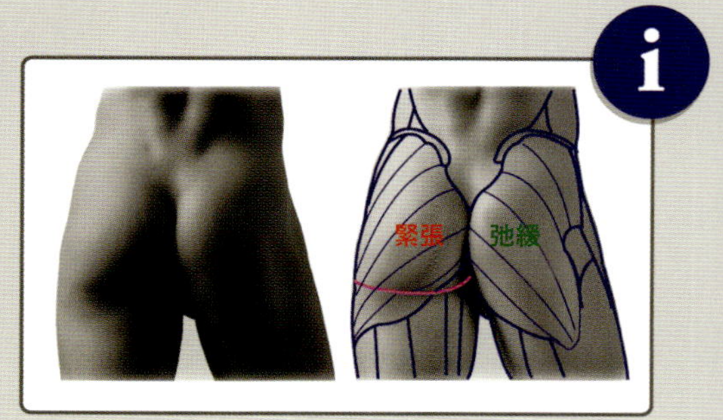
緊張
弛緩

女性の皮下脂肪

（正面）

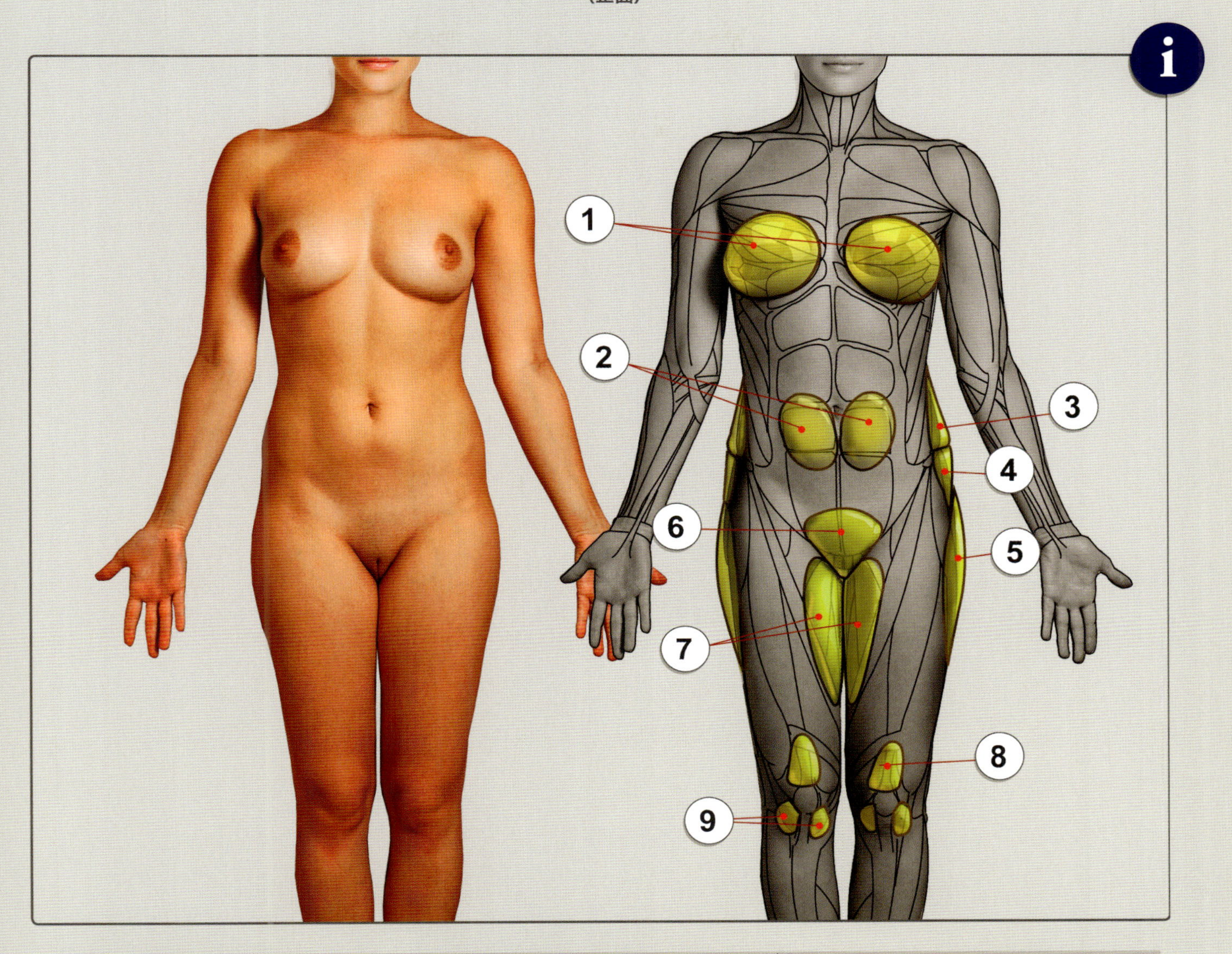
1
2
3
4
5
6
7
8
9

1 胸部の脂肪
2 腹壁脂肪体
3 側腹脂肪体
4 臀部周辺の脂肪体
5 大腿部外側の脂肪体
6 恥骨脂肪体
7 大腿部内側の脂肪体
8 大腿前面下部の脂肪体
9 膝蓋下脂肪体

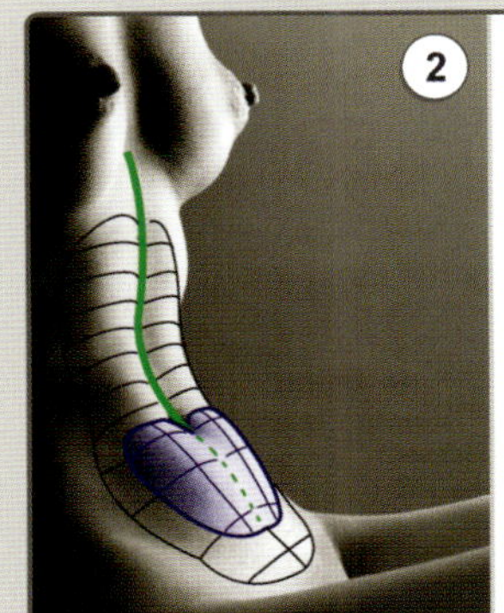
2

腹壁脂肪体が大きくなるほど、へそから下に伸びる**白線**は厚い脂肪の層に覆われて目立たなくなる。
腹部の脂肪が最小限の場合、**腹壁脂肪体**はリンゴのような形に見える。

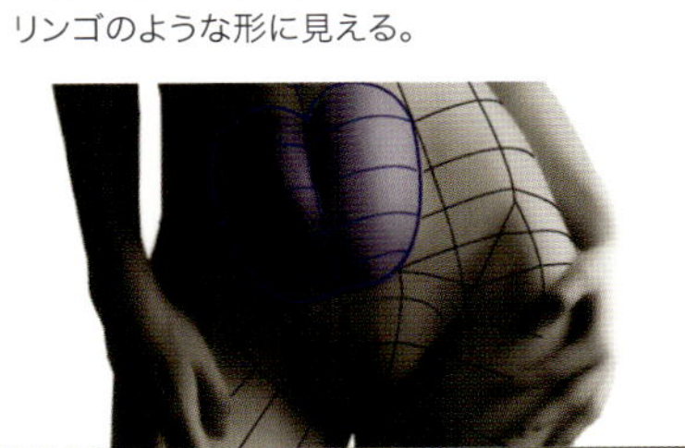

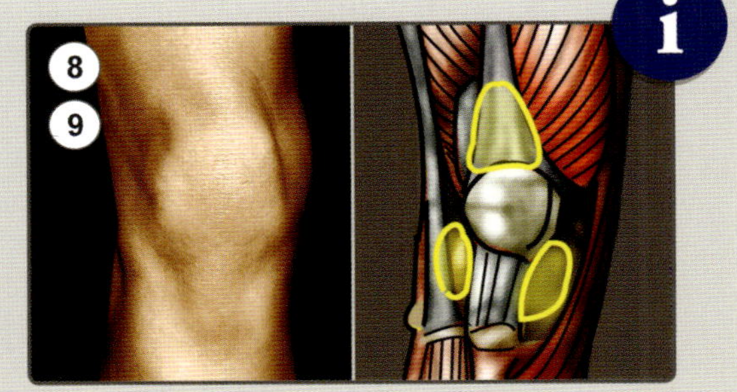
8
9

右膝

女性の皮下脂肪

（側面）

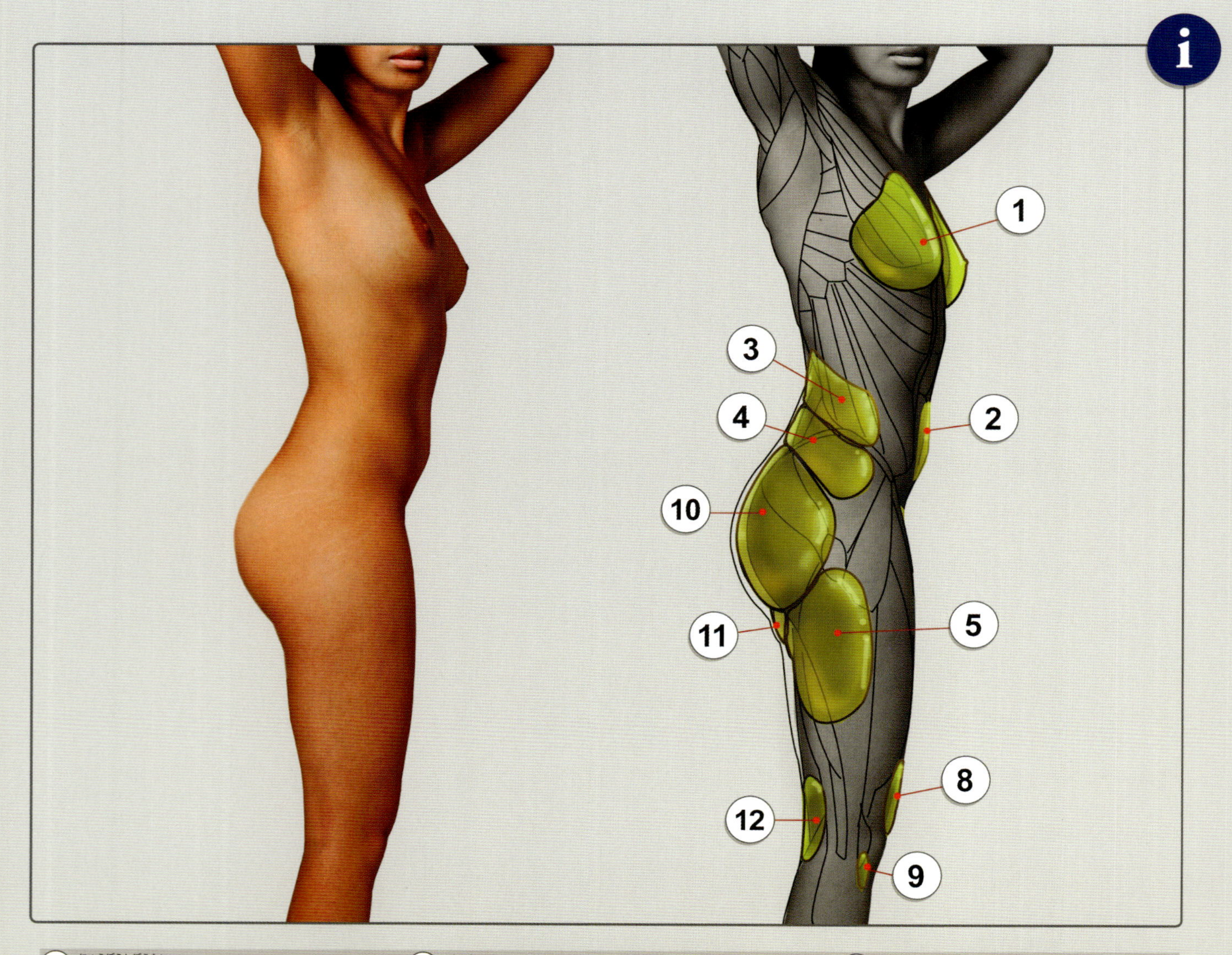
1
3
4
2
10
11
5
8
12
9

1. 乳房脂肪体
2. 腹部の脂肪体
3. 側腹脂肪体
4. 臀部周辺の脂肪体
5. 大腿部外側の脂肪体
8. 大腿前面下部の脂肪体
9. 膝蓋下脂肪体
10. 臀部の脂肪体
11. 臀部下の脂肪の広がり
12. 膝窩脂肪体

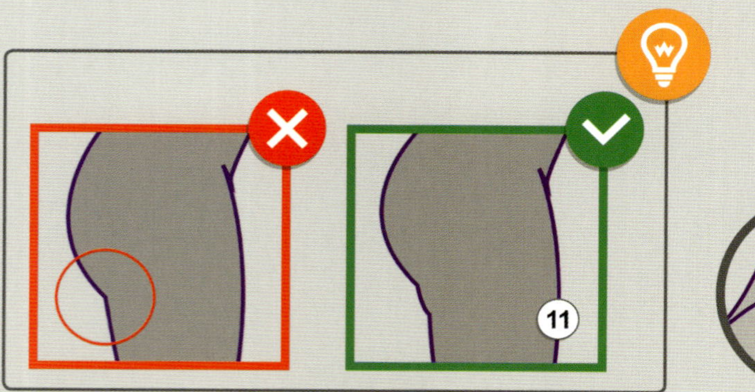
11

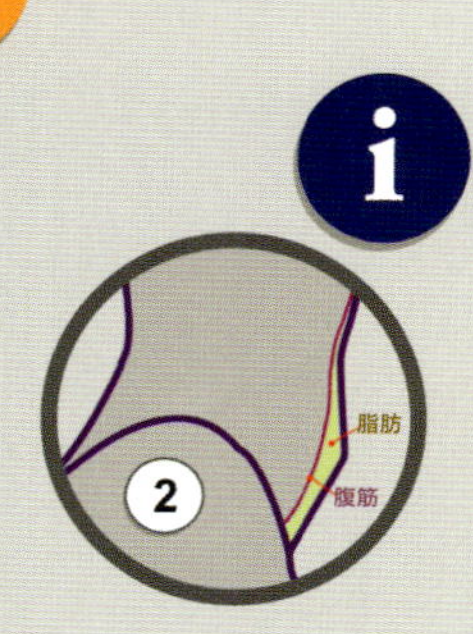
2
脂肪
腹筋

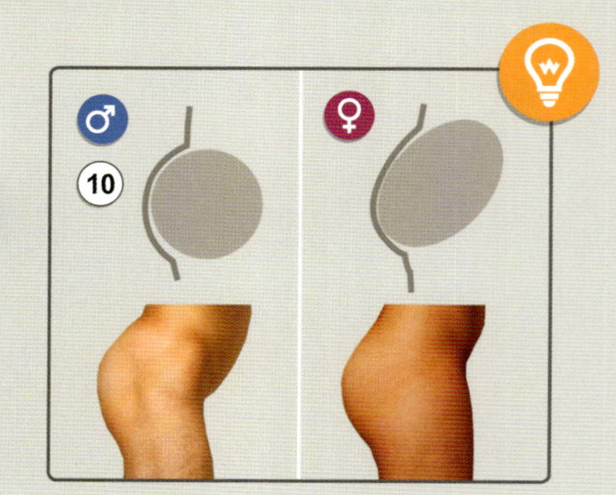
♂
10
♀

女性の皮下脂肪

（背面）

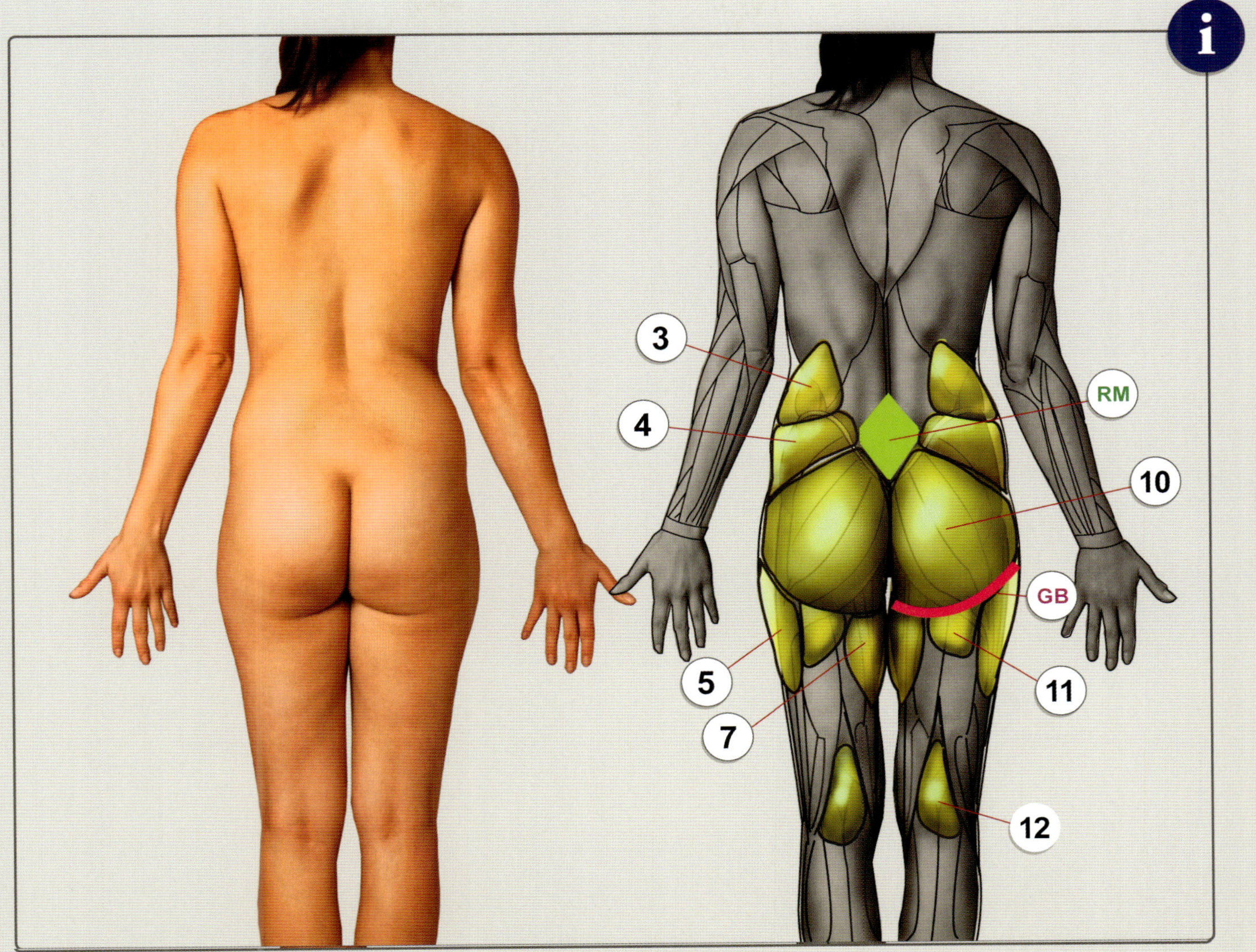
i
3
4
RM
10
GB
5
7
11
12

3 側腹脂肪体	5 大腿部外側の脂肪体	10 臀部の脂肪体
4 臀部周辺の脂肪体	7 大腿部内側の脂肪体	11 臀部下の脂肪の広がり
12 膝窩脂肪体	RM 「ミカエルの菱形」	GB 臀溝 – 皮膚のひだができる。大腿部を曲げる（ももを上げる）とひだは消える。

女性は男性よりも皮下脂肪が多く、かなり厚い。これが「女性特有の曲線的な外観」を作り出す。

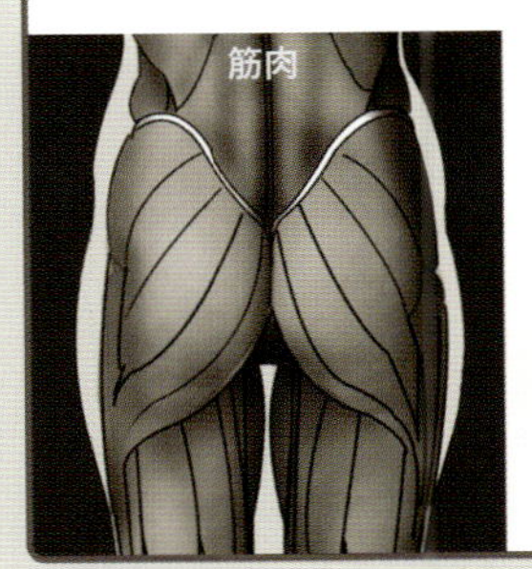
筋肉

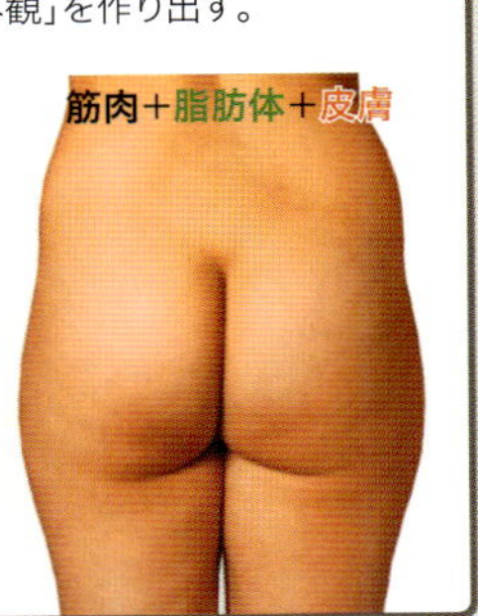
筋肉＋脂肪体＋皮膚

脚を真っすぐ伸ばしているときは膝窩脂肪体が盛り上がって見える。

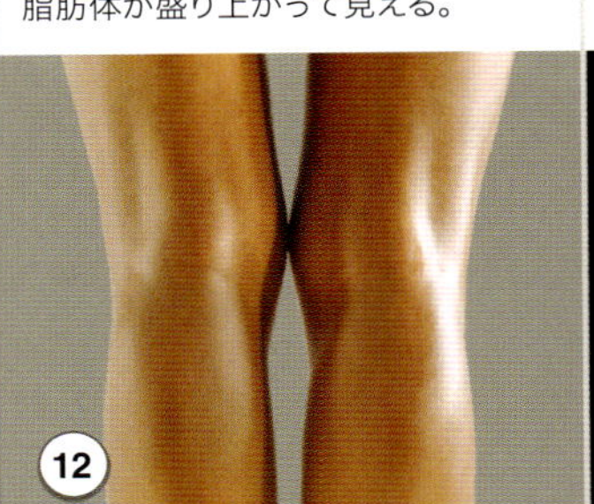
12

脂肪が極端に少ない膝窩（ひかがみ）。

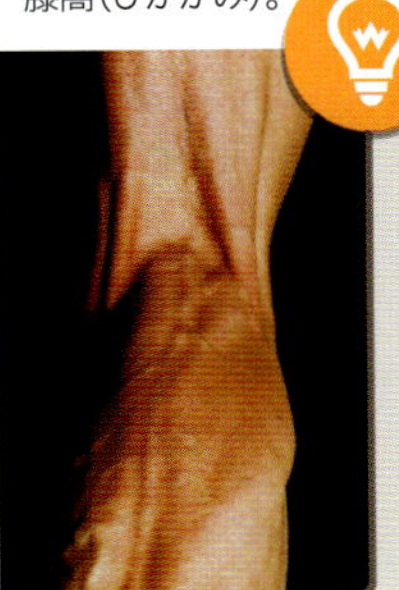

肥満男性のプロポーションの変化(7.5頭身)

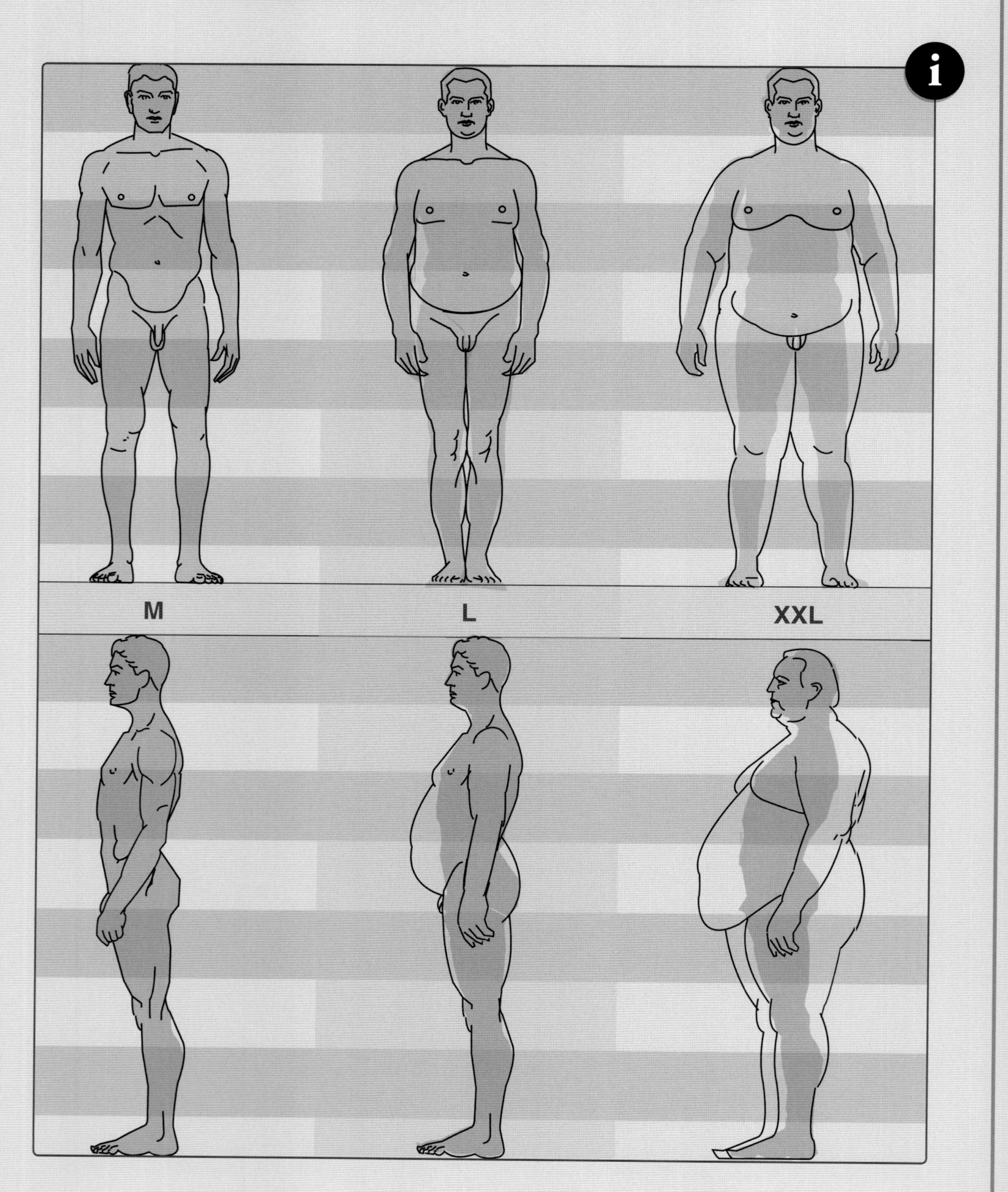
i
M
L
XXL

肥満女性のプロポーションの変化（7.5頭身）

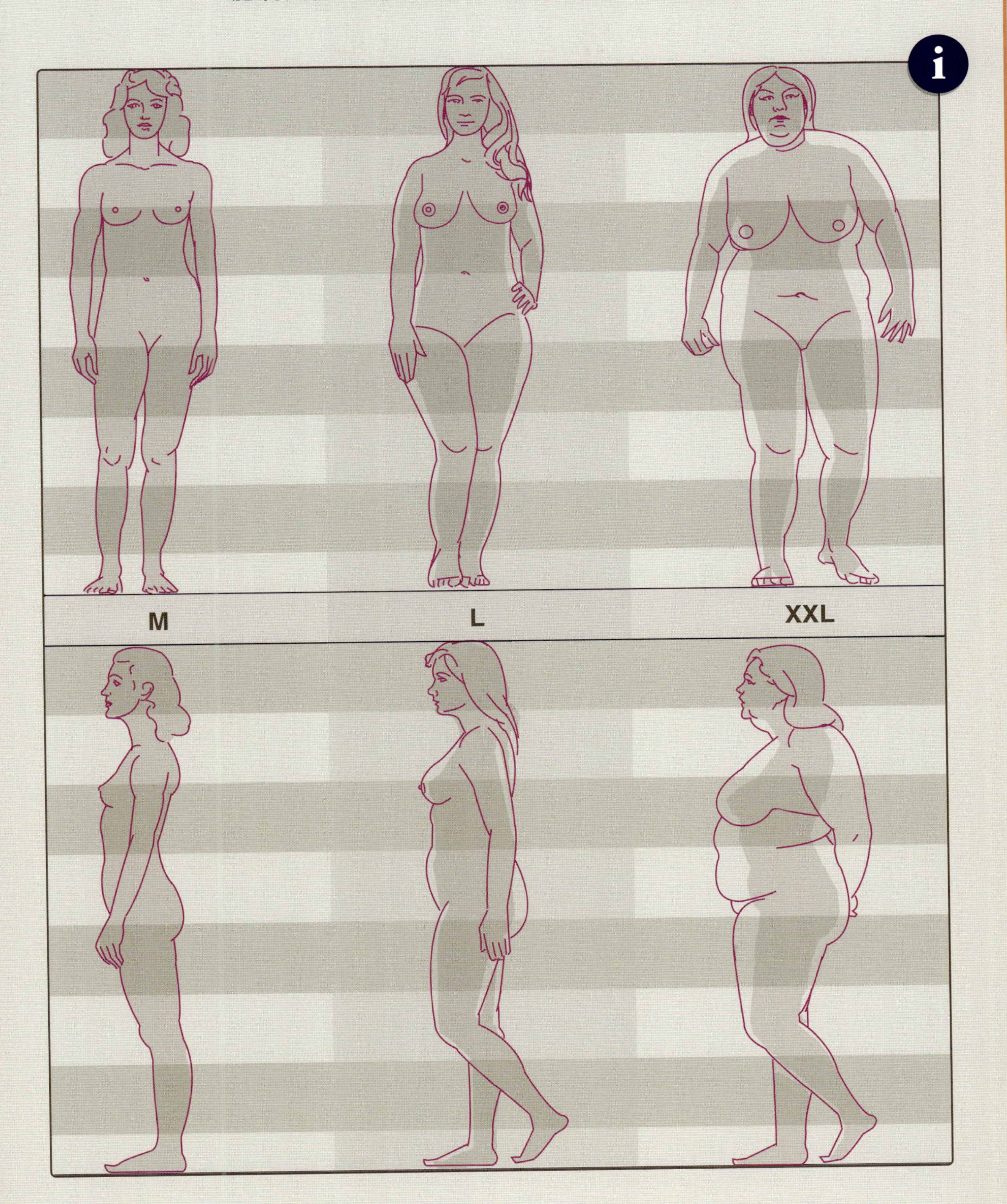
i
M
L
XXL

脂肪蓄積の影響が少ない体の部位

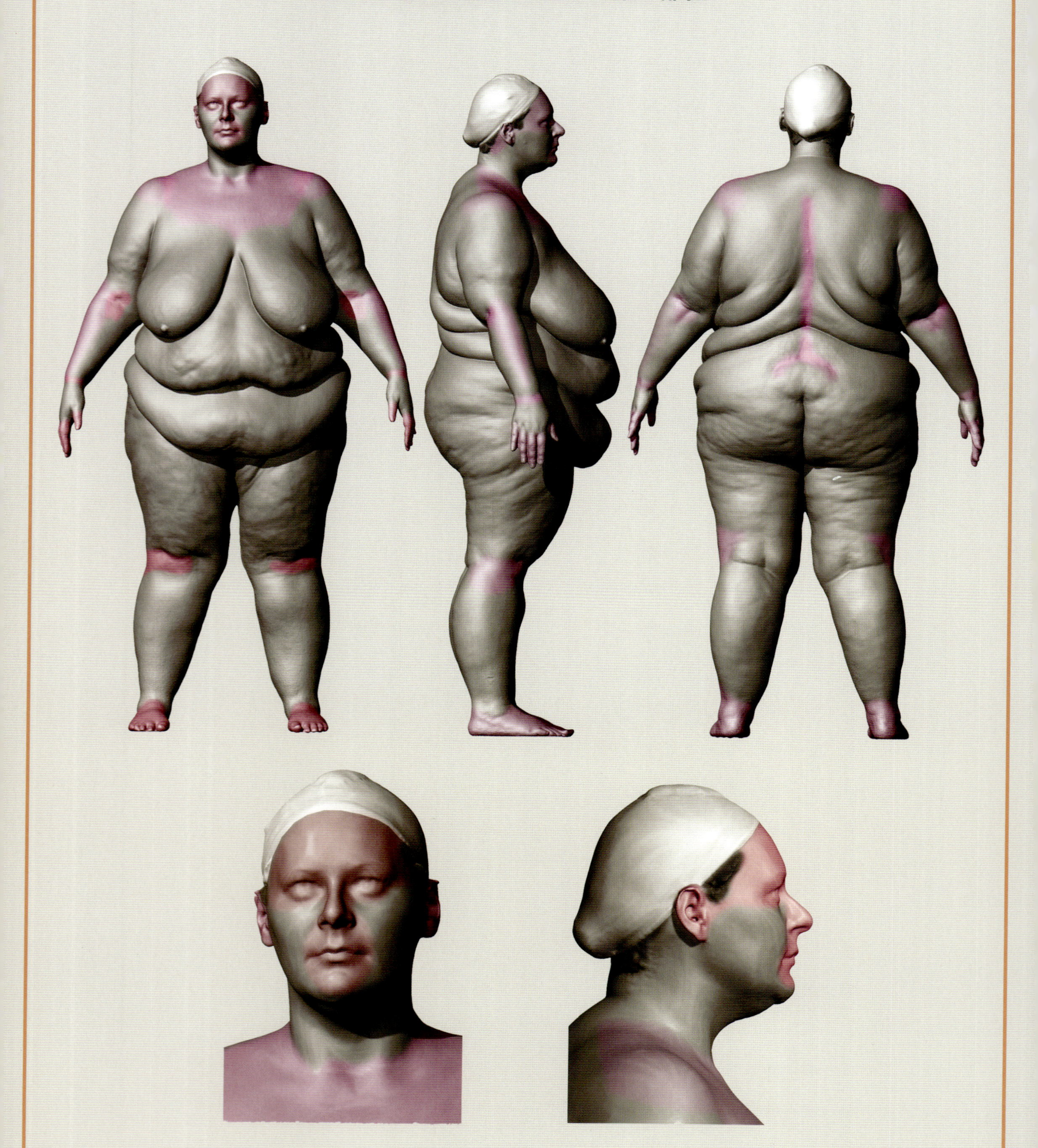

中年女性の3Dスキャン

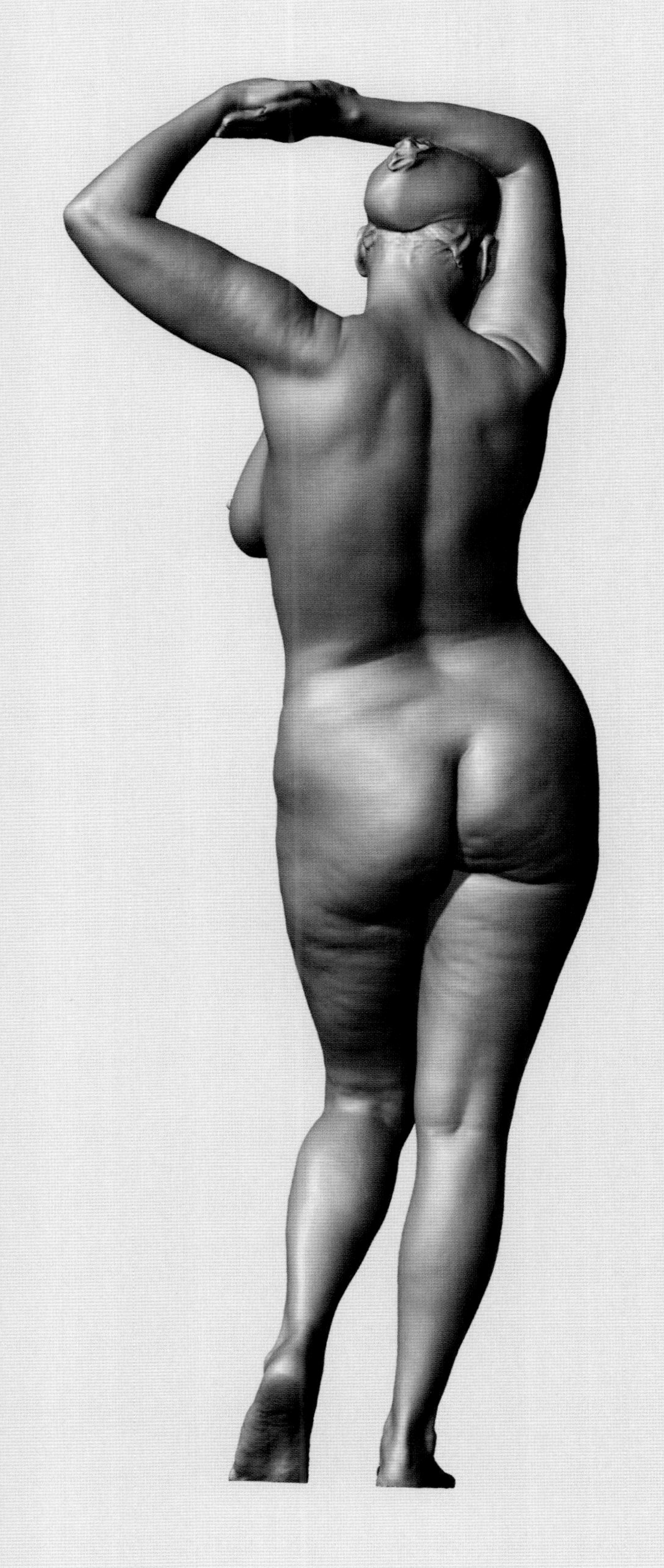

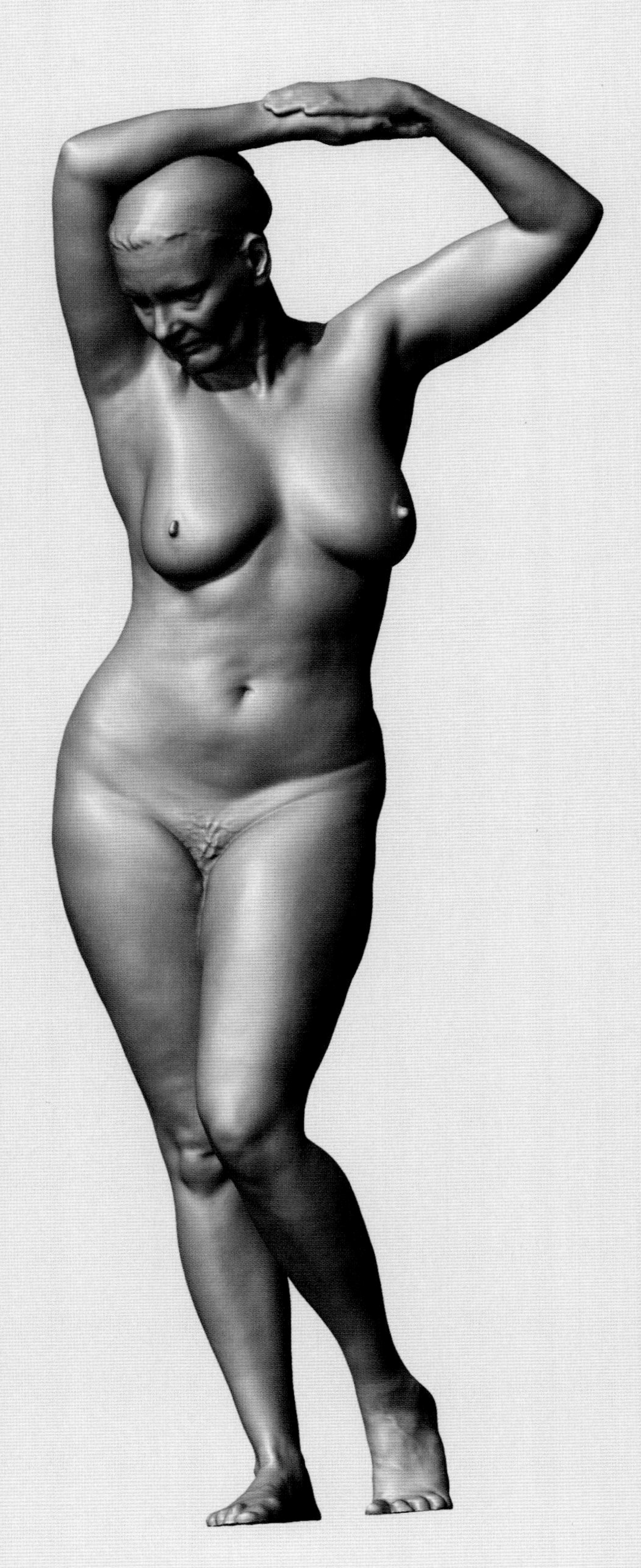

若い女性の3Dスキャン

若い女性の3Dスキャン

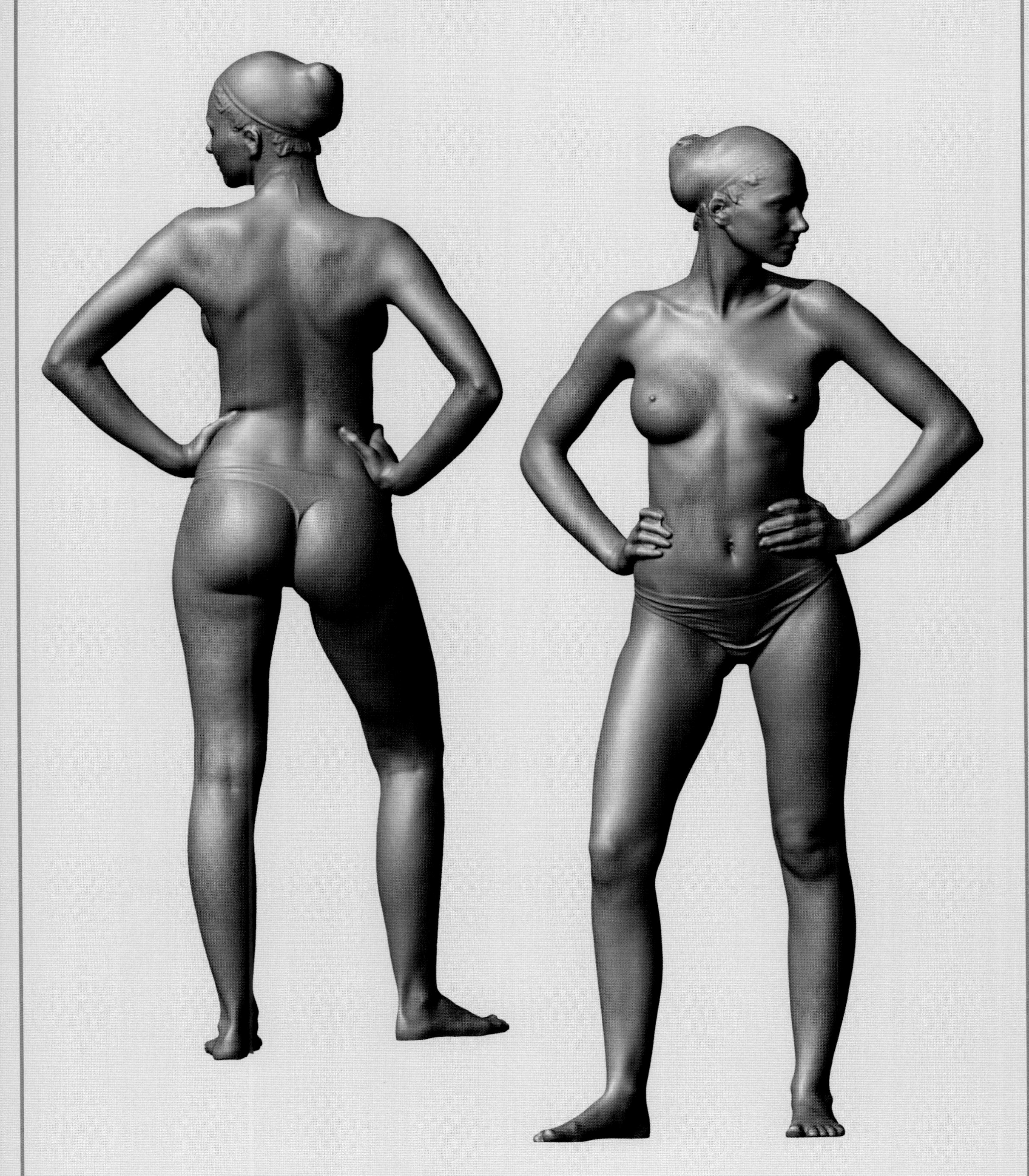

若い男性の3Dスキャン

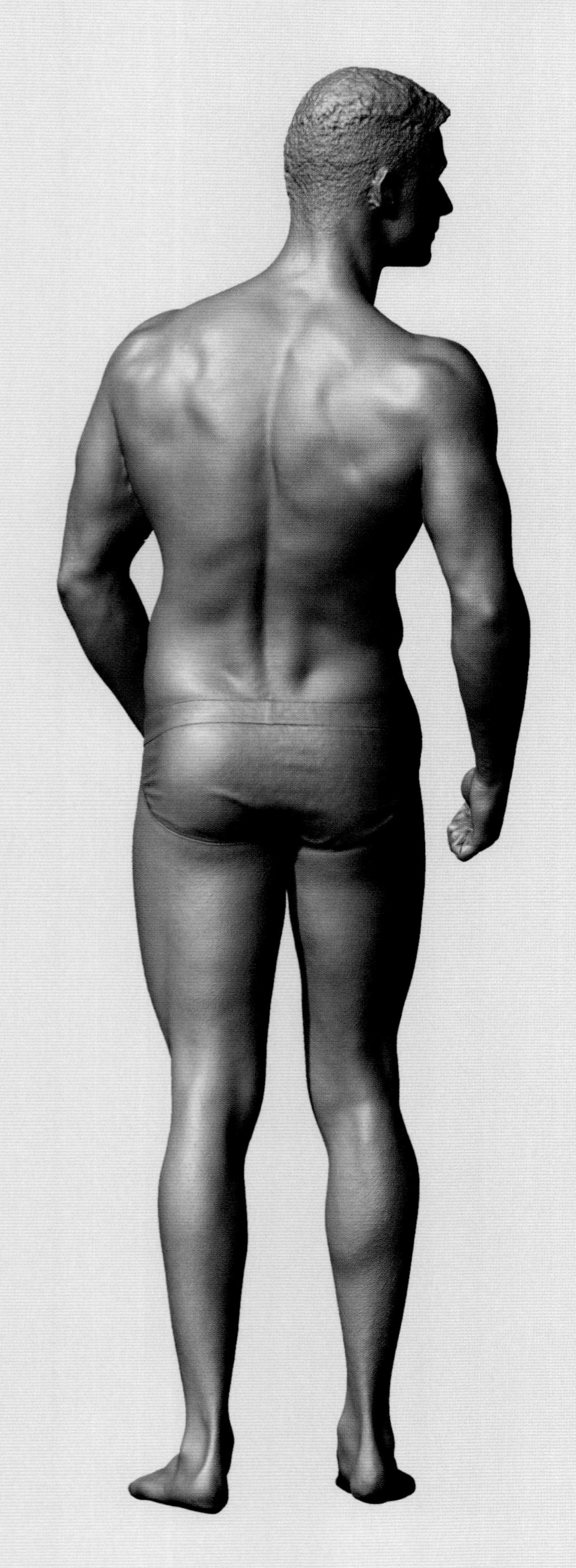

中年男性の3Dスキャン

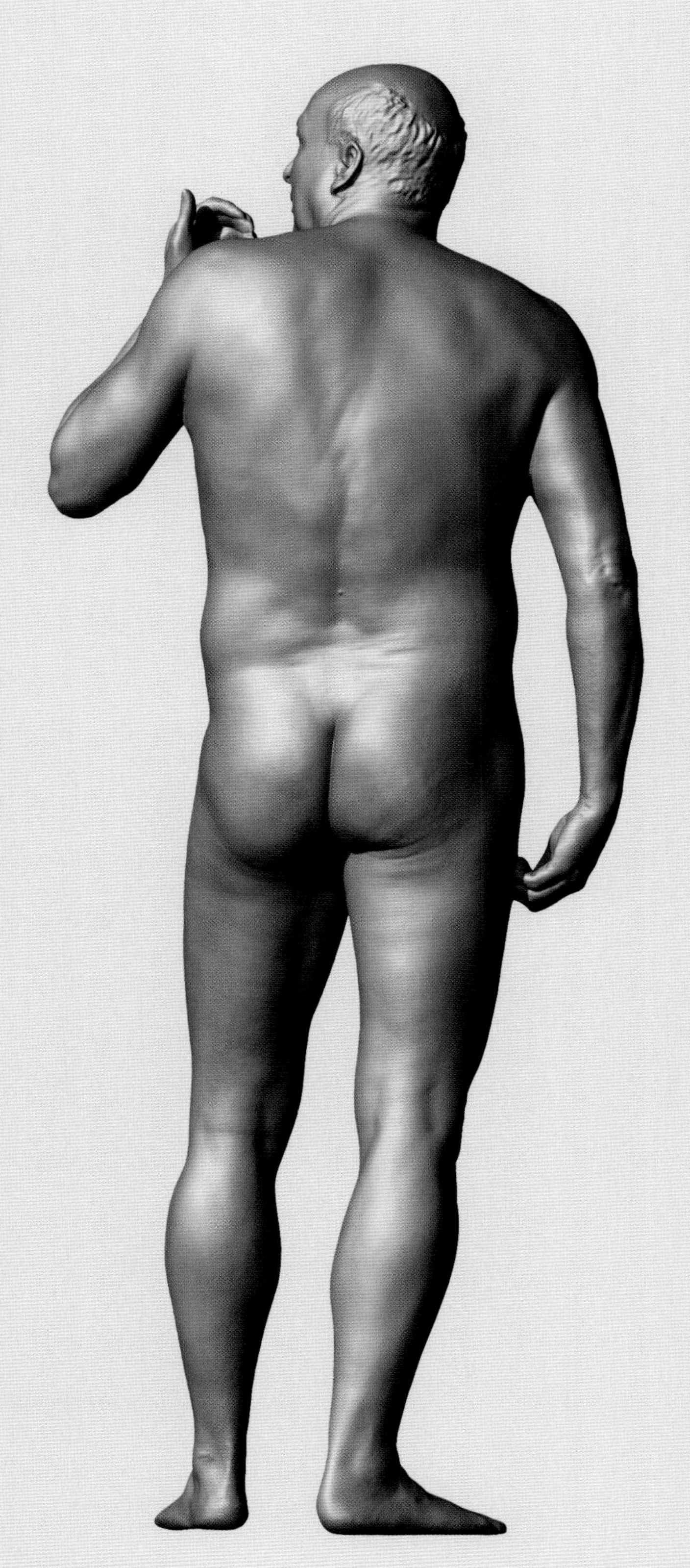

腕を体の後ろに回した状態

斜め45度

右側面

斜め45度

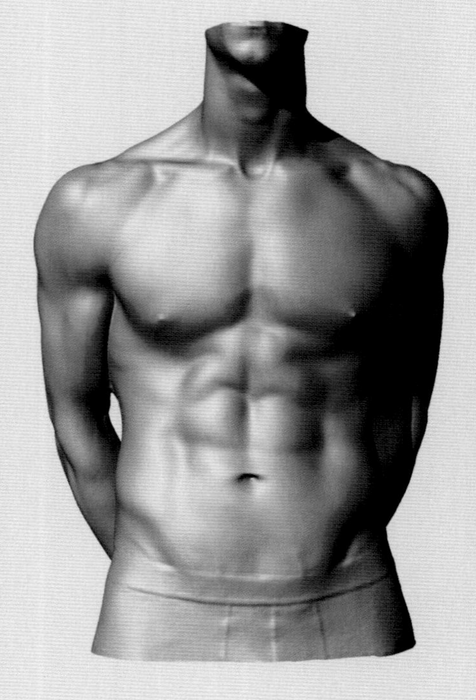

前面

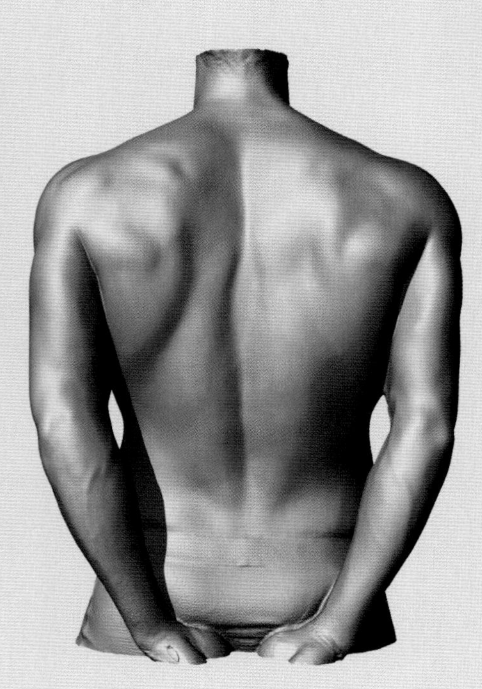

背面

左側面

腕を横に配置した状態

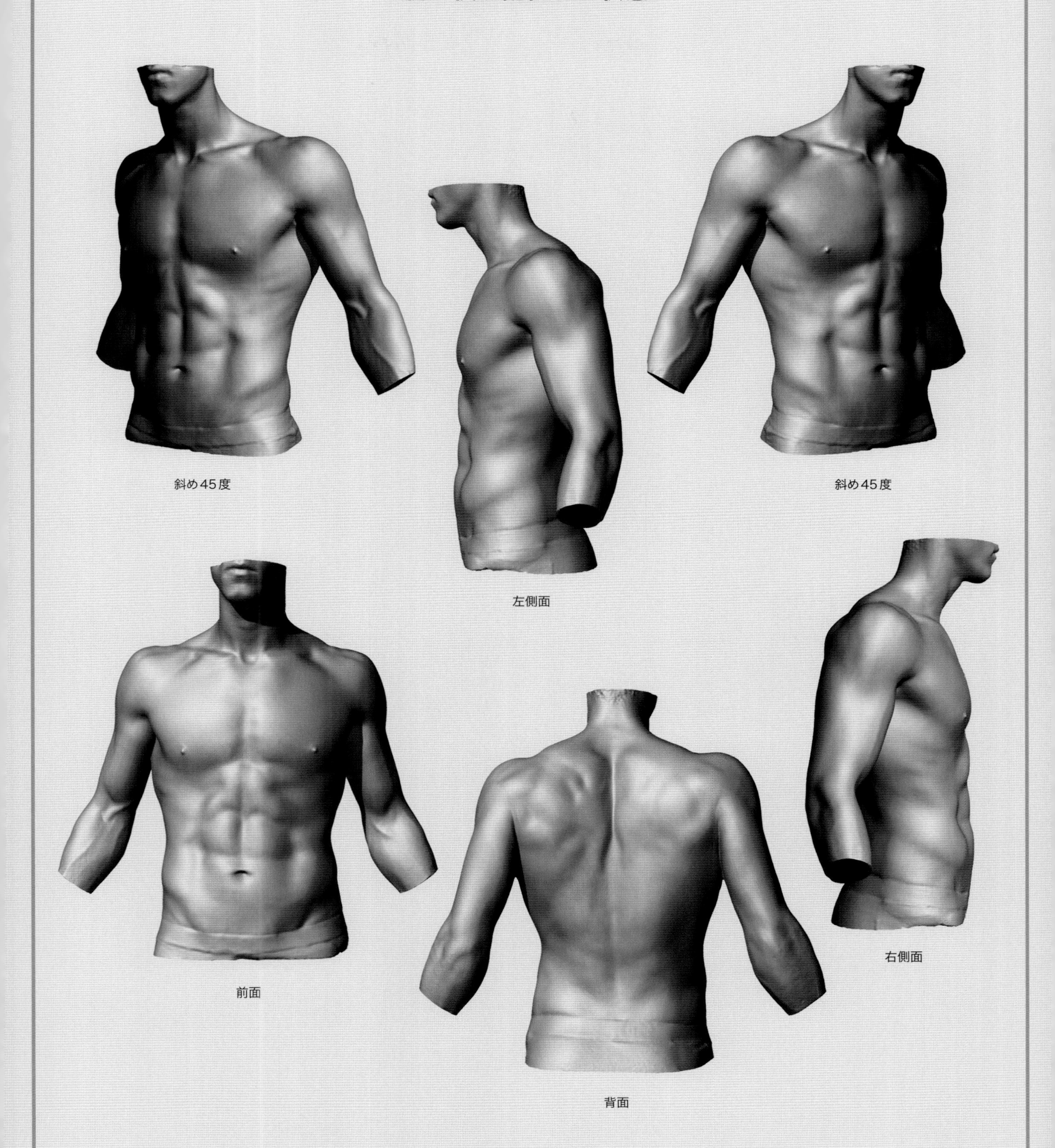

斜め45度

斜め45度

左側面

前面

右側面

背面

腕を真横に伸ばした状態

斜め45度

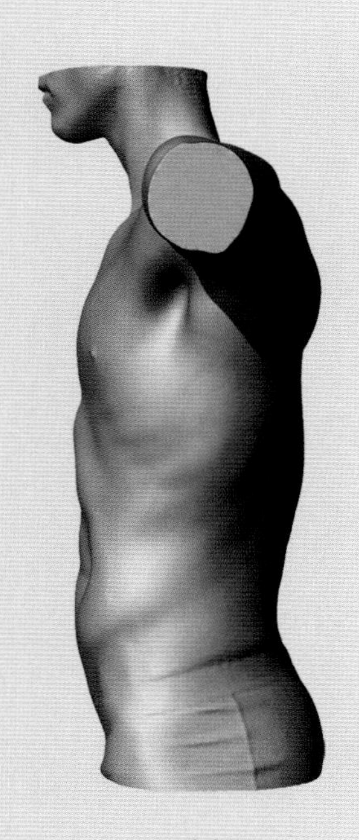

左側面

斜め45度

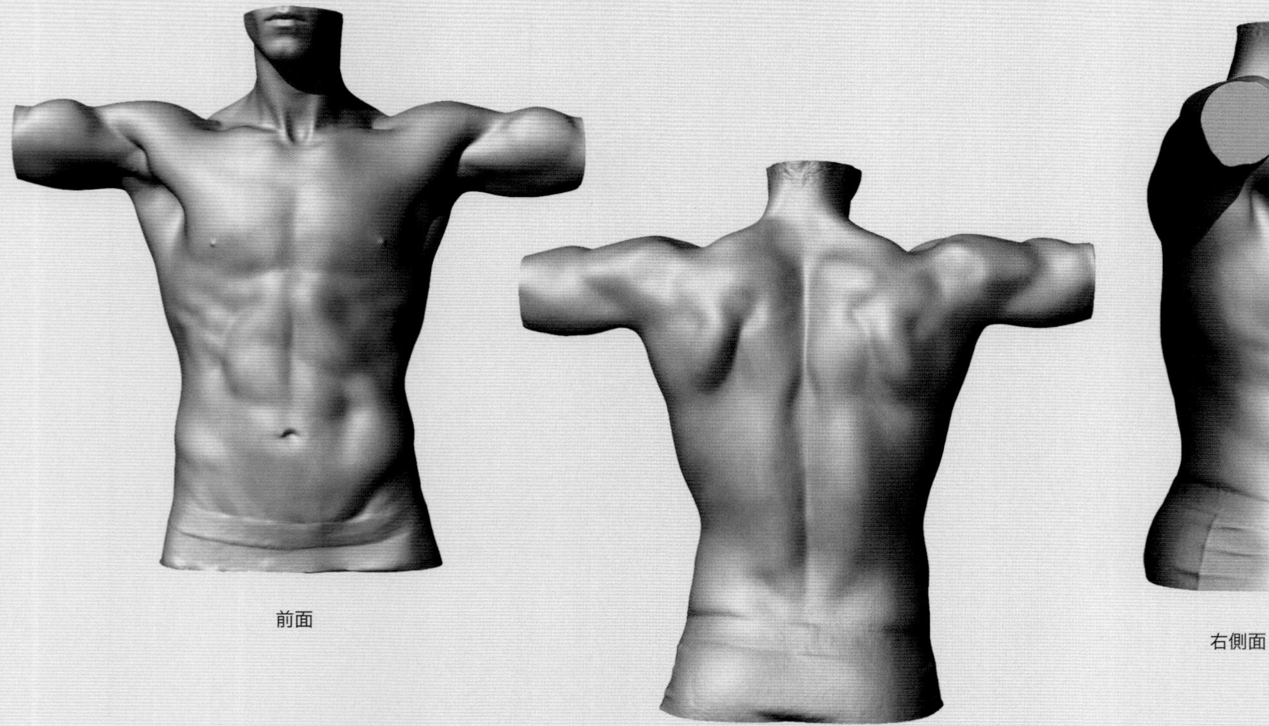

前面

背面

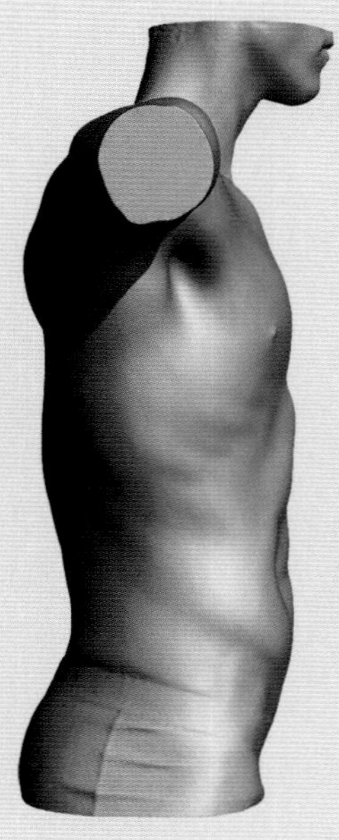

右側面

腕をＹ字に開いた状態

斜め45度

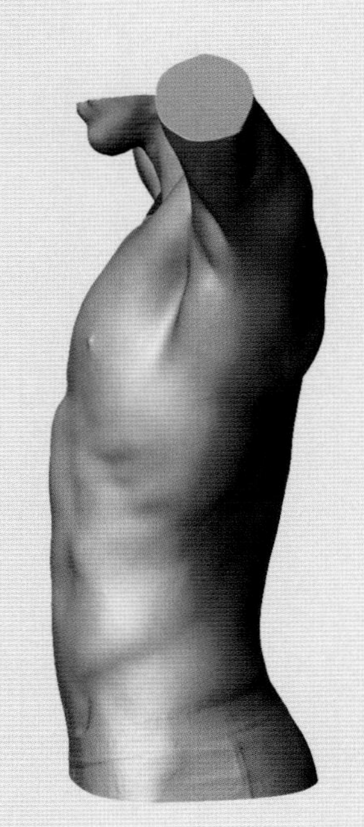

左側面

斜め45度

前面

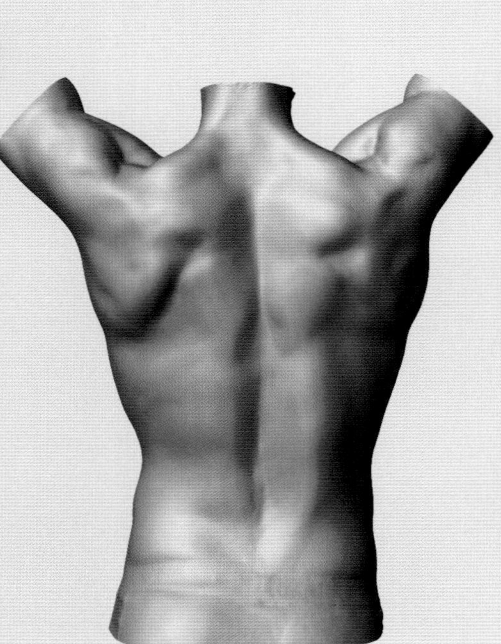

背面

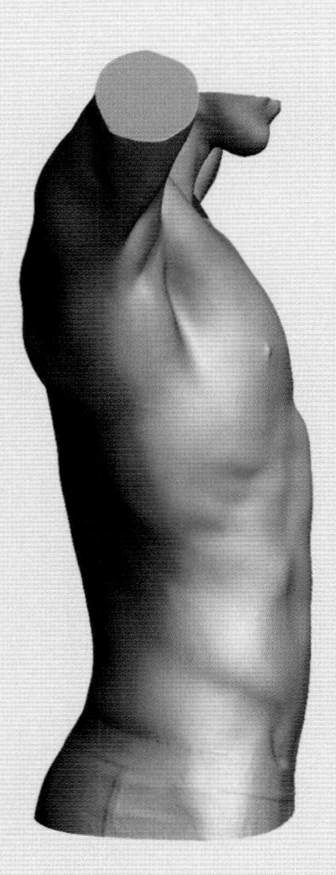

右側面

腕を自然に下した状態 – 男性

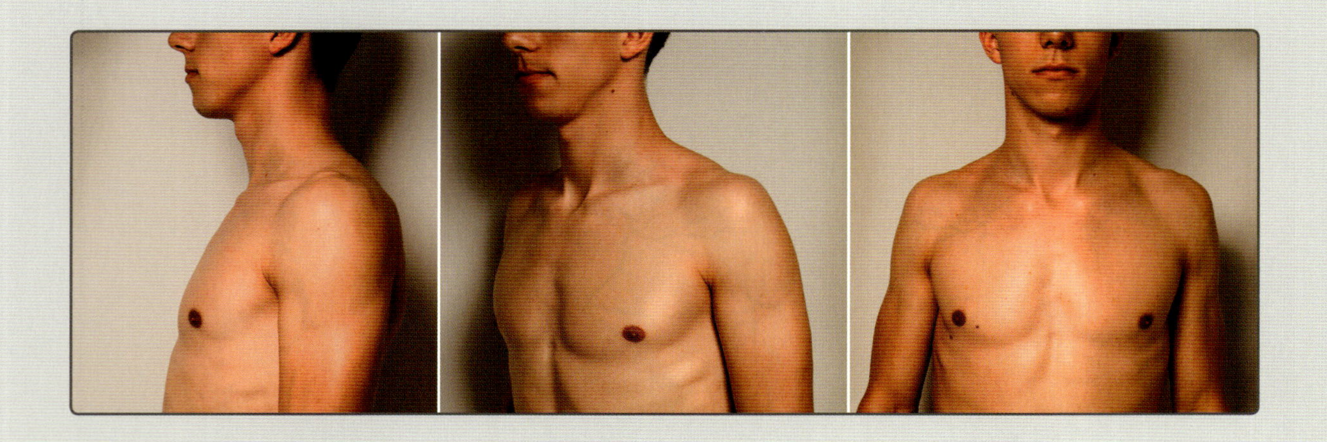

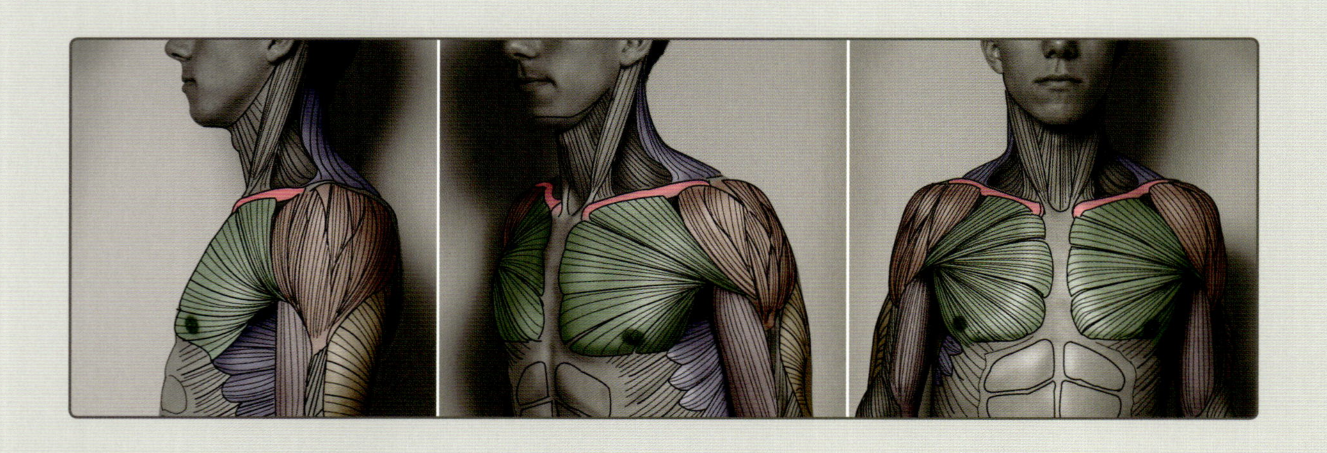

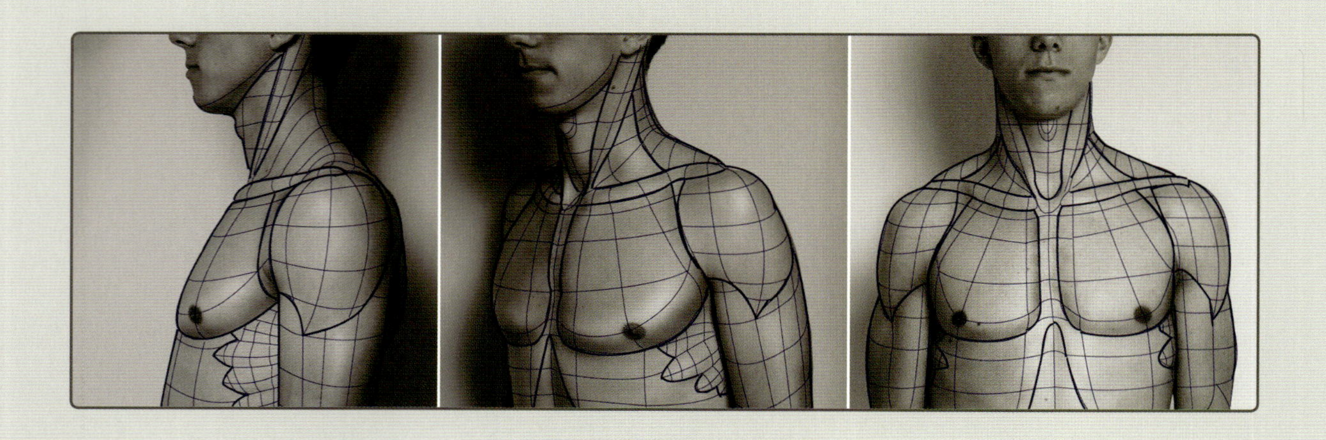

腕を自然に下した状態 – 女性

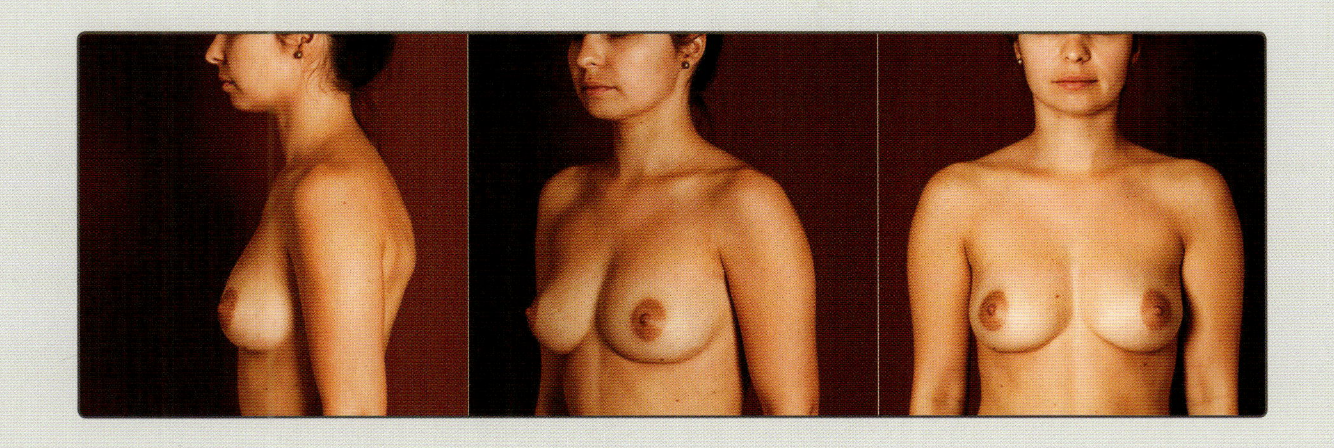

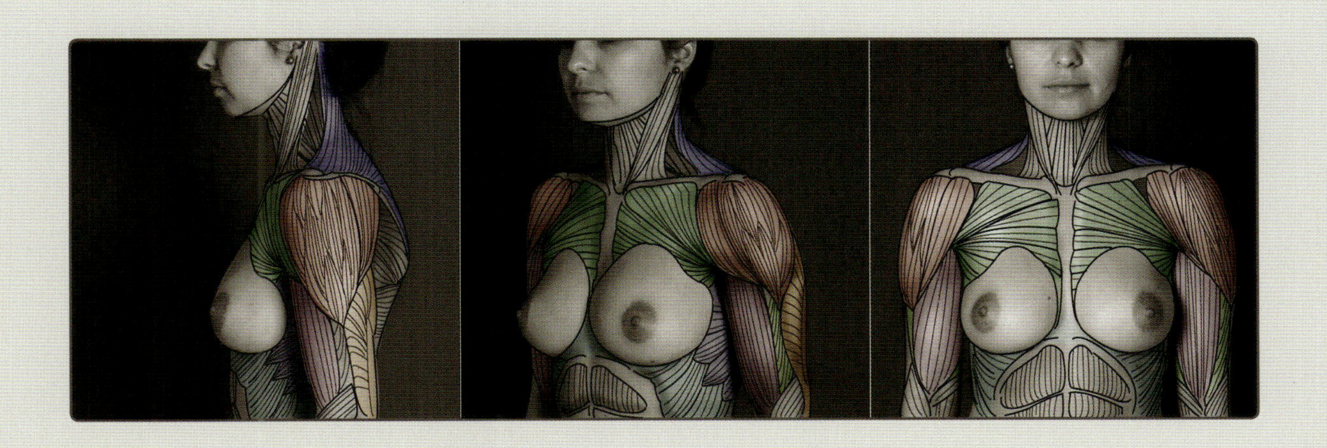

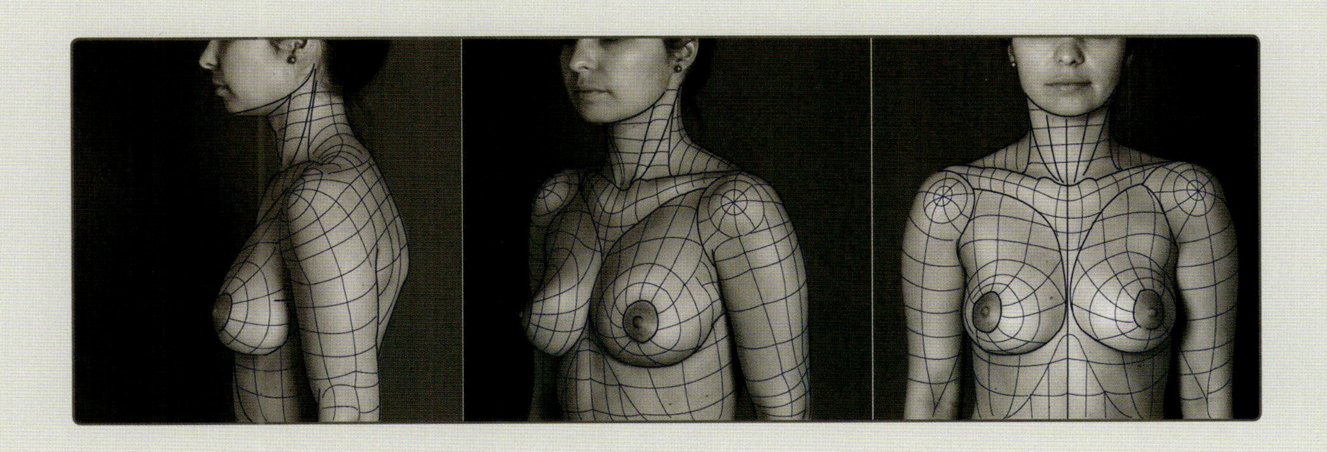

腕を真横に伸ばした状態 – 男性

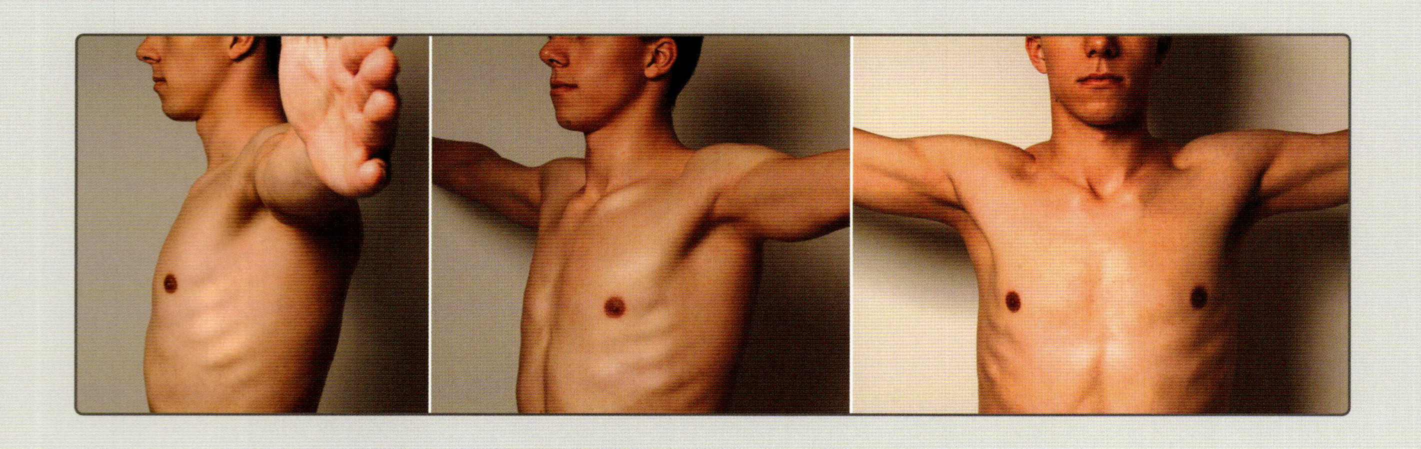

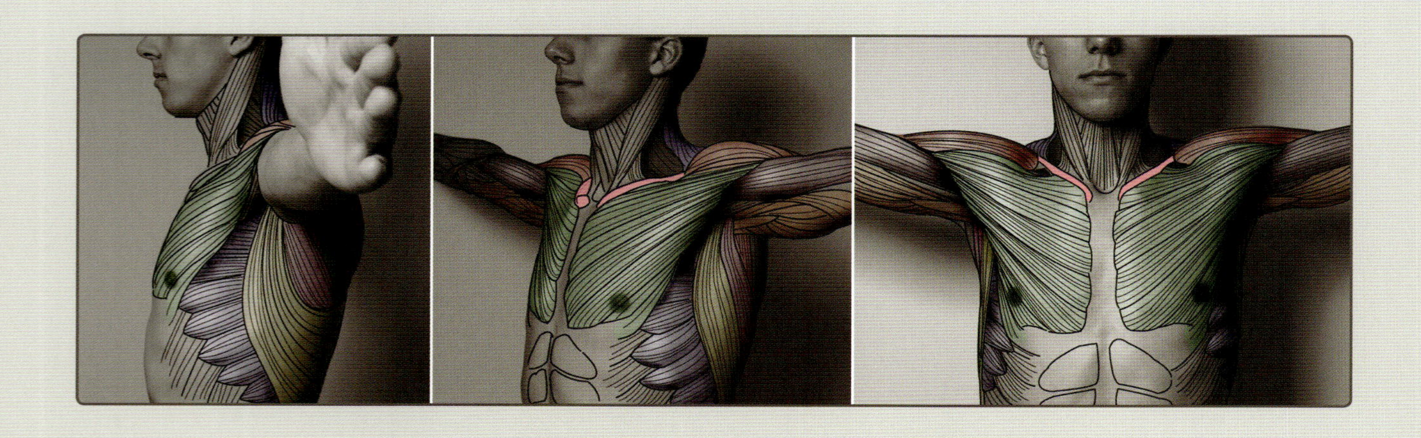

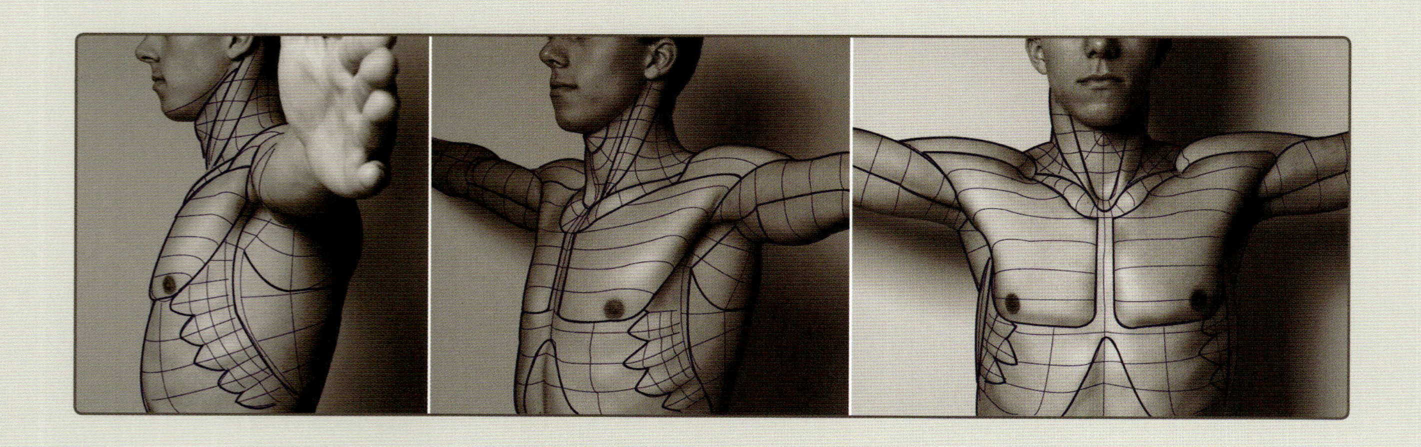

腕を真横に伸ばした状態 – 女性

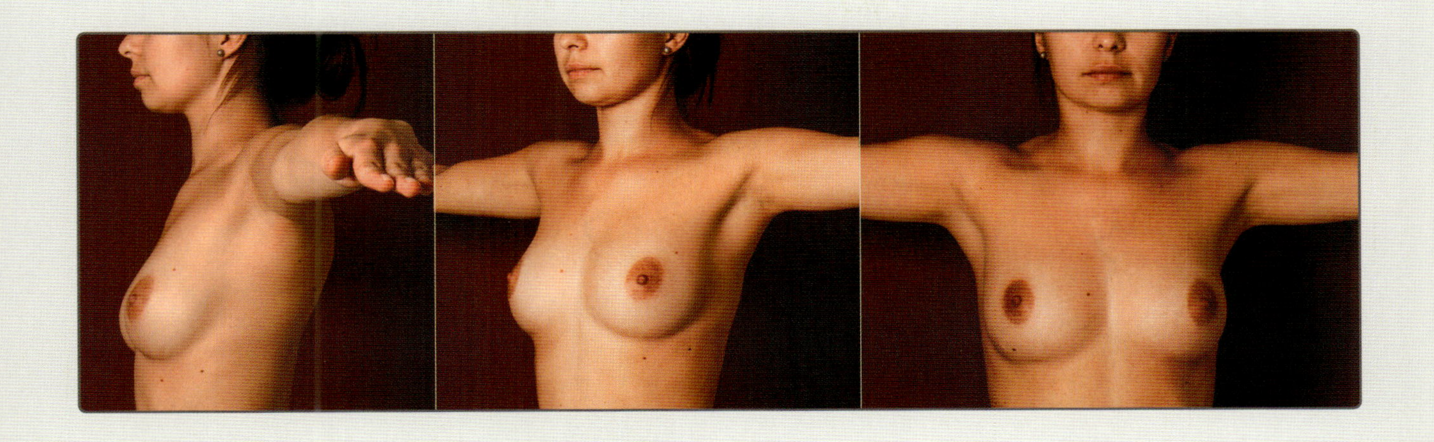

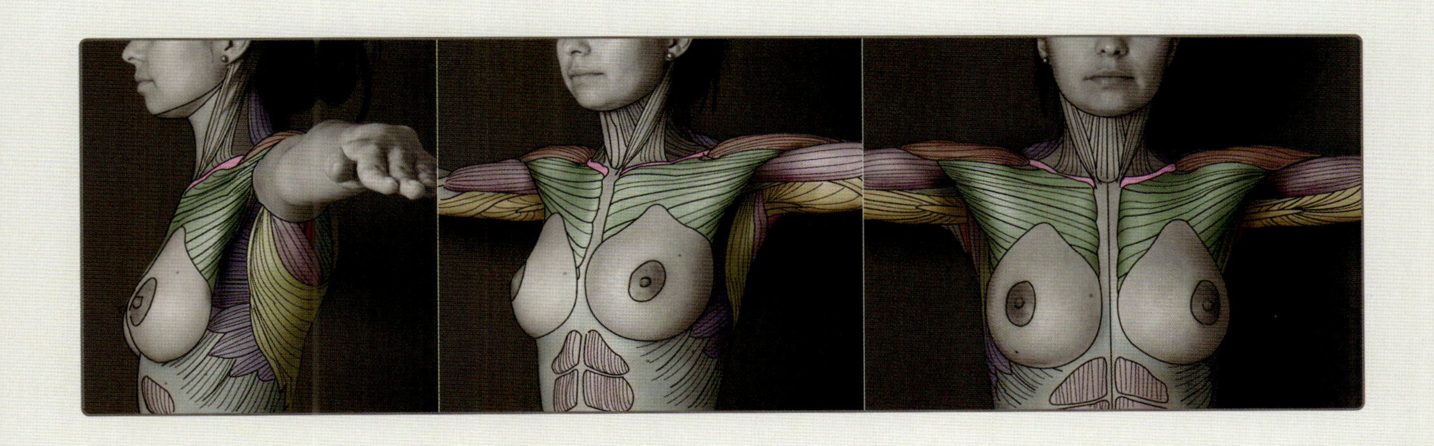

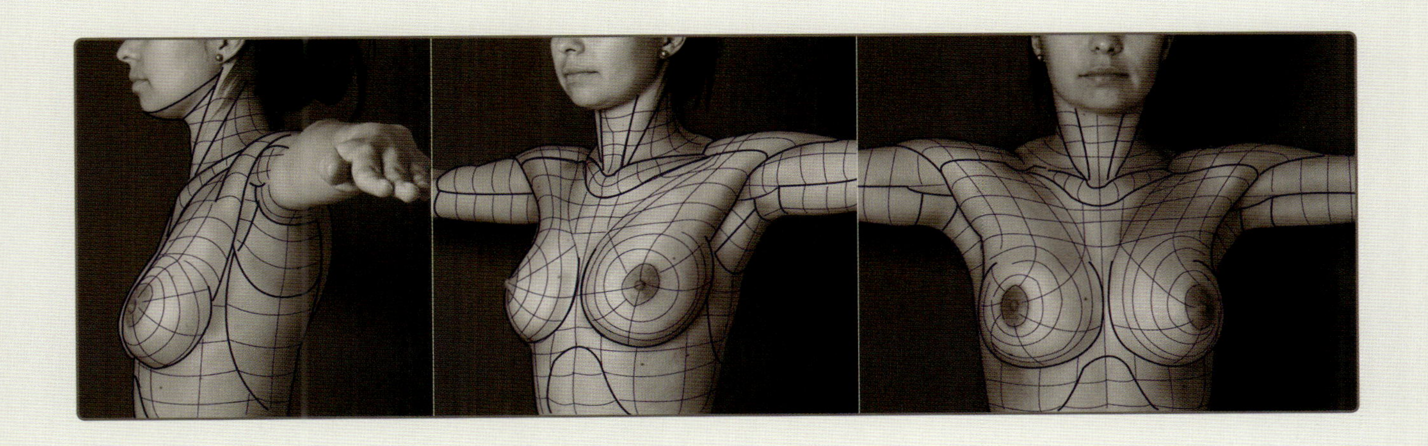

腕をＹ字に開いた状態 – 男性

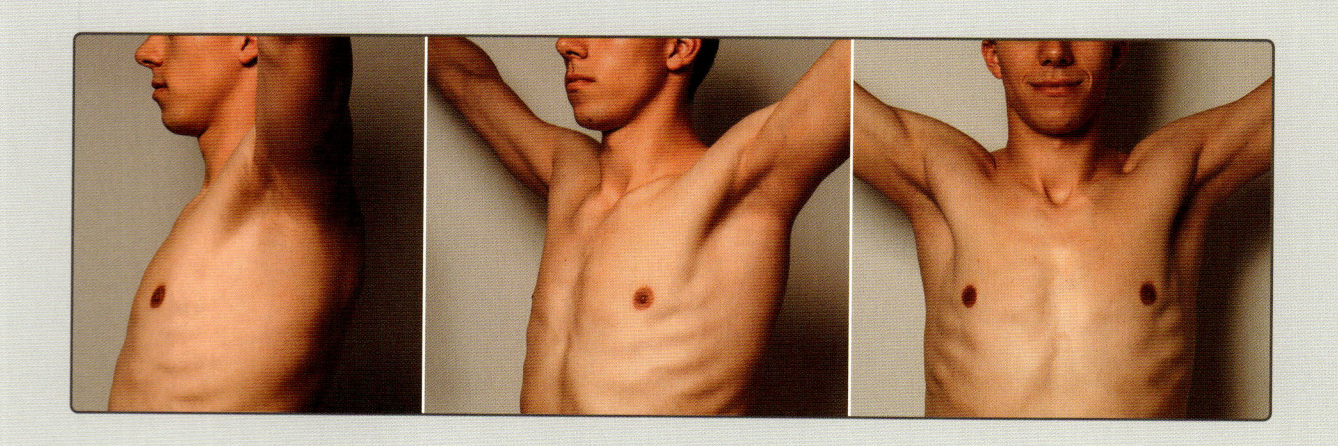

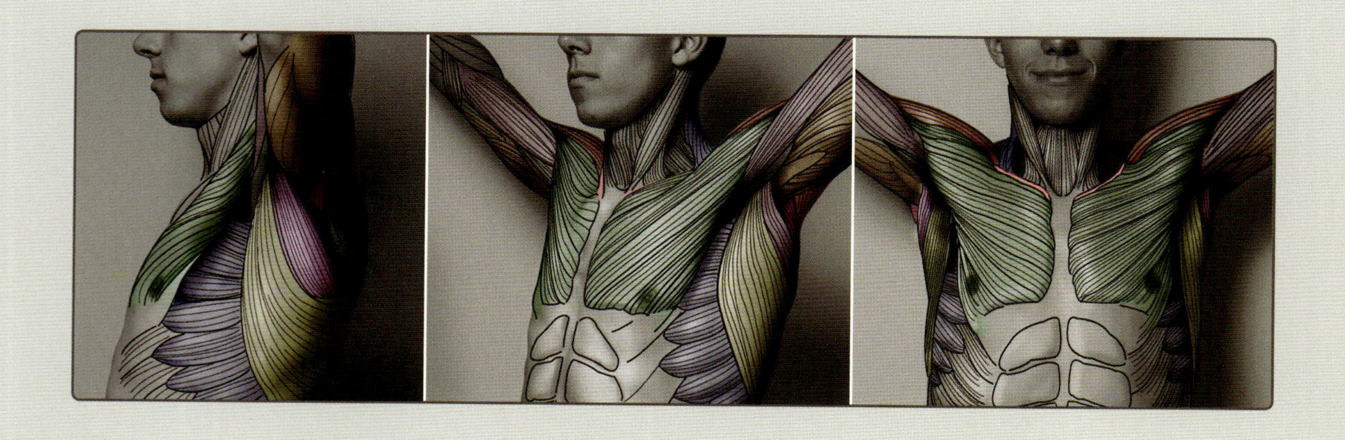

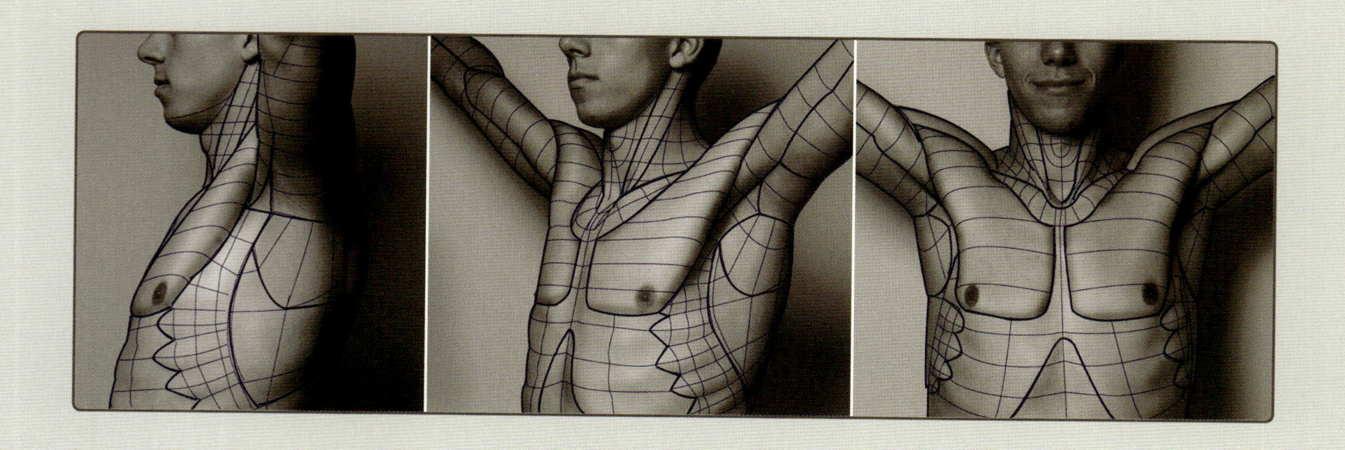

腕をＹ字に開いた状態 – 女性

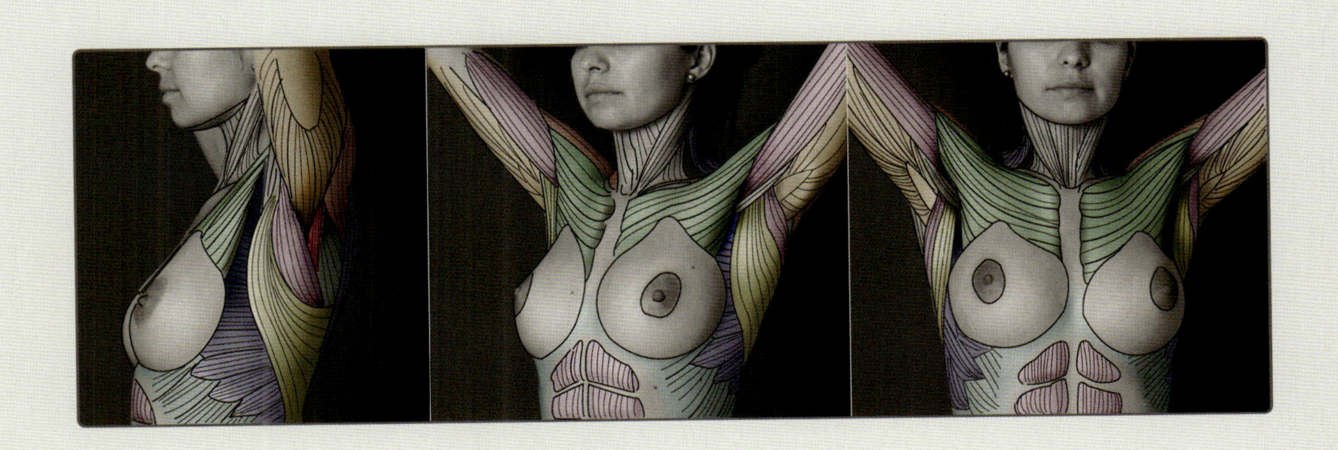

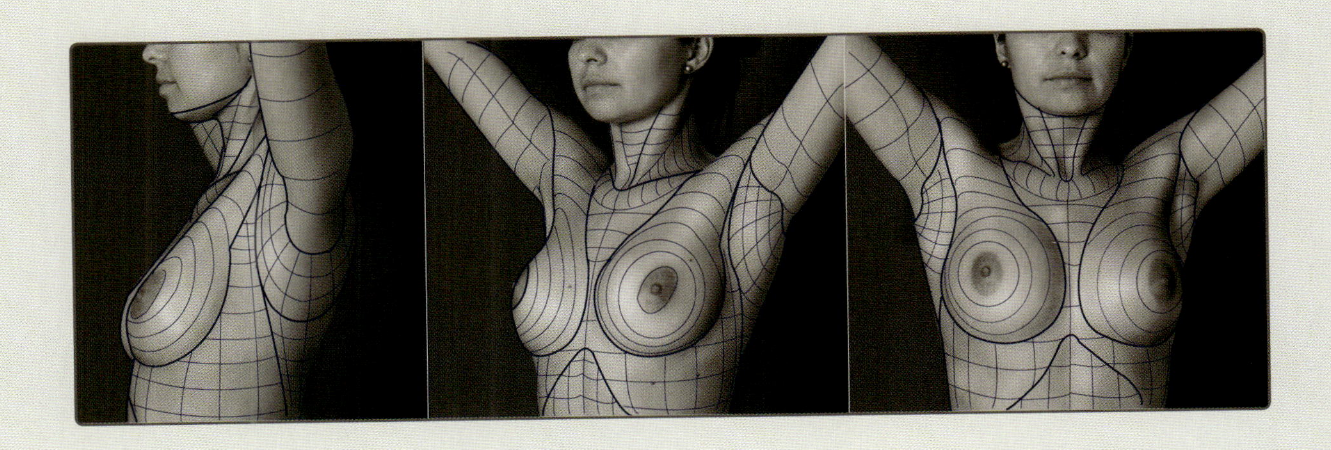

腕を真上に上げた状態 – 男性

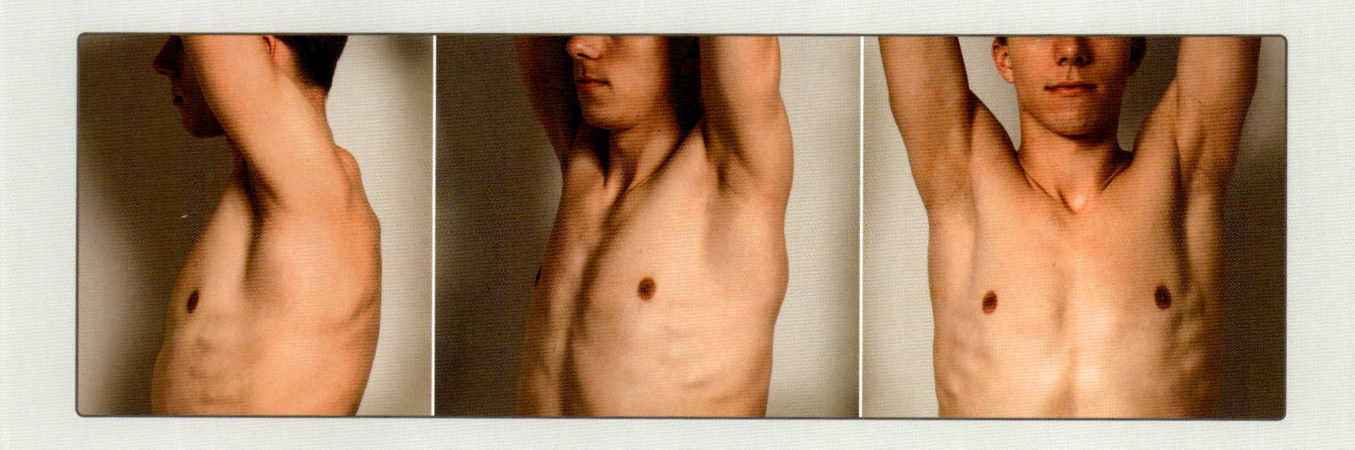

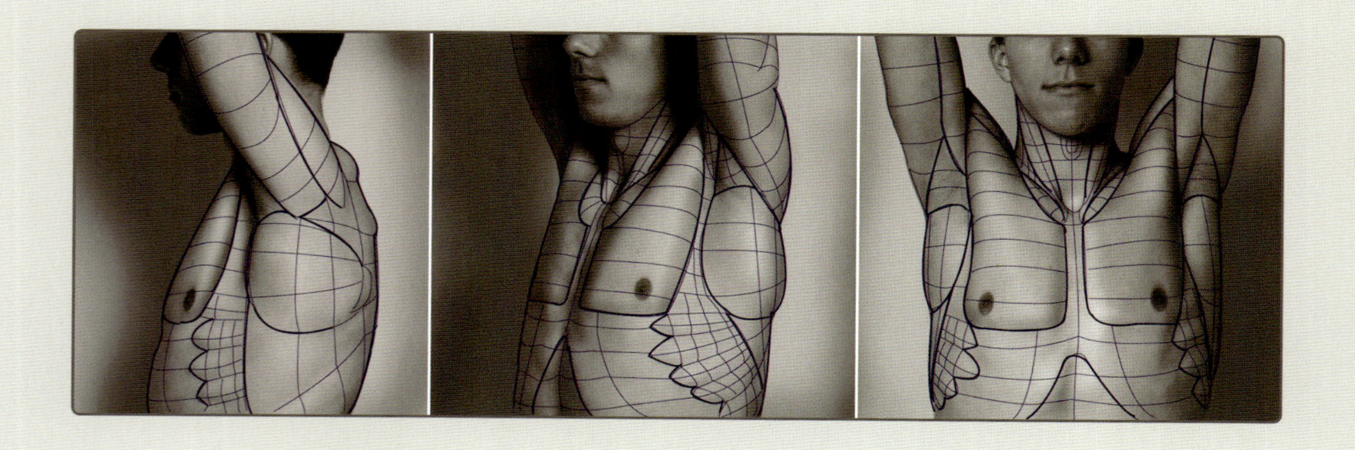

腕を真上に上げた状態 – 女性

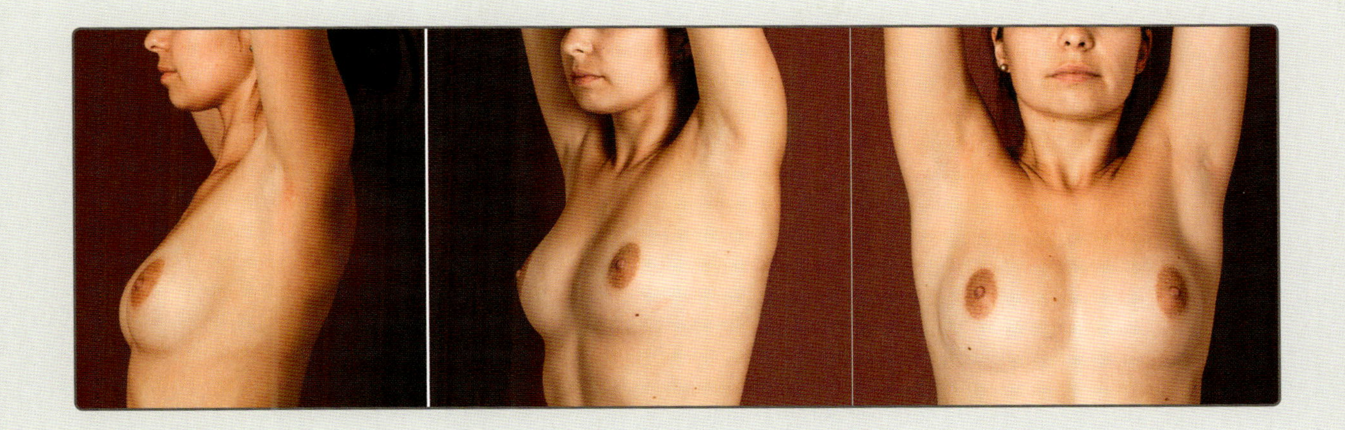

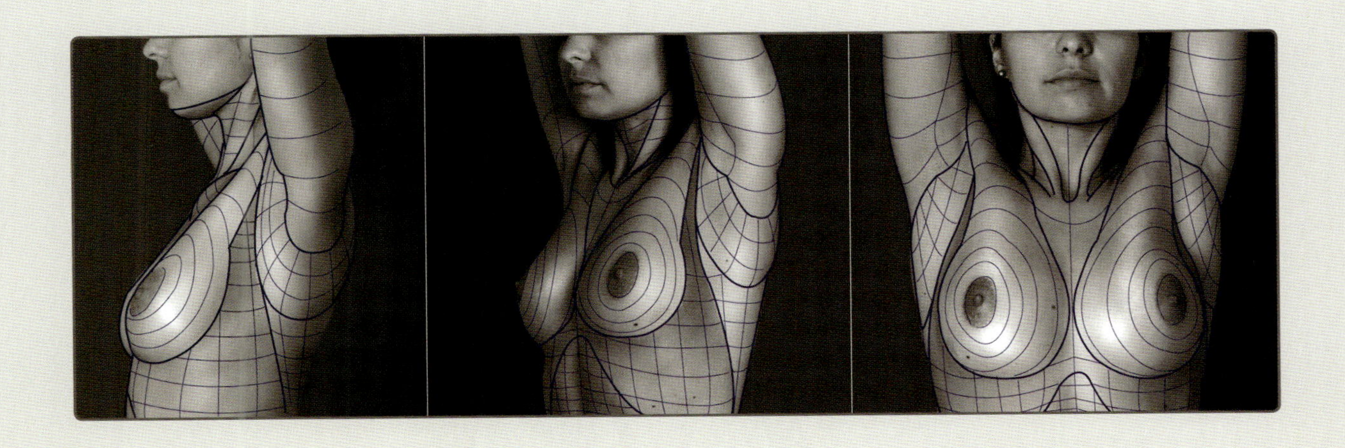

腕を上前方に上げた状態

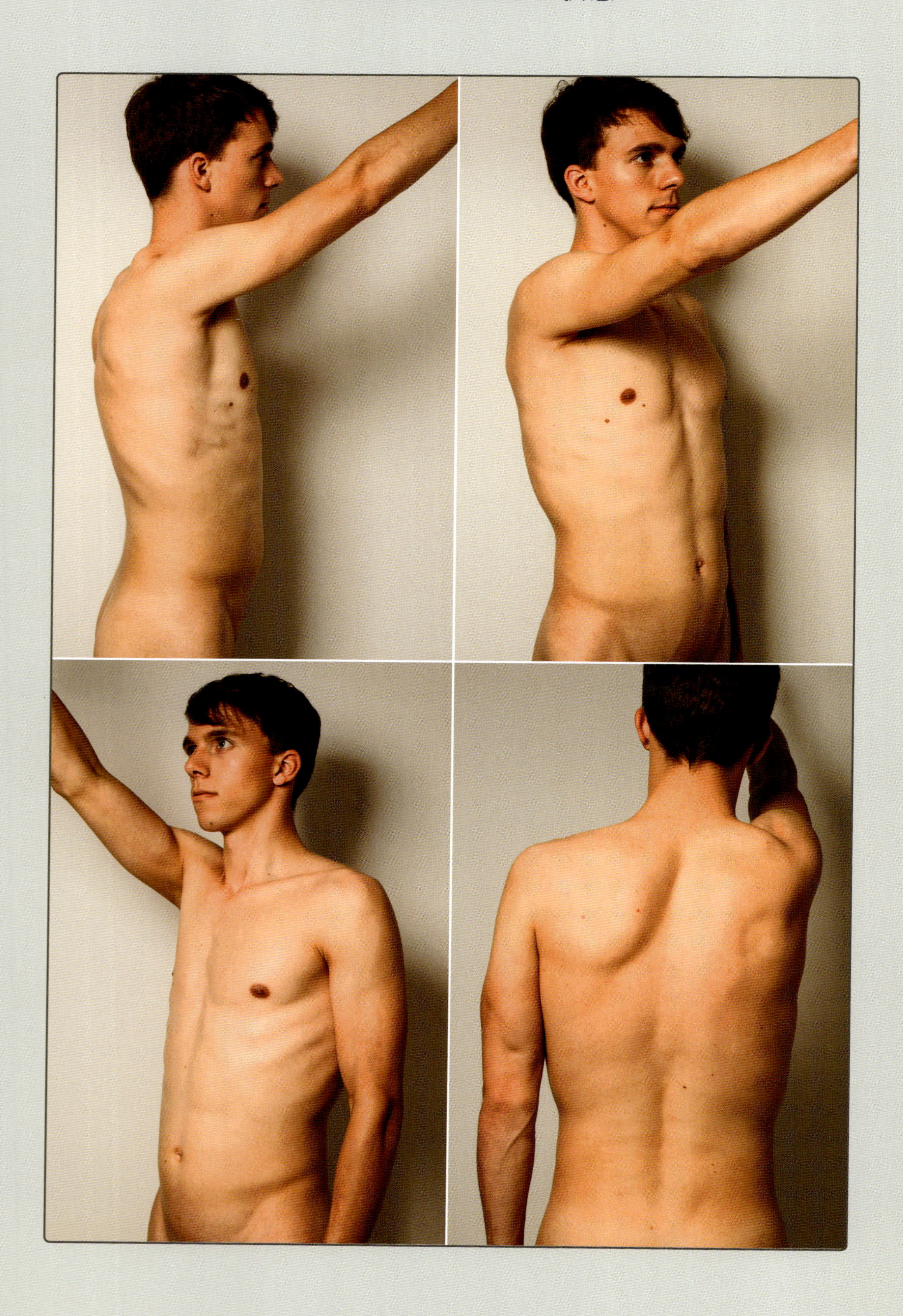

腕を上前方に上げた状態

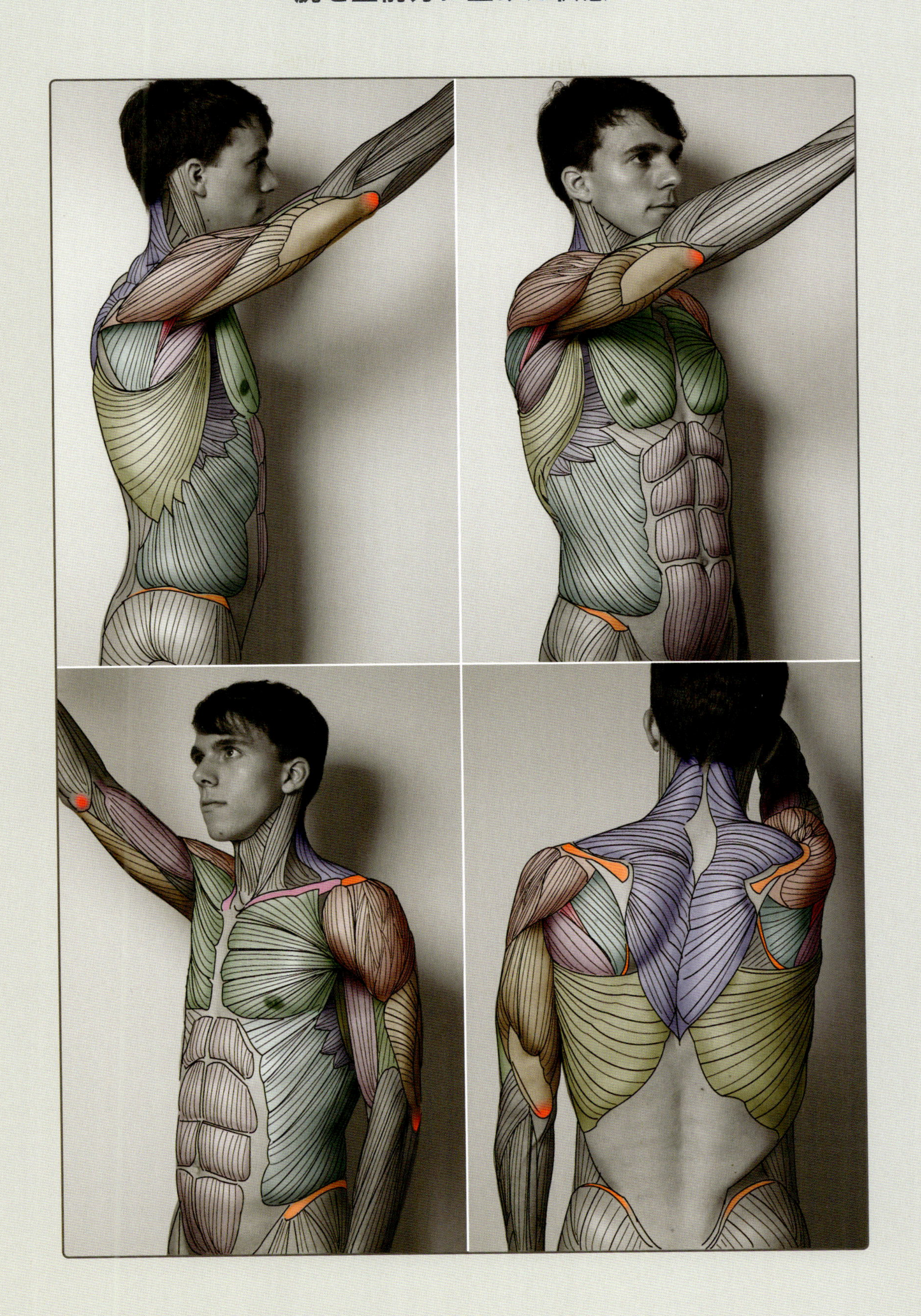

腕を上前方に上げた状態

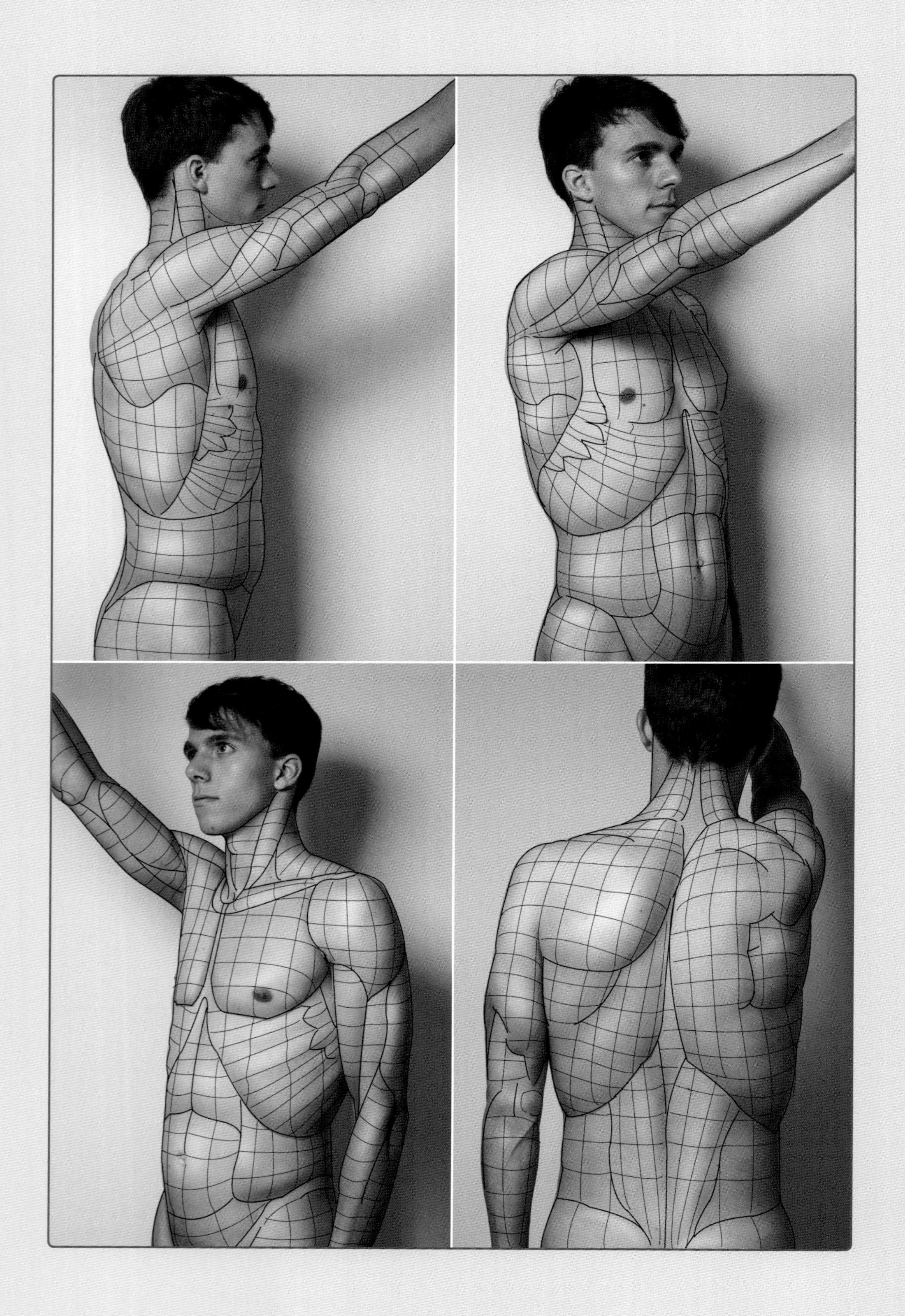

腕を後ろに伸ばした状態

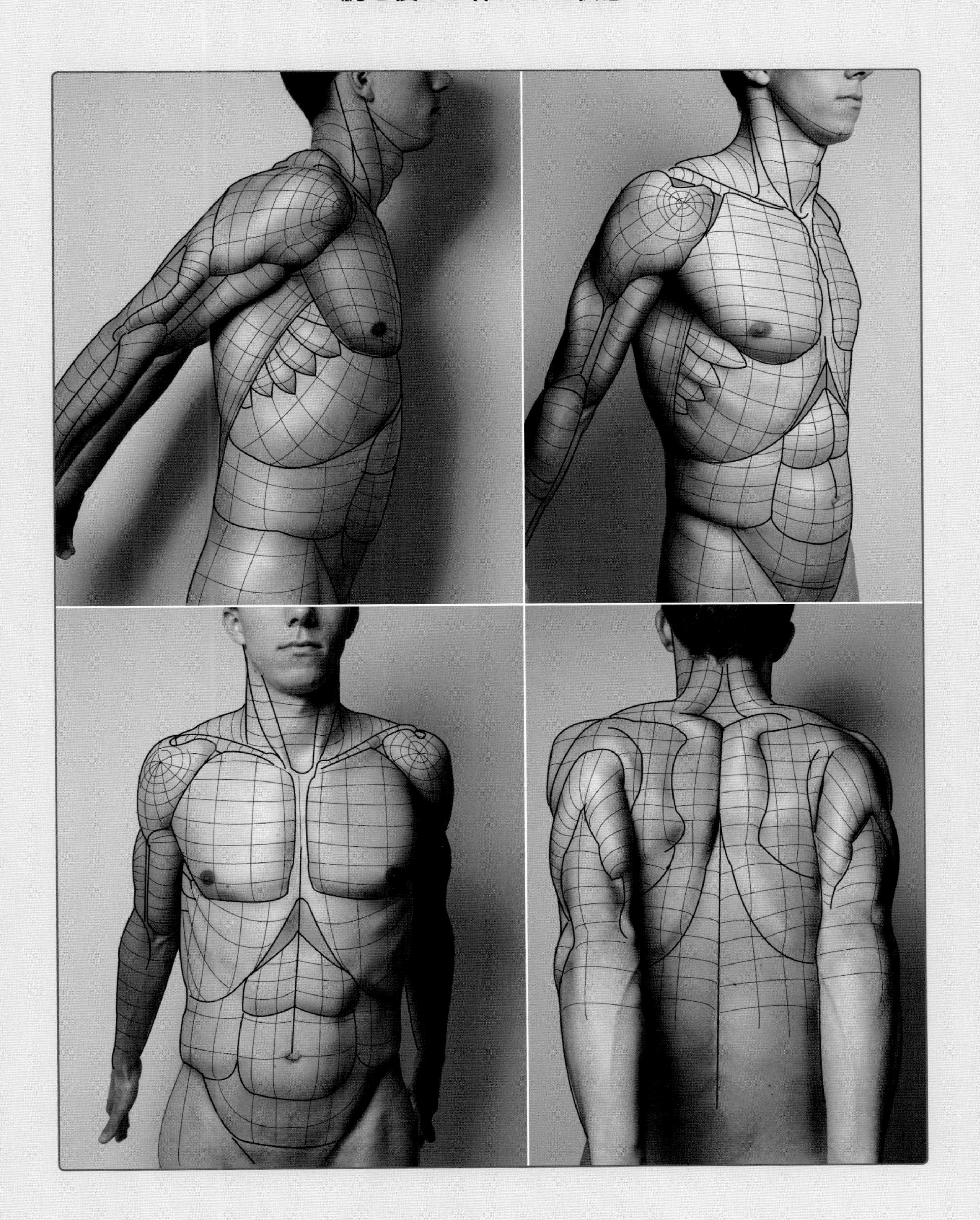

腕を後ろに伸ばした状態

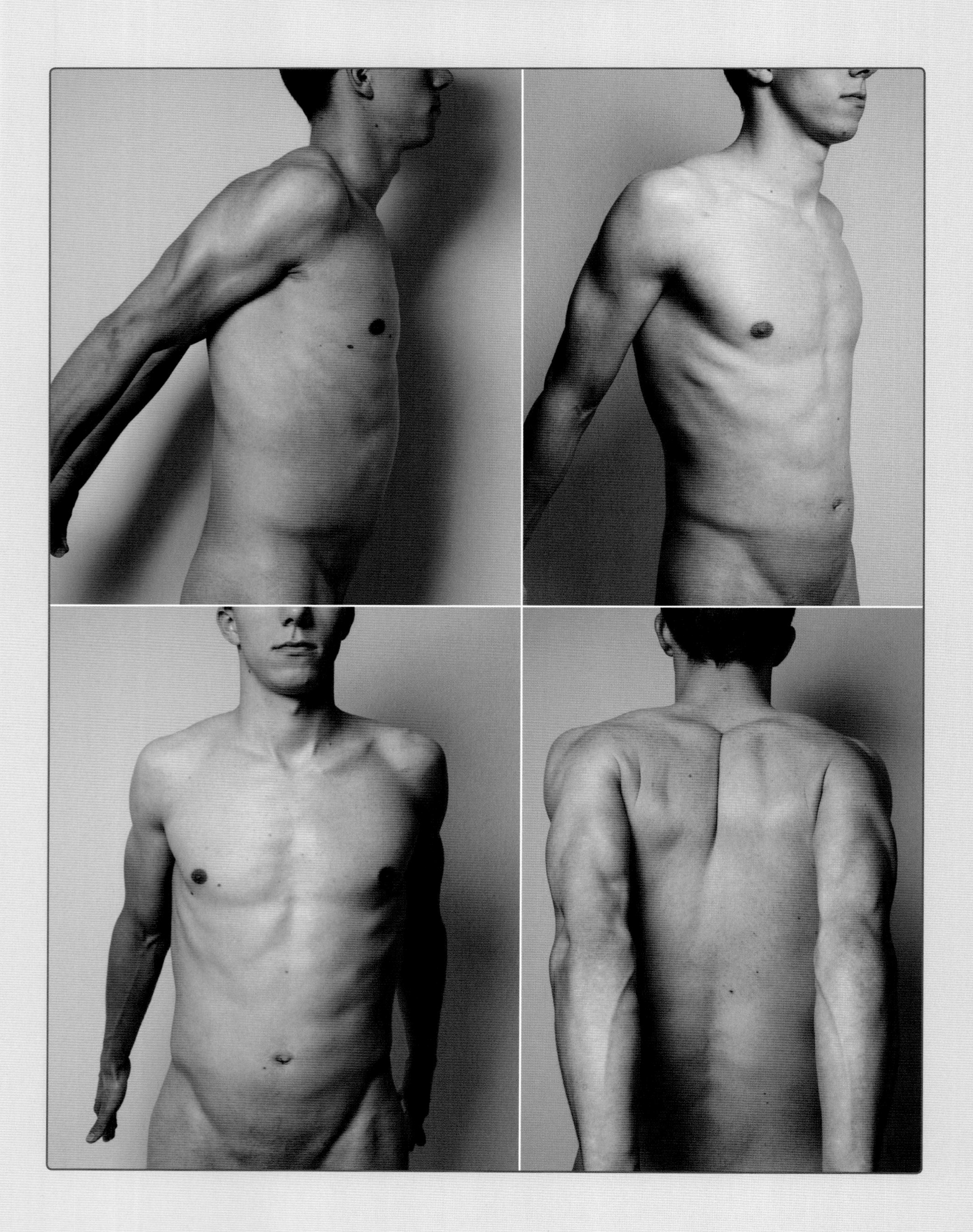

腕を後ろに伸ばした状態

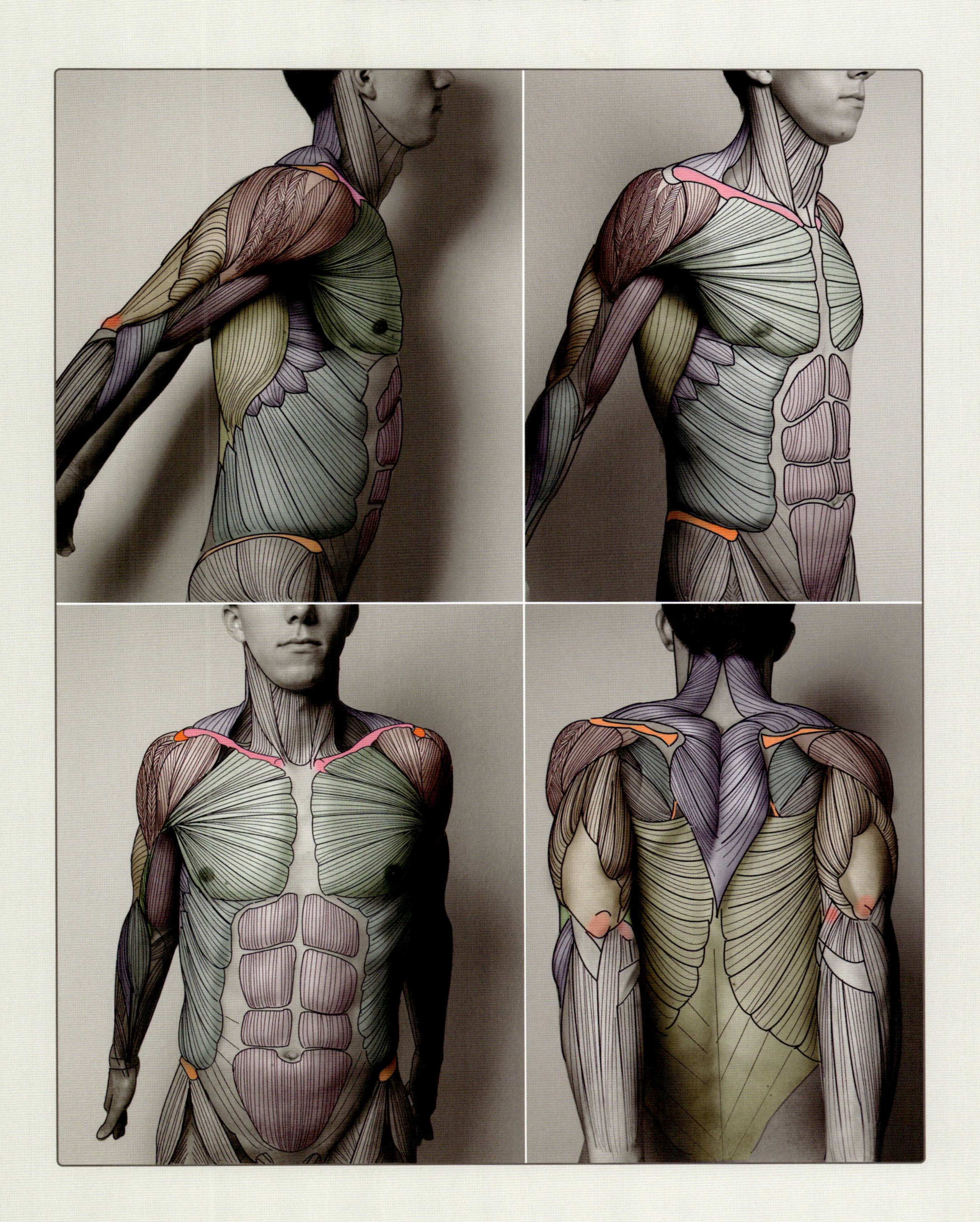

片腕を背中に回した状態

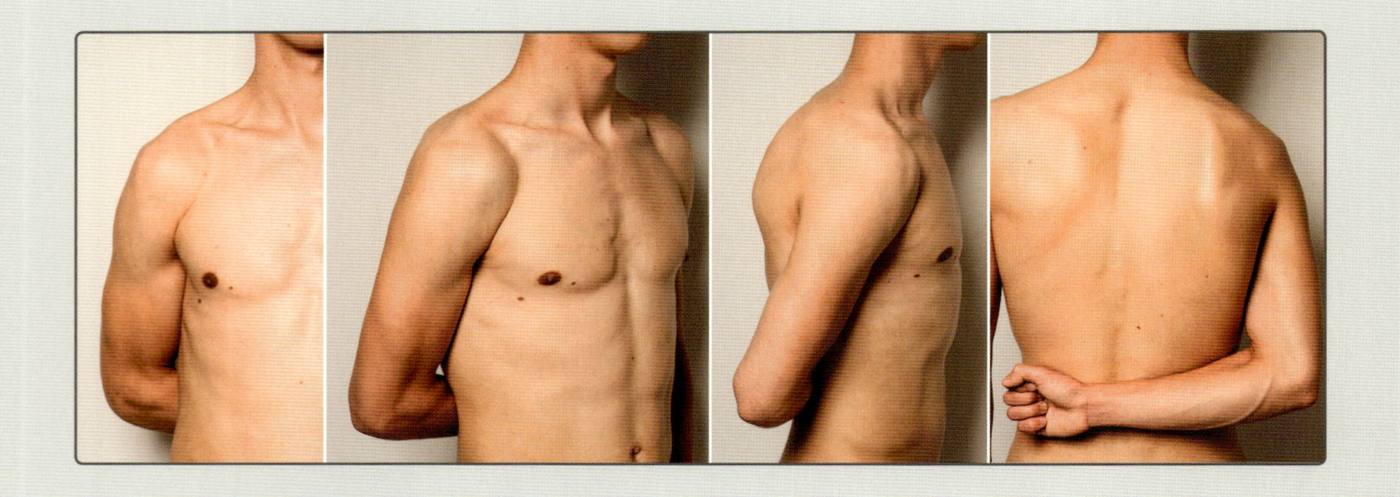

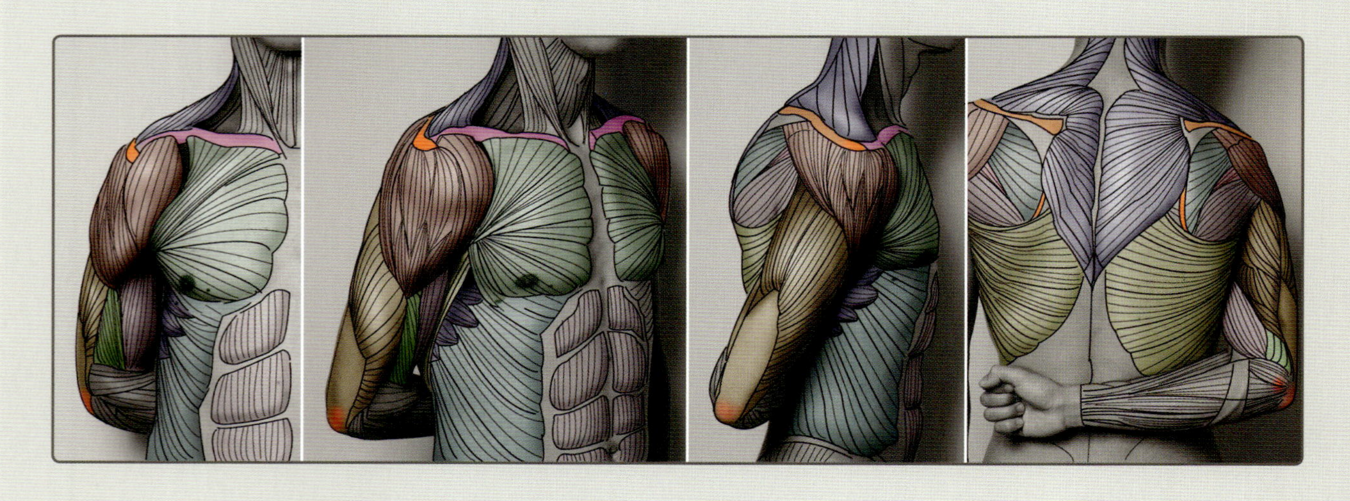

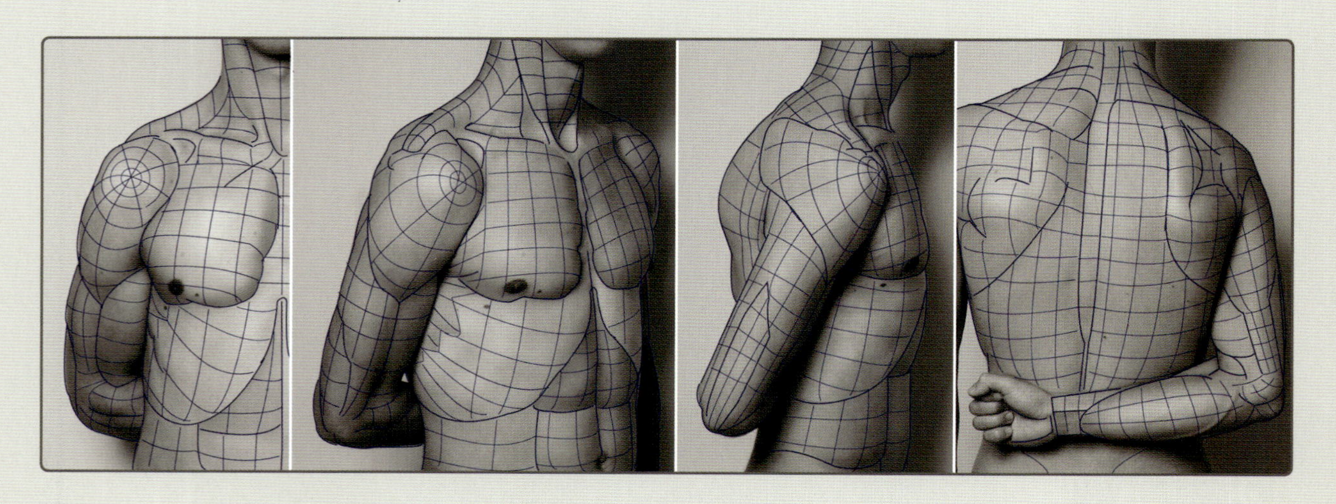

腕を徐々に上げていく

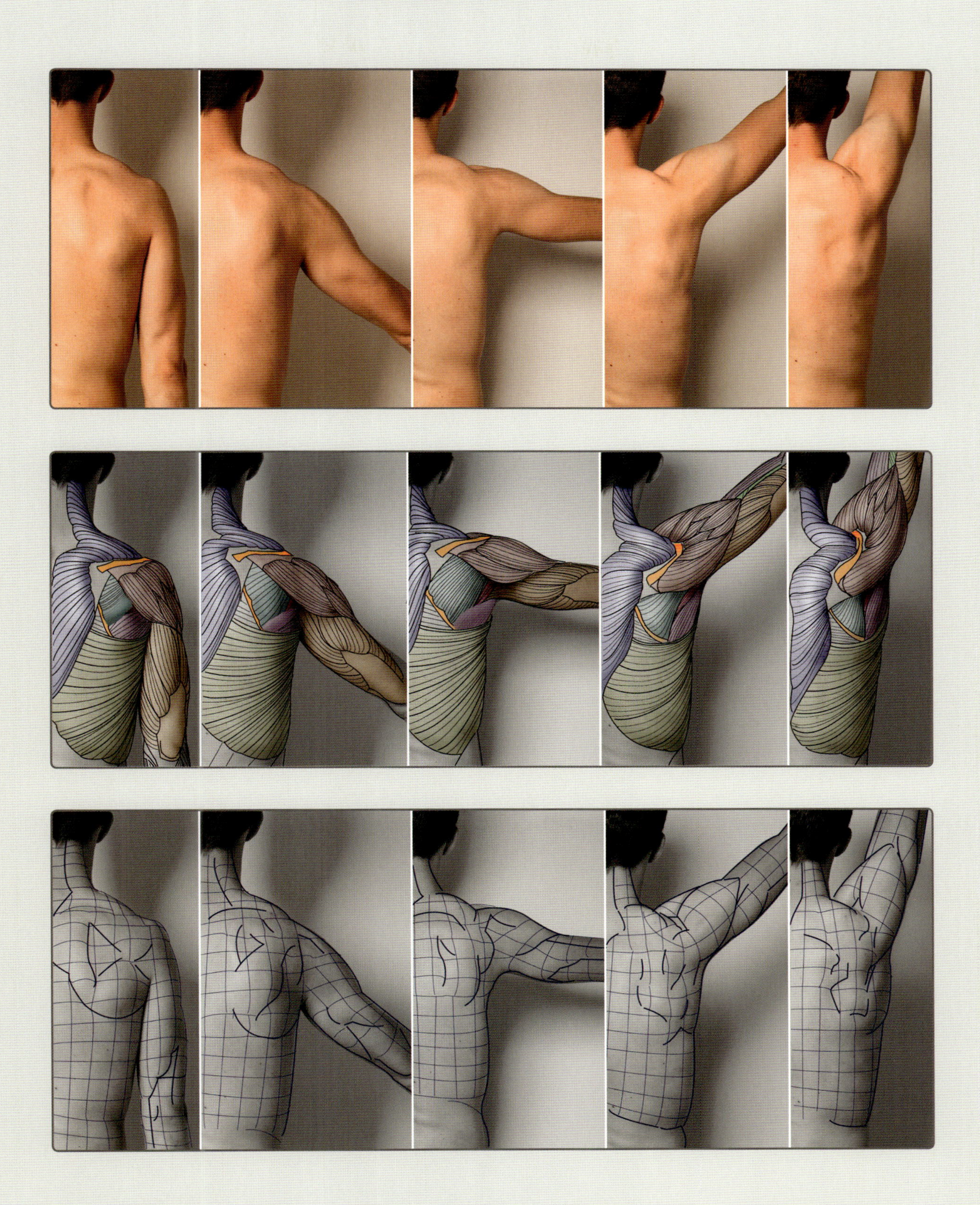

手で反対側の肩をつかむ

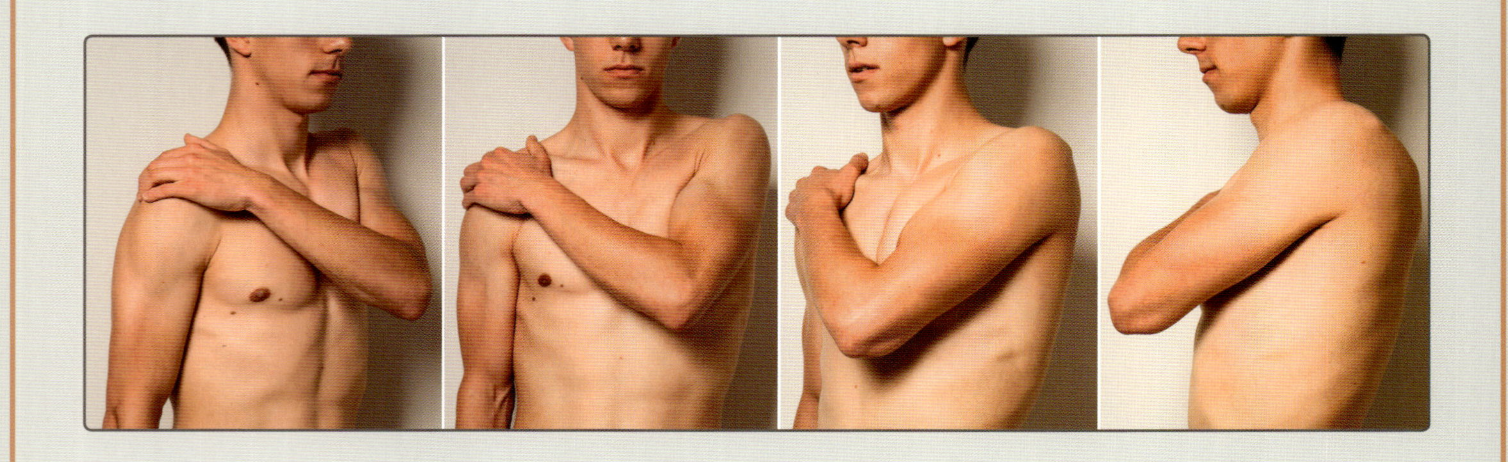

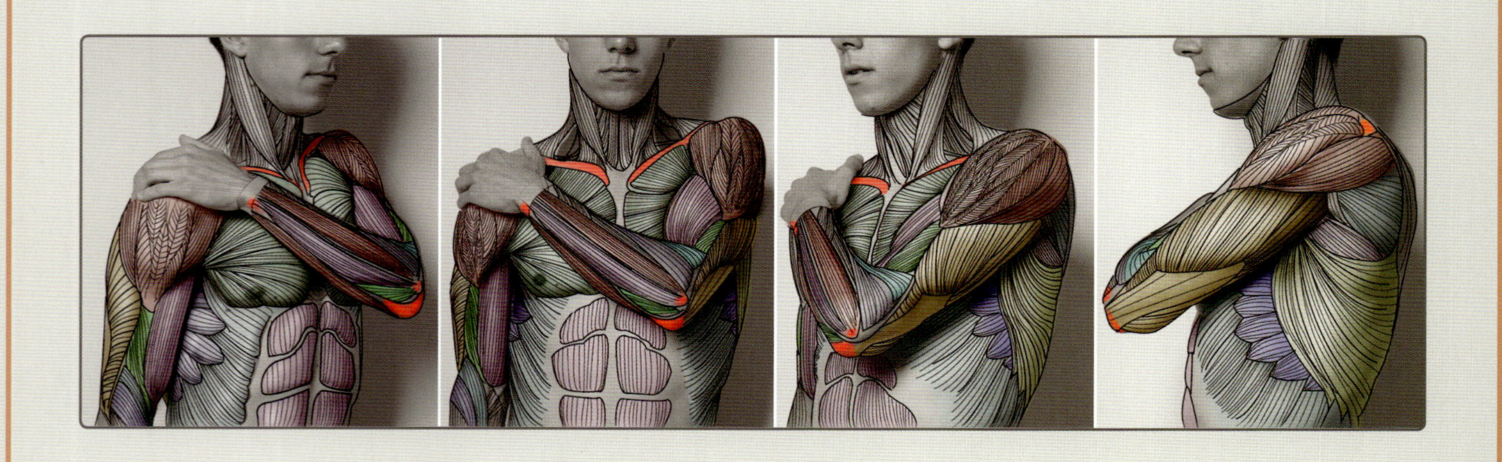

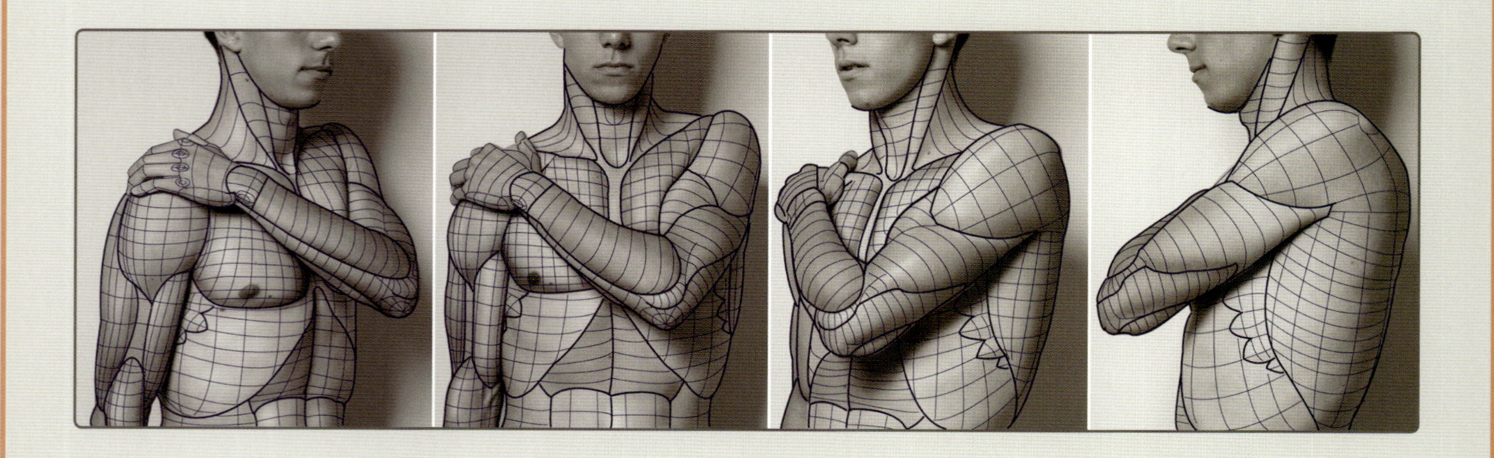

肩甲骨(けんこうこつ)を見つけよう！

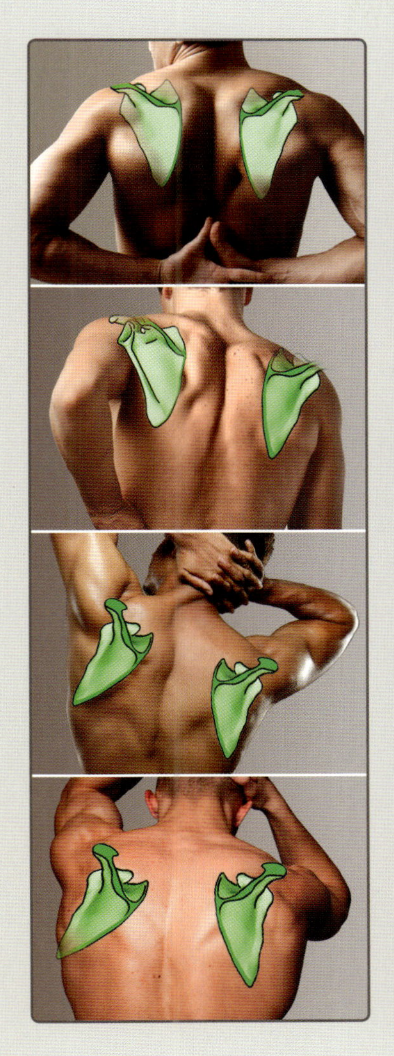

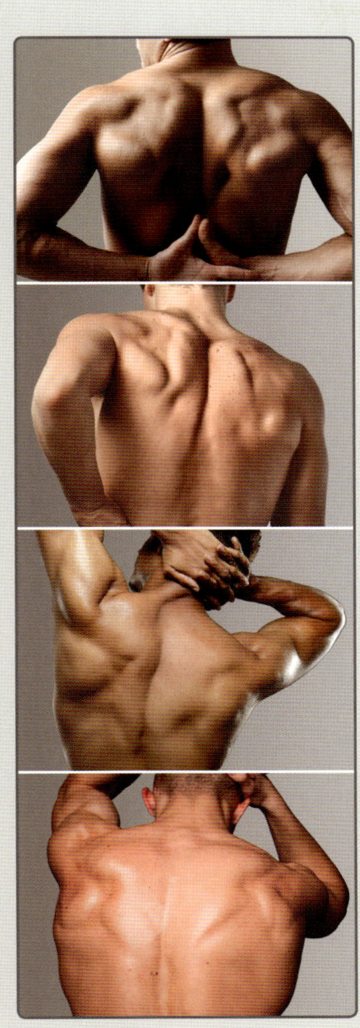

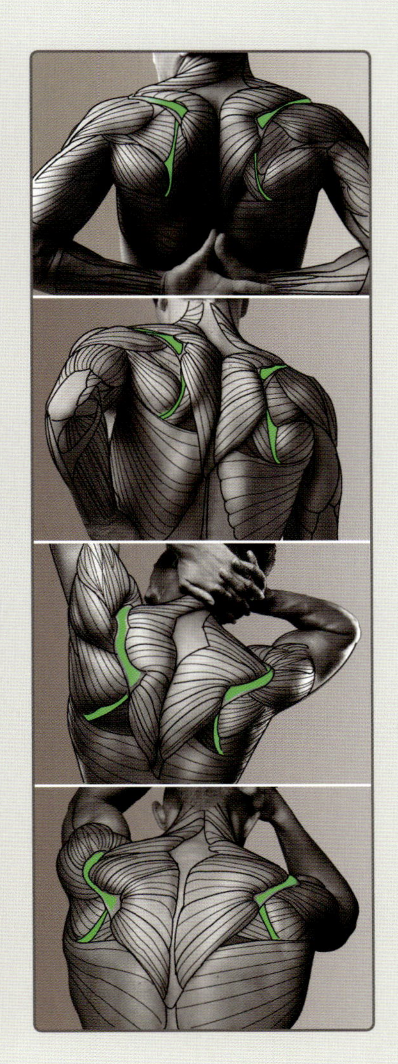

肩甲骨の回転

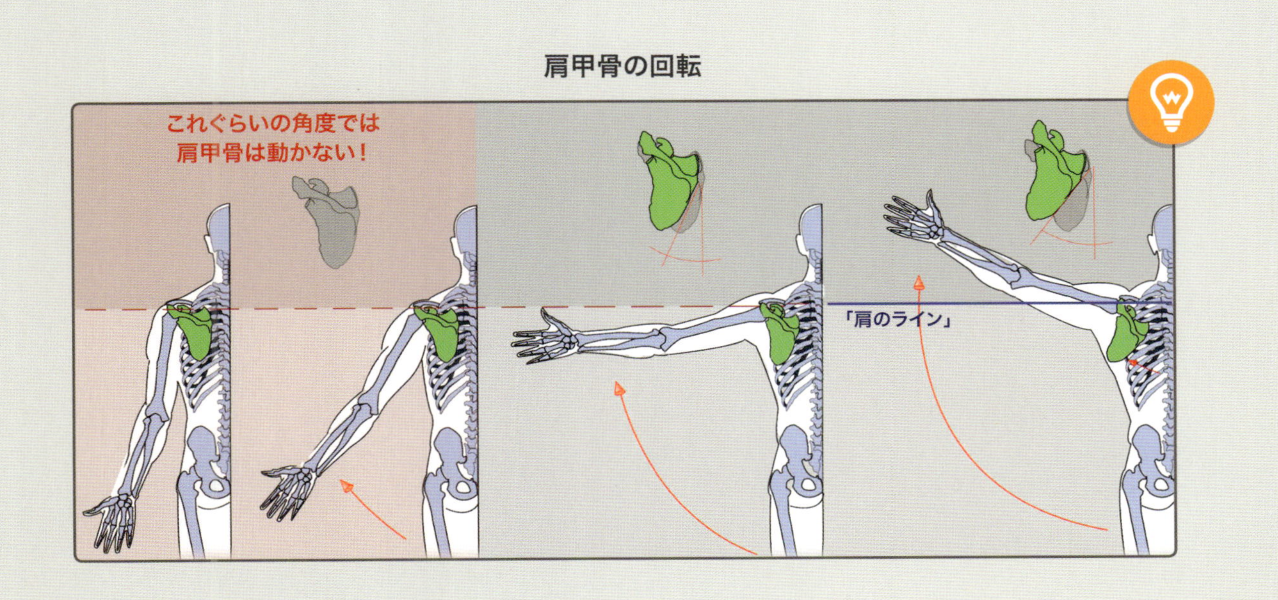
これぐらいの角度では
肩甲骨は動かない！
「肩のライン」

成人男女の人体比率

成人の理想的な人体比率 - 8頭身

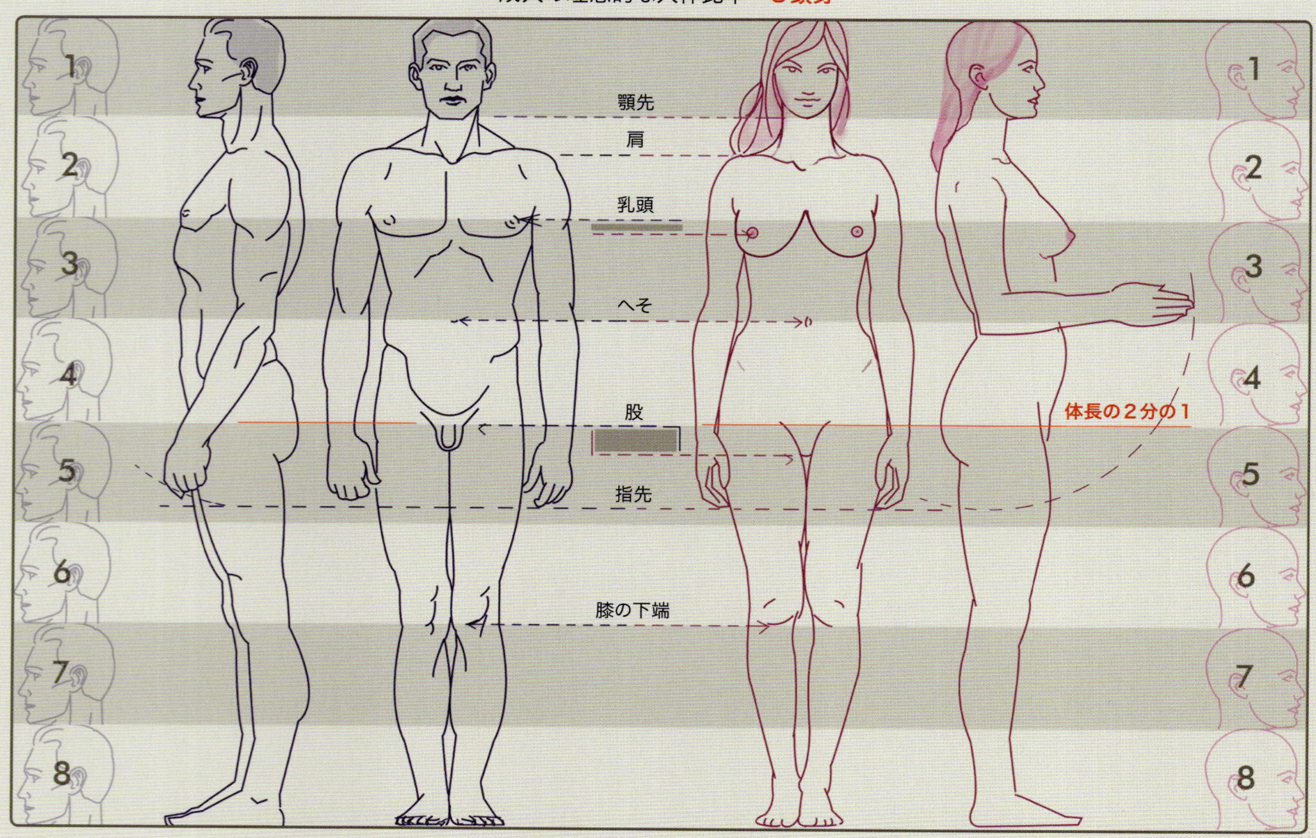
1
2
3
4
5
6
7
8
顎先
肩
乳頭
へそ
股
指先
膝の下端
体長の2分の1

成人の現実的な人体比率 - 7.5頭身

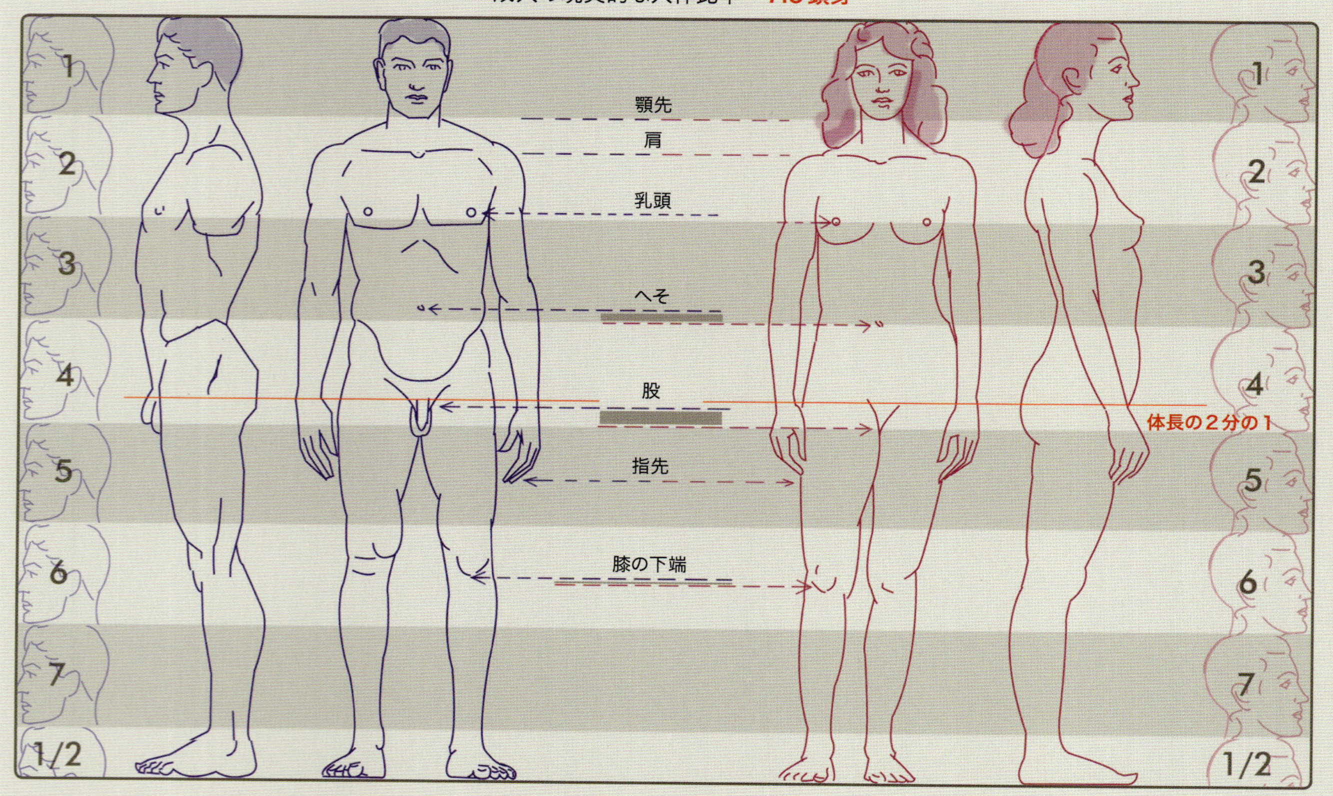
1
2
3
4
5
6
7
1/2
顎先
肩
乳頭
へそ
股
指先
膝の下端
体長の2分の1

十代の若者および子供の人体比率

十代の若者の人体比率 - 7頭身

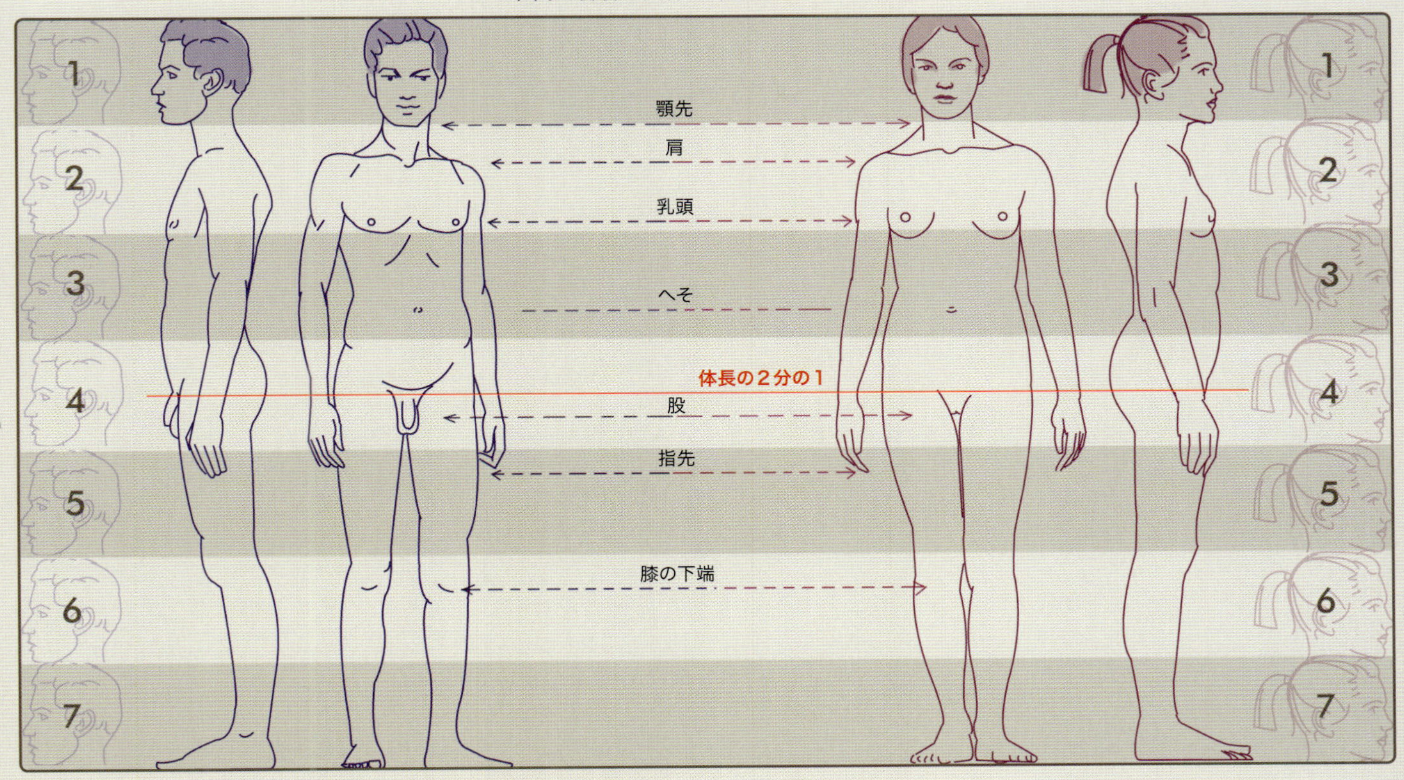
1
2
3
4
5
6
7
顎先
肩
乳頭
へそ
体長の２分の１
股
指先
膝の下端

子供の人体比率（8〜12歳）- 6頭身

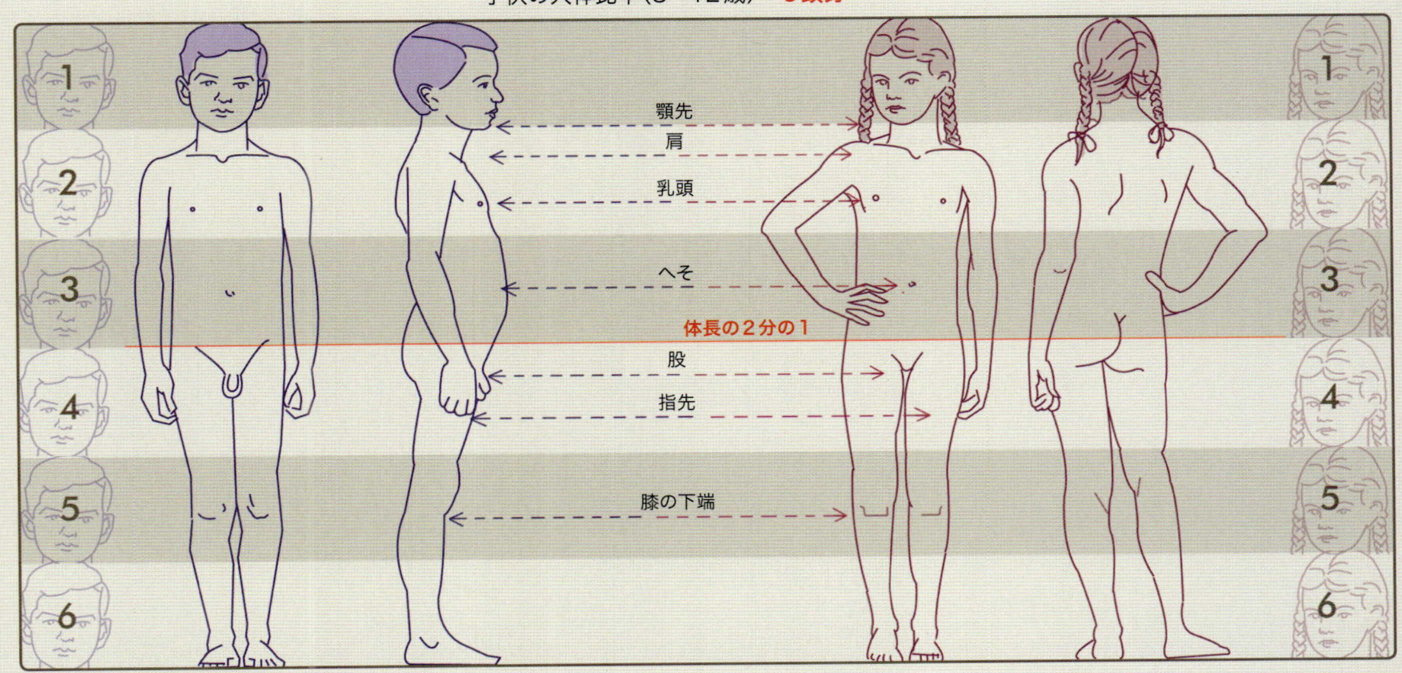
1
2
3
4
5
6
顎先
肩
乳頭
へそ
体長の２分の１
股
指先
膝の下端

子供、幼児、新生児、高齢者の人体比率

子供の人体比率：5.5頭身

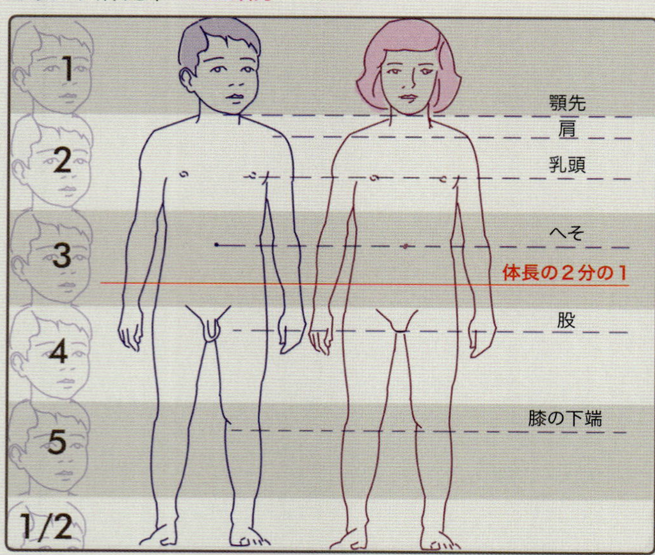

1
2
3
4
5
1/2
顎先
肩
乳頭
へそ
体長の２分の１
股
膝の下端

幼児の人体比率：5頭身

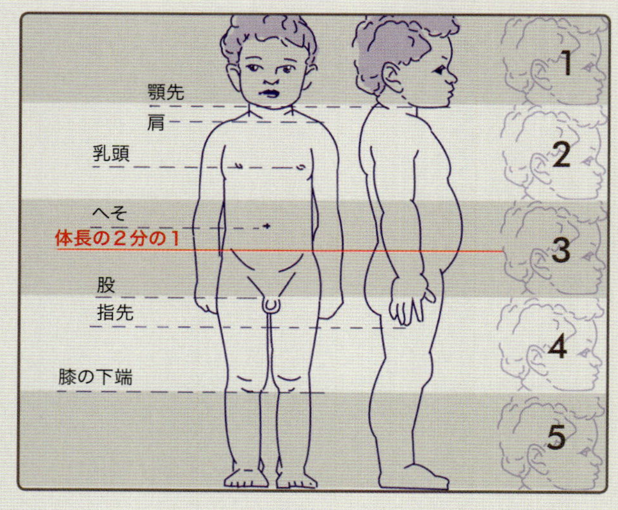

顎先
肩
乳頭
へそ
体長の２分の１
股
指先
膝の下端
1
2
3
4
5

新生児の人体比率：4頭身

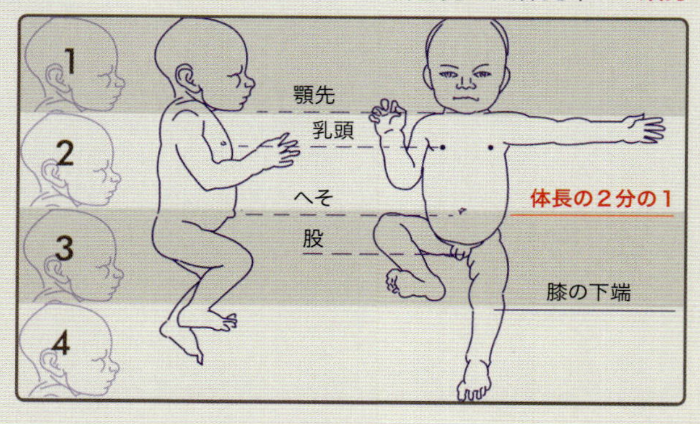

1
2
3
4
顎先
乳頭
へそ
股
体長の２分の１
膝の下端

高齢者の人体比率：7頭身

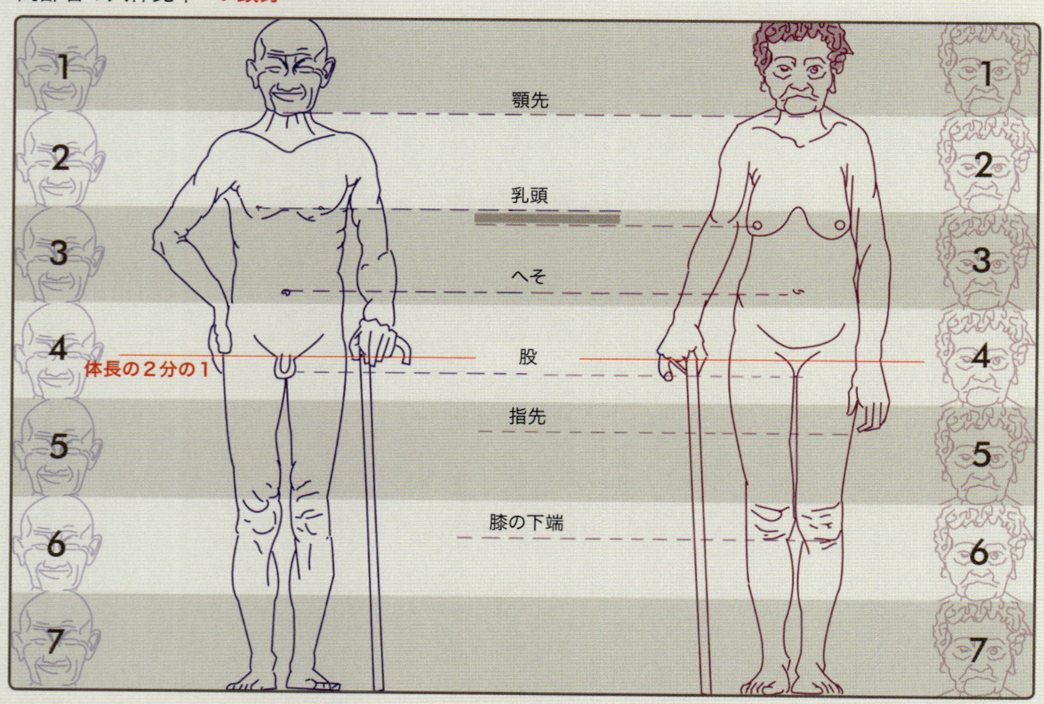

1
2
3
4
5
6
7
顎先
乳頭
へそ
体長の２分の１
股
指先
膝の下端

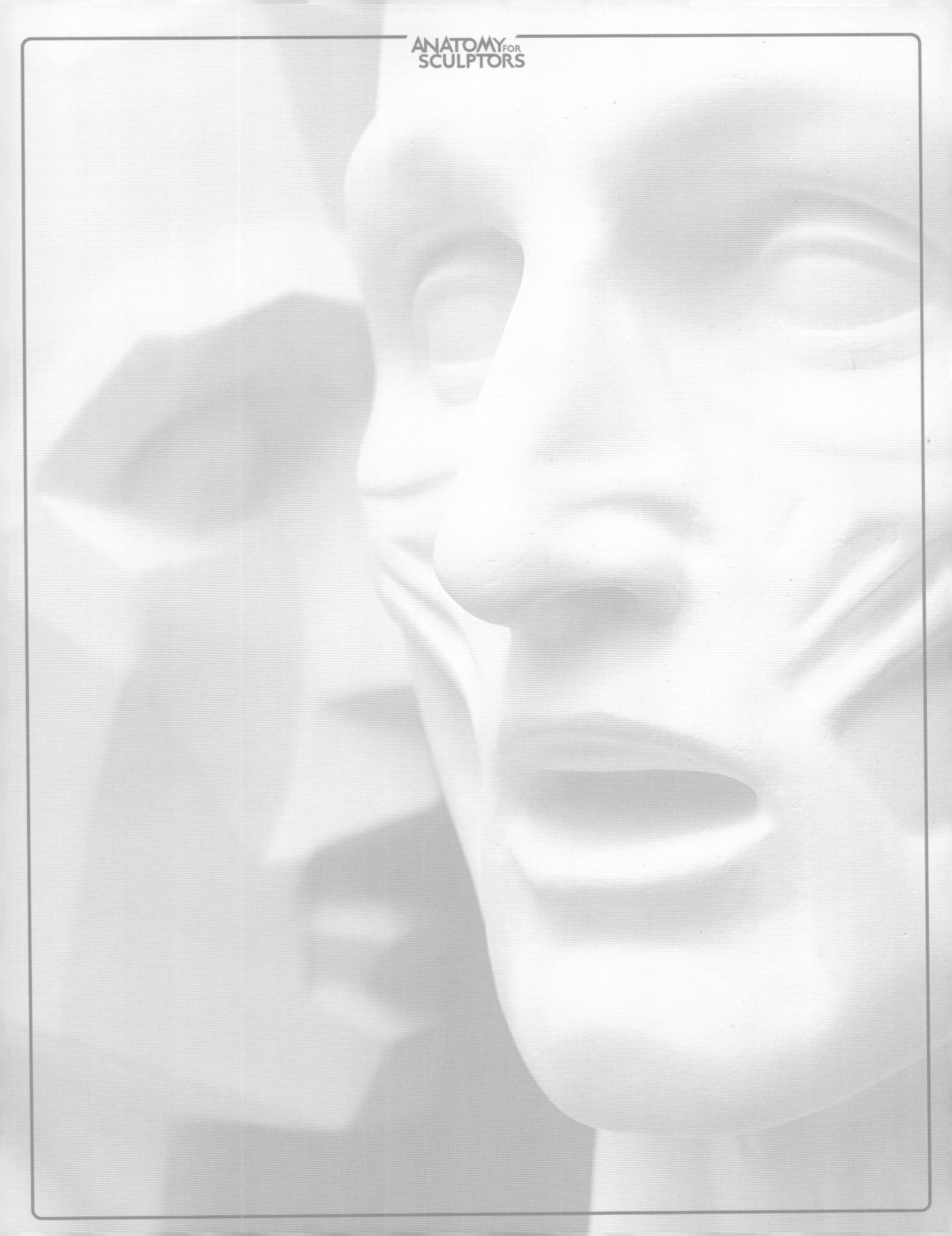
ANATOMY FOR SCULPTORS

主要な頭蓋骨（ずがいこつ）

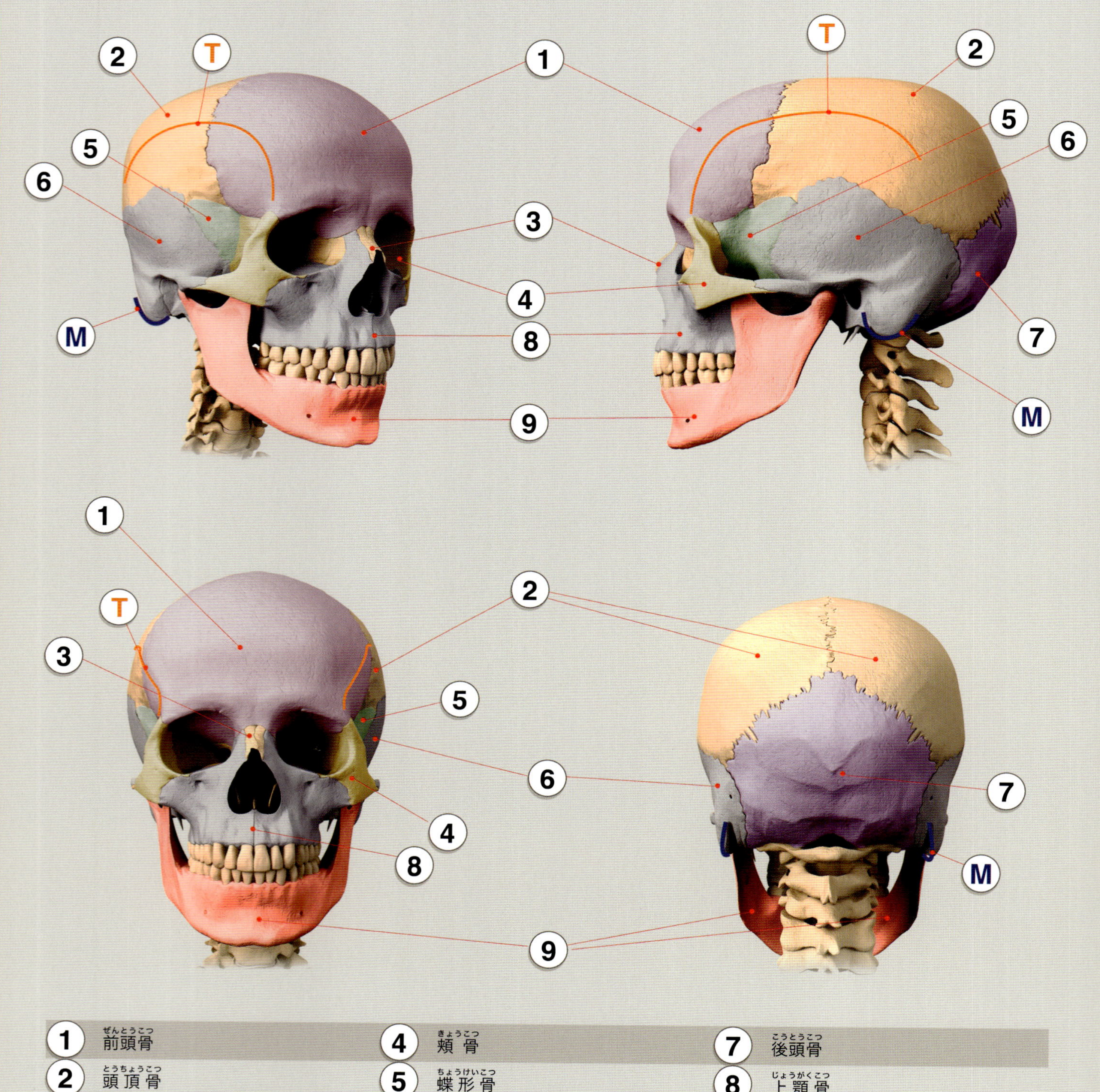
1
2
3
4
5
6
7
8
9
T
M

1	前頭骨（ぜんとうこつ）	4	頬骨（きょうこつ）	7	後頭骨（こうとうこつ）
2	頭頂骨（とうちょうこつ）	5	蝶形骨（ちょうけいこつ）	8	上顎骨（じょうがくこつ）
3	鼻骨（びこつ）	6	側頭骨（そくとうこつ）	9	下顎骨（かがくこつ）
T	**側頭線（そくとうせん）**	M	**乳様突起（にゅうようとっき）**		

頭部の主要な筋肉

i

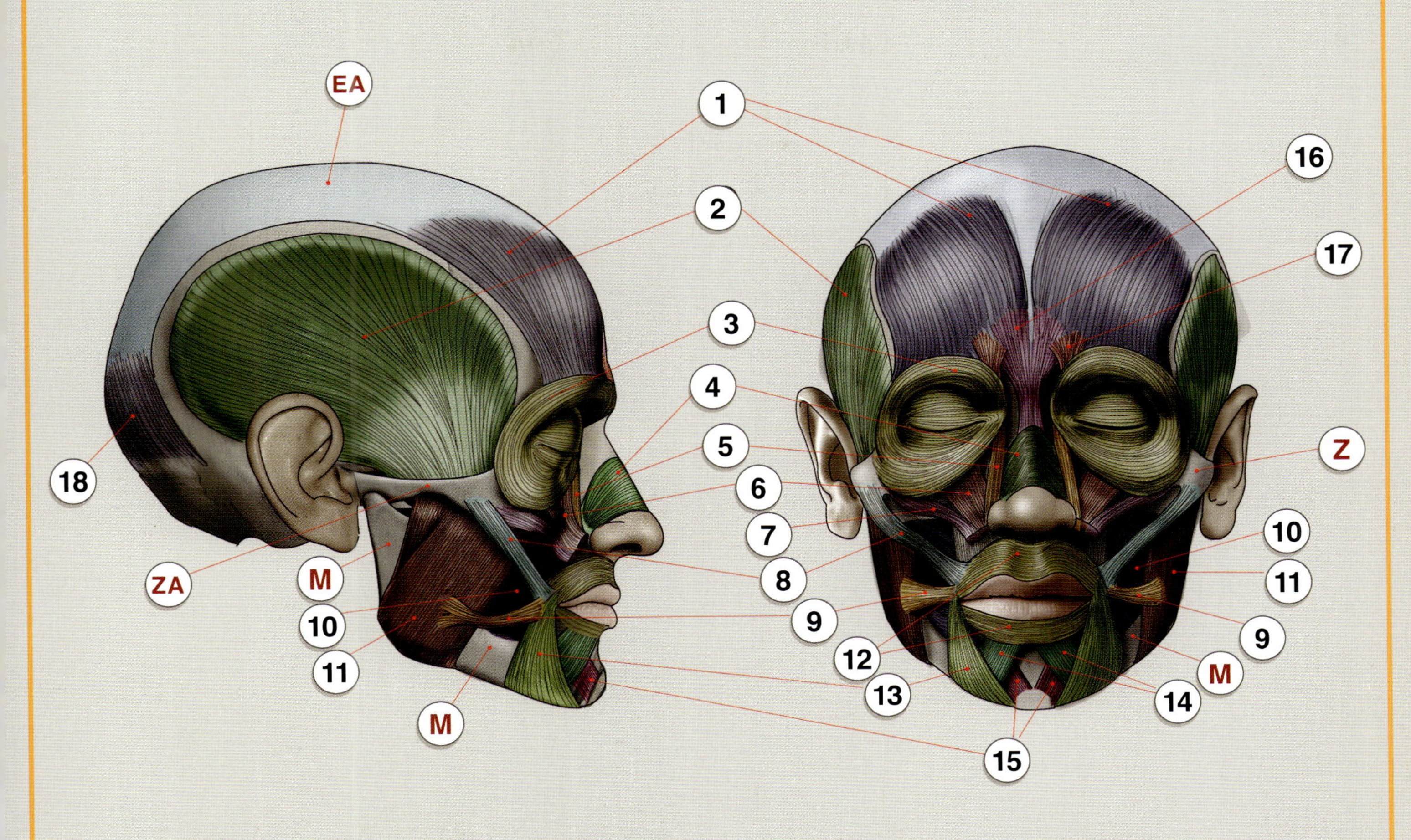
EA
1
2
3
4
5
6
7
8
9
10
11
12
13
14
15
16
17
18
Z
ZA
M

1	前頭筋（ぜんとうきん）
2	側頭筋（そくとうきん）
3	眼輪筋（がんりんきん）
4	鼻筋（びきん）
5	上唇鼻翼挙筋（じょうしんびよくきょきん）
6	上唇挙筋（じょうしんきょきん）
7	小頬骨筋（しょうきょうこつきん）
8	大頬骨筋（だいきょうこつきん）
9	笑筋（しょうきん）
10	頬筋（きょうきん）
M	下顎（かがく）
11	咬筋（こうきん）
12	口輪筋（こうりんきん）
13	口角下制筋（こうかくかせいきん）
14	下唇下制筋（かしんかせいきん）
15	オトガイ筋
16	鼻根筋（びこんきん）
17	皺眉筋（しゅうびきん）
18	後頭筋（こうとうきん）
Z	頬骨（きょうこつ）
ZA	頬骨弓（きょうこつきゅう）
EA	帽状腱膜（ぼうじょうけんまく）

主要な頸筋

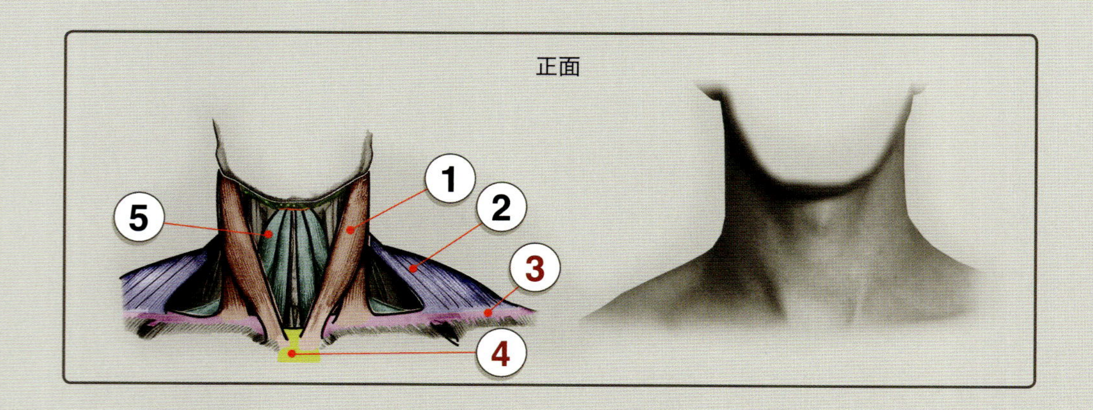
正面
1
2
3
4
5

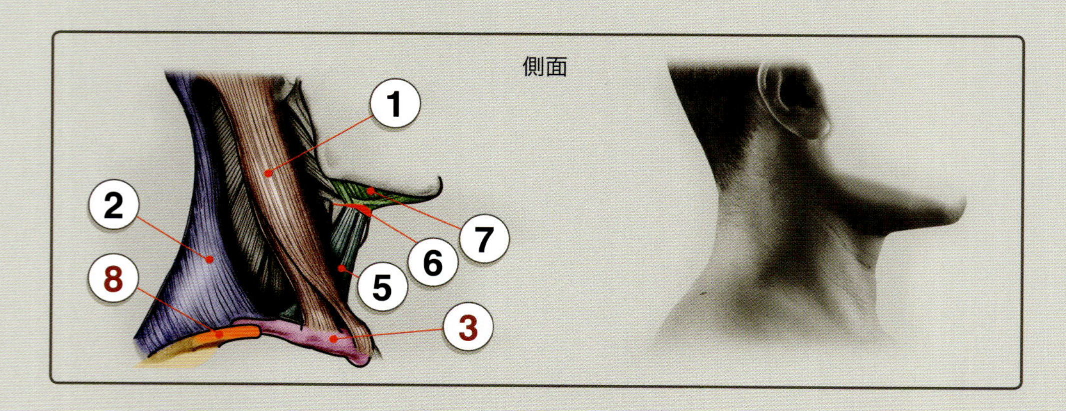
側面
1
2
3
5
6
7
8

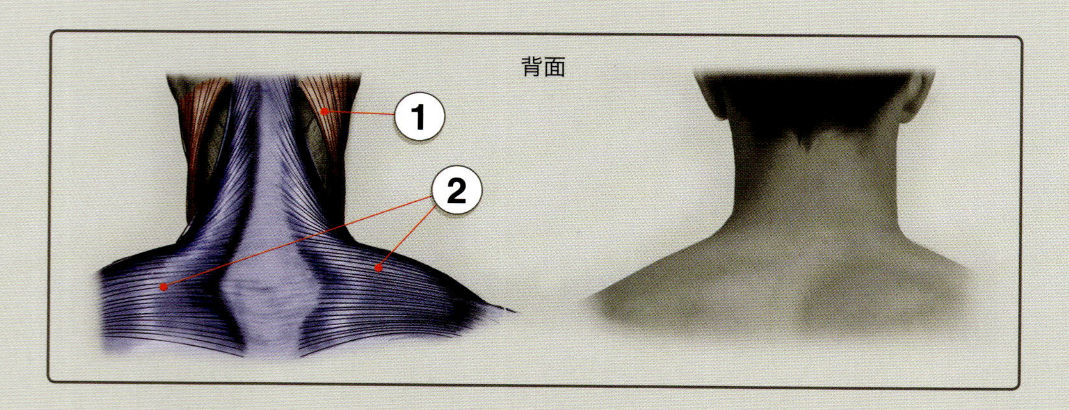
背面
1
2

1	胸鎖乳突筋	4	胸骨	7	舌骨上筋
2	僧帽筋	5	舌骨下筋	8	肩甲骨
3	鎖骨	6	舌骨		

主要な頸筋

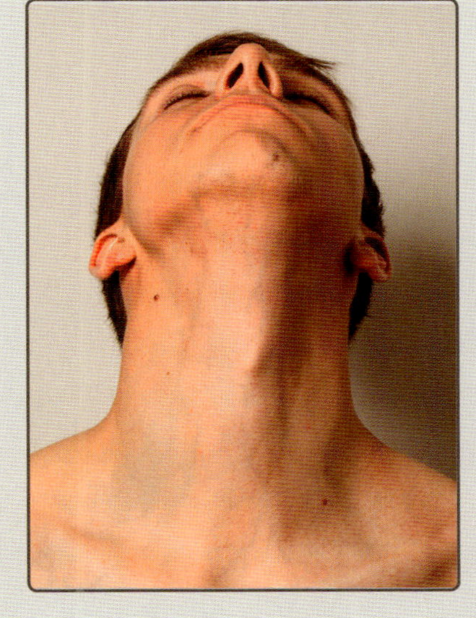

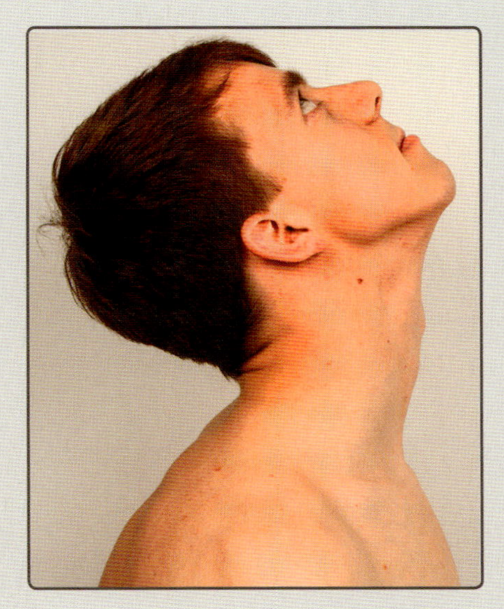

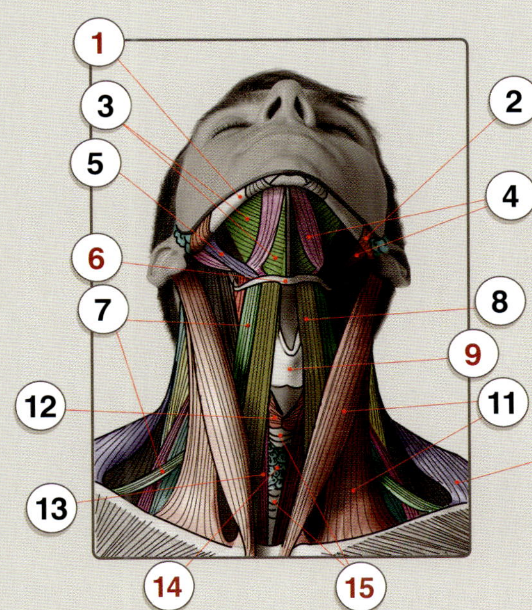
1
3
5
6
7
12
13
14
15
2
4
8
9
11
10

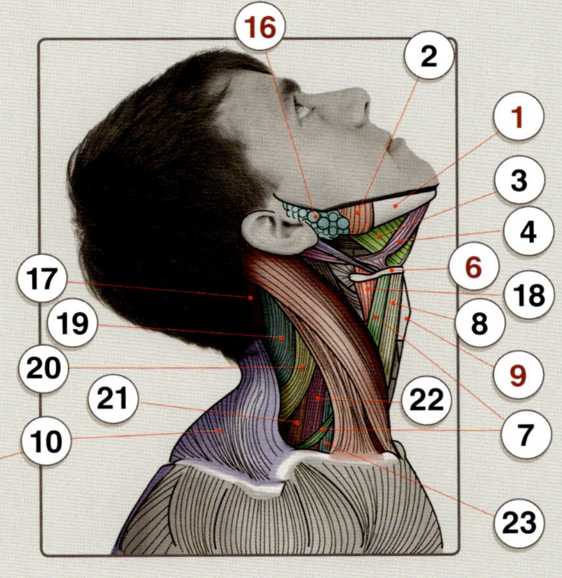
16
2
1
3
4
6
18
8
9
7
22
23
17
19
20
21
10

1	下顎	9	喉頭隆起	17	頭半棘筋
2	咬筋	10	僧帽筋	18	舌骨舌筋
3	顎舌骨筋	11	胸鎖乳突筋	19	頭板状筋
4	顎二腹筋	12	輪状甲状筋	20	肩甲挙筋
5	茎突舌骨筋	13	胸骨甲状筋	21	後斜角筋
6	舌骨	14	甲状腺	22	中斜角筋
7	肩甲舌骨筋	15	気管	23	前斜角筋
8	胸骨舌骨筋	16	耳下腺		

頭蓋骨（ずがいこつ）を形成する形状

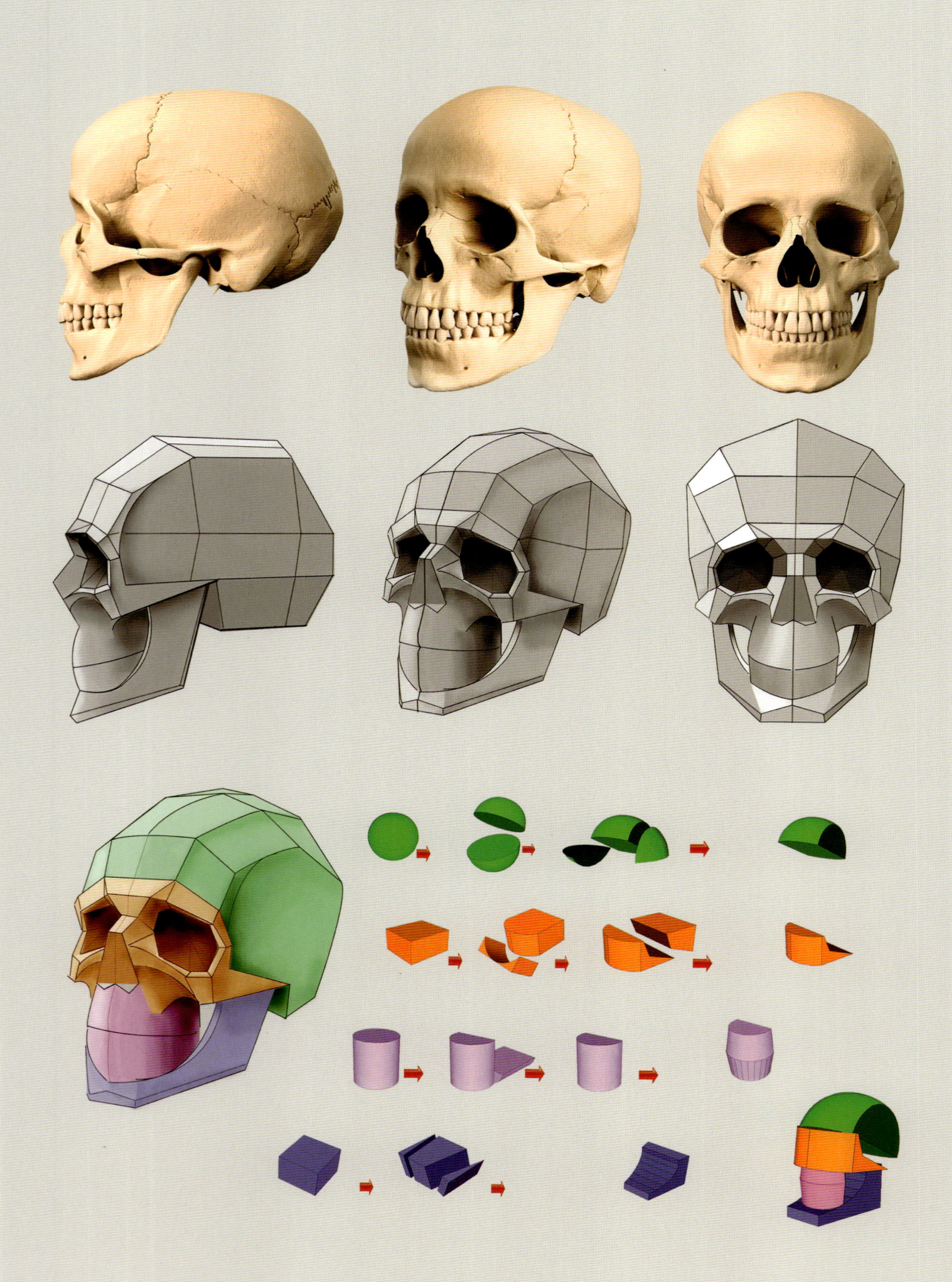

3Dの頭蓋骨(ずがいこつ)のモデリング

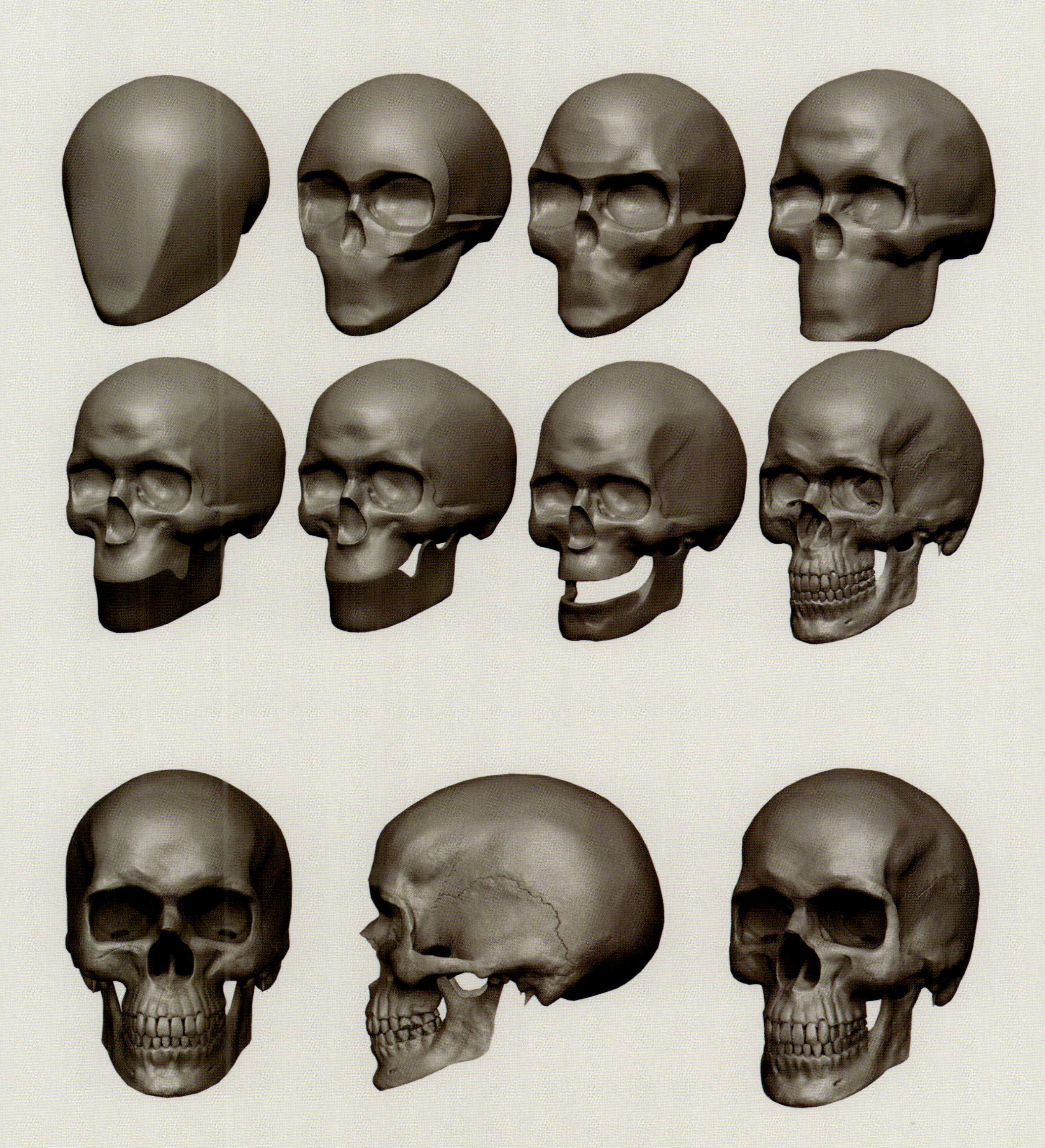

頭部の形状とマッス

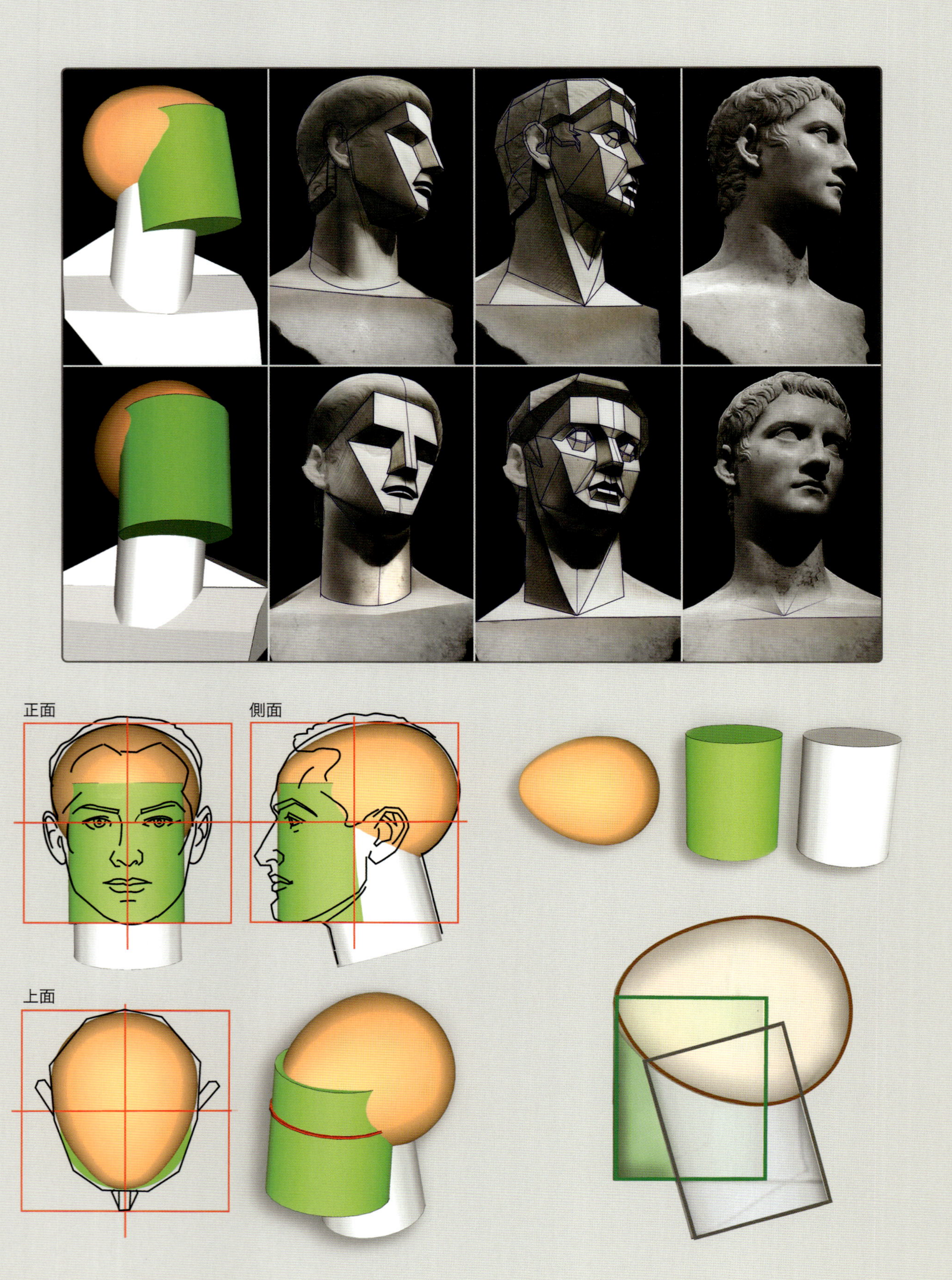
正面
側面
上面

乳幼児の頭部

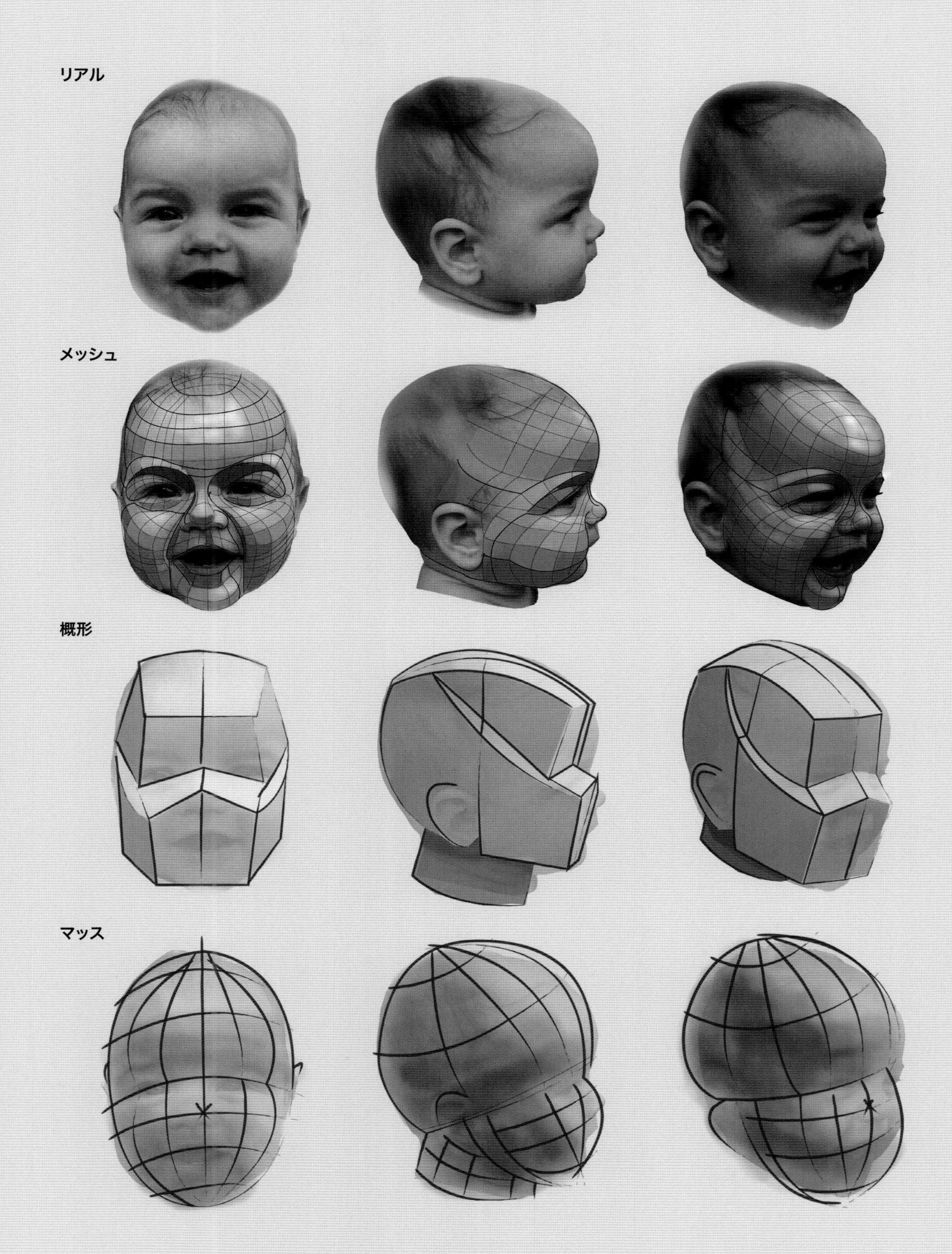
リアル
メッシュ
概形
マッス

頭部の形状

顎先の輪郭と下顎の輪郭は同じではない。

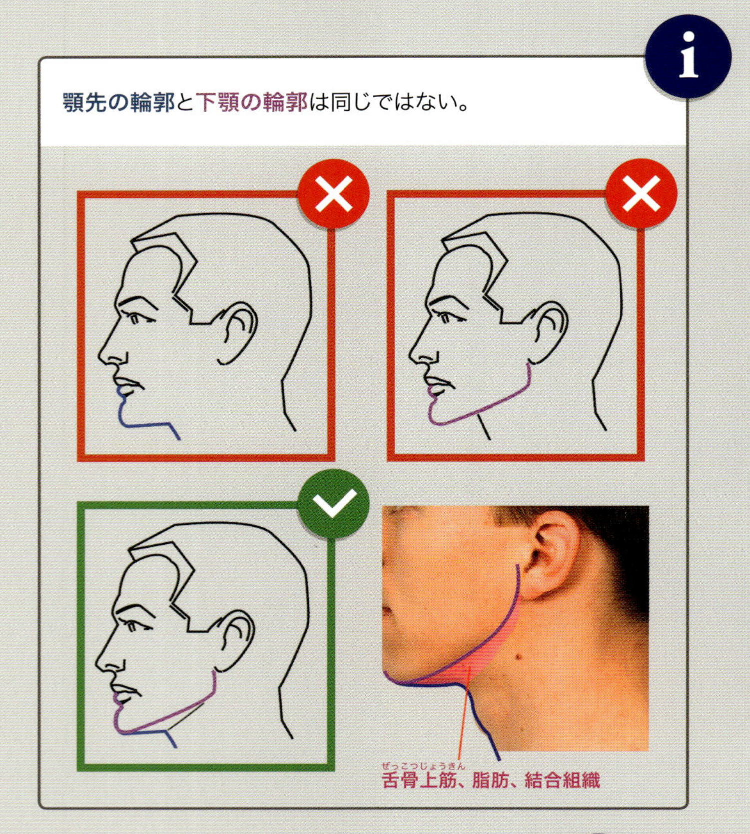
舌骨上筋、脂肪、結合組織

側頭線（側頭骨と額の面の間のりょう線）。

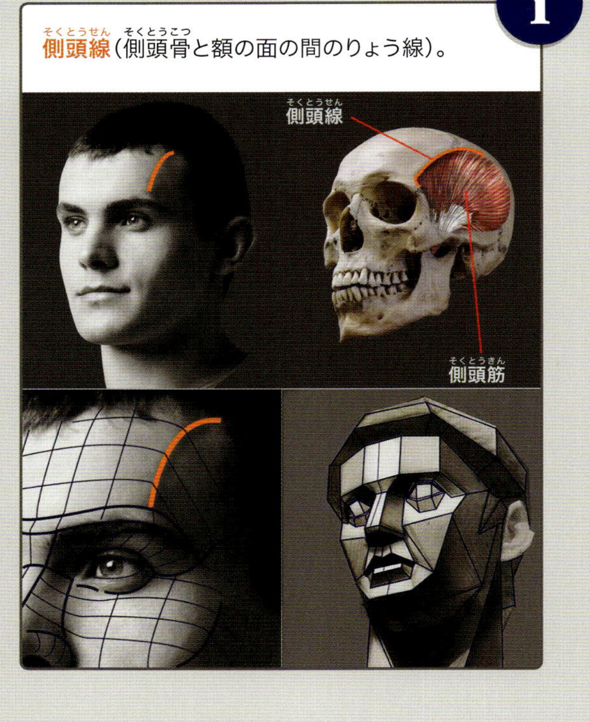
側頭線
側頭筋

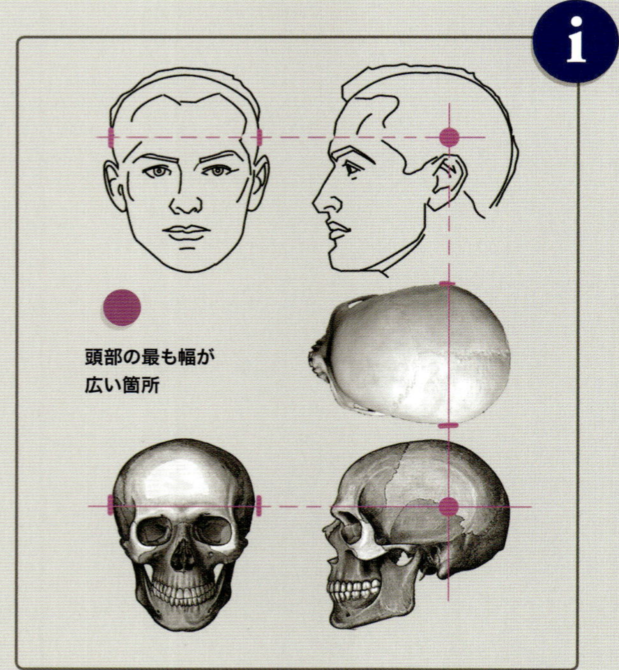
頭部の最も幅が広い箇所

頭部は丸くない。

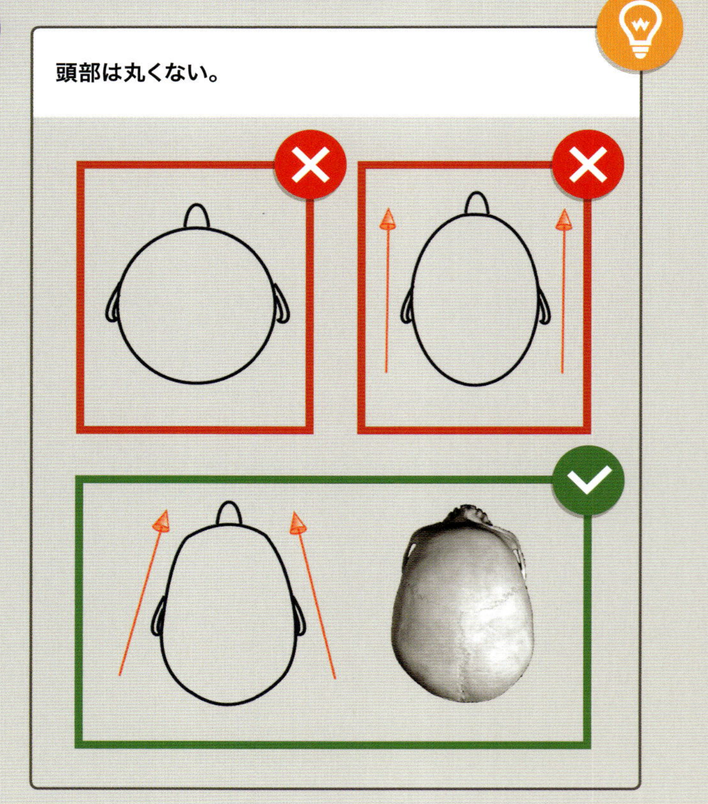

目の縁取り

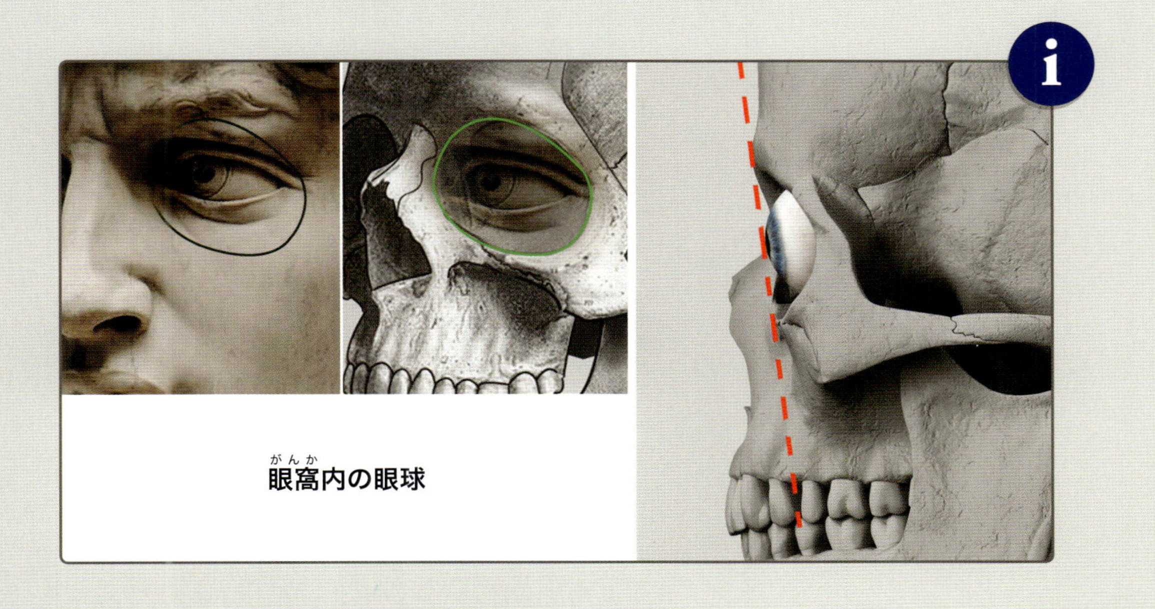
眼窩内の眼球

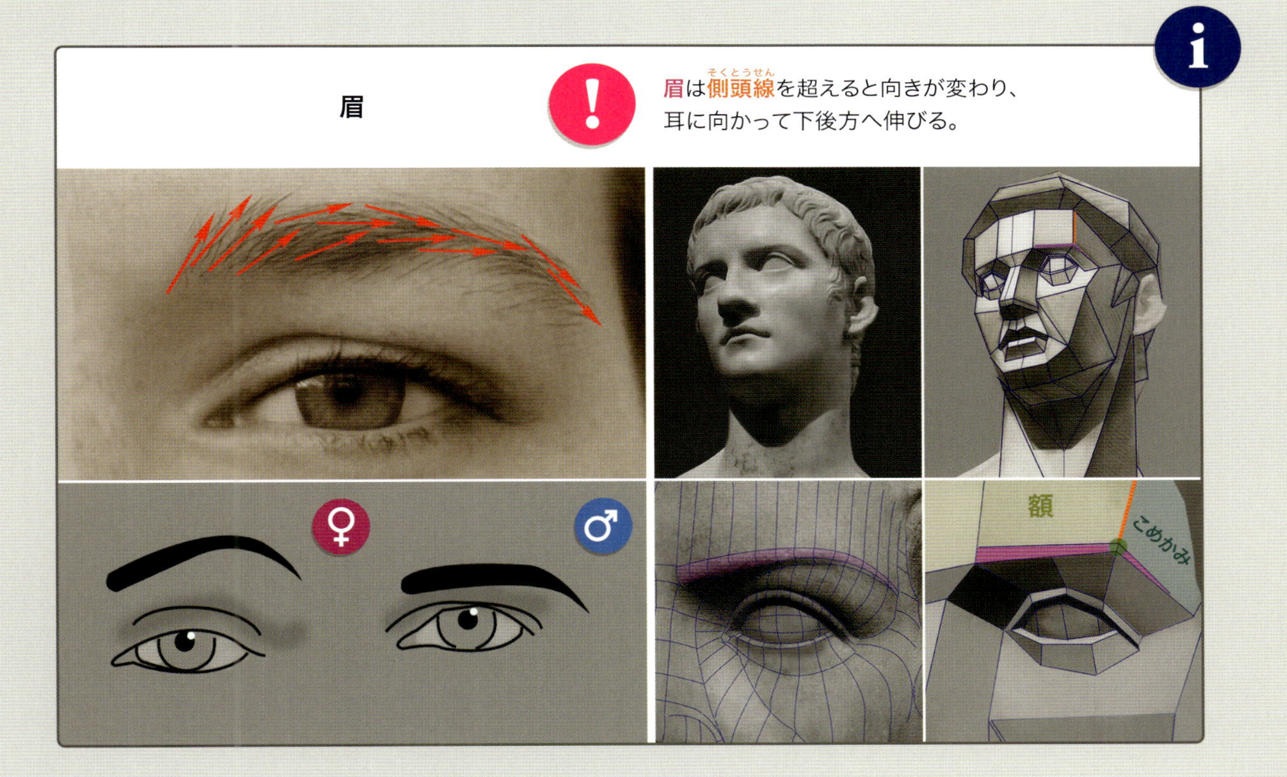
額
こめかみ
眉

眉は側頭線を超えると向きが変わり、耳に向かって下後方へ伸びる。

目の詳細

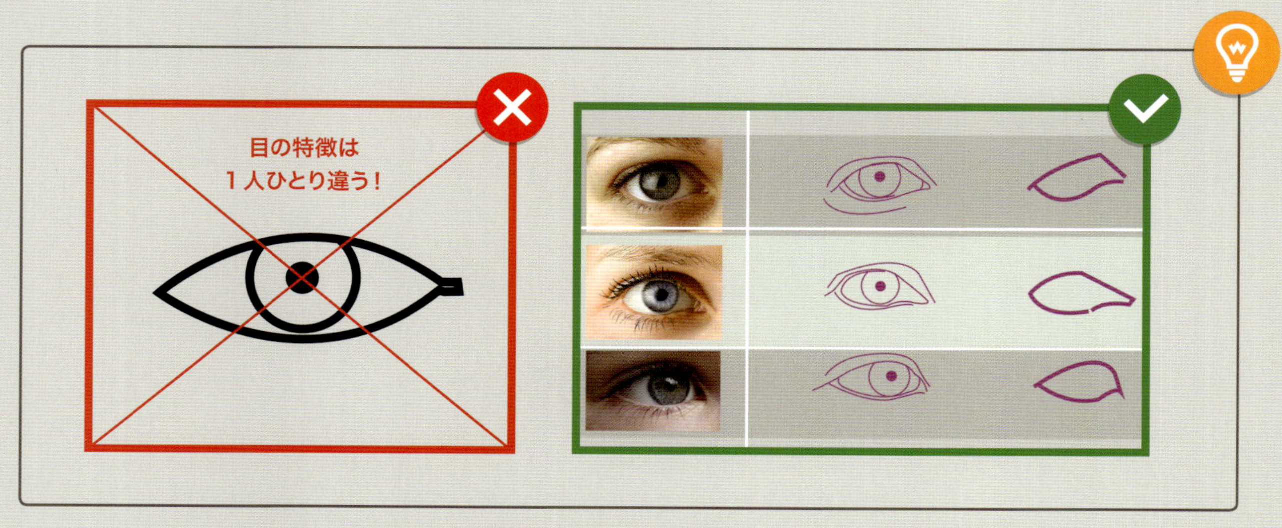
目の特徴は
１人ひとり違う！

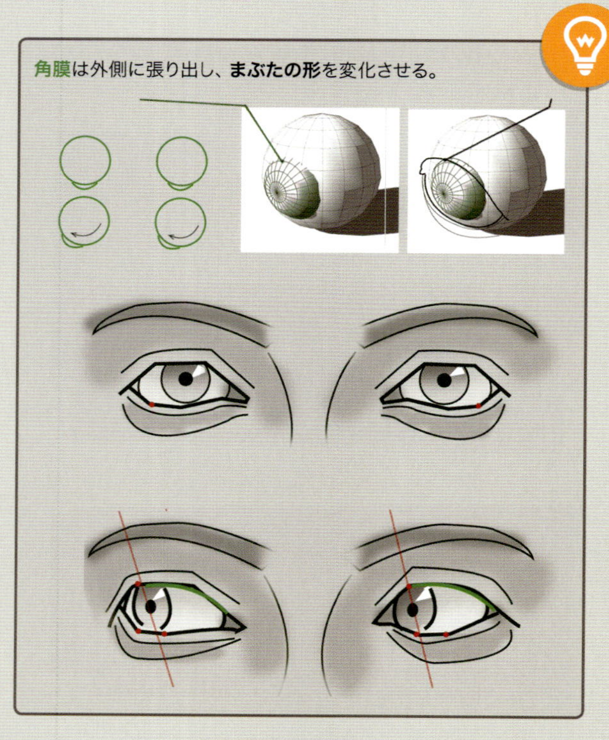
角膜は外側に張り出し、まぶたの形を変化させる。

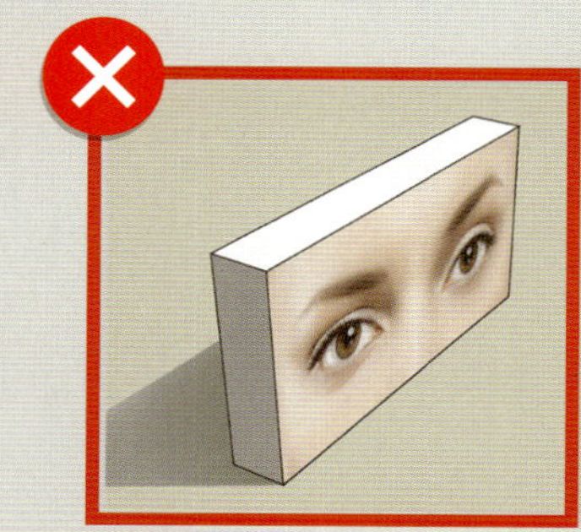

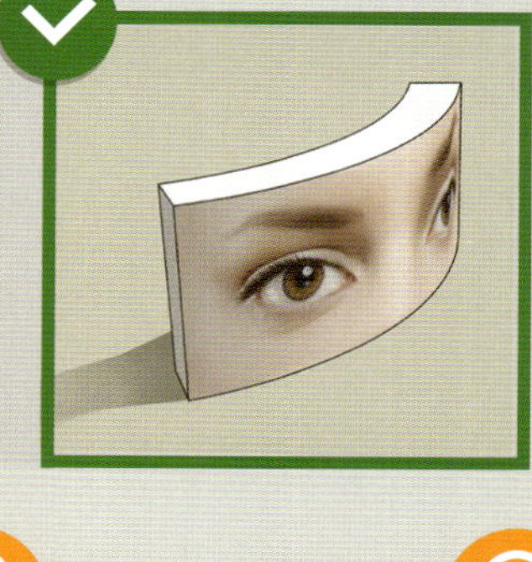

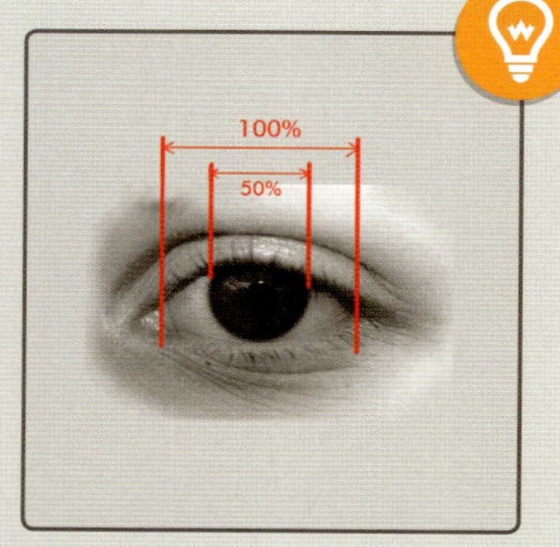
100%
50%

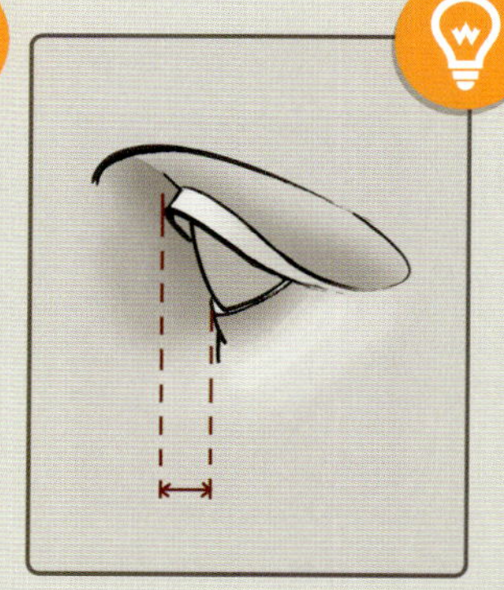

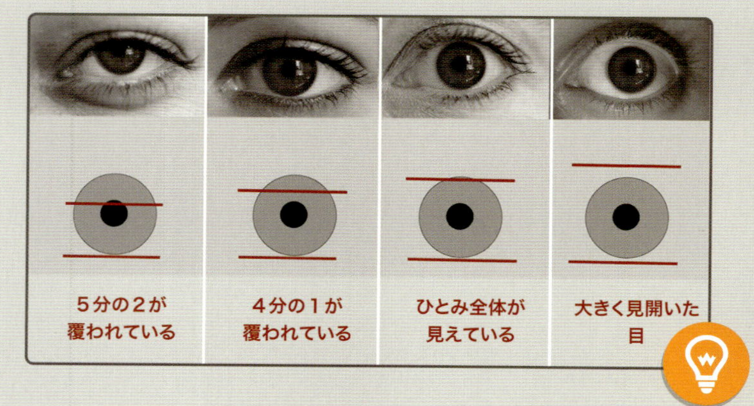
５分の２が
覆われている
４分の１が
覆われている
ひとみ全体が
見えている
大きく見開いた
目

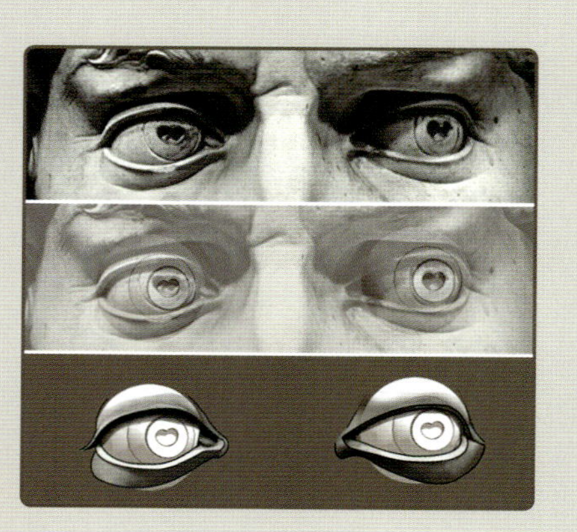

目

何が顔を平坦に見せているか？

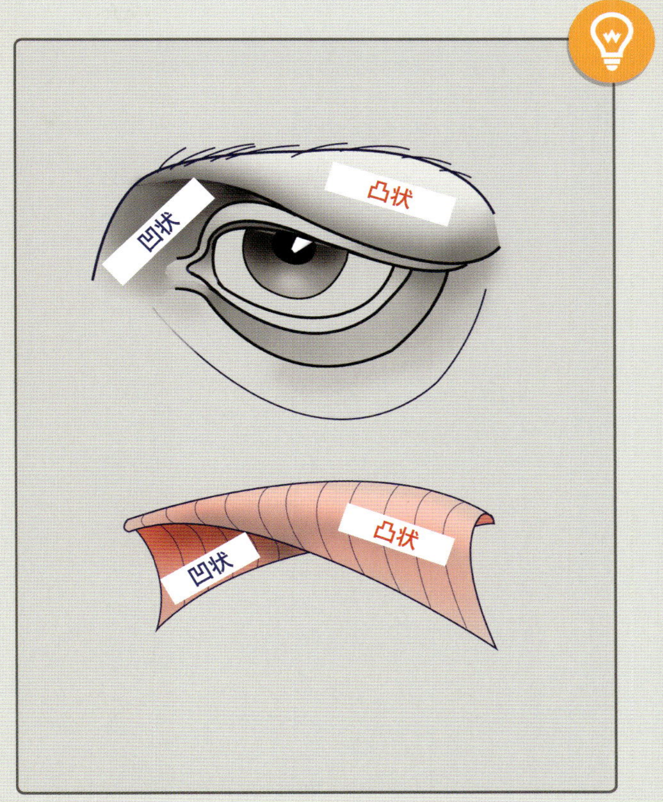
凹状
凸状
凹状
凸状

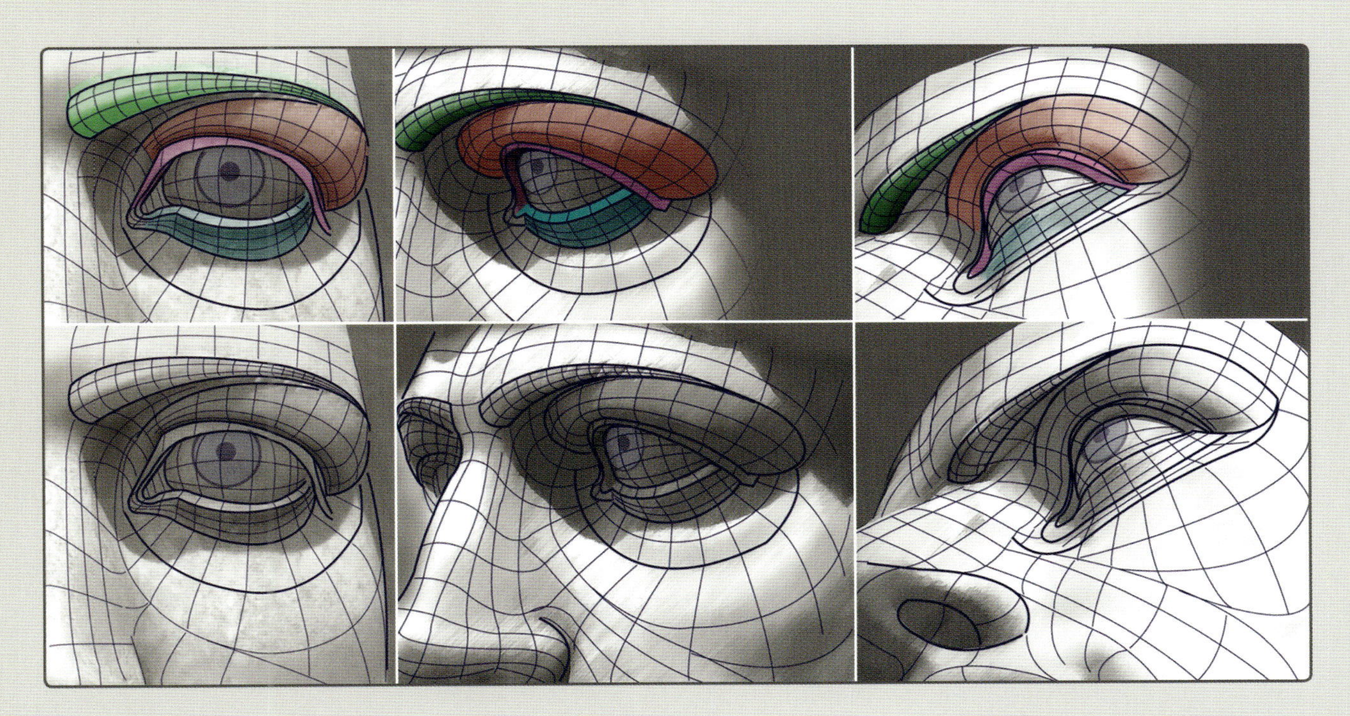

古典的な目の概形を形成する

（段階的に進める）

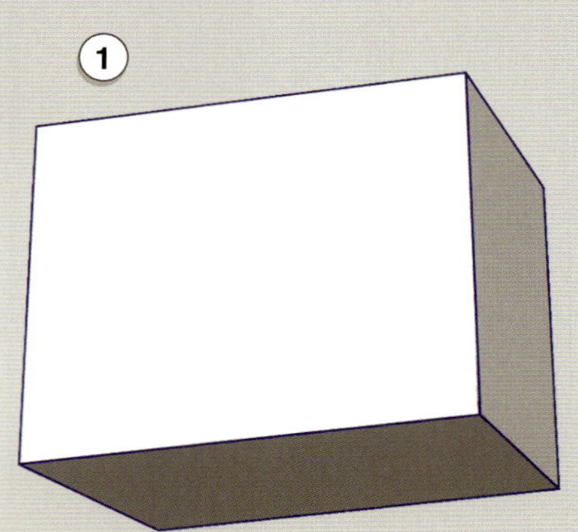
1

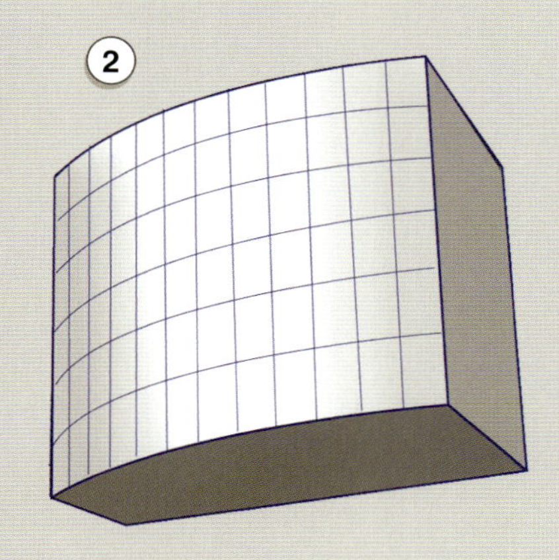
2

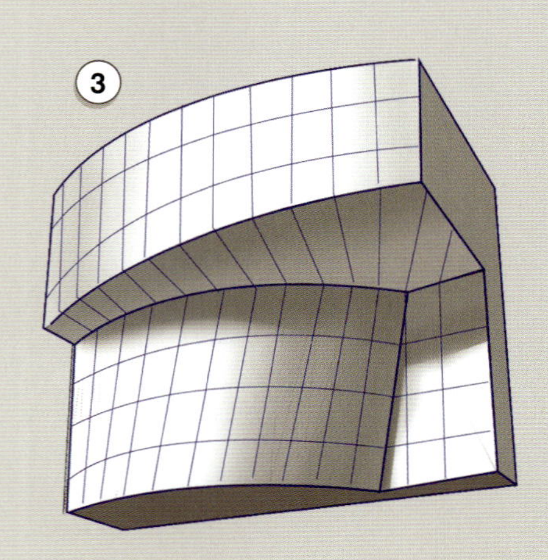
3

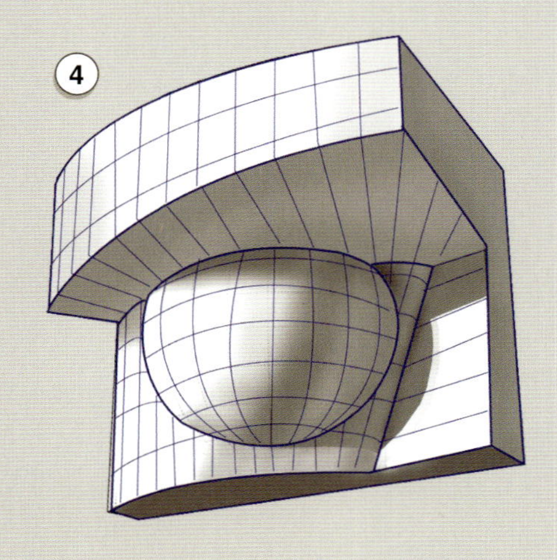
4

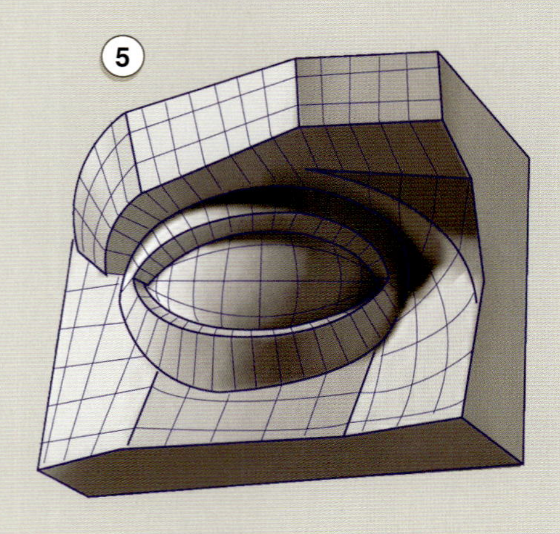
5

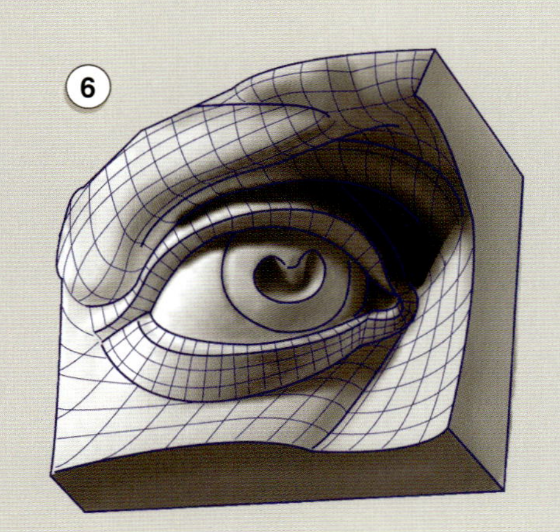
6

多種多様な目の形

成人女性

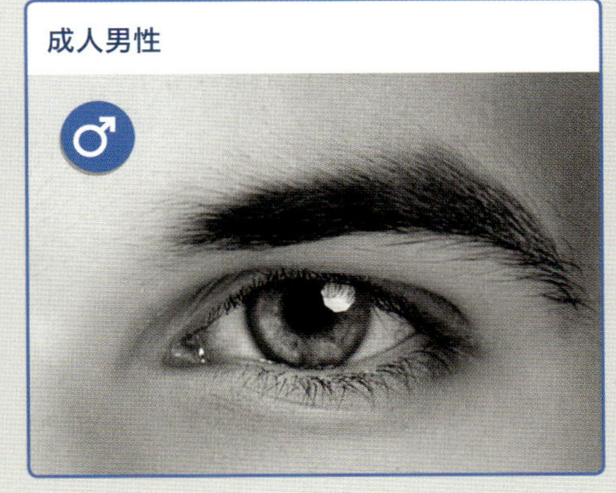
成人男性

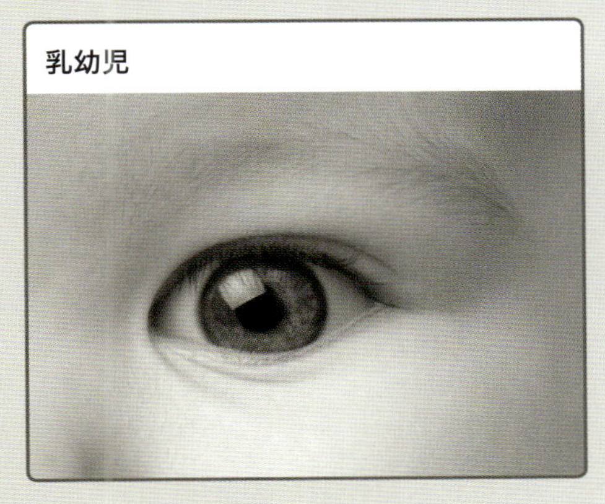
乳幼児

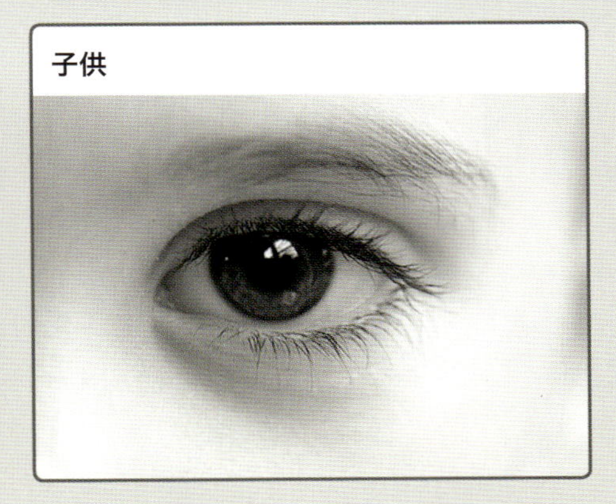
子供

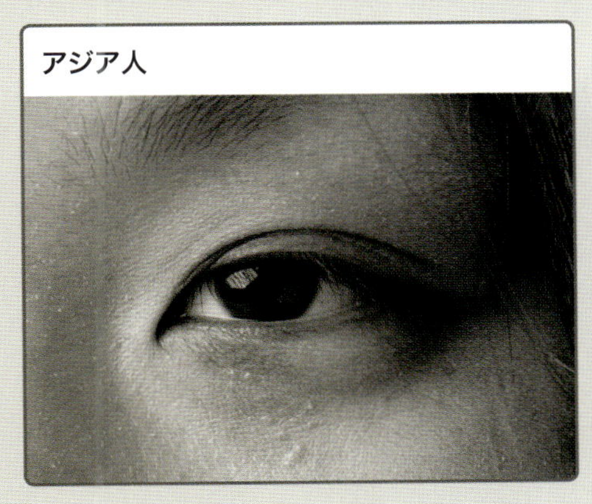
アジア人

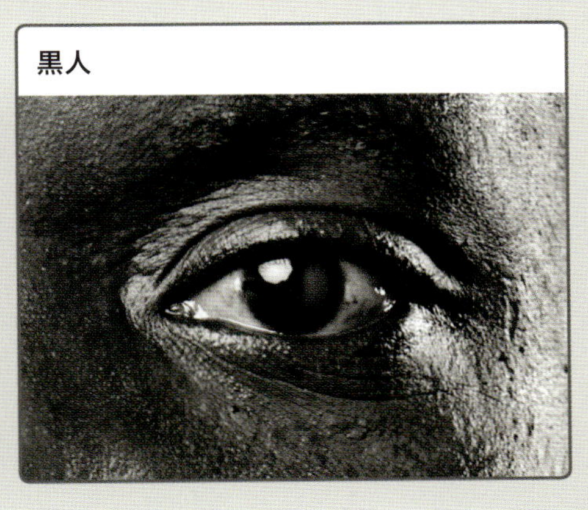
黒人

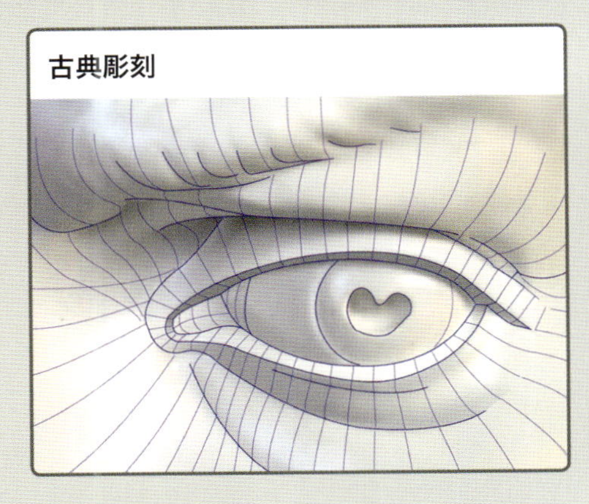
古典彫刻

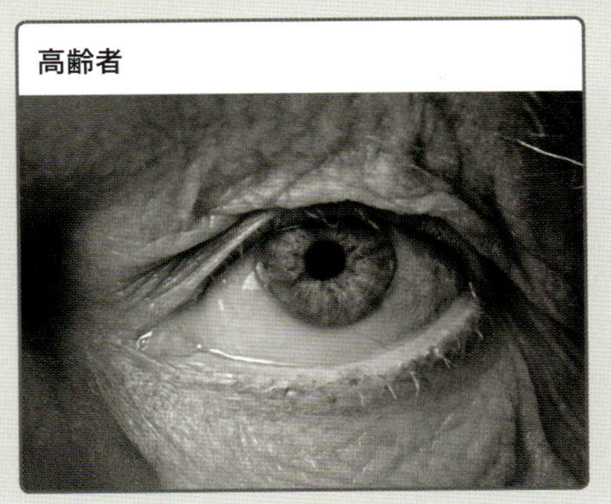
高齢者

目の動き
（表情）

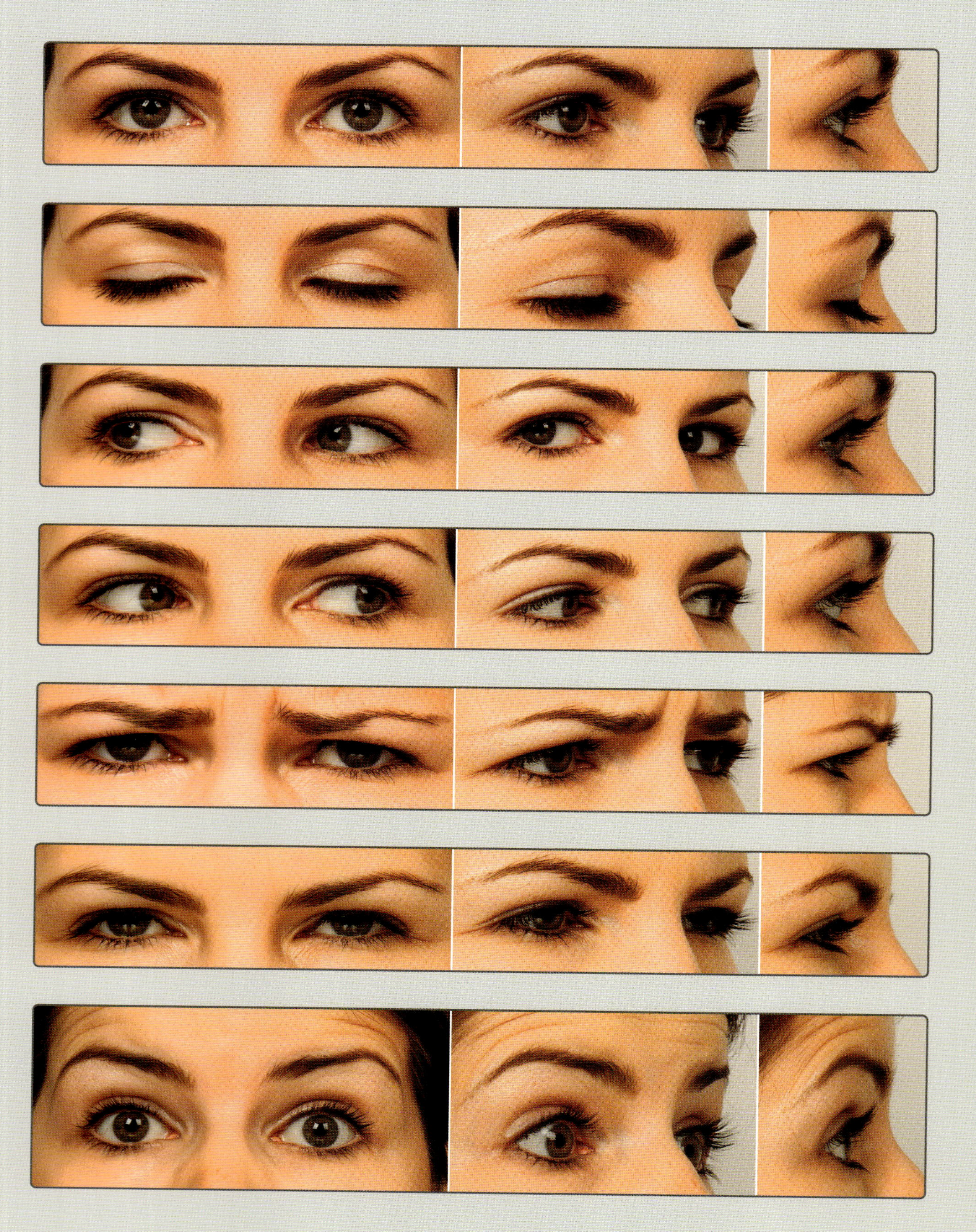

目の動き
（表情）

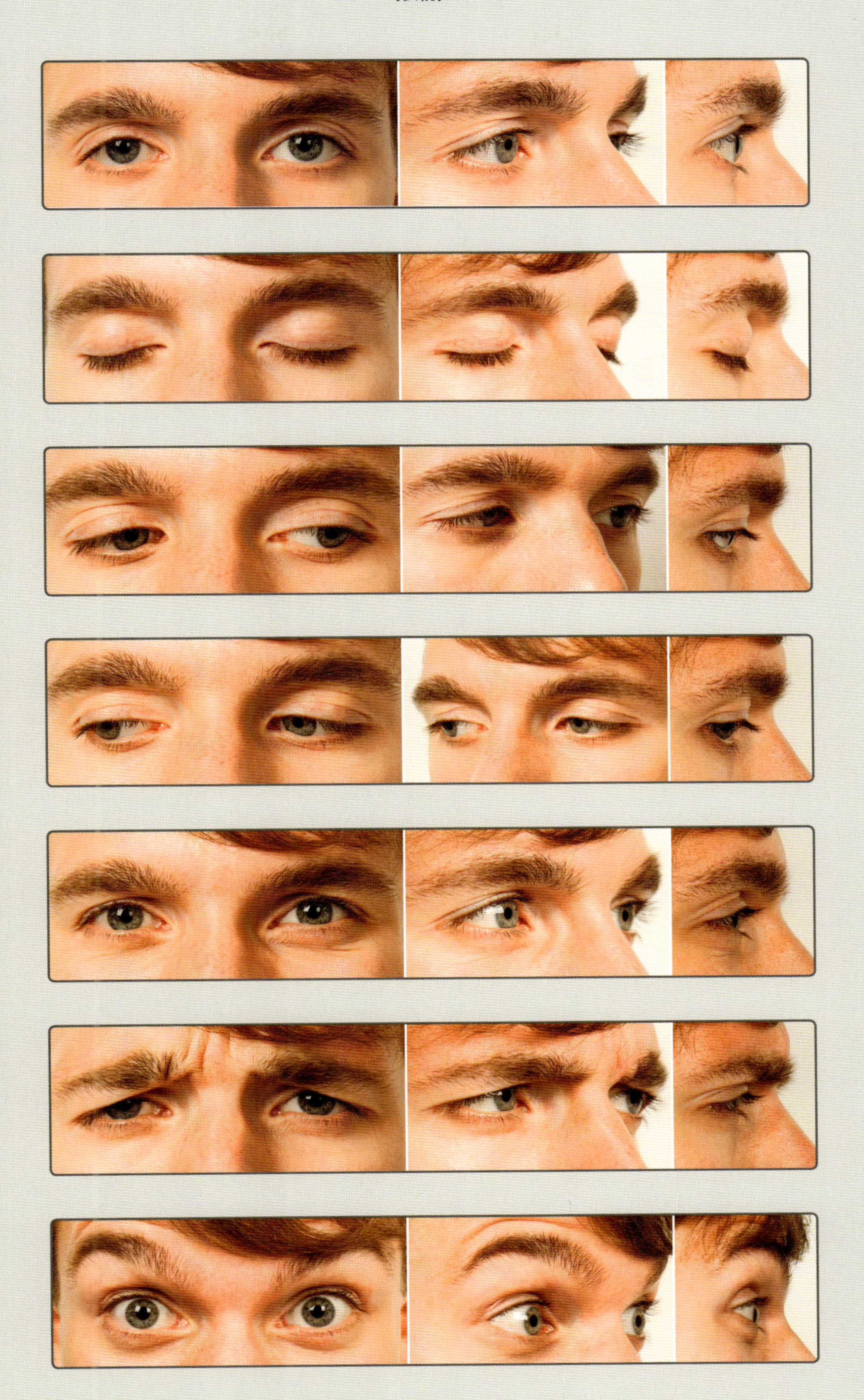

頑丈な顎

側頭筋(そくとうきん) – 口を閉じる、閉じた状態を維持する。

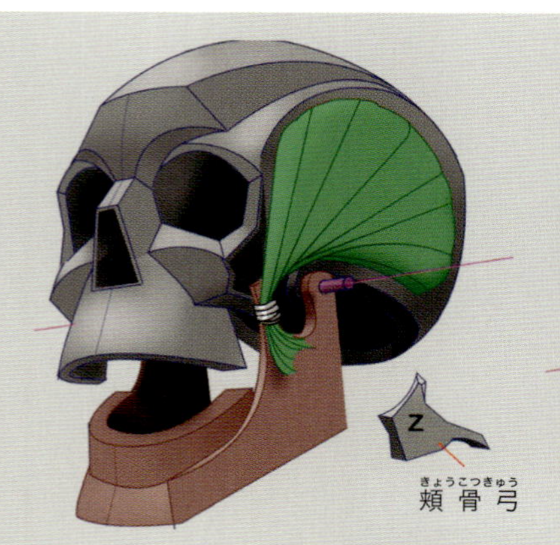

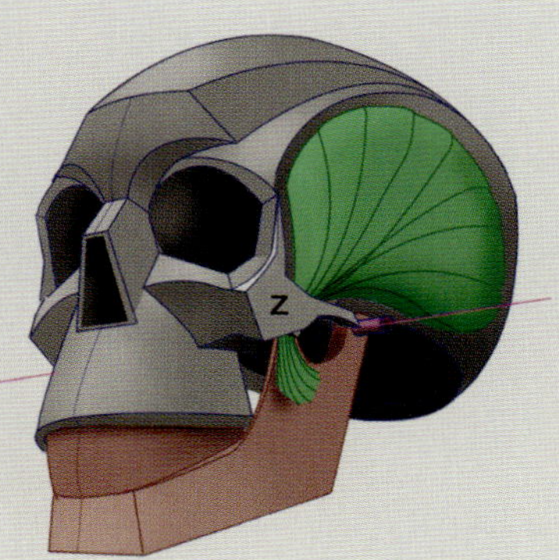
Z
頬骨弓(きょうこつきゅう)

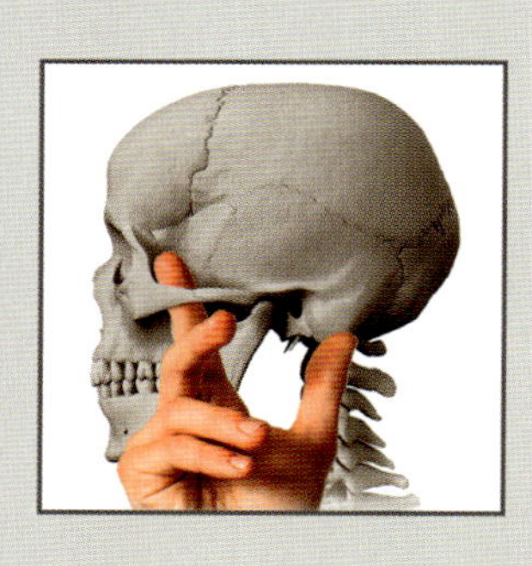

咀嚼筋(そしゃくきん)(咬筋(こうきん))。

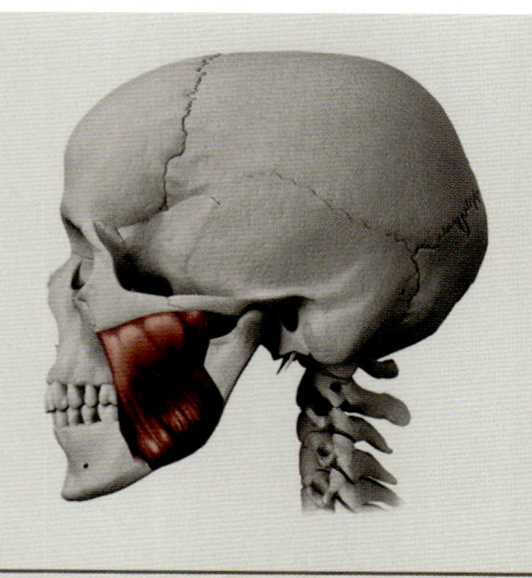

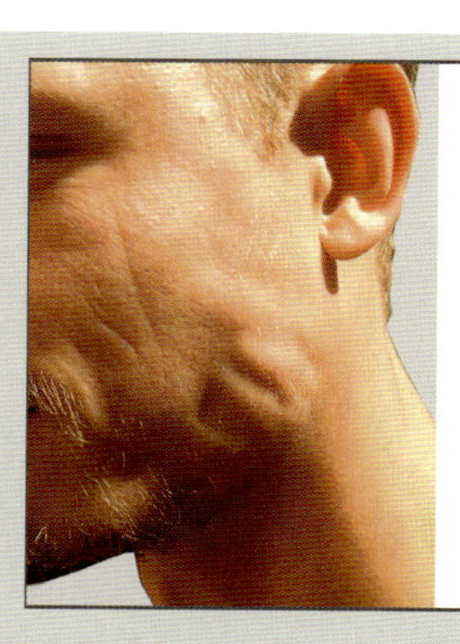

咬筋は主要な咀嚼筋であり、下顎を引き上げて口を閉じる。
外側の部分は頬骨弓から起始し、下顎枝(かがくし)の表面に停止する。

耳下腺(じかせん)(唾液腺(だえきせん))も、下顎の輪郭と顔を形成するうえで重要な役割を果たす。

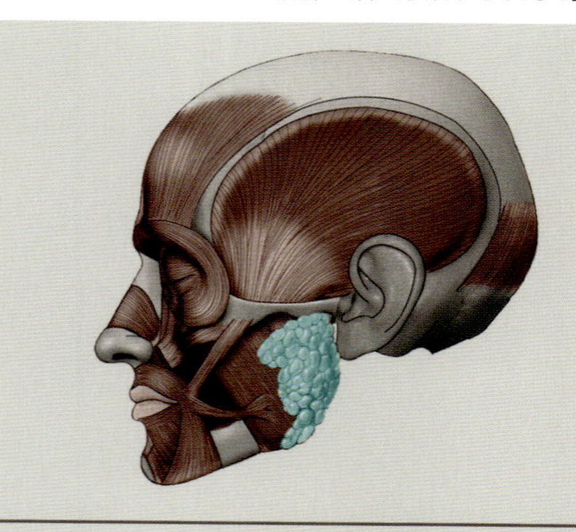

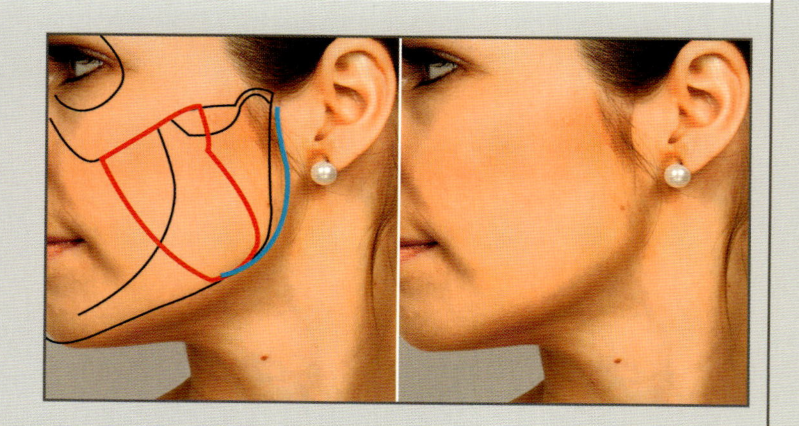

口の屈曲を理解する

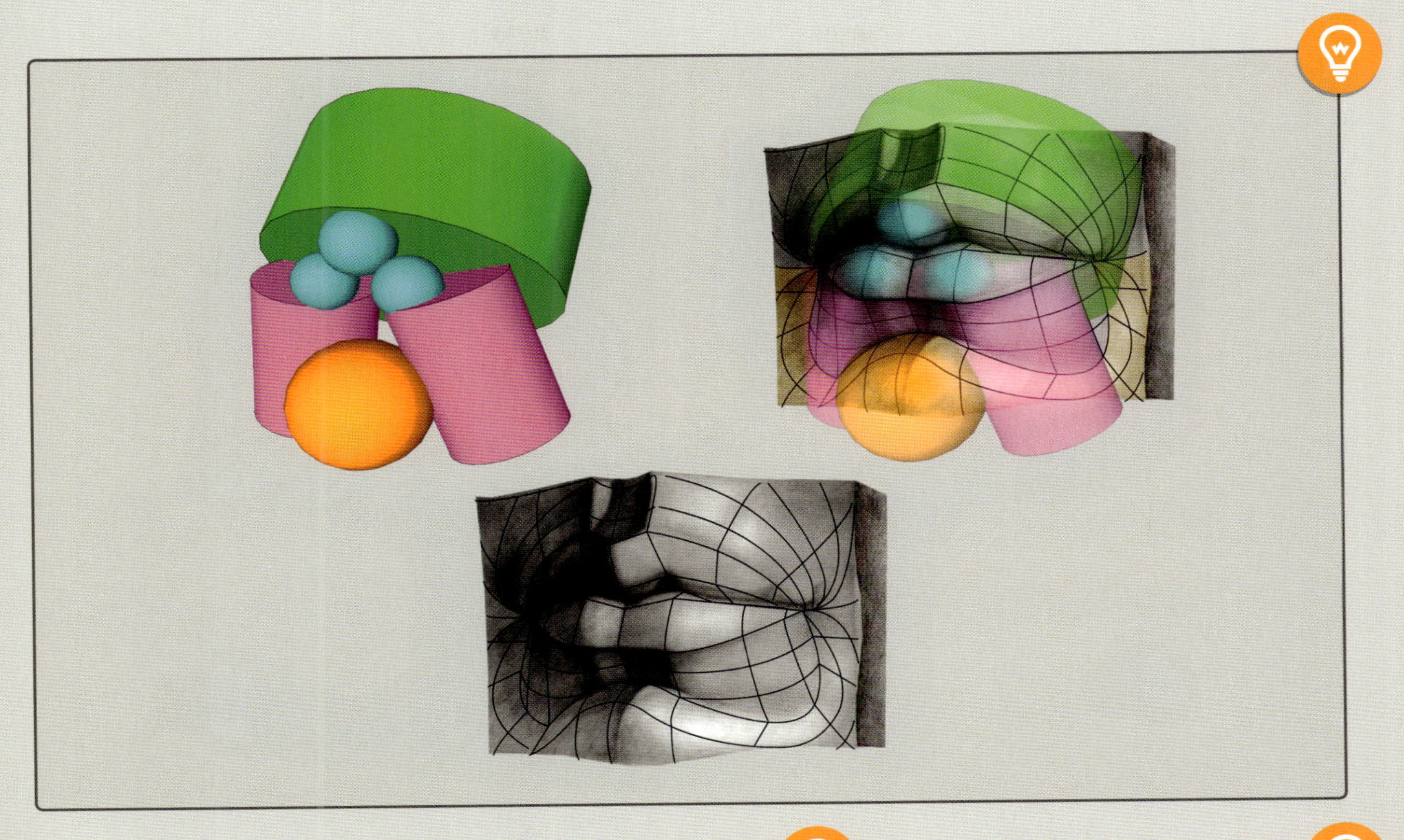

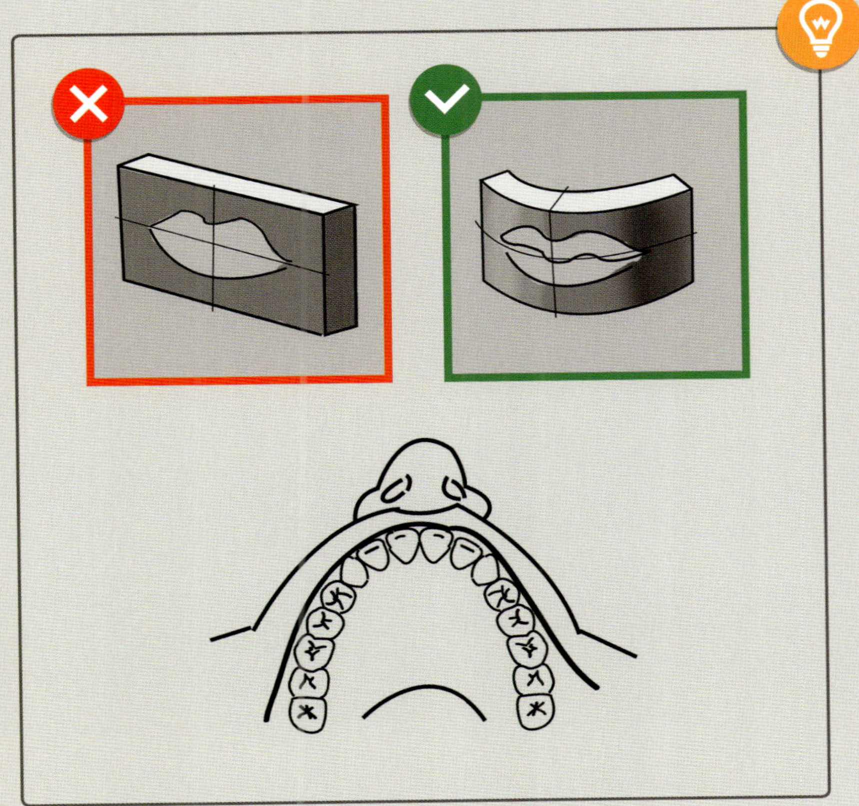

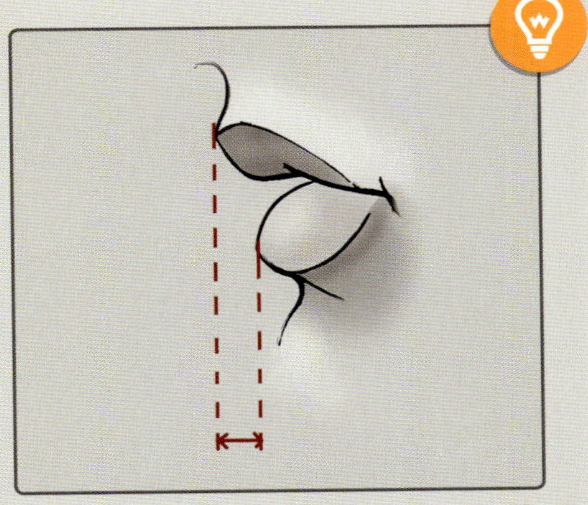

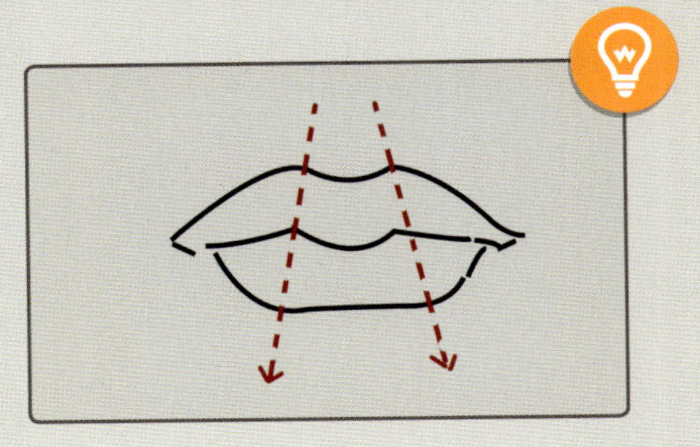

平静時の口の形

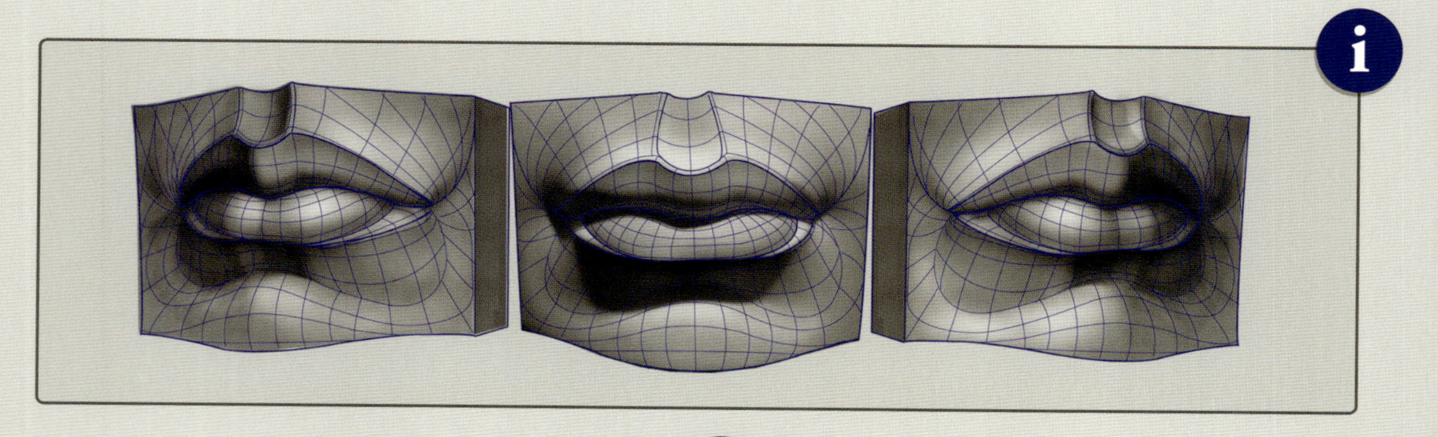

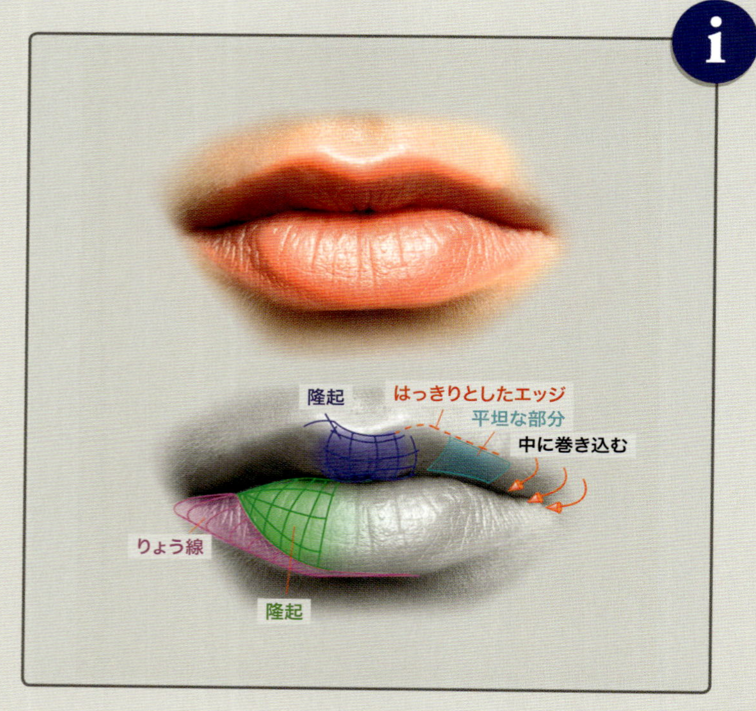
隆起
はっきりとしたエッジ
平坦な部分
中に巻き込む
りょう線
隆起

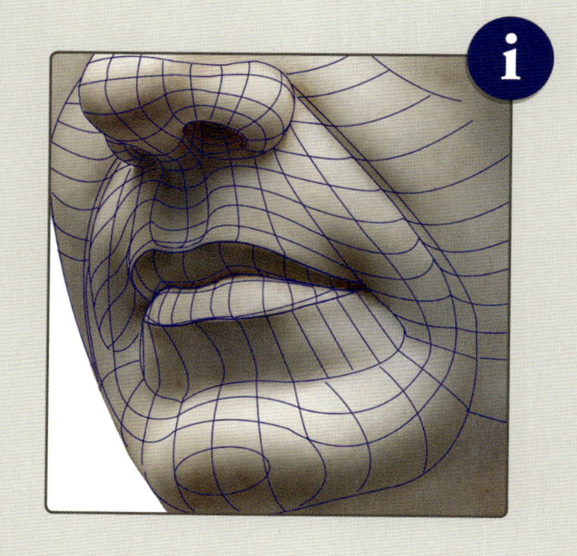

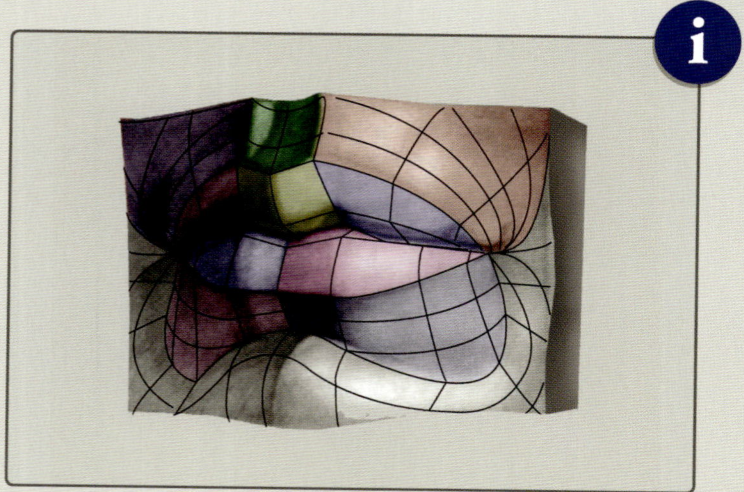

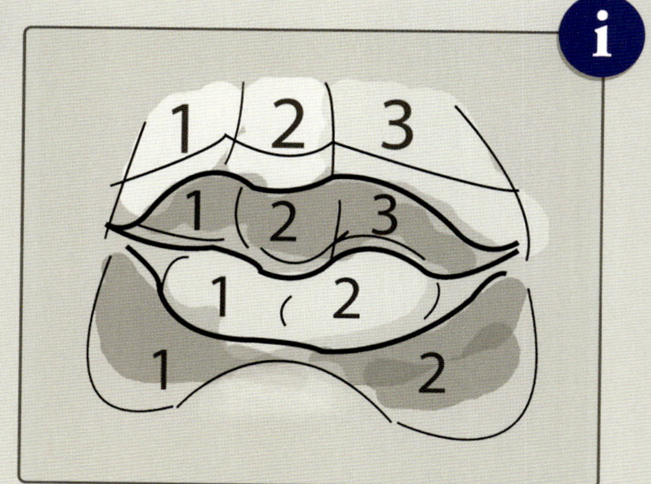
1
2
3
1
2
3
1
2
1
2

口

口の表情 – 引いたりすぼめたりすることで作られる。

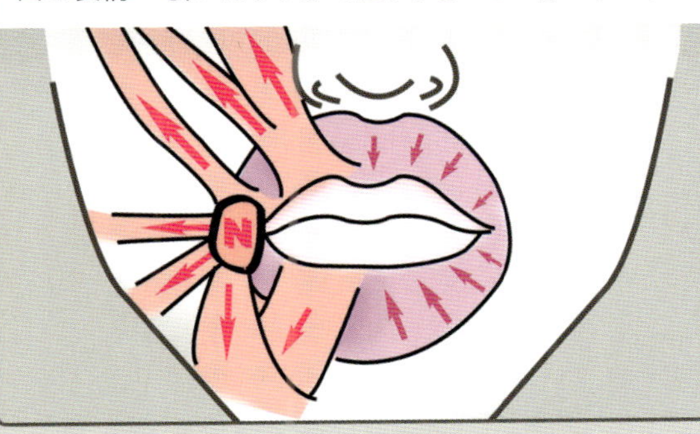
N

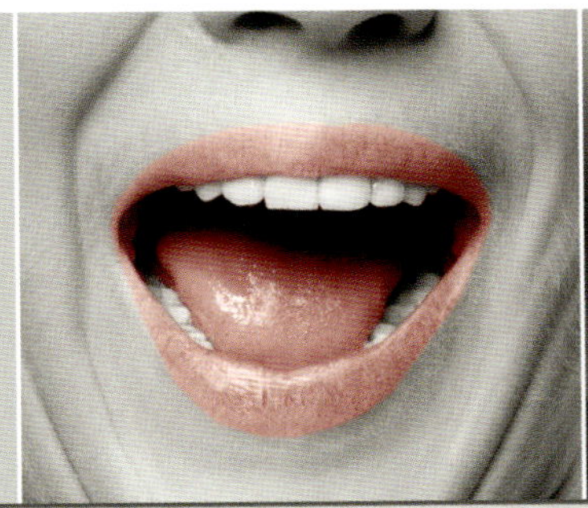

この隆起の正体は？

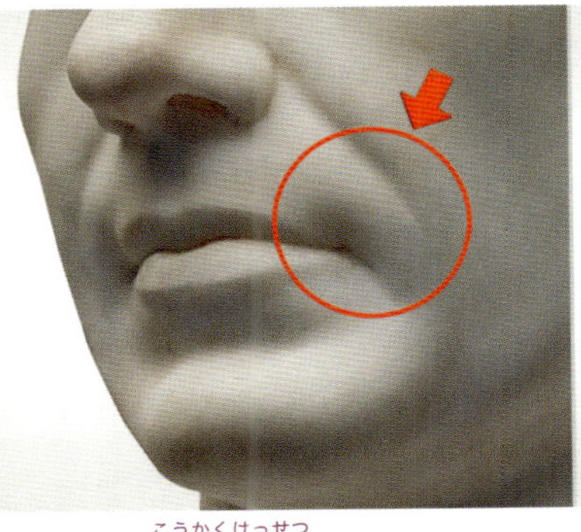

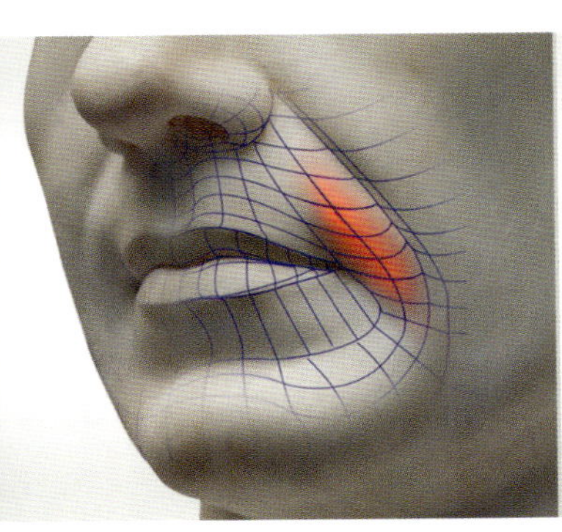

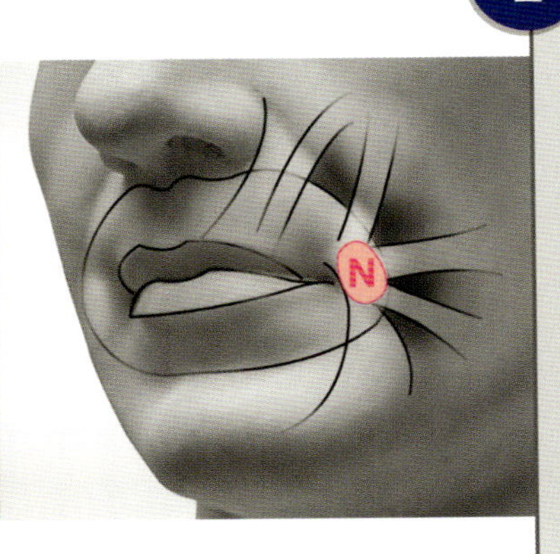
N

これは「口角結節（こうかくけっせつ）」と呼ばれる部位。

複数の顔の筋肉が口角につながる部分。

表情を彫刻するときは、骨ランドマークを忘れないようにしよう！
顔の筋肉をさまざまな方向に引っ張ることで表情は作られるが、頭蓋骨（ずがいこつ）は変化しない。

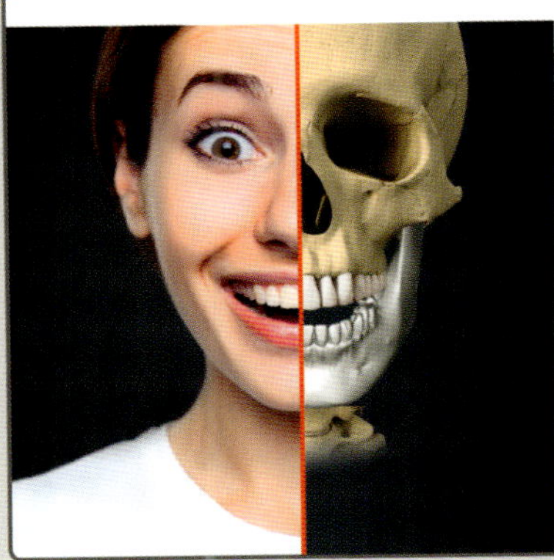

口の表情

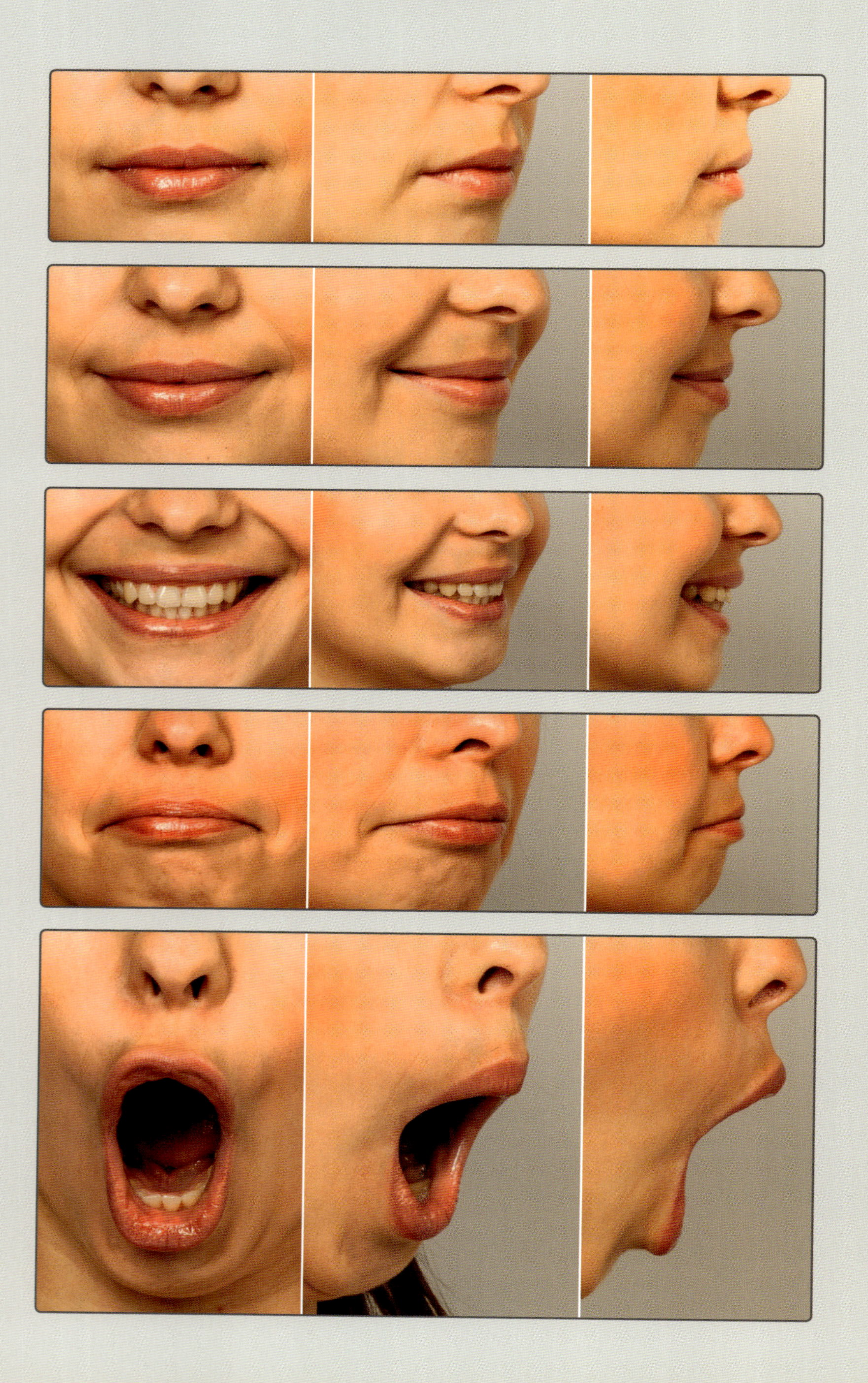

その他の口の表情

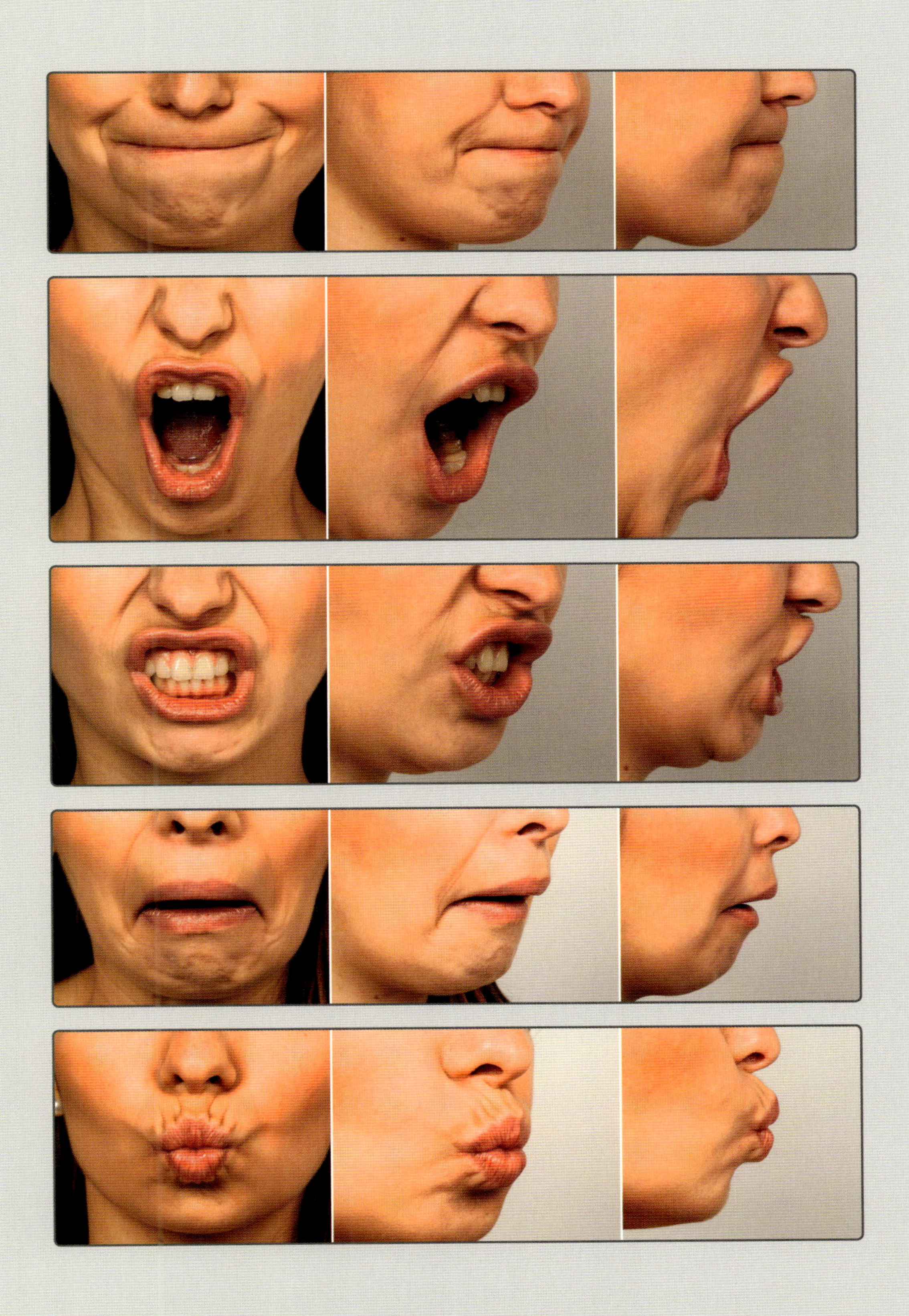

その他の口の表情

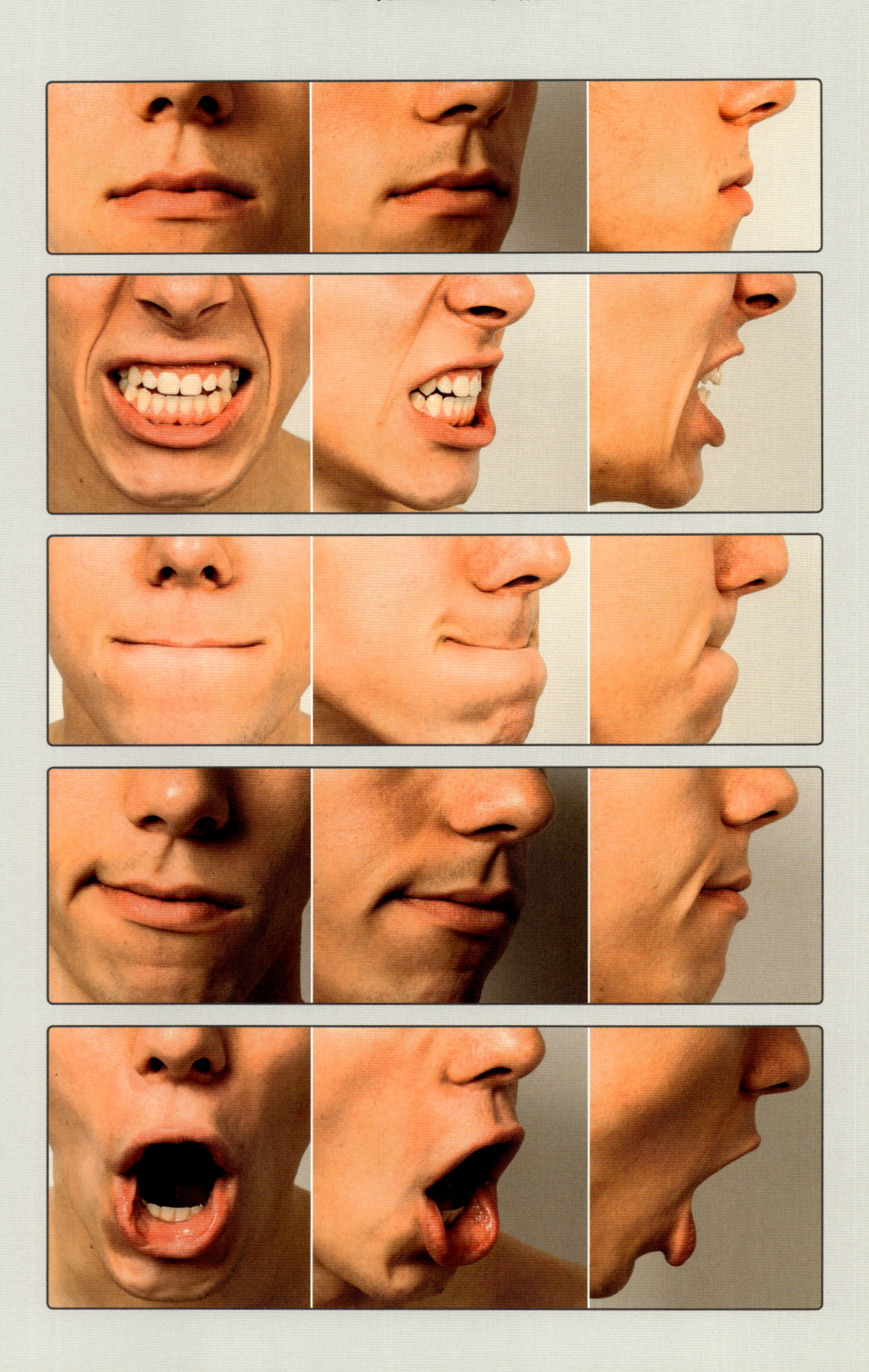

広頸筋

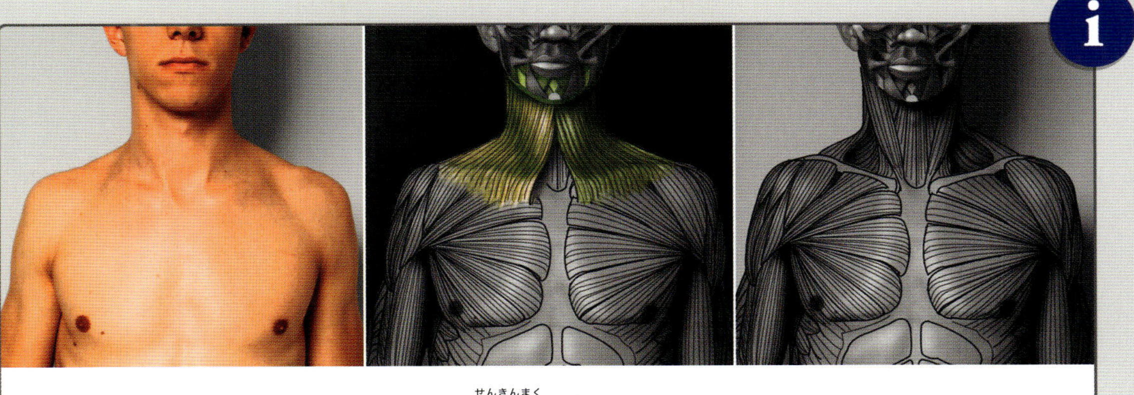

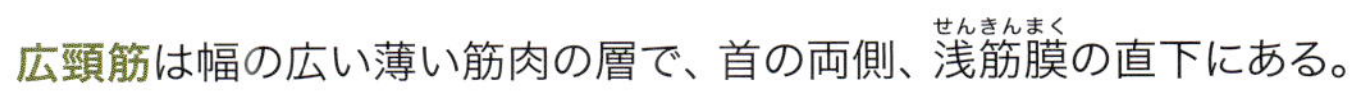

広頸筋は幅の広い薄い筋肉の層で、首の両側、浅筋膜の直下にある。

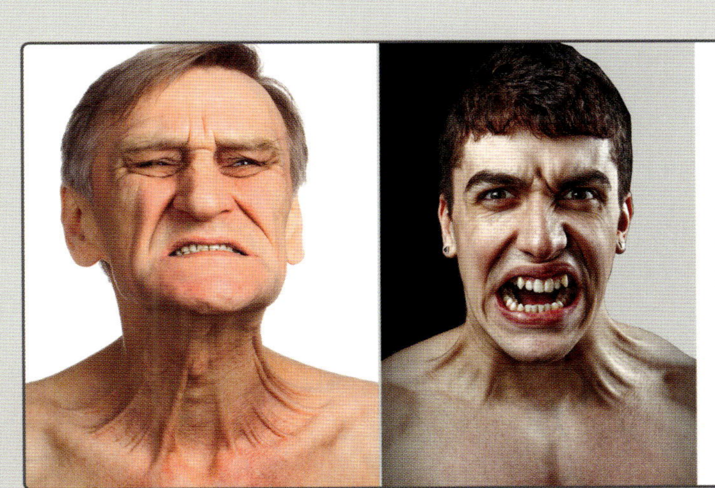

広頸筋は顔の筋肉に属し、下唇の口角部分と口を横と下に引っ張る。強く収縮させると、首が広がって皮膚が上に引っ張られる。

高齢者の顎先の下にたるみが生じるのは、この筋肉の弱まりが主な原因であることが多い（皮膚の老化や脂肪蓄積によるものではない）。

活動中の胸鎖乳突筋（きょうさにゅうとつきん）

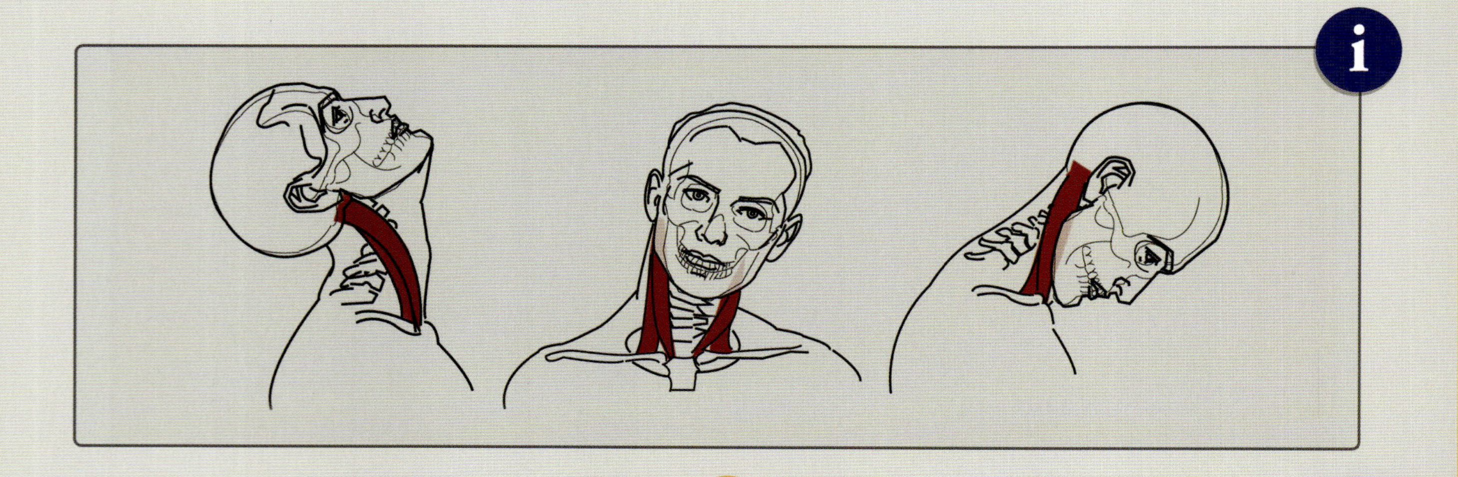

上を向く、**鼻の底部**が**耳の底部**よりも上になる

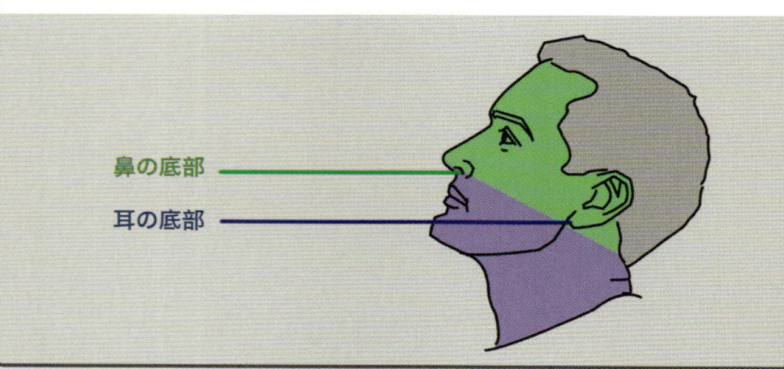
鼻の底部
耳の底部

正面を向く、**鼻の底部**と**耳の底部**が一致する

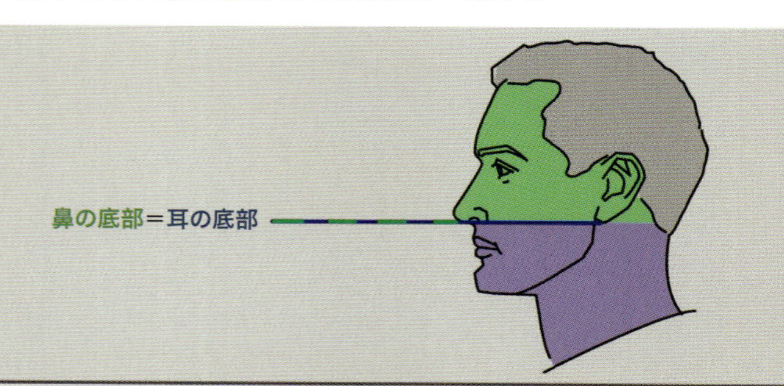
鼻の底部＝耳の底部

下を向く、**耳の底部**が**鼻の底部**よりも上になる

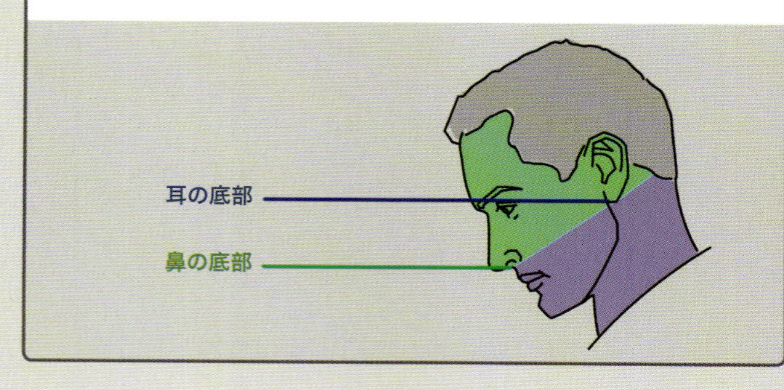
耳の底部
鼻の底部

第七頸椎

（首と肩の交点）

首を前に倒すと、少し外に突き出した背骨の最上部に目立つ椎骨が見える。

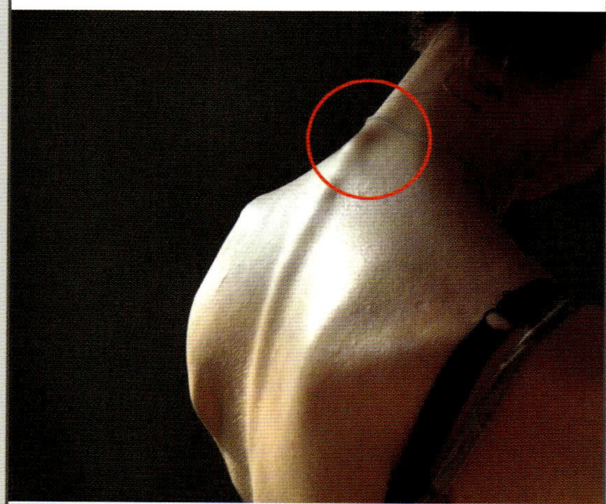

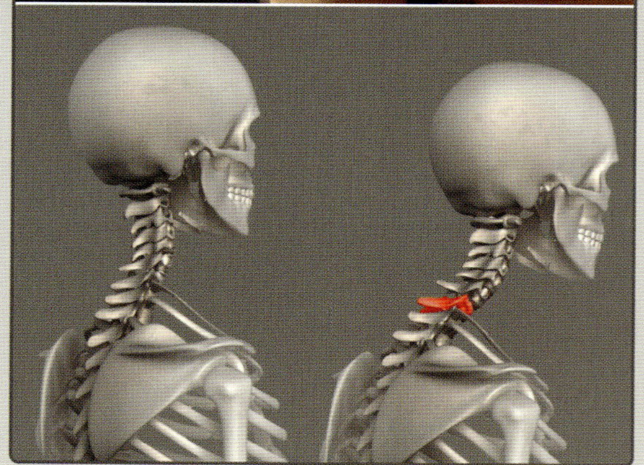

僧帽筋（そうぼうきん）、胸鎖乳突筋（きょうさにゅうとつきん）

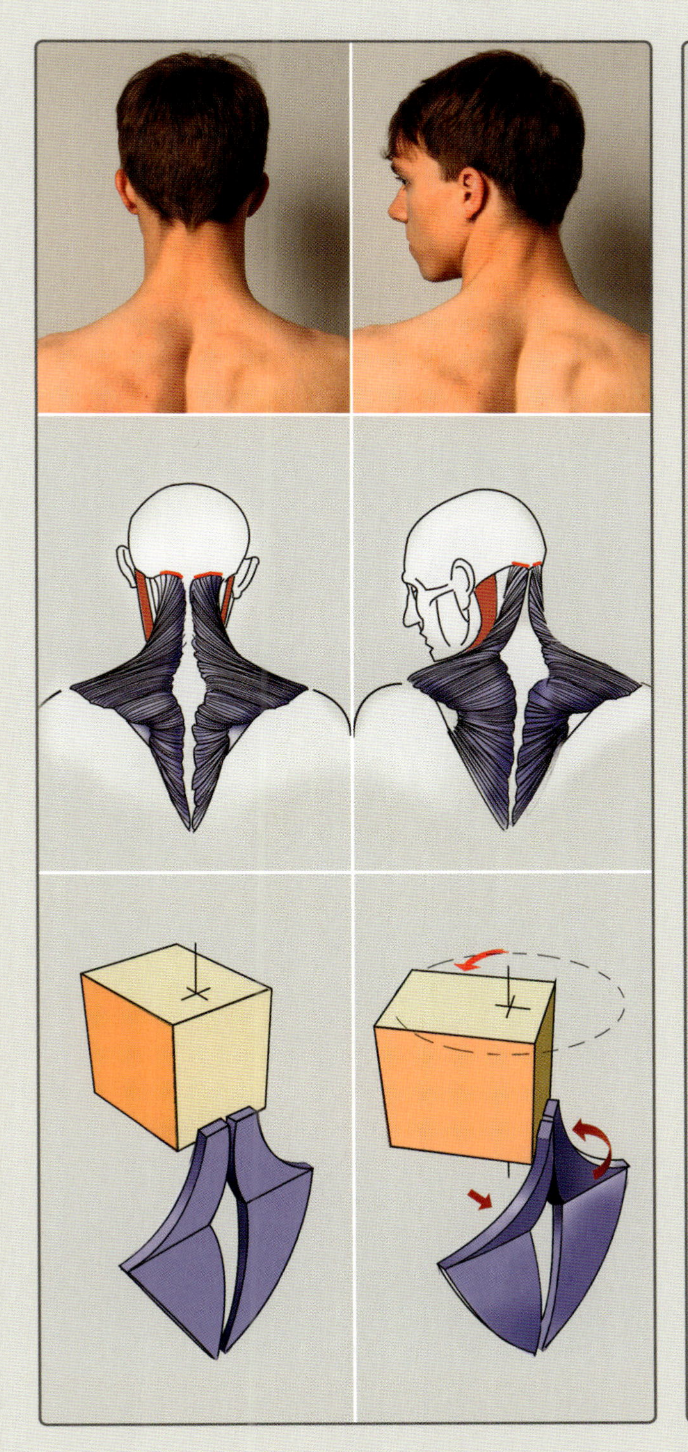

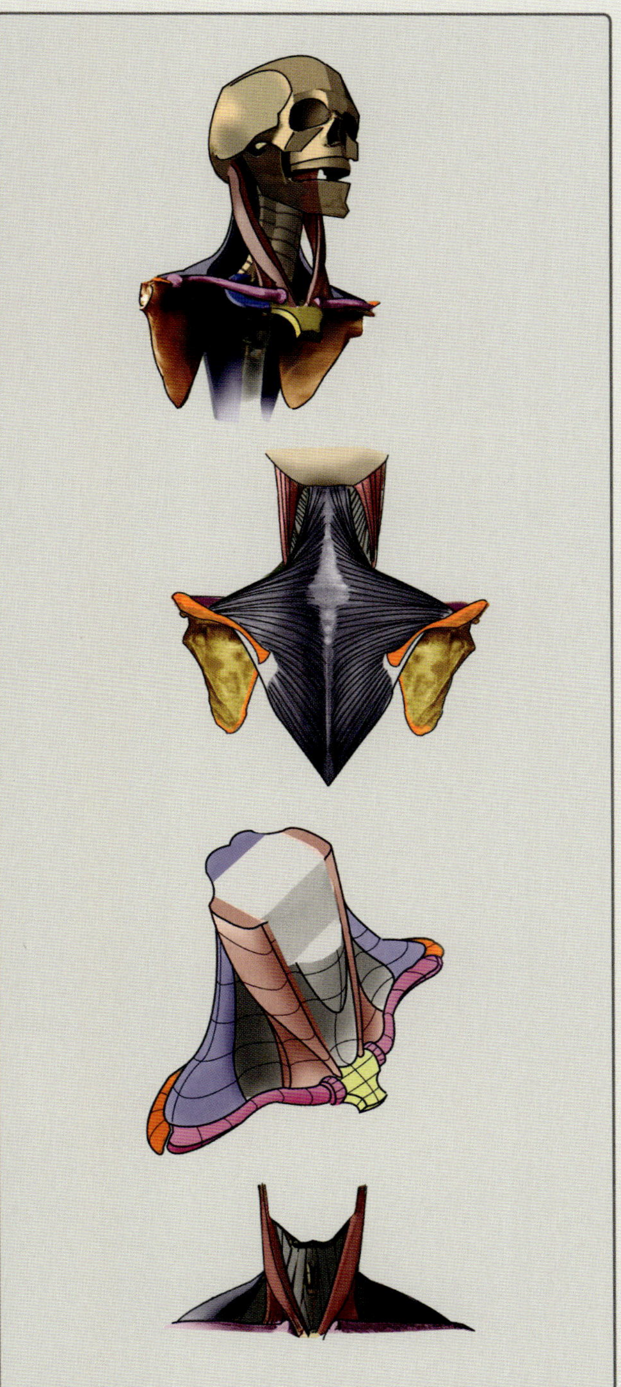

主要な頸筋（僧帽筋と胸鎖乳突筋）

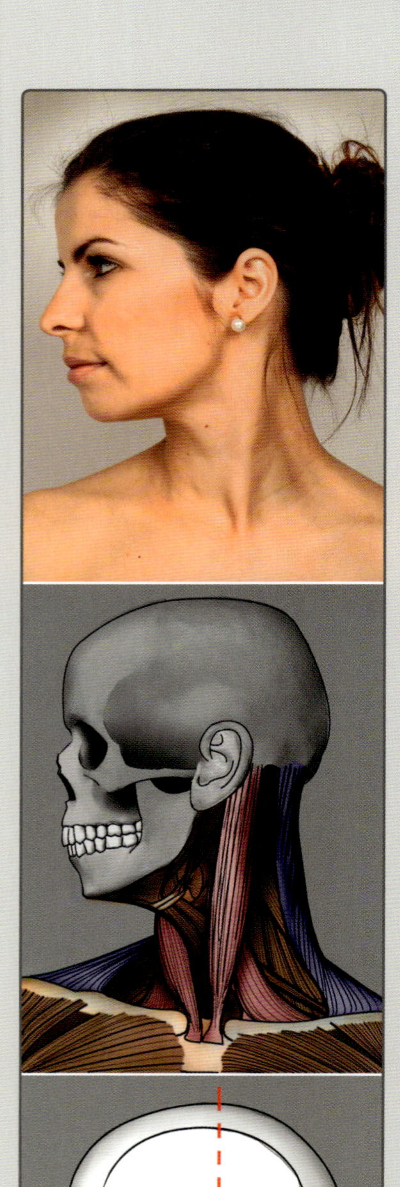

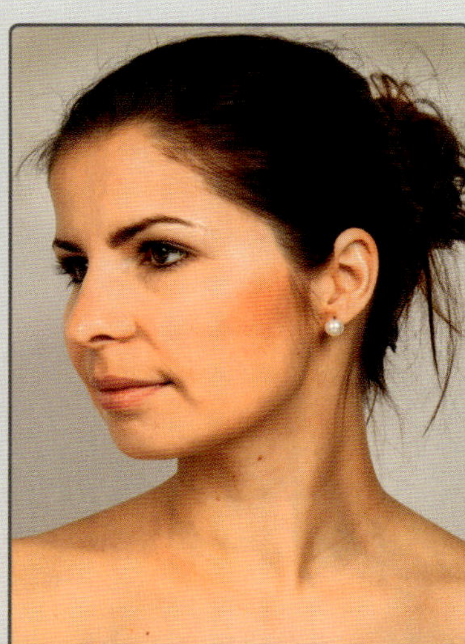

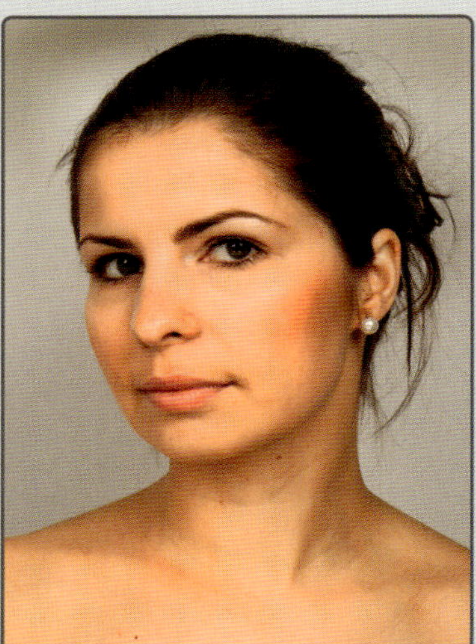

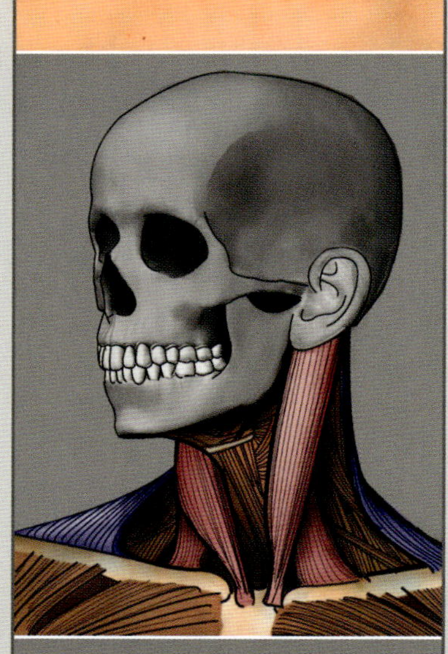

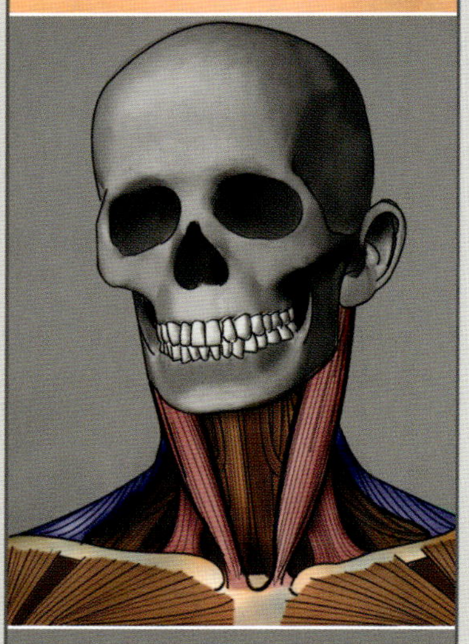

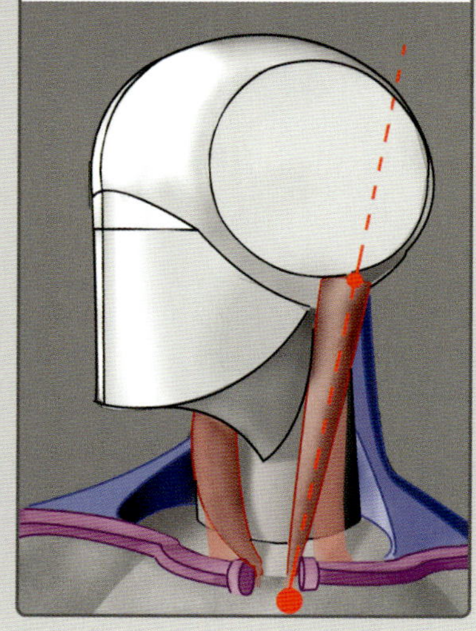

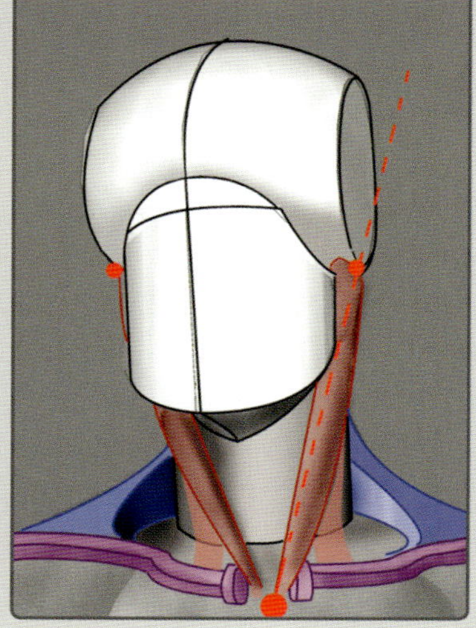

耳

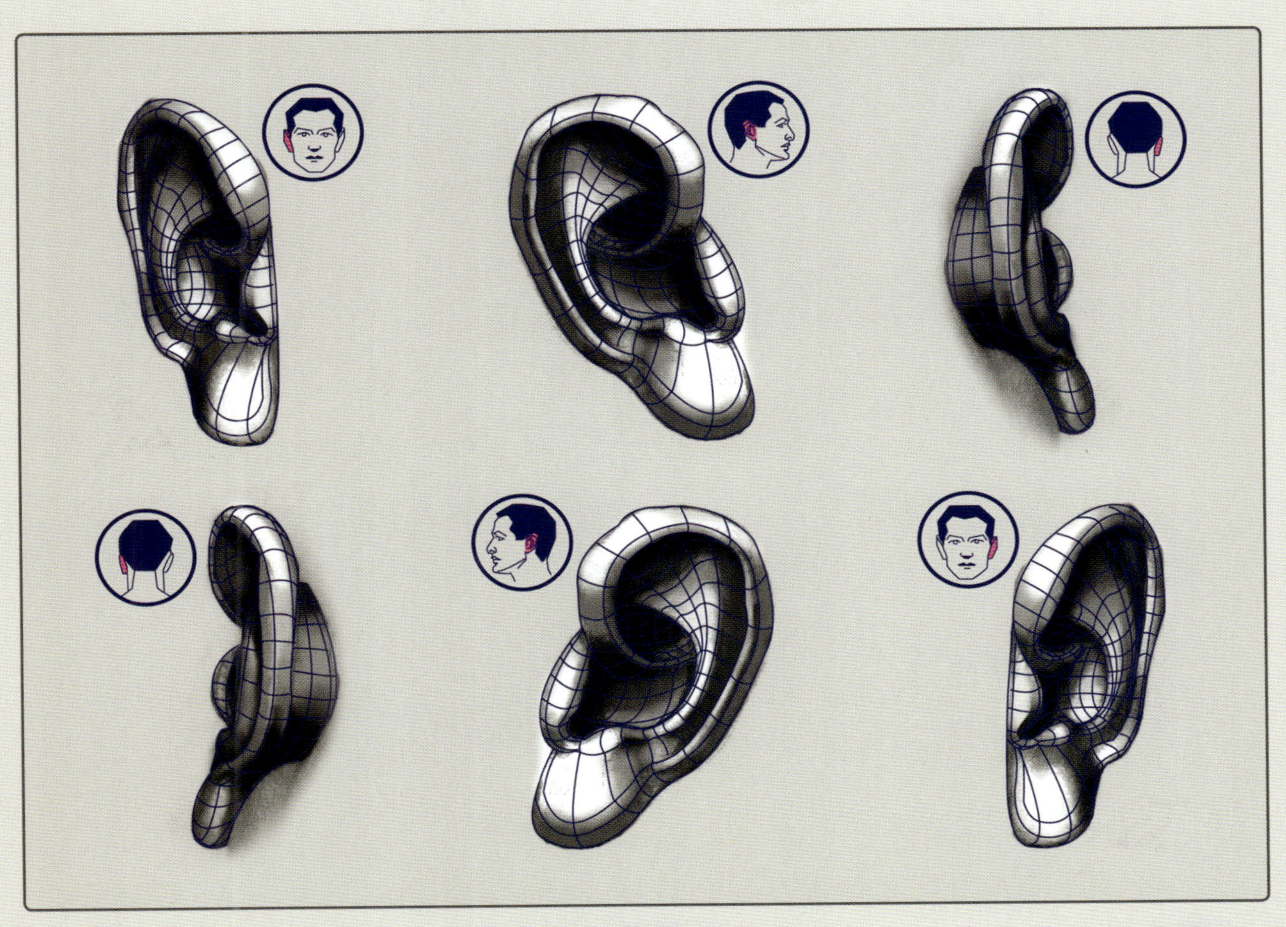

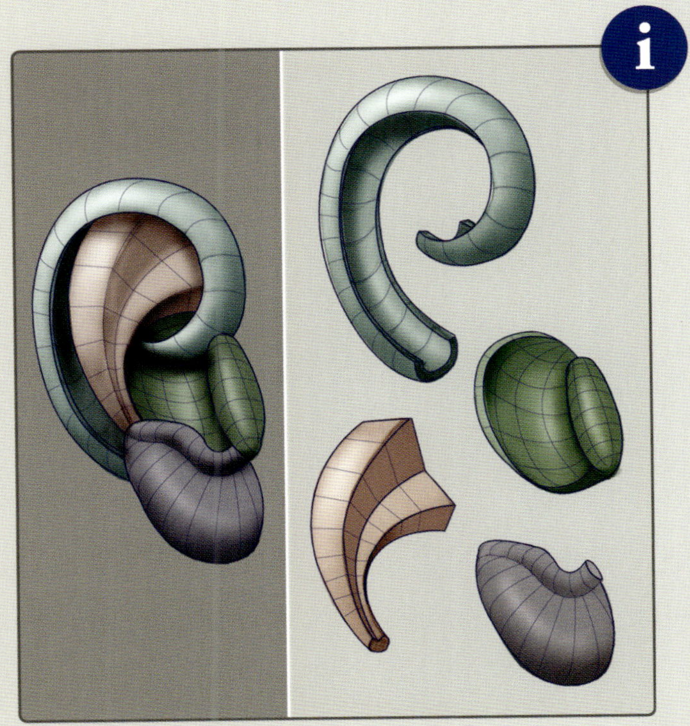

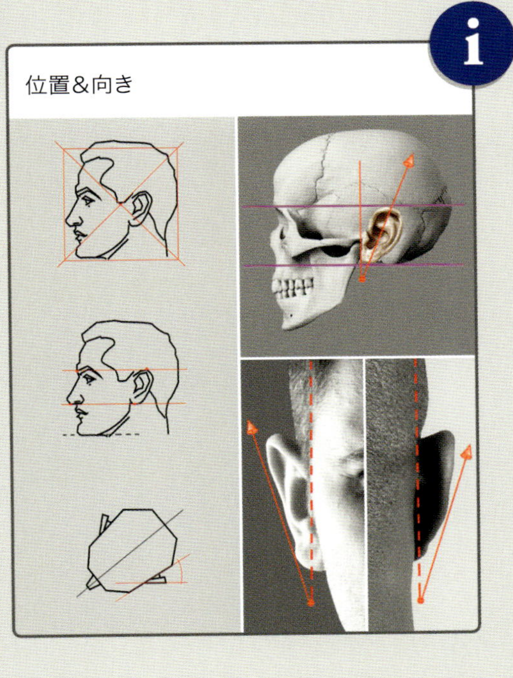
位置&向き

古典的な鼻

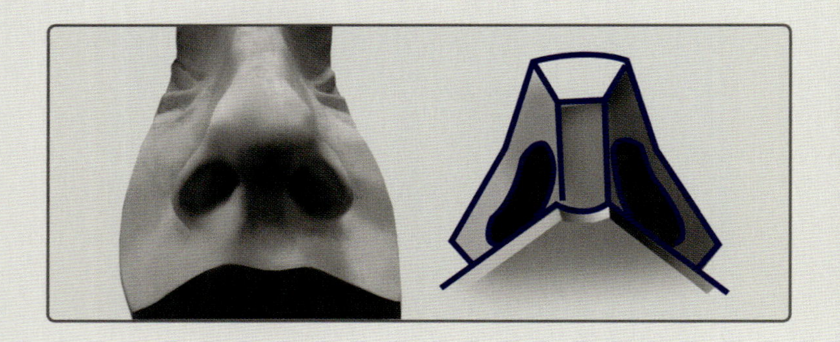

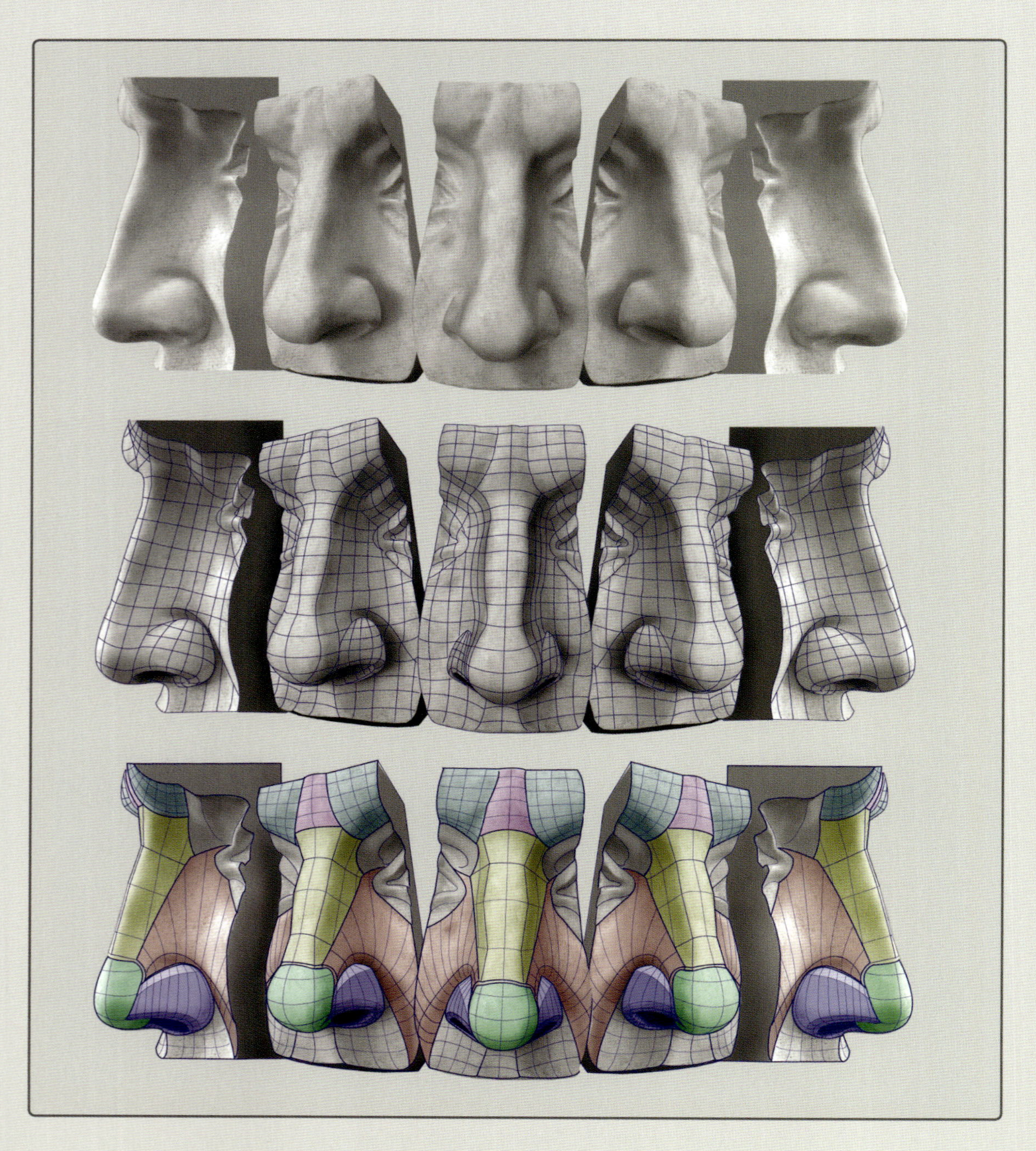

鼻の詳細

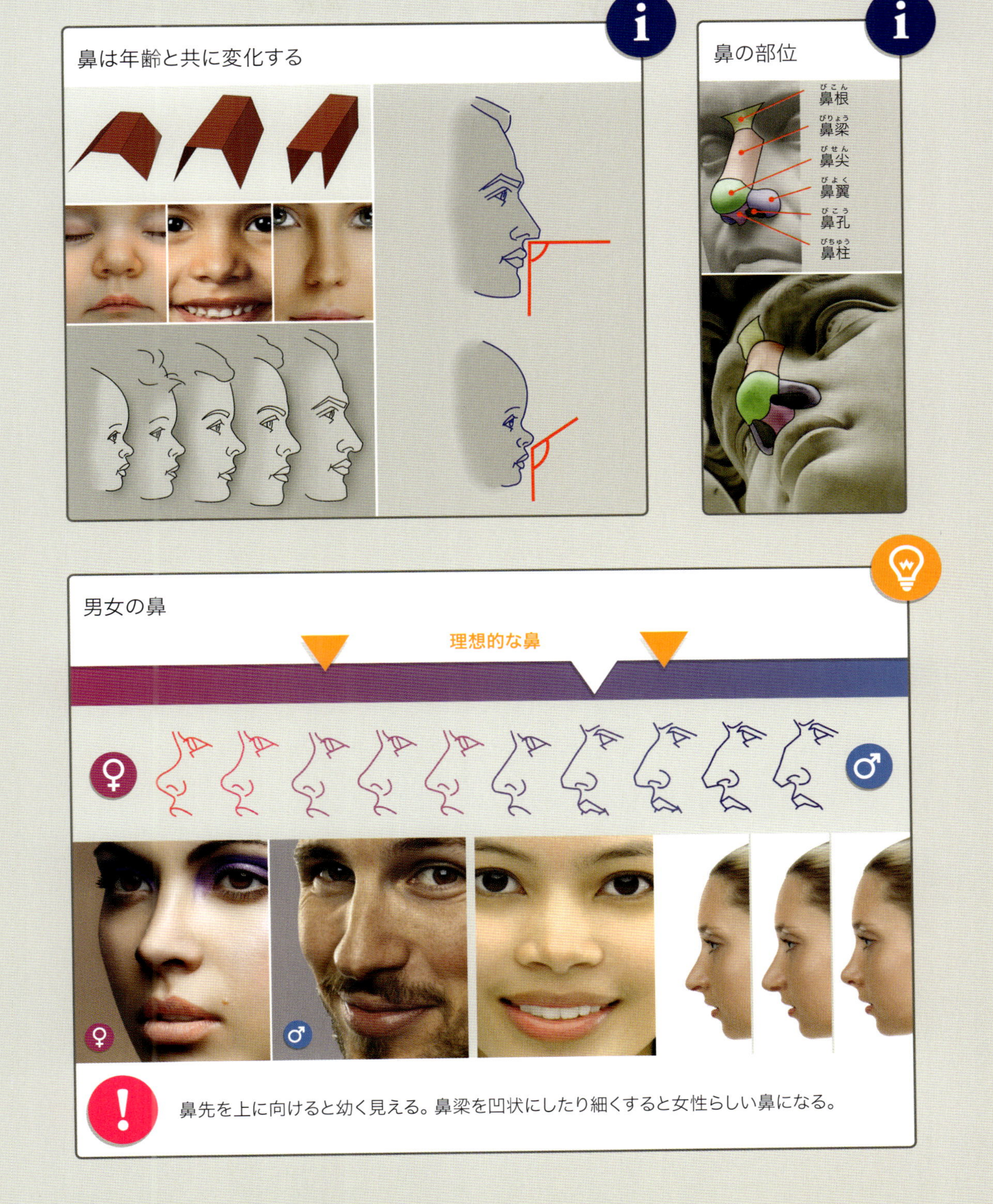
鼻は年齢と共に変化する
鼻の部位
鼻根
鼻梁
鼻尖
鼻翼
鼻孔
鼻柱
男女の鼻
理想的な鼻
鼻先を上に向けると幼く見える。鼻梁を凹状にしたり細くすると女性らしい鼻になる。

顔の筋肉の機能

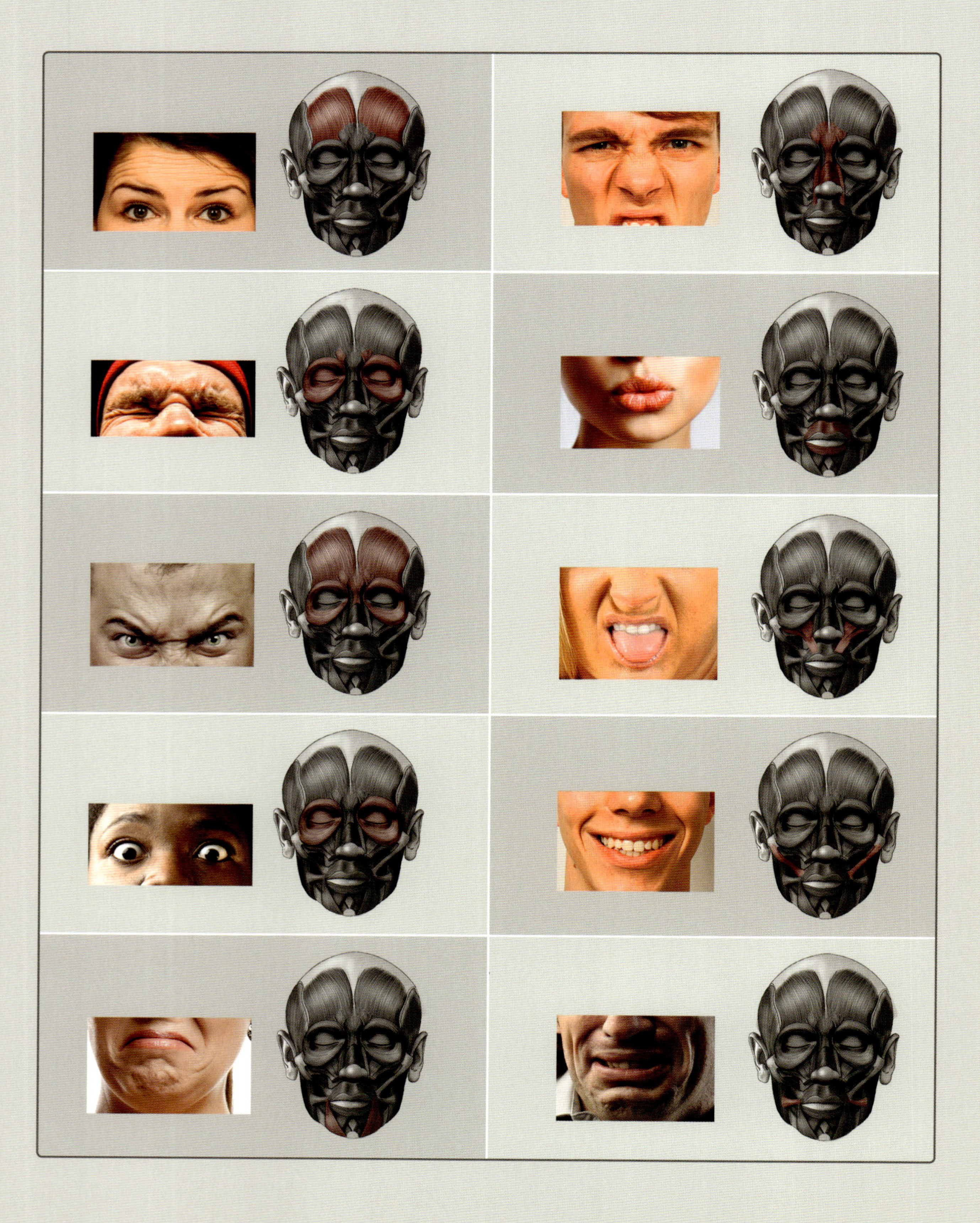

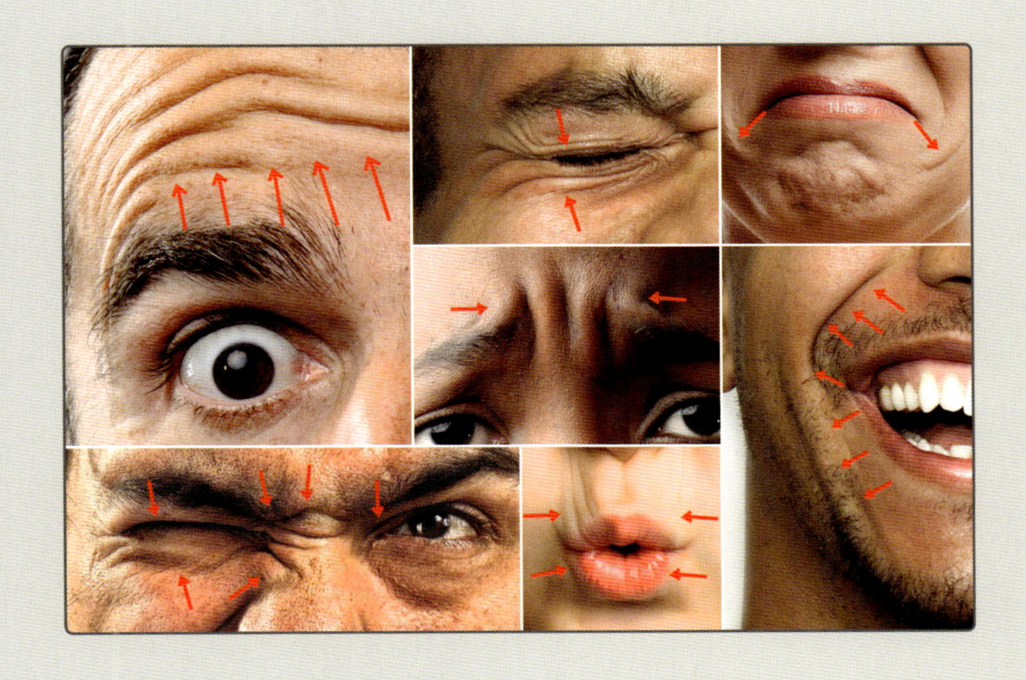

加齢によるしわ

成人の頭部の理想的な比率

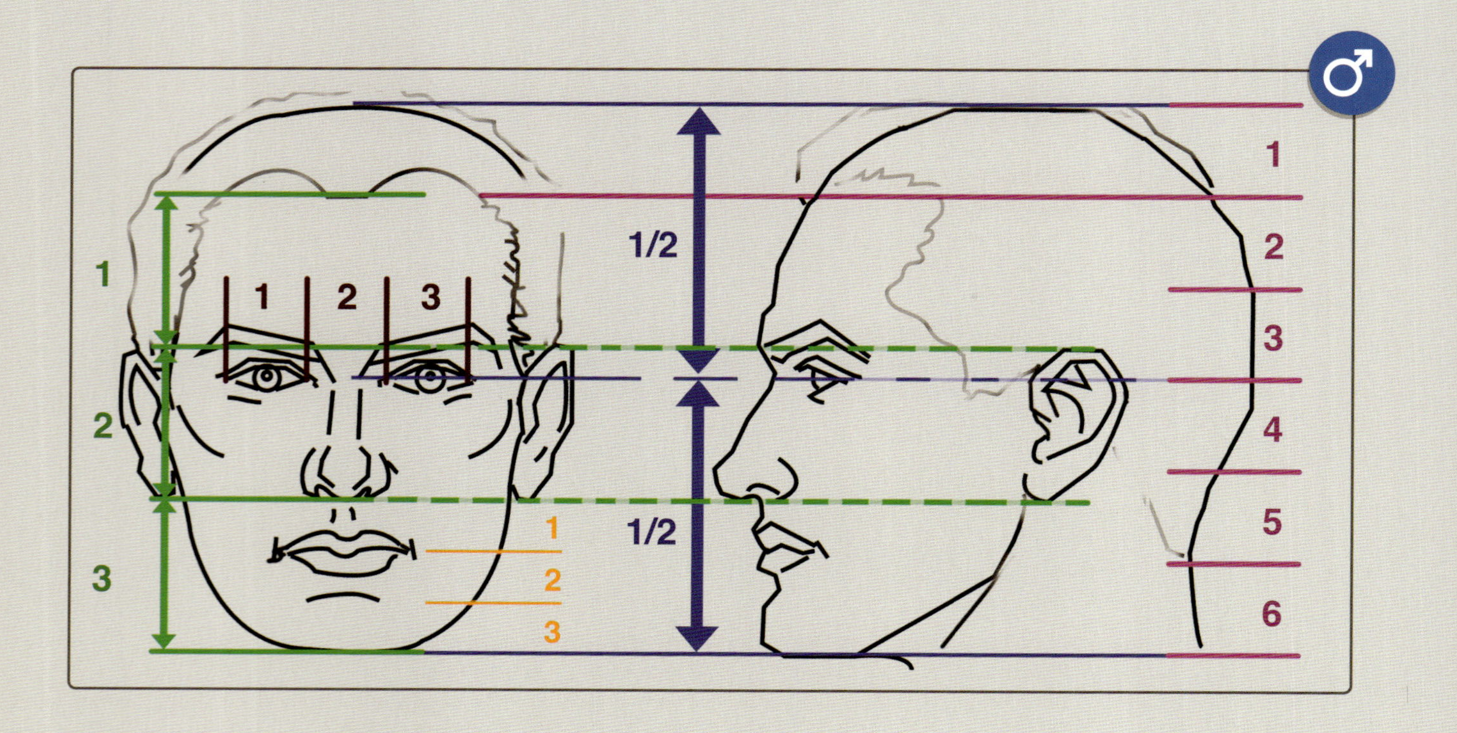

♂
1
2
3
1
2
3
1/2
1/2
1
2
3
1
2
3
1
2
3
4
5
6

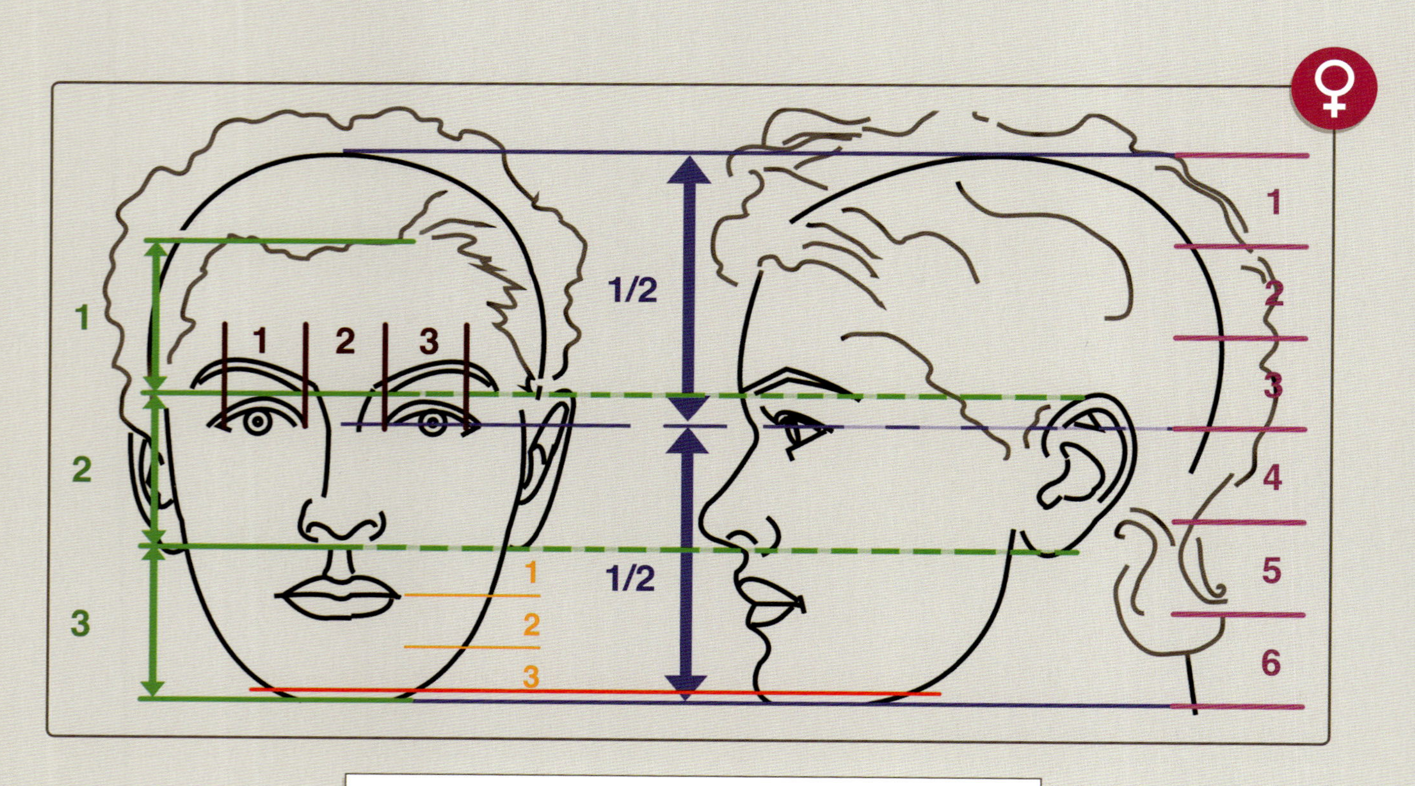

♀
1
2
3
1
2
3
1/2
1/2
1
2
3
1
2
3
4
5
6

女性の方が顎先と下顎が少し細い。

子供の頭部の比率

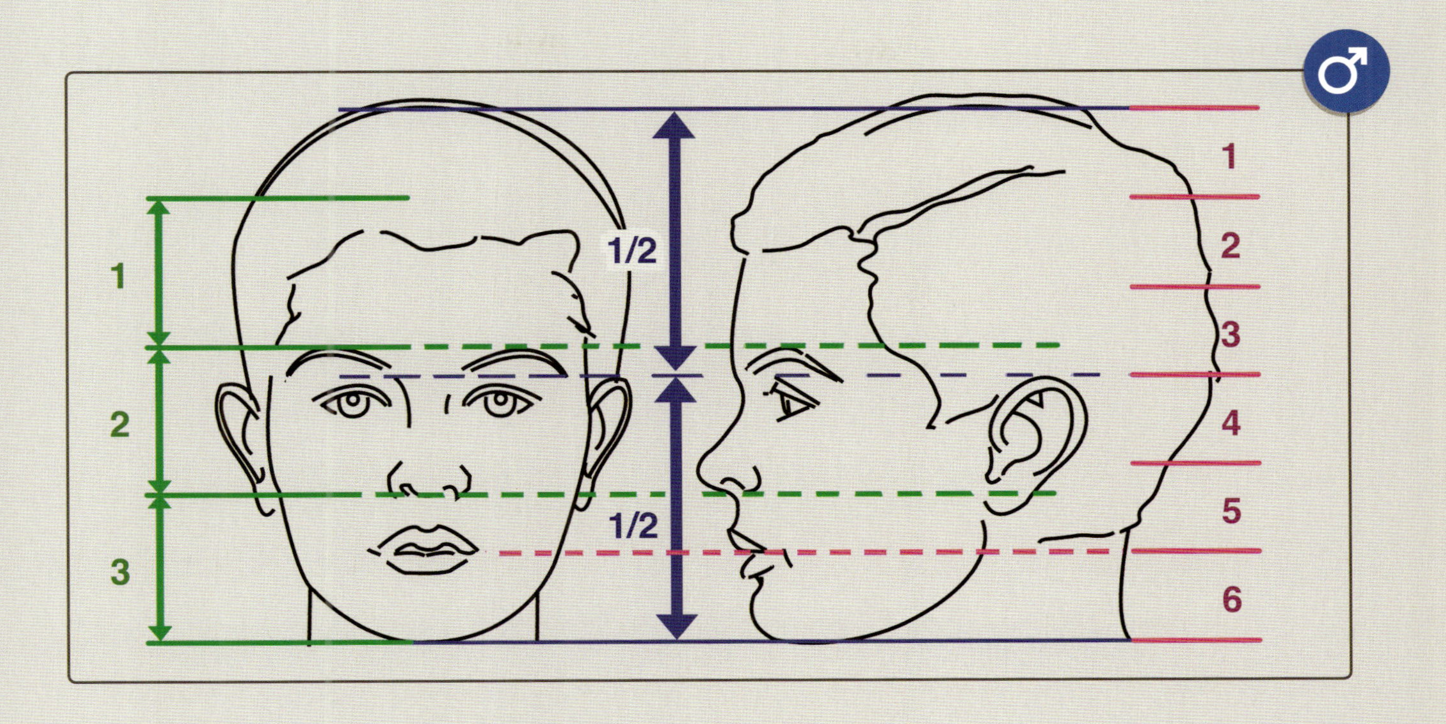
♂
1
2
3
1/2
1/2
1
2
3
4
5
6

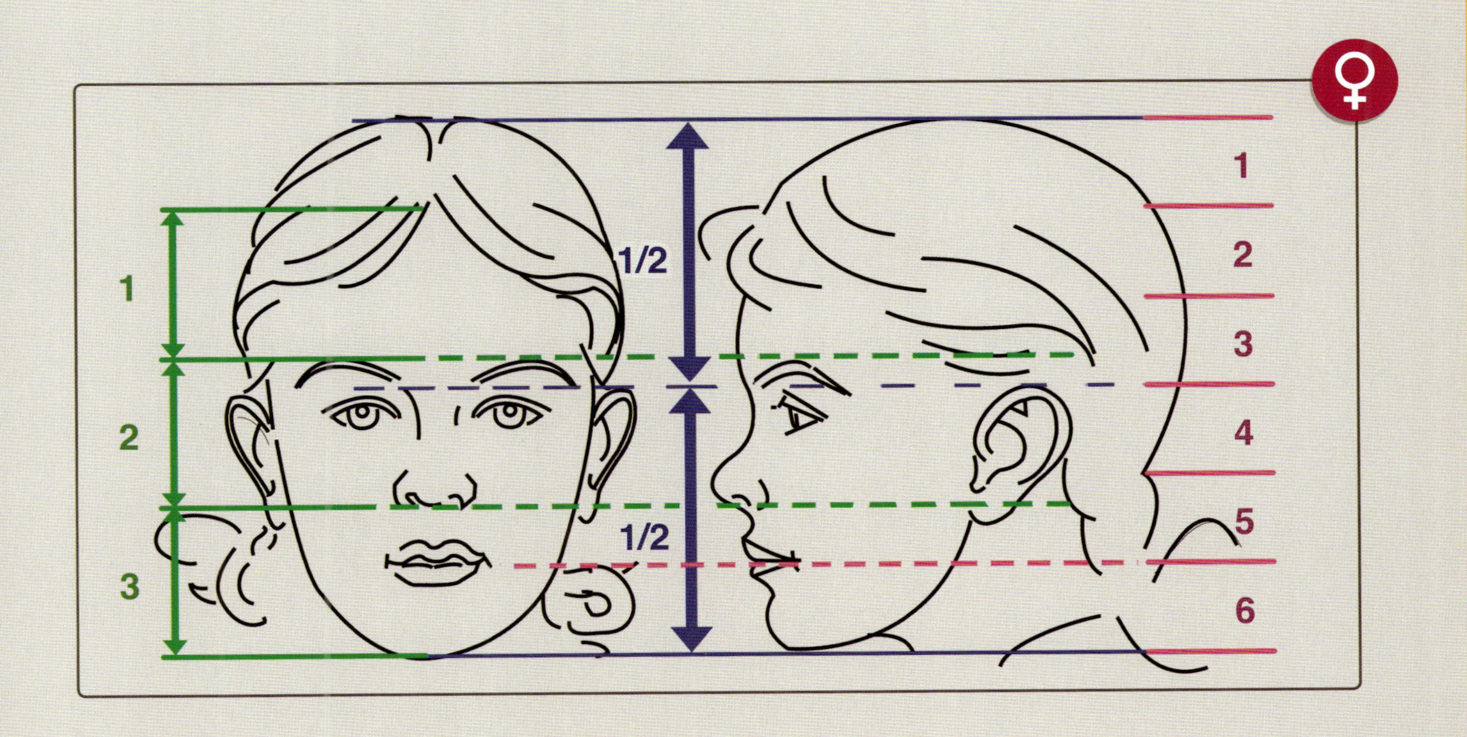
♀
1
2
3
1/2
1/2
1
2
3
4
5
6

乳児と幼児の頭部の比率

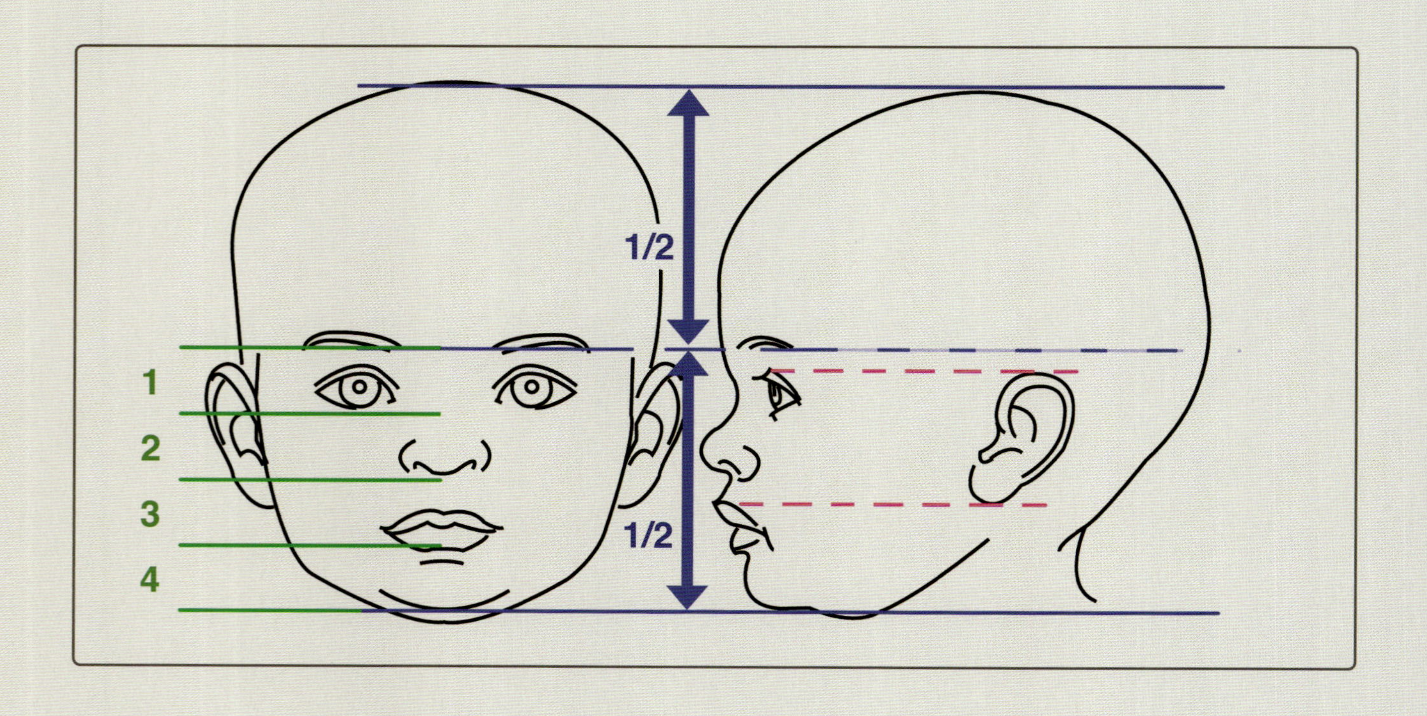
1/2
1/2
1
2
3
4

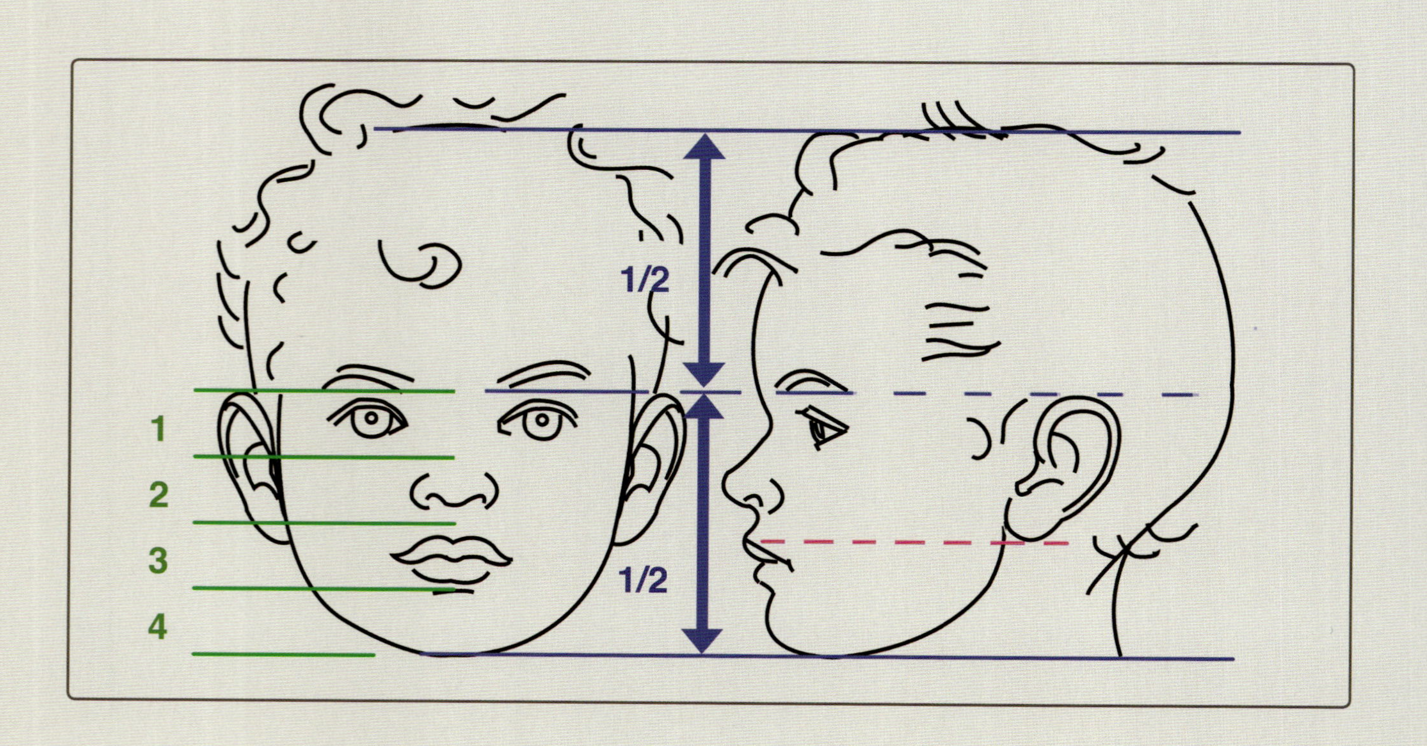
1/2
1/2
1
2
3
4

高齢者の頭部の比率

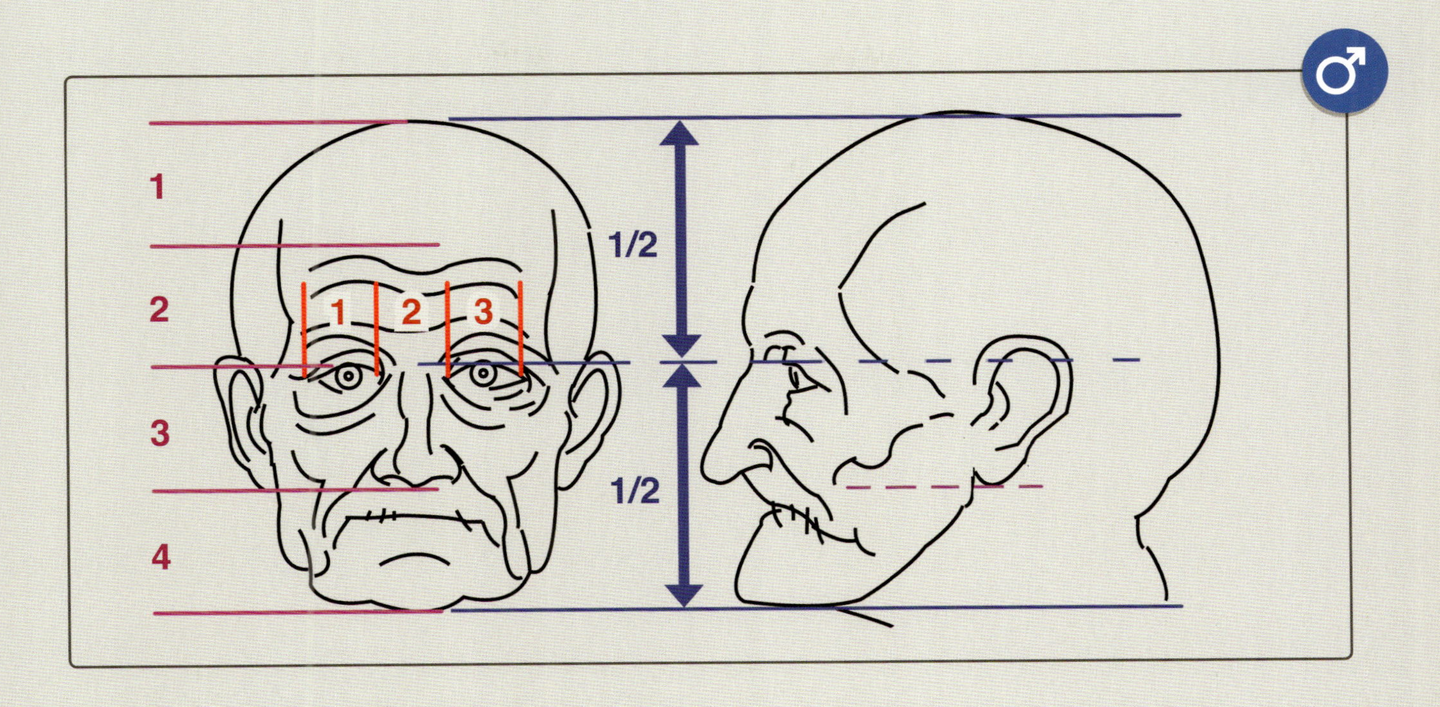
♂
1
2
3
4
1
2
3
1/2
1/2

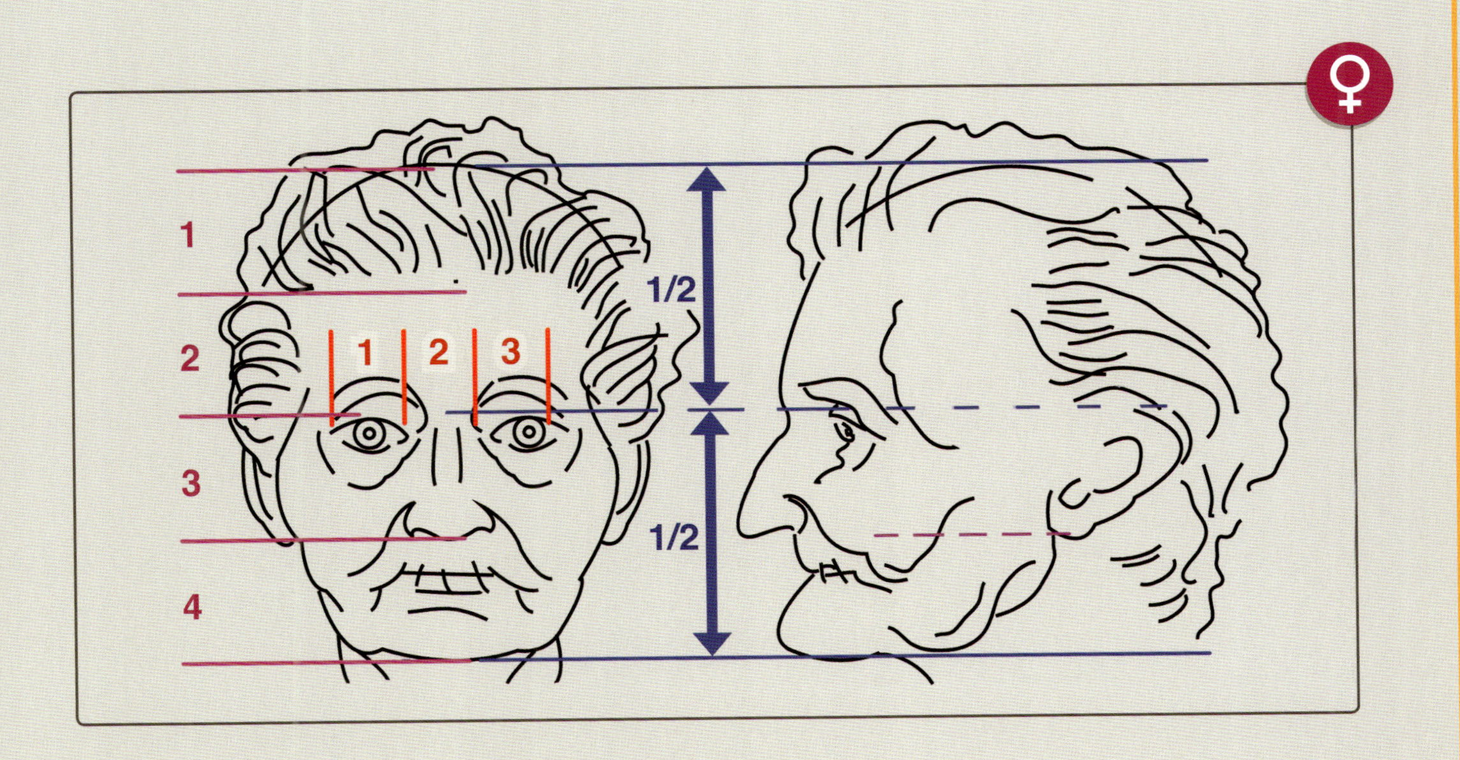
♀
1
2
3
4
1
2
3
1/2
1/2

十代の若者の頭部の比率

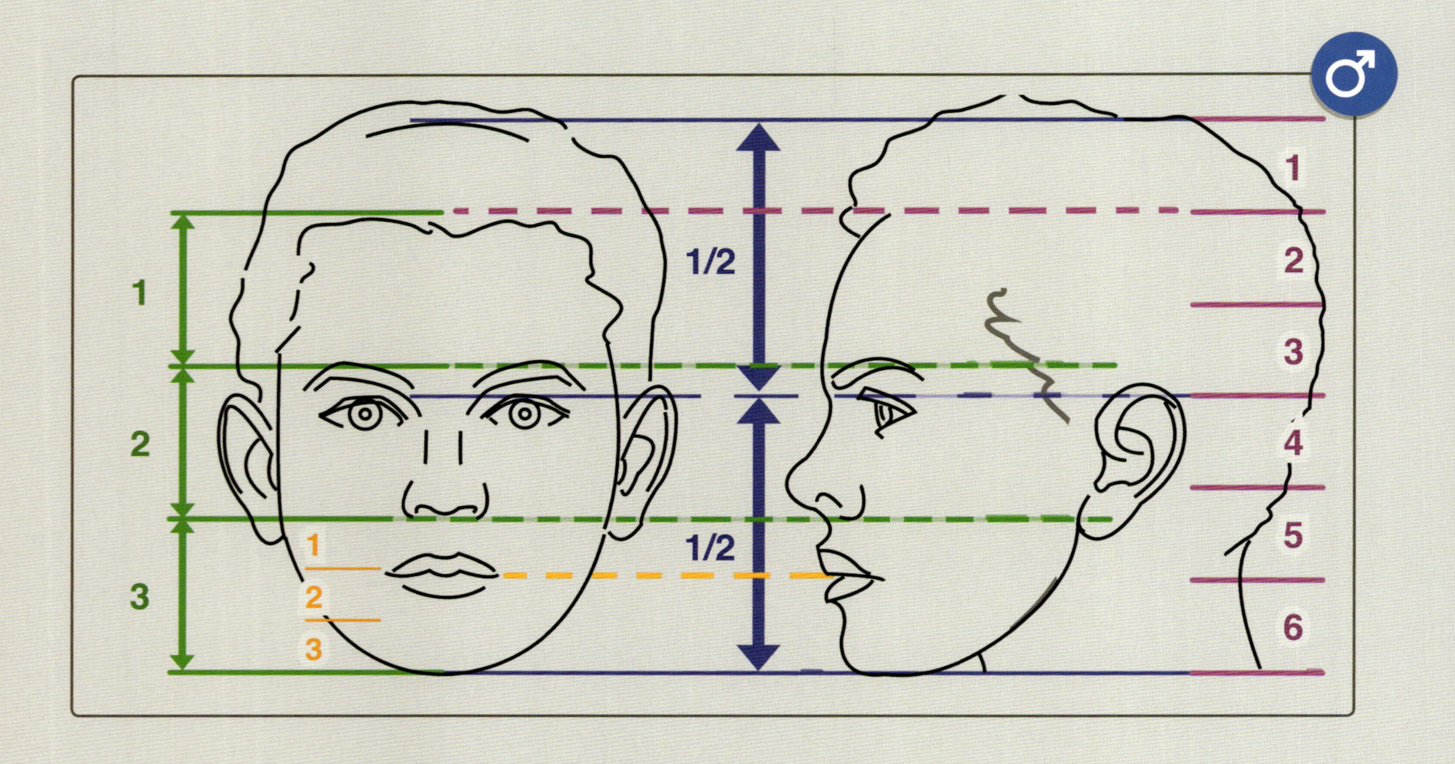
1
2
3
1
2
3
1/2
1/2
1
2
3
4
5
6

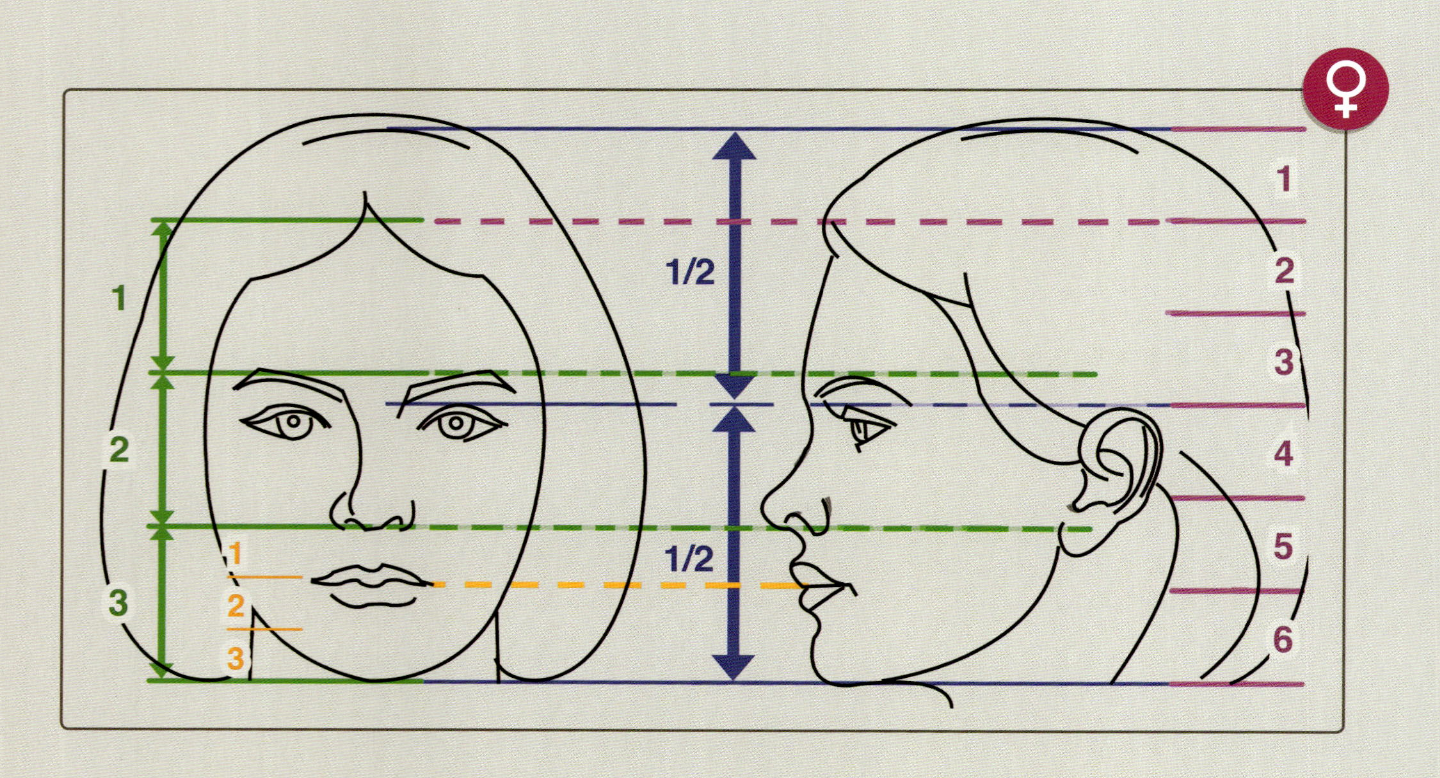
1
2
3
1
2
3
1/2
1/2
1
2
3
4
5
6

理想的な成人頭部の性別による違い

♂

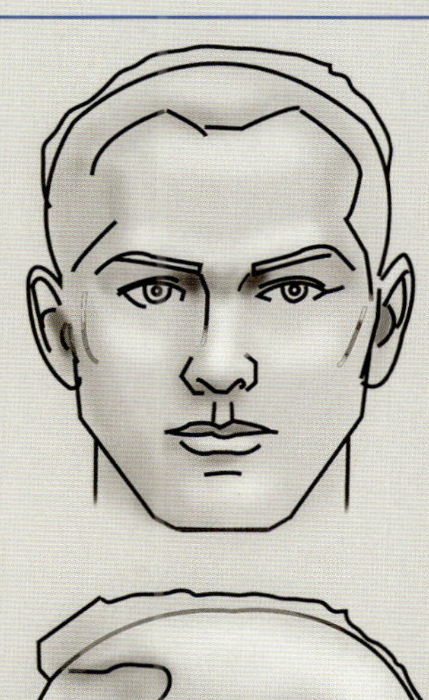

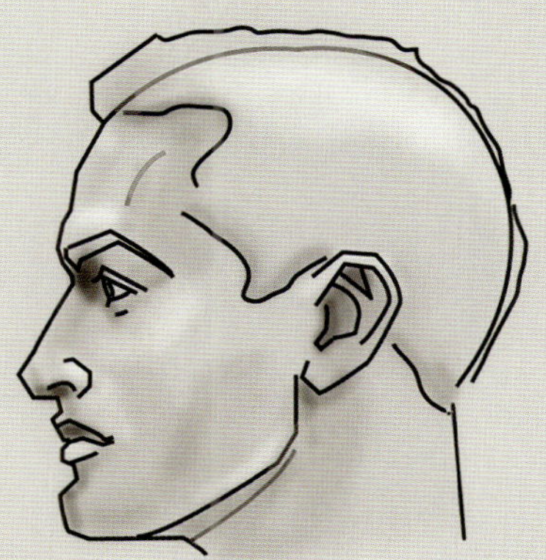

- 眉弓の隆起が顕著
- 鼻根がはっきり示されていて、かなり深いことが多い
- 女性よりも額の面が後方に大きく傾斜し、額の輪郭が真っすぐではなく波打っていることが多い
- 頬骨がはっきり示されている
- 眉毛は濃くて目立ち、概して弓形ではなく、位置が低めで目に近い
- 上瞼があまりはっきりと識別できず、眼窩下孔の縁に近い位置にある
- 女性と比べて鼻が長い
- 鼻の骨ばった下部構造がはっきりと見え、概して大きい。形状はほぼ直線か、わずかに凸状。
- 鼻が太くて幅が広い
- 鼻の基部が水平な面になっている
- 鼻先が大きく、丸みがある
- 上唇の折り目（上唇の中央部）の輪郭が少し出っ張っている
- 白人男性の唇は一般に、女性の唇ほどふっくらとしていない
- 頬骨が突き出している
- 顎先の幅が広く、輪郭が明確で、くぼみがあることが多い
- 下顎の前面と側面の形状が角張っていて、いくらか横に張っている（咀嚼筋が発達しているため）
- 上唇の構造は全体的に出っ張っているが、中央の部分がくぼんでいる（天使の弓ともいわれる）

♀

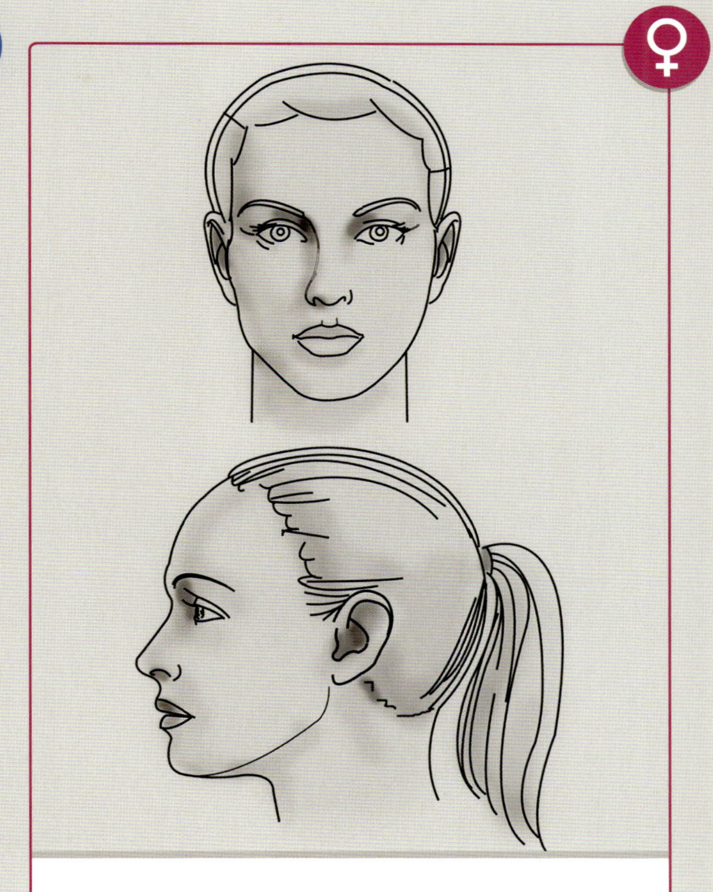

- 眉がはっきりしている
- 鼻の全体が丸みを帯びている
- 男性より額の面が垂直に近く、隆起して丸みがある
- 眉毛が細く、弓形で、男性よりも目のかなり上にあることが多い
- 上瞼が大きい
- 鼻根の凹みがほとんど目立たない
- 鼻の構造がきゃしゃで、直線か、わずかに凹状の場合が多い
- 鼻が細く、形がはっきりしている
- 鼻の基部の面が少し上に傾いている
- 鼻先がはっきりと示されている（軟骨の構造によるもの）
- 上唇の上（鼻の下）の中央がわずかにくぼんでいることが多い（人中と呼ばれる）
- 唇は細くて小さいことがあるが、ふっくらとして、多少曲線的な場合が多い
- 頬は滑らかで、産毛が生えていたり、平坦あるいはわずかに出っ張っている場合がある
- 顎先は小さく、丸みがある
- 下顎は輪郭が明確で、角が丸みを帯びている
- 頭部と肩のサイズに照らして、女性の首は長くて細い

感情 - 興奮

感情 - 喜び

感情 - 怒り

感情 - 驚き

感情 - 嫌悪

感情 - 恐れ

感情 - 興味や関心を抱く

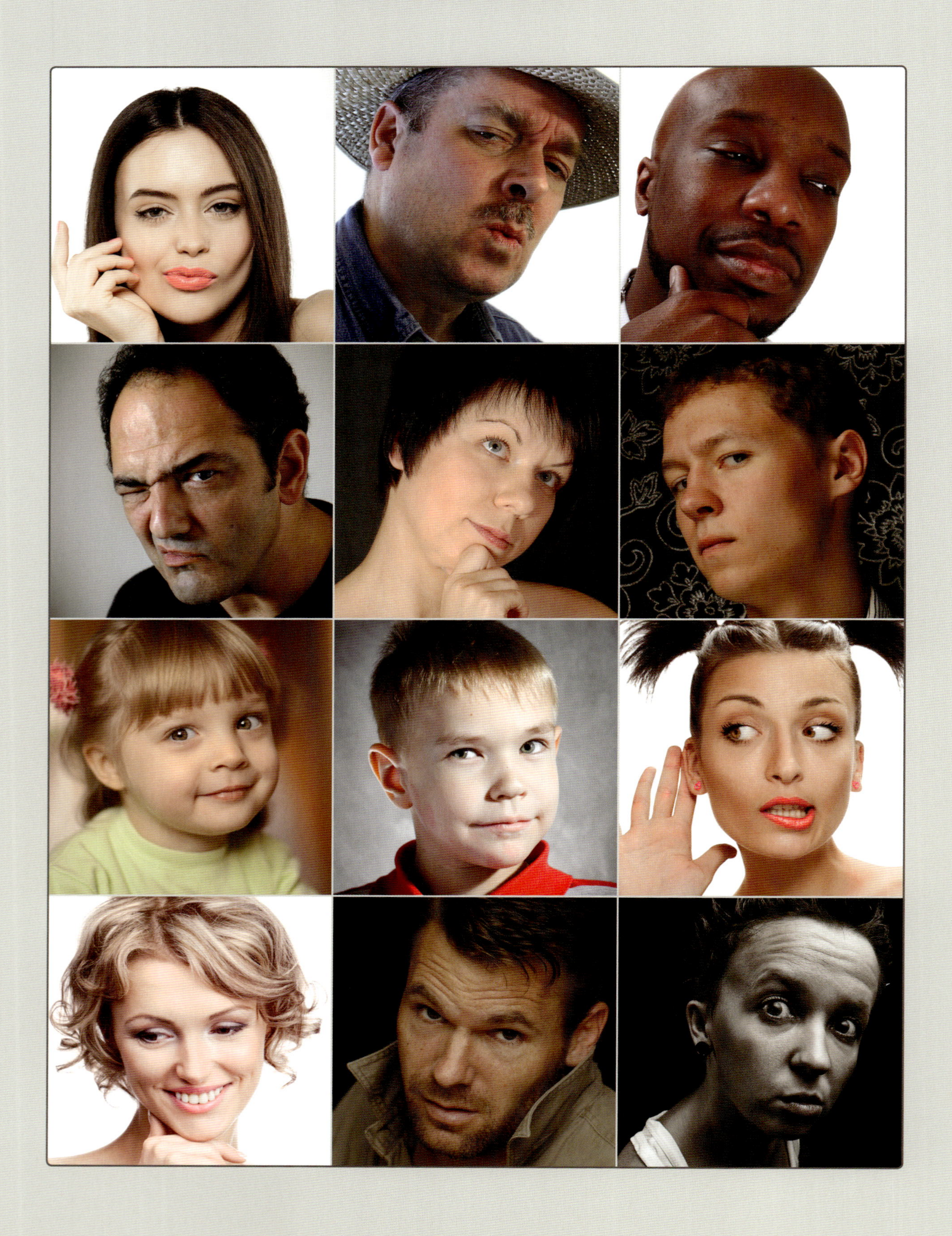

感情 - 不安、心配、憂慮

民族性

乳幼児の感情

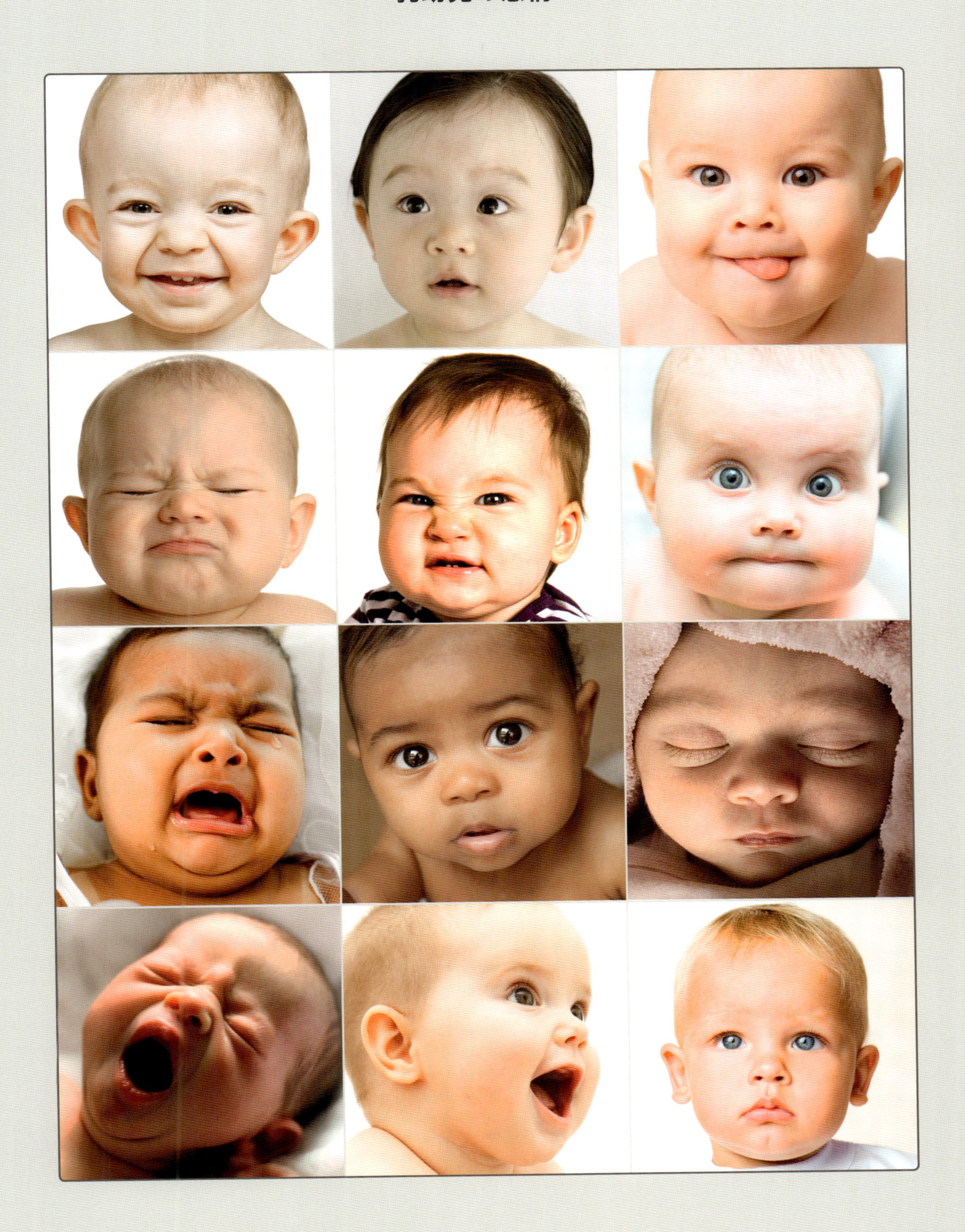

高齢者の感情

ANATOMY FOR SCULPTORS

手と手首の筋肉

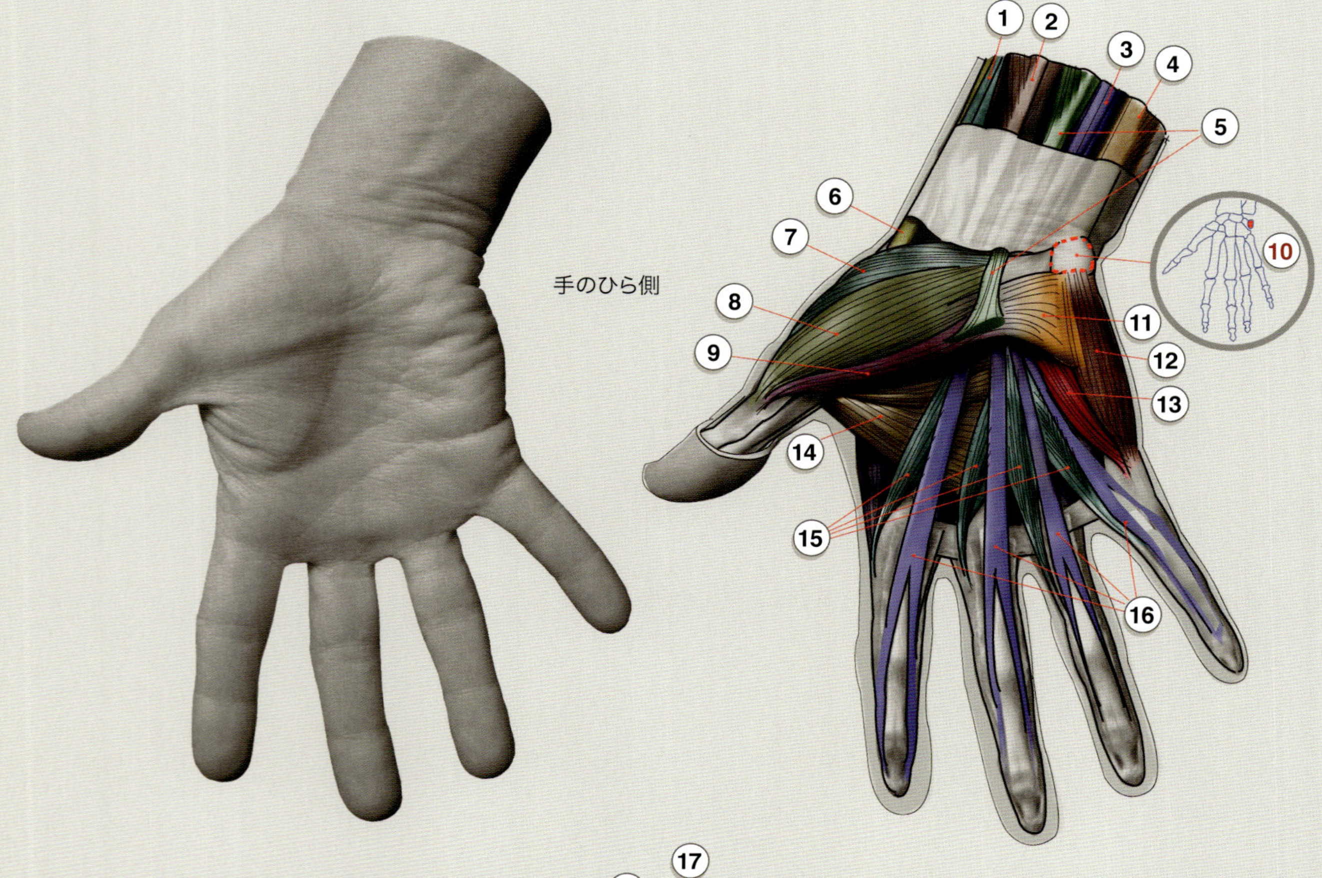
手のひら側
1
2
3
4
5
6
7
8
9
10
11
12
13
14
15
16

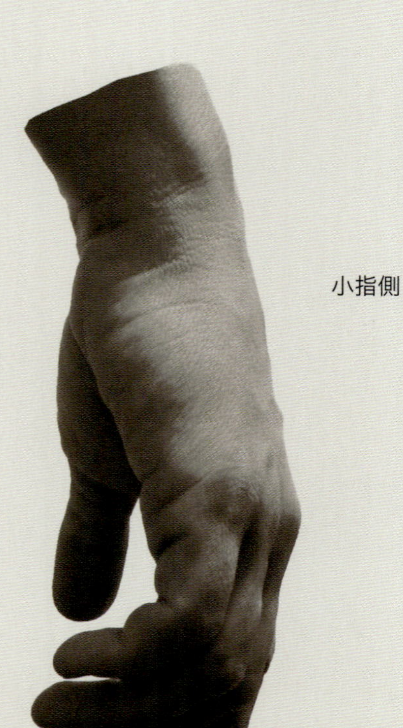

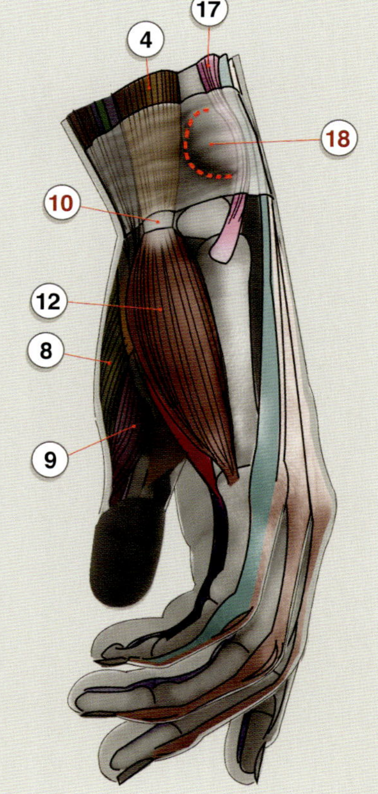
小指側
17
4
18
10
12
8
9

1	腕橈骨筋（わんとうこつきん）
2	橈側手根屈筋（とうそくしゅこんくっきん）
3	浅指屈筋（せんしくっきん）
4	尺側手根屈筋（しゃくそくしゅこんくっきん）
5	長掌筋（ちょうしょうきん）
6	長母指外転筋（ちょうぼしがいてんきん）
7	母指対立筋（ぼしたいりつきん）
8	短母指外転筋（たんぼしがいてんきん）
9	短母指屈筋（たんぼしくっきん）
10	**豆状骨**（とうじょうこつ）
11	短掌筋（たんしょうきん）
12	小指外転筋（しょうしがいてんきん）
13	短小指屈筋（たんしょうしくっきん）
14	母指内転筋（ぼしないてんきん）
15	虫様筋（ちゅうようきん）
16	浅指屈筋腱（せんしくっきんけん）
17	尺側手根伸筋（しゃくそくしゅこんしんきん）
18	**尺骨頭**（しゃっこつとう）

手と手首の筋肉

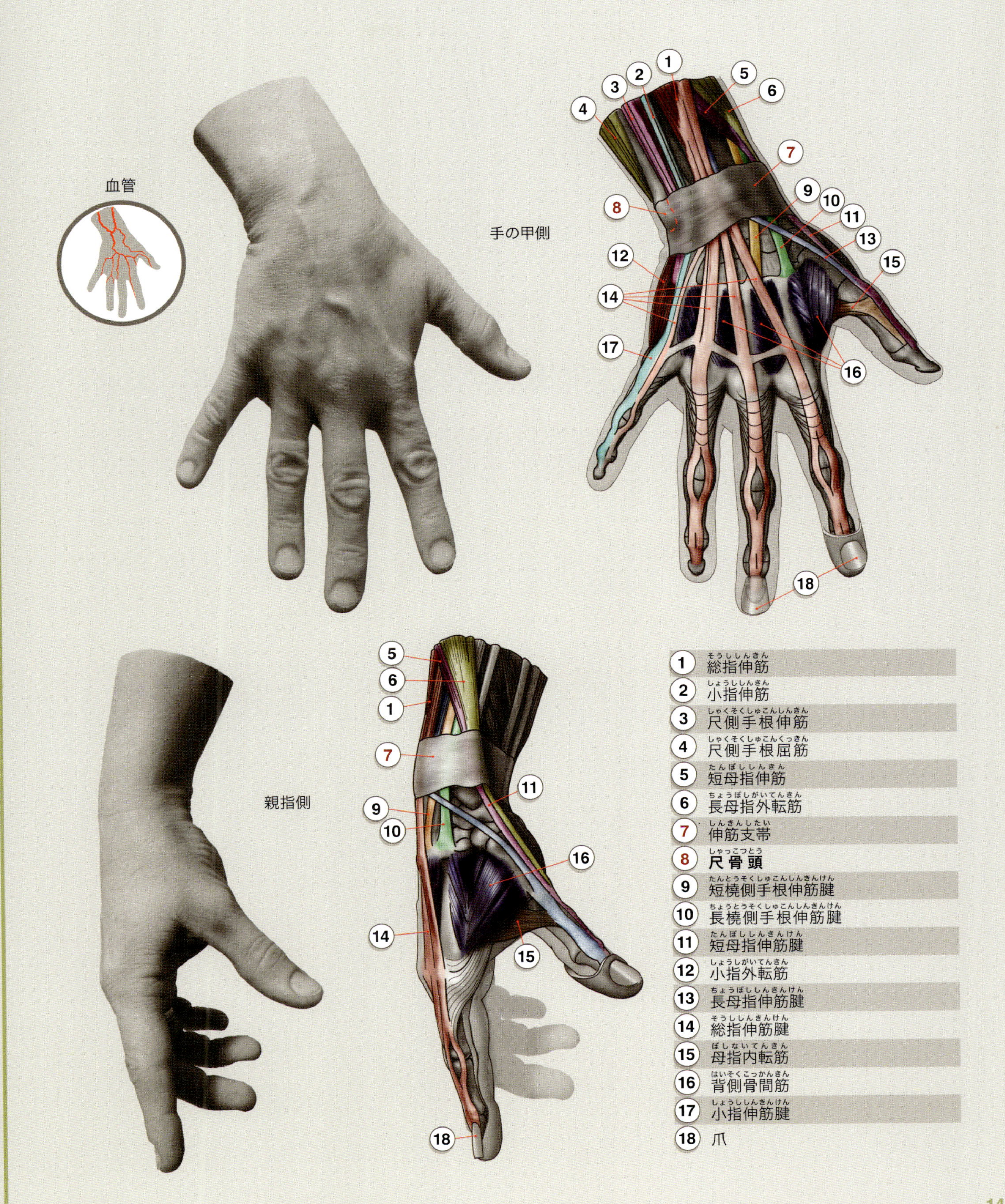
血管
手の甲側
親指側
1 総指伸筋
2 小指伸筋
3 尺側手根伸筋
4 尺側手根屈筋
5 短母指伸筋
6 長母指外転筋
7 伸筋支帯
8 尺骨頭
9 短橈側手根伸筋腱
10 長橈側手根伸筋腱
11 短母指伸筋腱
12 小指外転筋
13 長母指伸筋腱
14 総指伸筋腱
15 母指内転筋
16 背側骨間筋
17 小指伸筋腱
18 爪

手と手首の骨

i

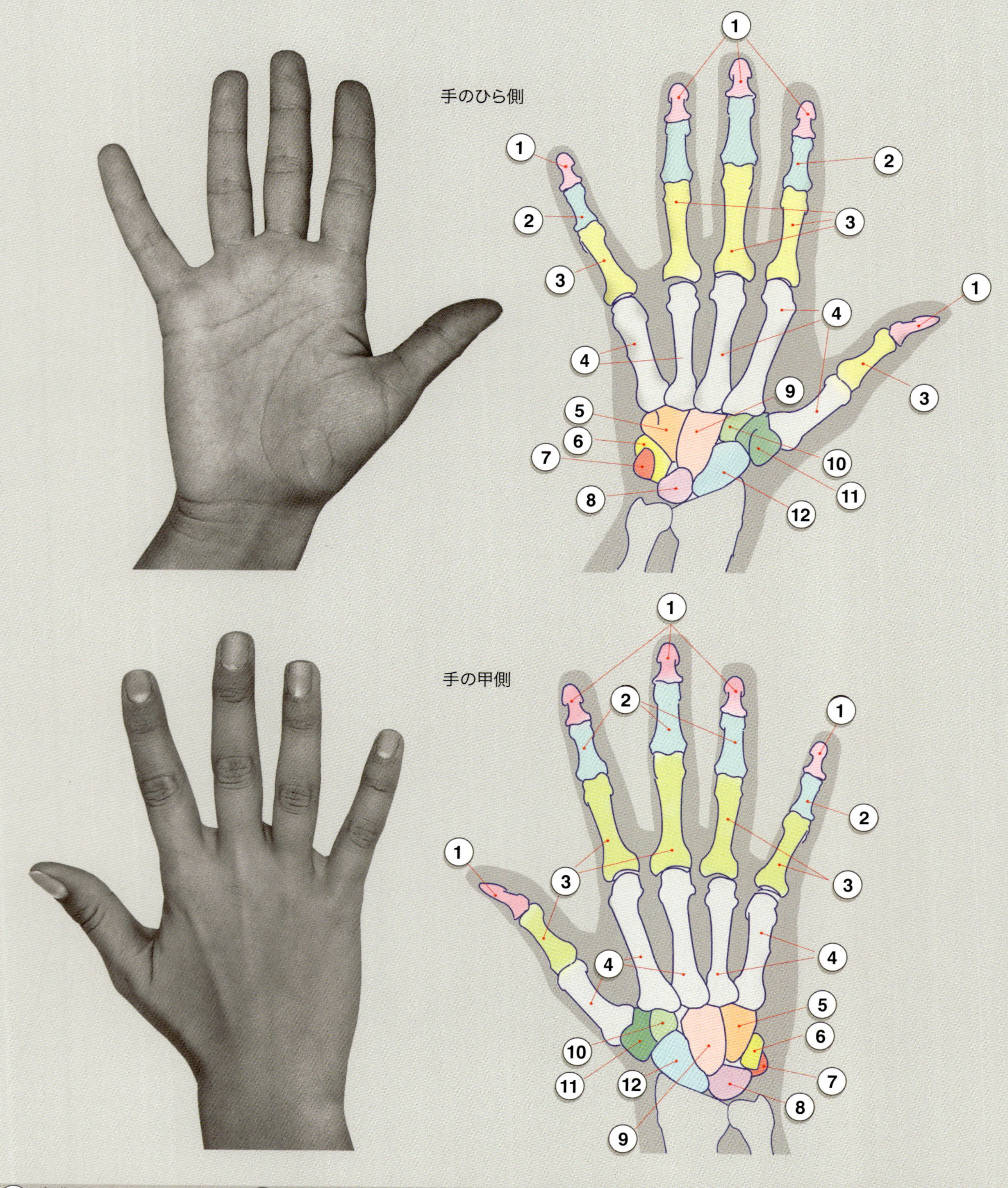
手のひら側
手の甲側
1
2
3
4
5
6
7
8
9
10
11
12

1	末節骨（まっせつこつ）	4	中手骨（ちゅうしゅこつ）	7	豆状骨（とうじょうこつ）	10	小菱形骨（しょうりょうけいこつ）
2	中節骨（ちゅうせつこつ）	5	有鉤骨（ゆうこうこつ）	8	月状骨（げつじょうこつ）	11	大菱形骨（だいりょうけいこつ）
3	基節骨（きせつこつ）	6	三角骨（さんかくこつ）	9	有頭骨（ゆうとうこつ）	12	舟状骨（しゅうじょうこつ）

上肢の主要な筋肉

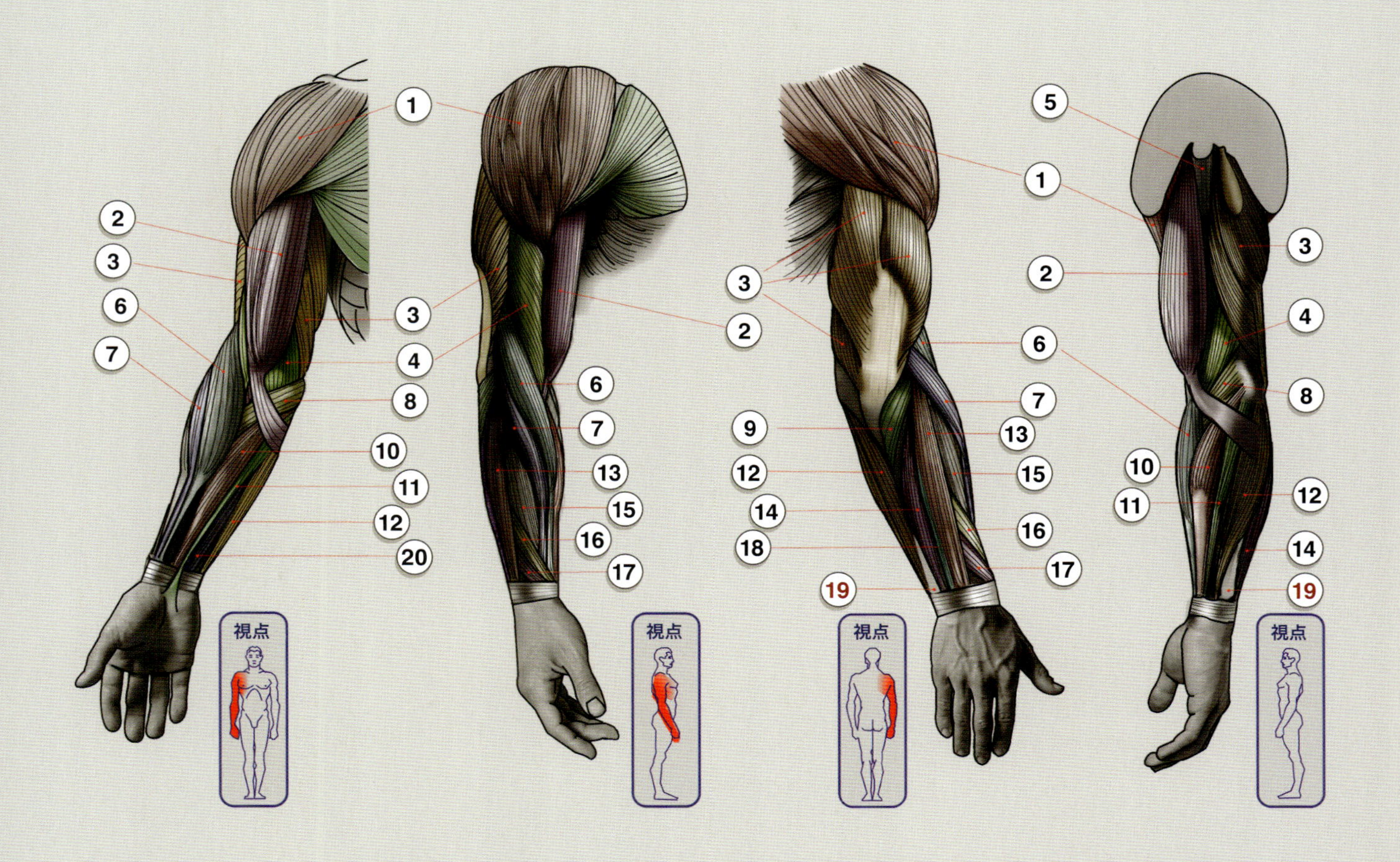
1
2
3
6
7
3
4
8
10
11
12
20
視点
1
3
4
2
6
7
13
15
16
17
視点
3
1
2
6
9
7
13
12
15
14
16
18
17
19
視点
5
1
3
2
4
8
10
12
11
14
19
視点

1. 肩の筋肉(三角筋)（さんかくきん）
2. 上腕二頭筋（じょうわんにとうきん）
3. 上腕三頭筋（じょうわんさんとうきん）
4. 上腕筋（じょうわんきん）
5. 烏口腕筋（うこうわんきん）
6. 腕橈骨筋（わんとうこつきん）
7. 長橈側手根伸筋（ちょうとうそくしゅこんしんきん）
8. 円回内筋（えんかいないきん）
9. 肘筋（ちゅうきん）
10. 橈側手根屈筋（とうそくしゅこんくっきん）
11. 長掌筋（ちょうしょうきん）
12. 尺側手根屈筋（しゃくそくしゅこんくっきん）
13. 総指伸筋（そうししんきん）
14. 尺側手根伸筋（しゃくそくしゅこんしんきん）
15. 短橈側手根伸筋（たんとうそくしゅこんしんきん）
16. 長母指外転筋（ちょうぼしがいてんきん）
17. 短母指伸筋（たんぼししんきん）
18. 小指伸筋（しょうししんきん）
19. **尺骨遠位端(尺骨頭)**（しゃっこつえんいたん しゃっこつとう）
20. 浅指屈筋（せんしくっきん）

回外と回内

腕が回外しているとき、橈骨と尺骨は平行で、手のひらは前または上を向き、親指は外側（胴体と離れた方）にある。
回内しているときは、橈骨と尺骨が交差し、手のひらは後ろまたは下を向き、親指は内側（胴体の方）にある。

回外 – スープを運ぶウェイターのような状態。

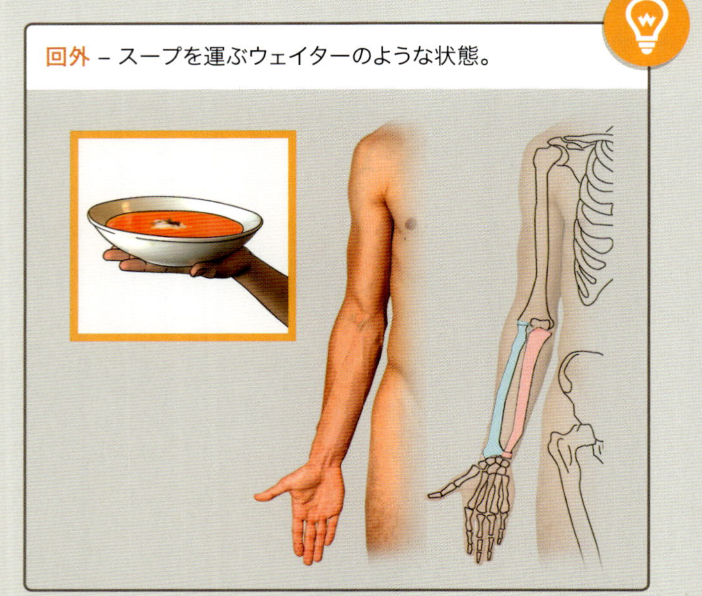

回内 – プロのバスケットボール選手のような状態。

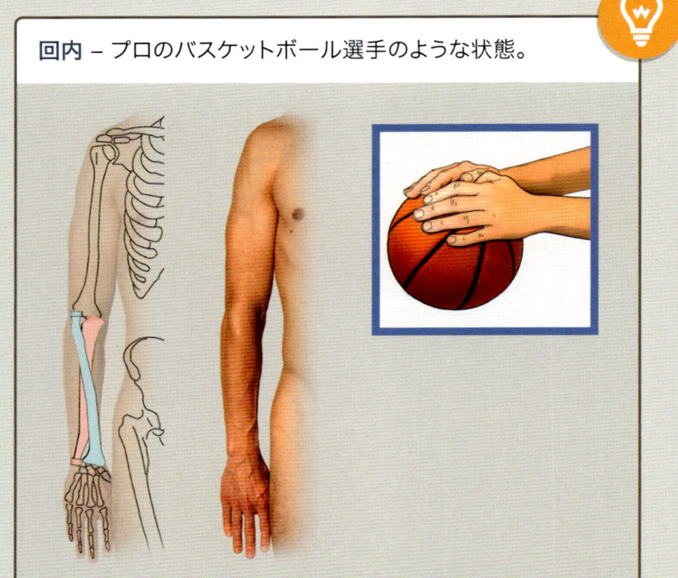

ほとんどの場合、前腕の回内は、上腕の肩関節での回転とは関係なく独立して起こる。

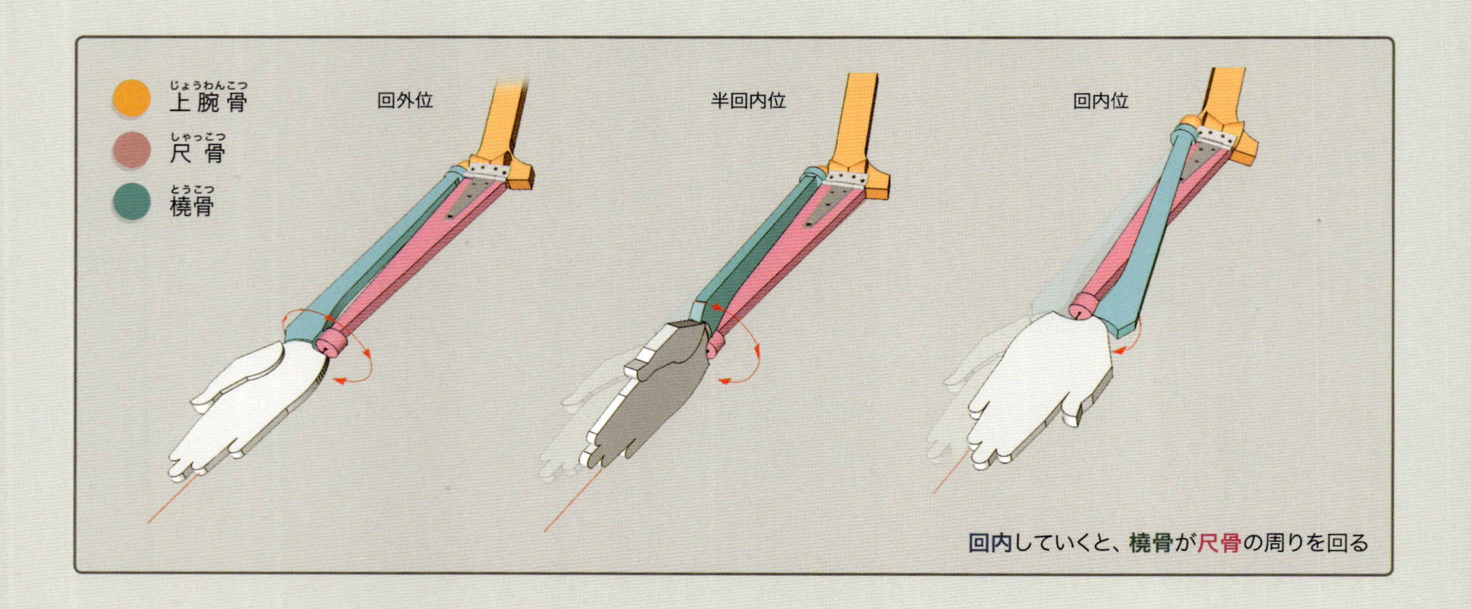
上腕骨
尺骨
橈骨
回外位
半回内位
回内位

回内していくと、橈骨が尺骨の周りを回る

回内と形状の変化

回内中の腕の断面

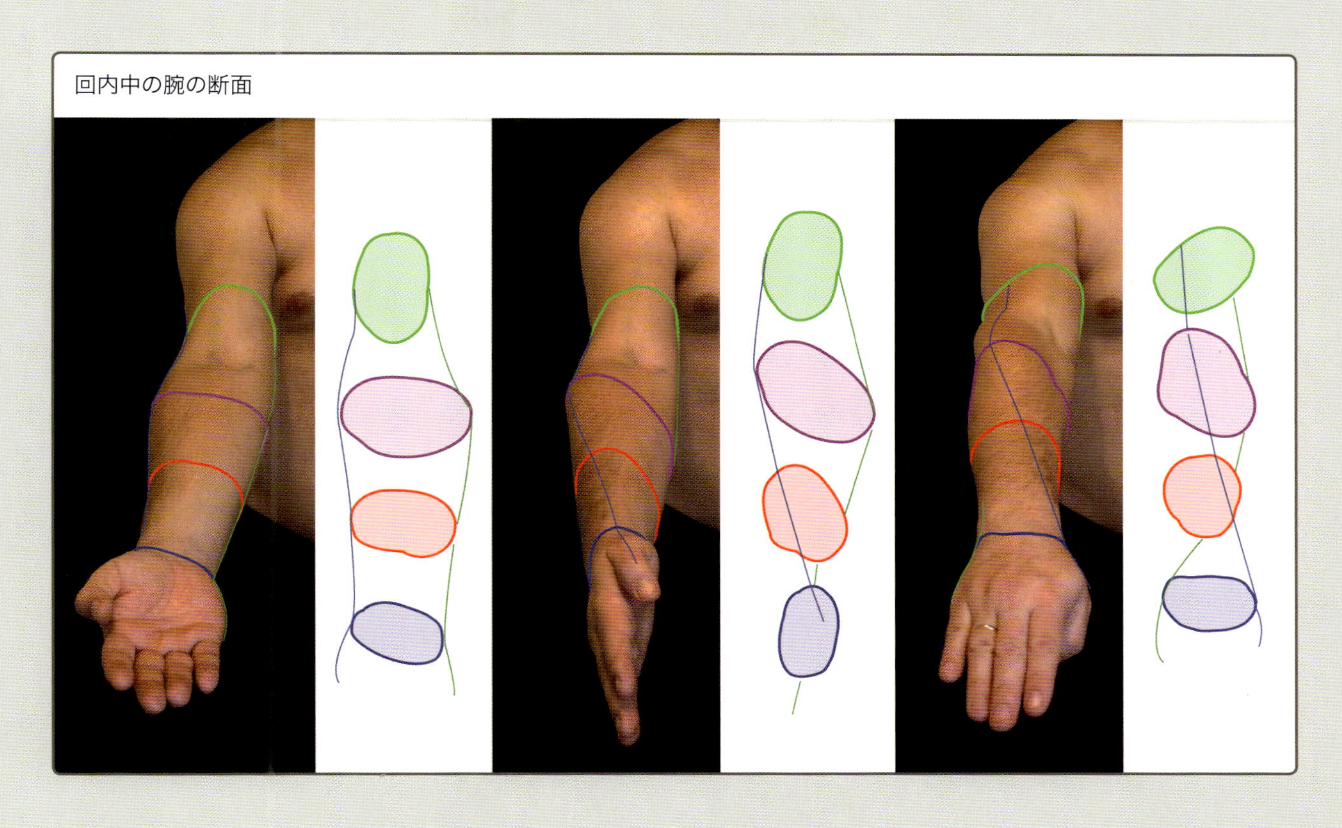

屈筋と伸筋

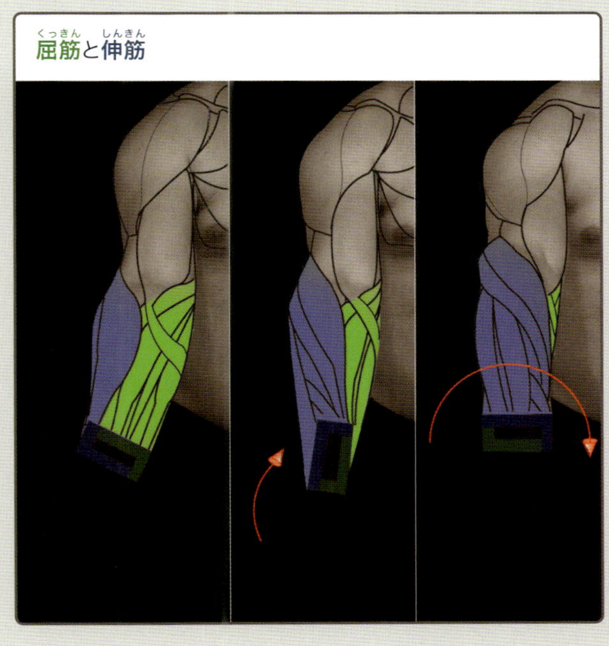

筋肉の起始部と停止部を知ることがいかに重要かを示す例。

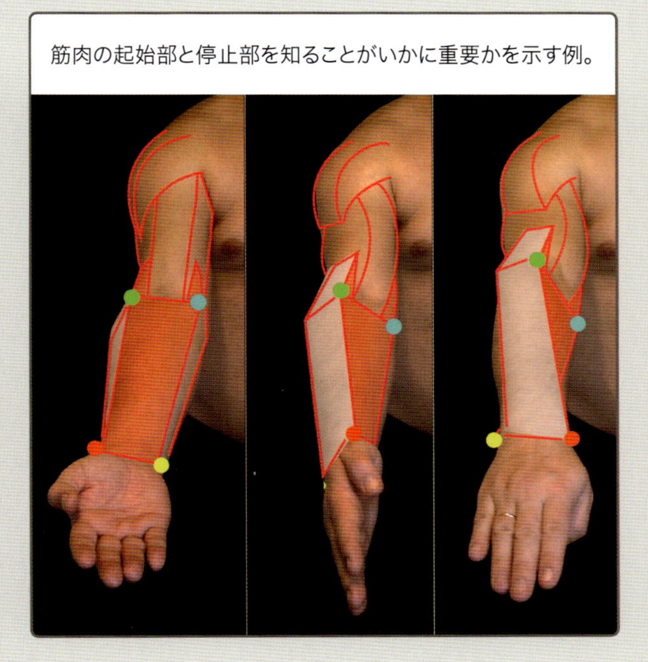

回外位(かいがいい)の上肢
（前腕または手のひらを前に向けた状態）

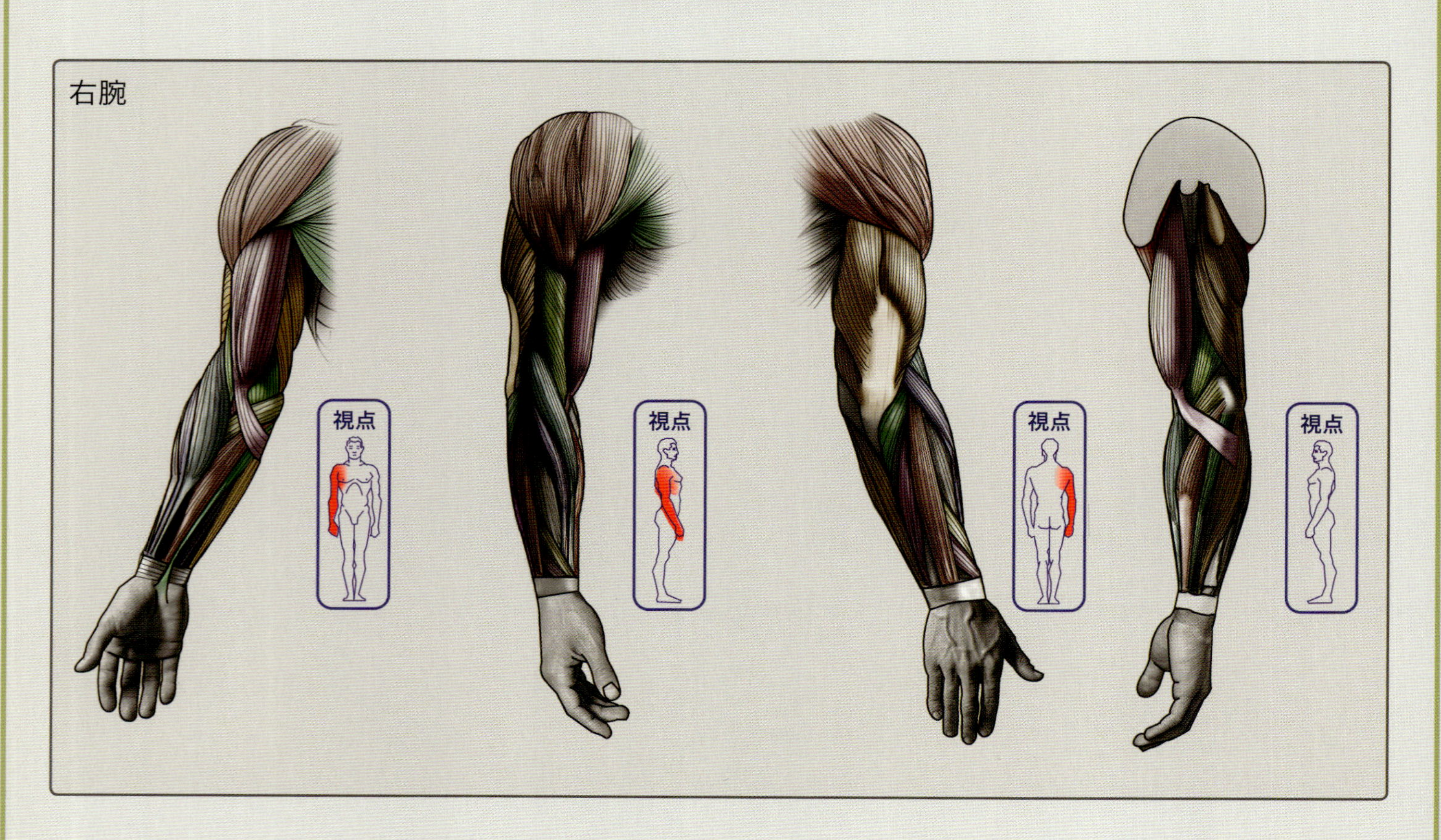
右腕
視点
視点
視点
視点

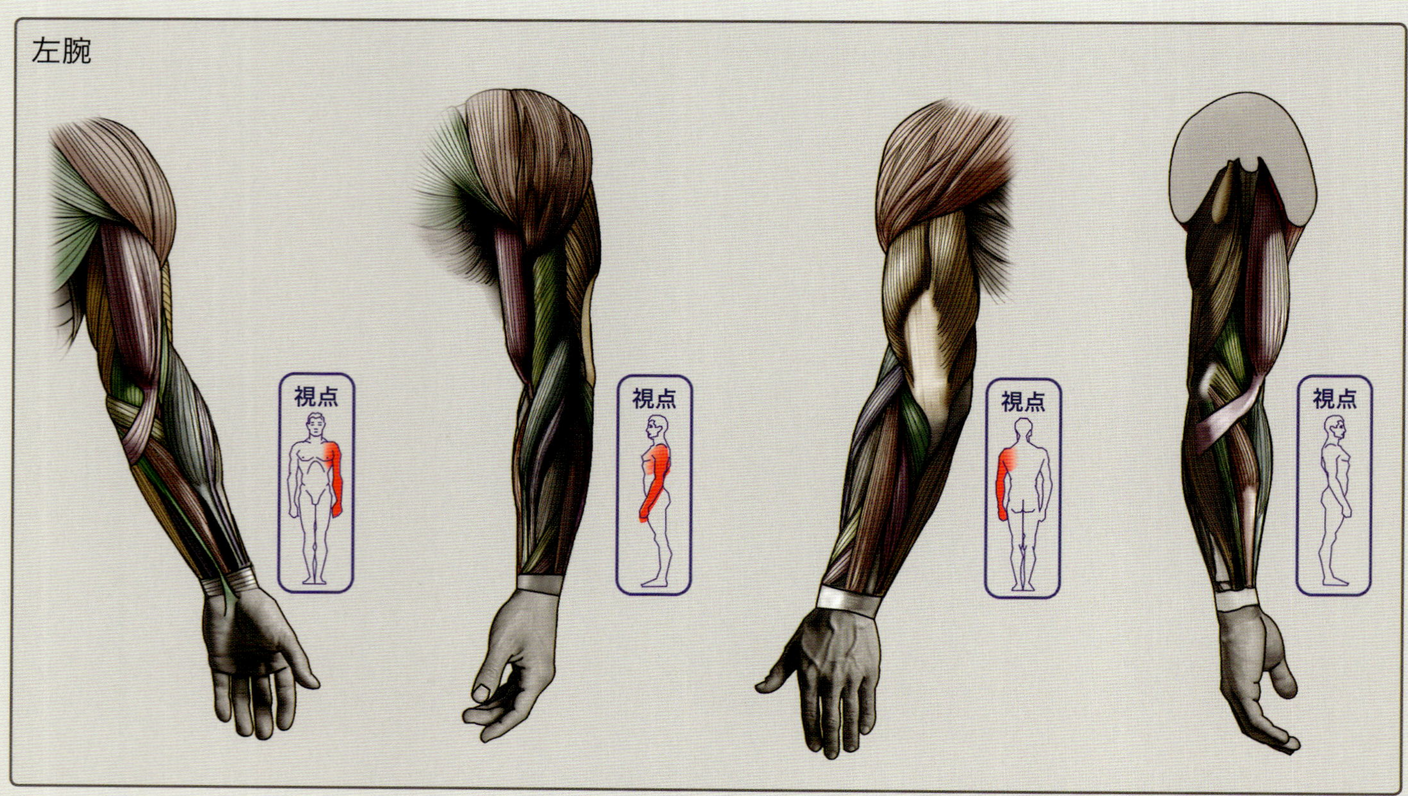
左腕
視点
視点
視点
視点

半回内位の上肢

（手／腕を脇に下し、手のひらが胴体の方を向いている状態）

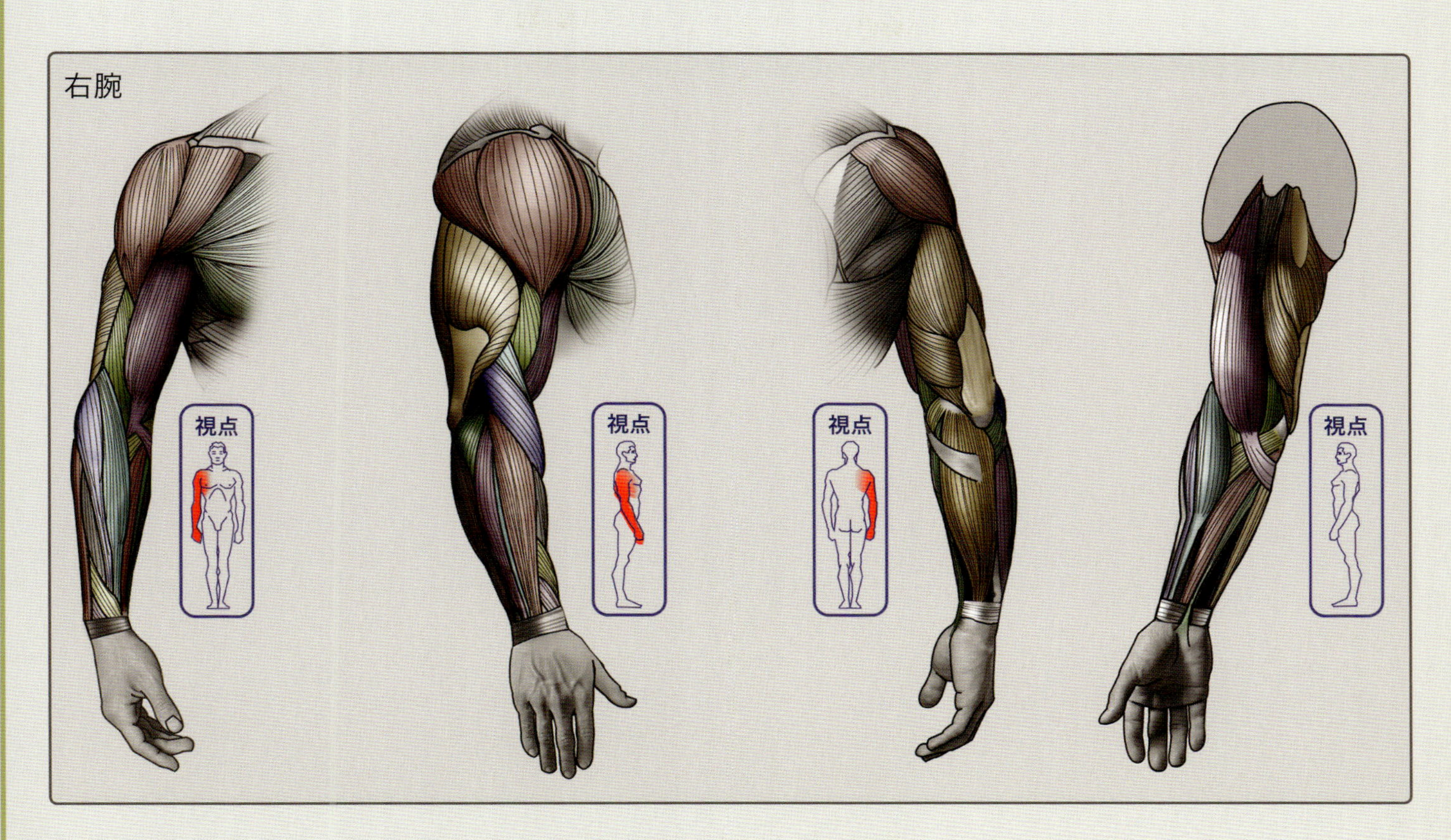
右腕
視点
視点
視点
視点

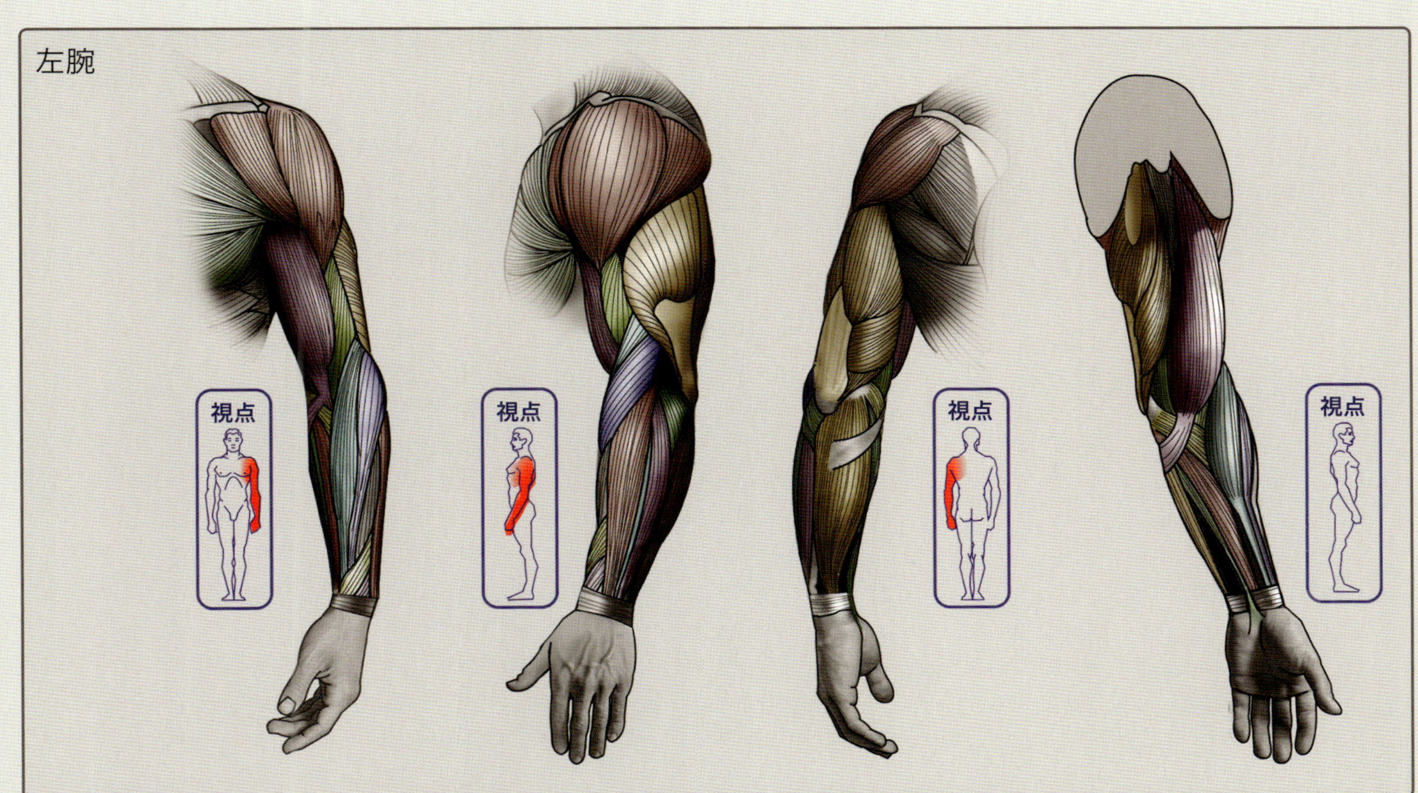
左腕
視点
視点
視点
視点

回内位の上肢

（前腕または手のひらを後ろに向けた状態）

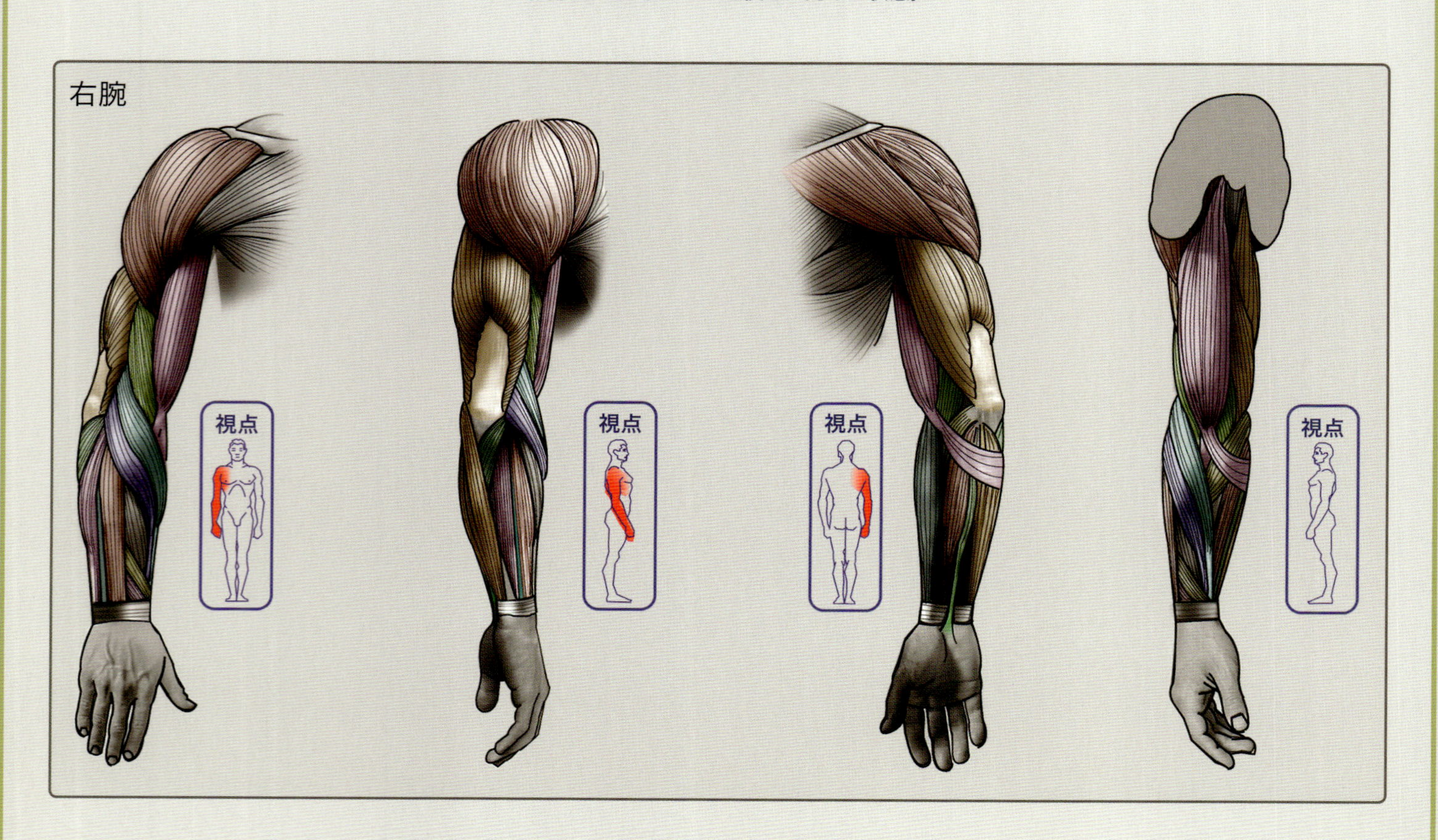
右腕
視点
視点
視点
視点

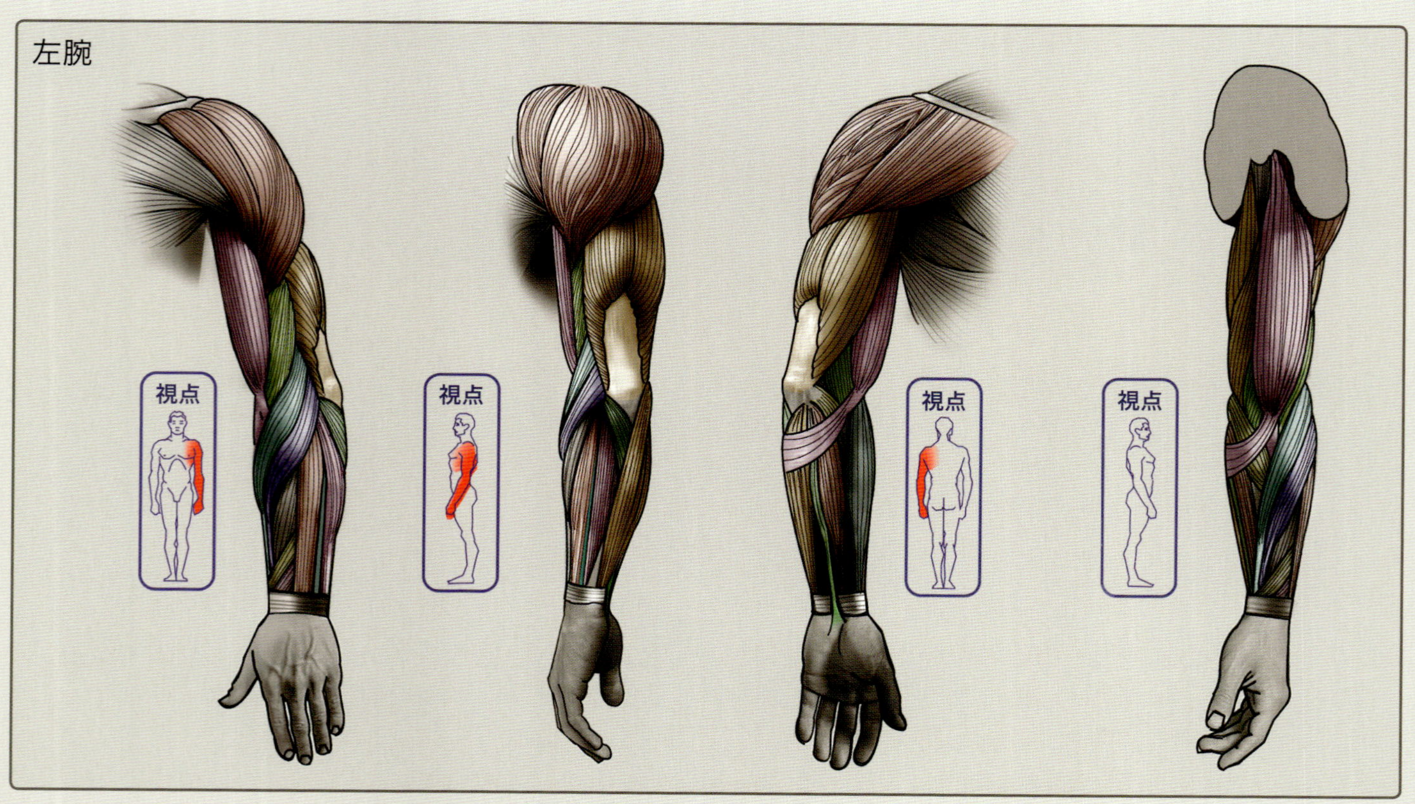
左腕
視点
視点
視点
視点

無理に回内(かいない)させた上肢

（前腕または手のひらを胴体とは逆の方向に向けた状態）

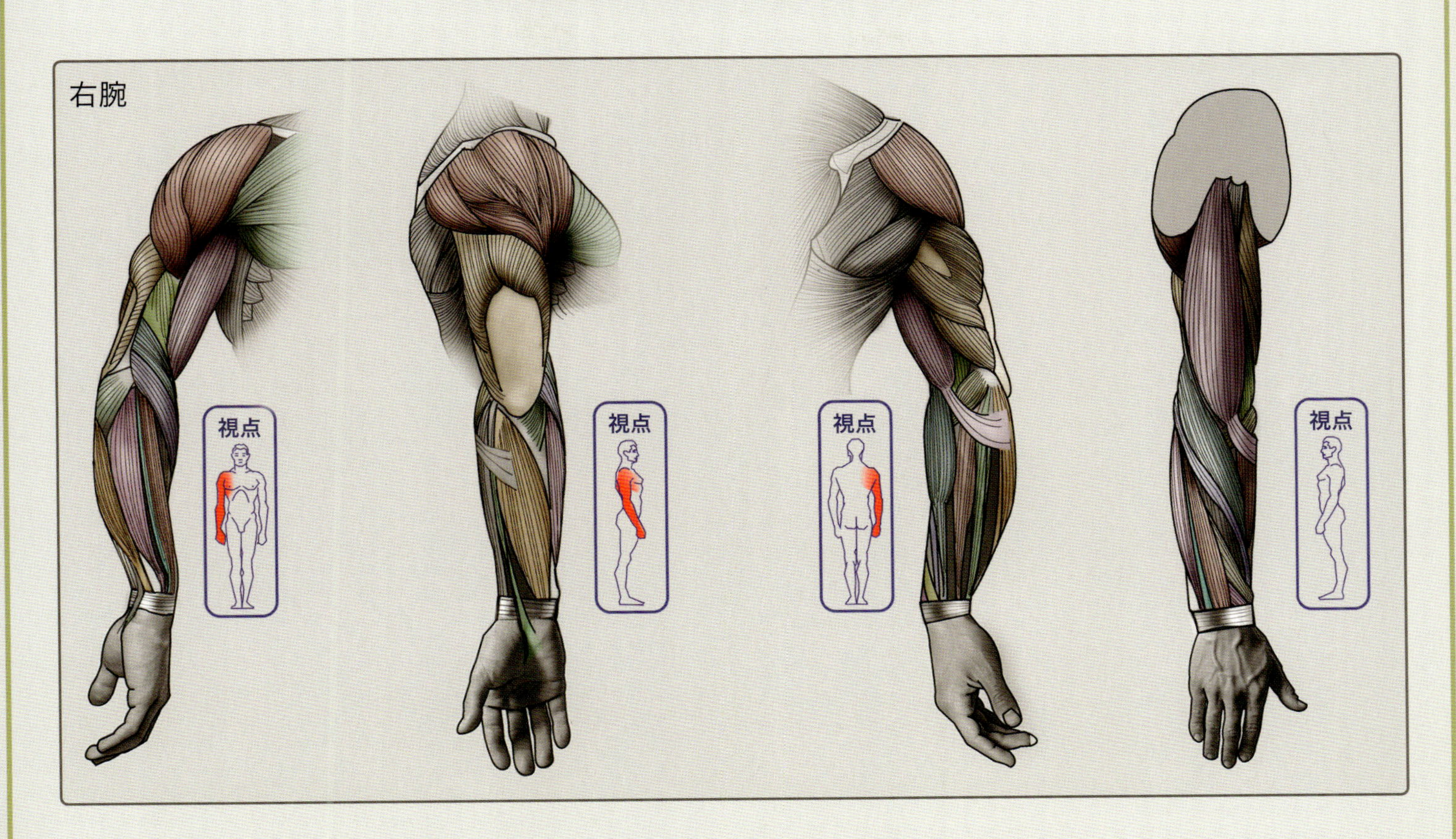
右腕
視点
視点
視点
視点

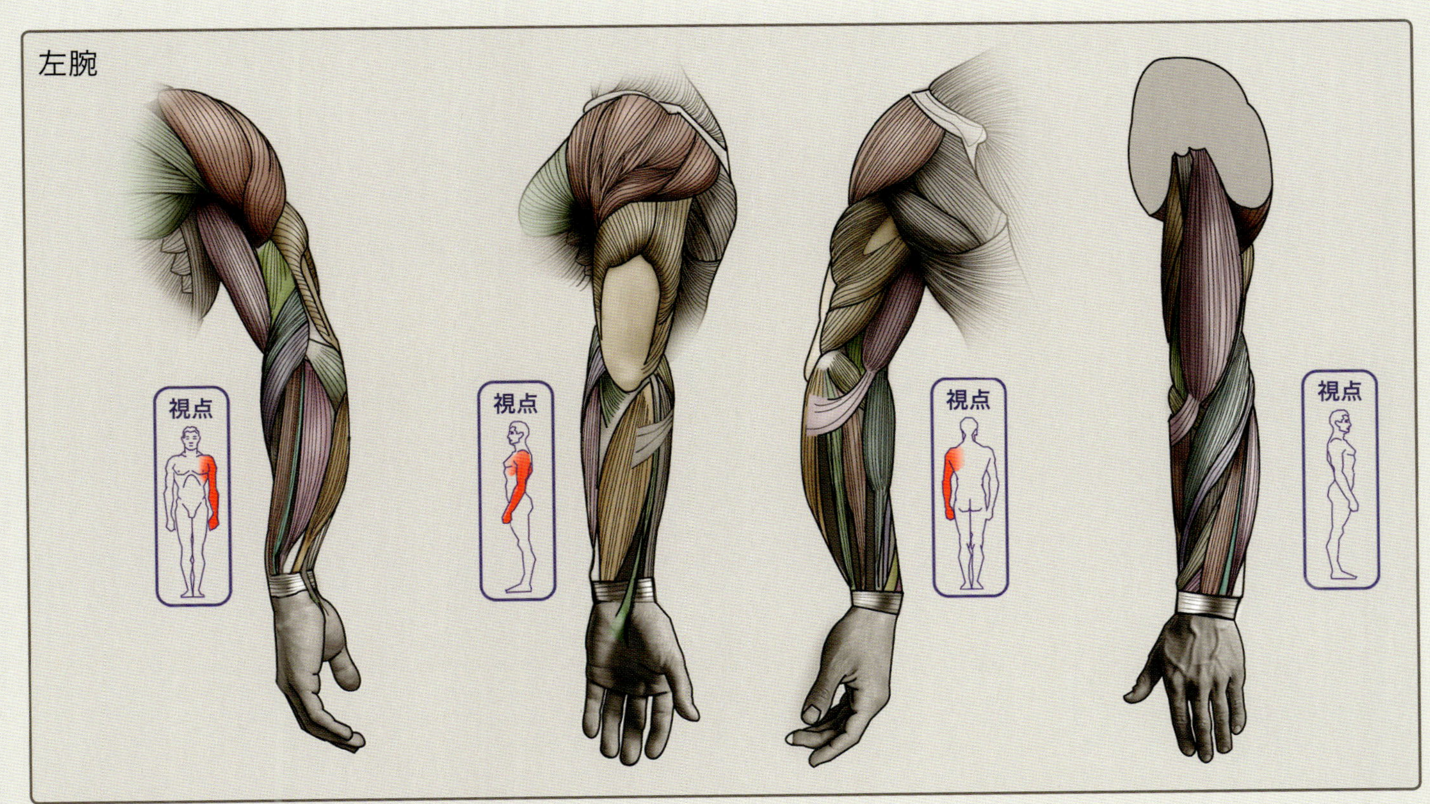
左腕
視点
視点
視点
視点

少し曲げた腕
(何かを手に持っているかのような状態)

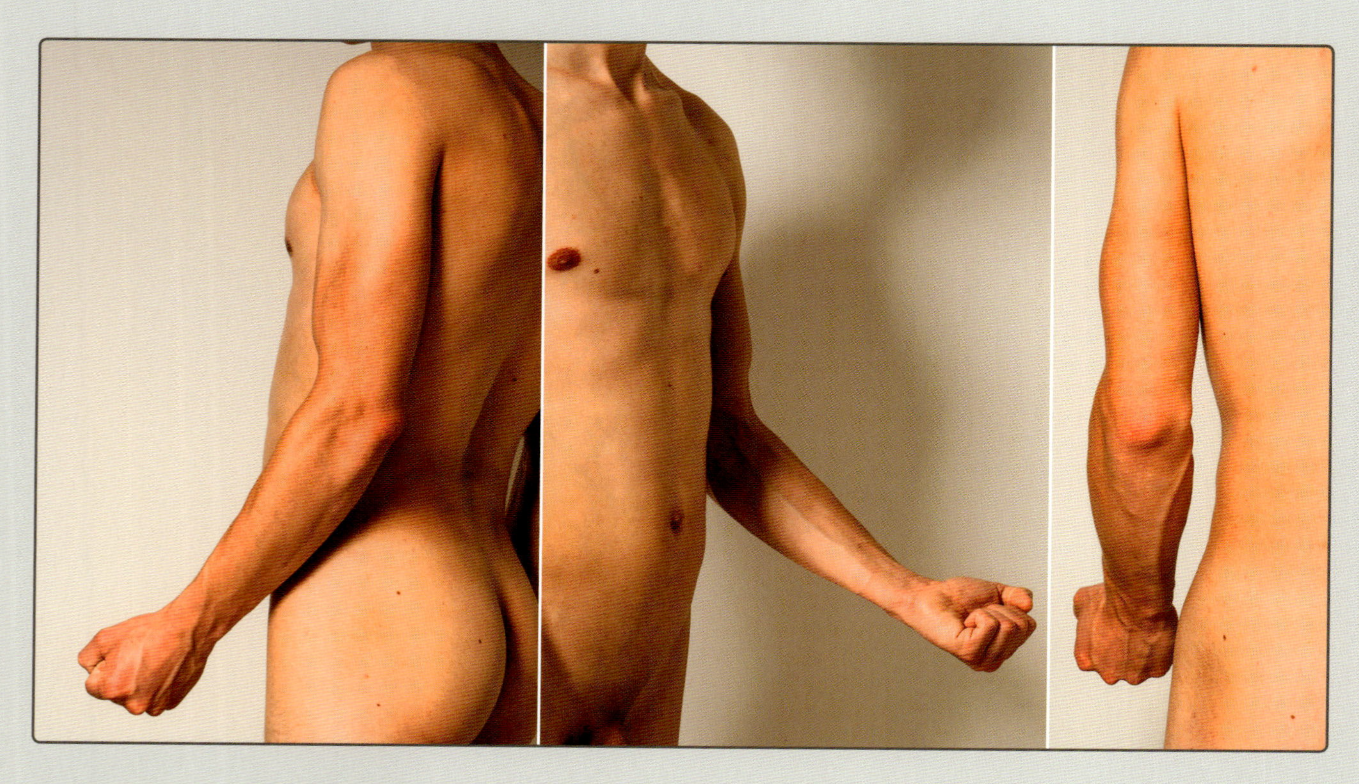

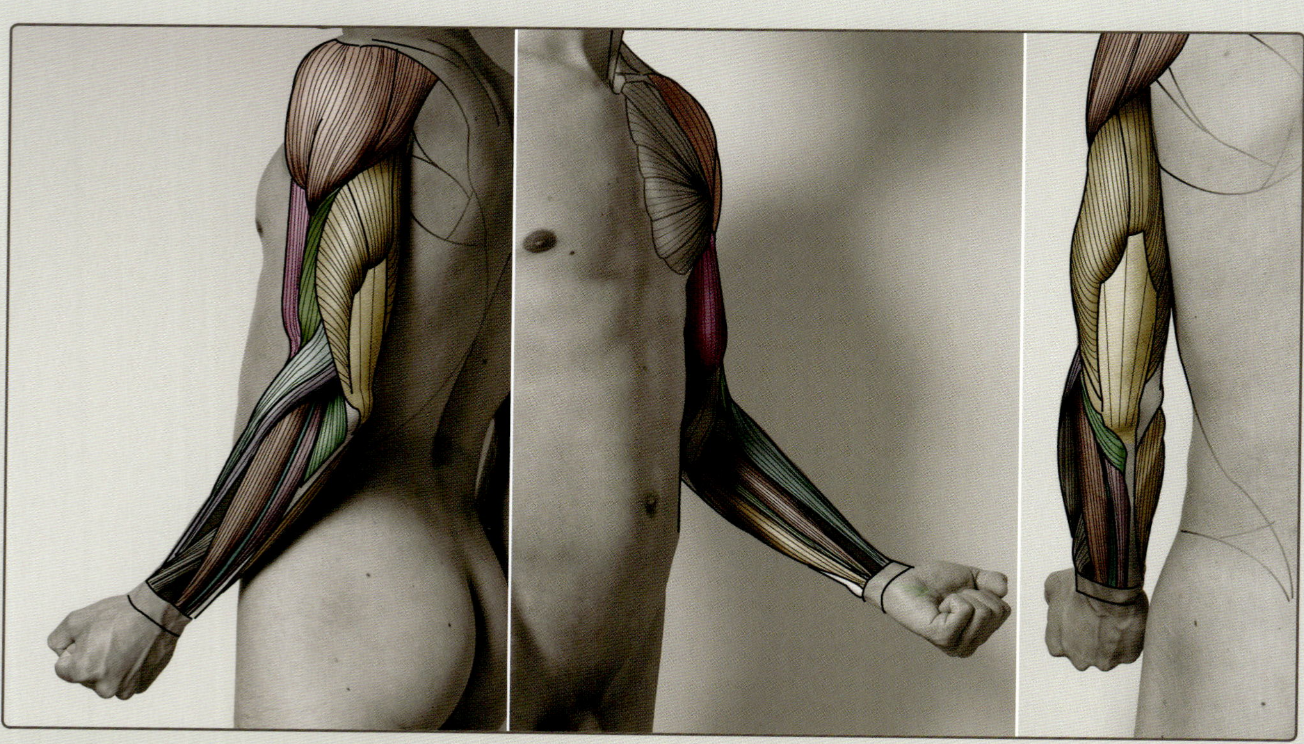

活動中の上腕二頭筋と上腕三頭筋

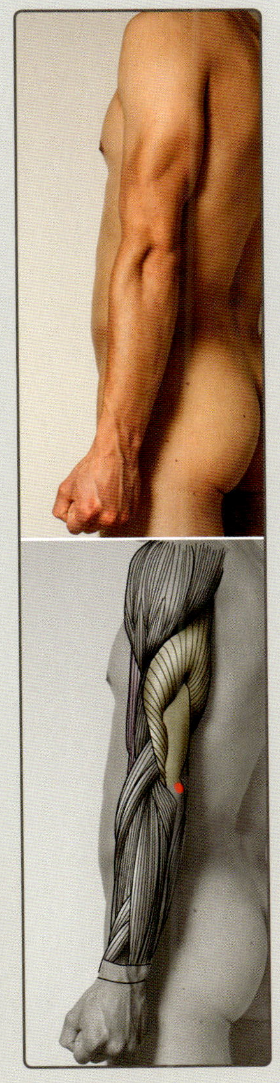

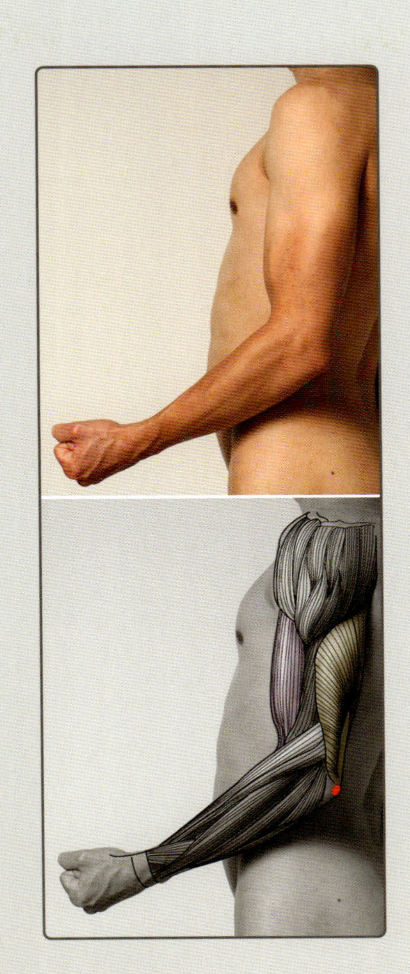

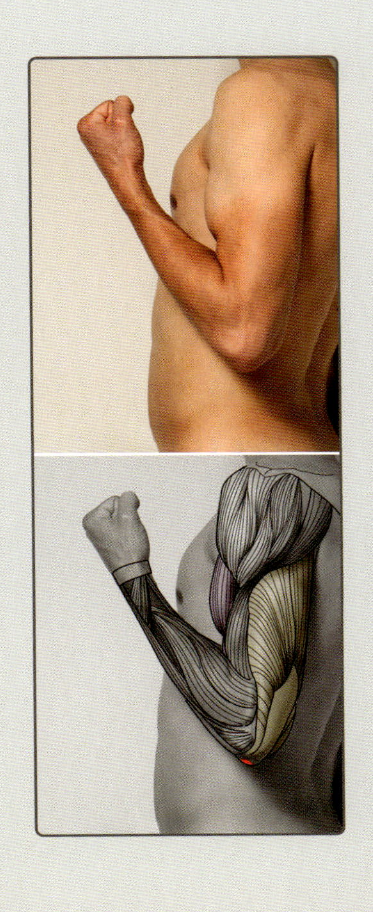

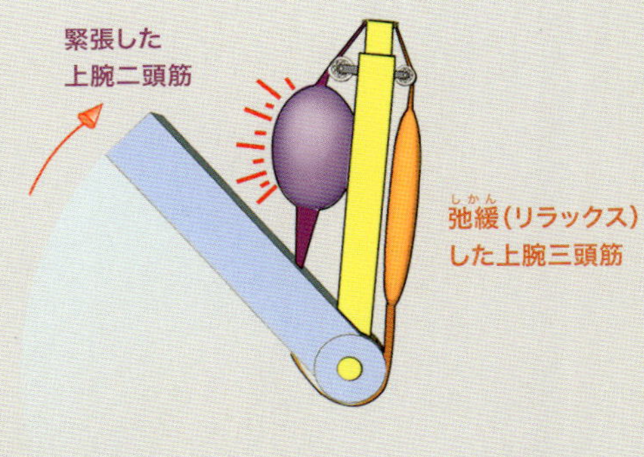
緊張した
上腕二頭筋
弛緩(リラックス)
した上腕三頭筋

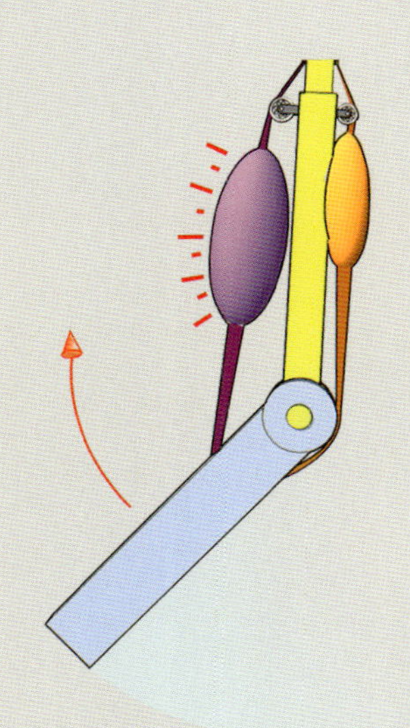

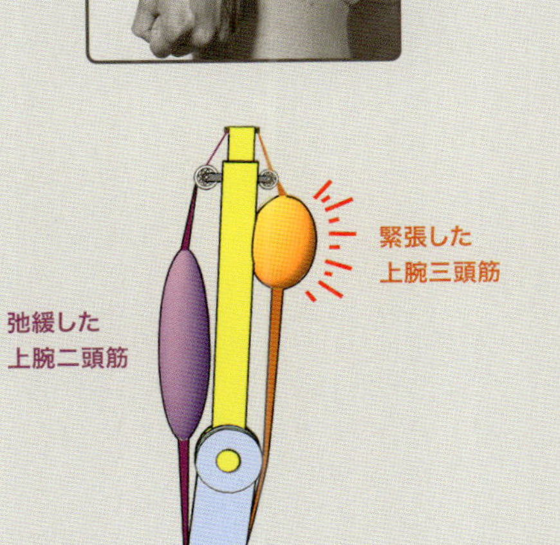
緊張した
上腕三頭筋
弛緩した
上腕二頭筋

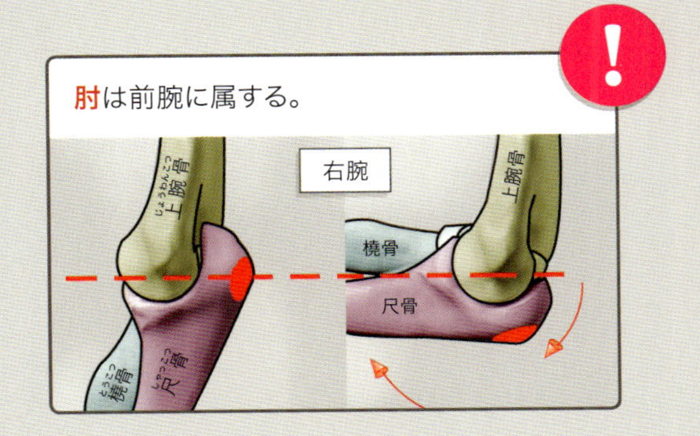
肘は前腕に属する。
右腕
上腕骨
橈骨
尺骨
上腕骨
尺骨
橈骨

上腕二頭筋

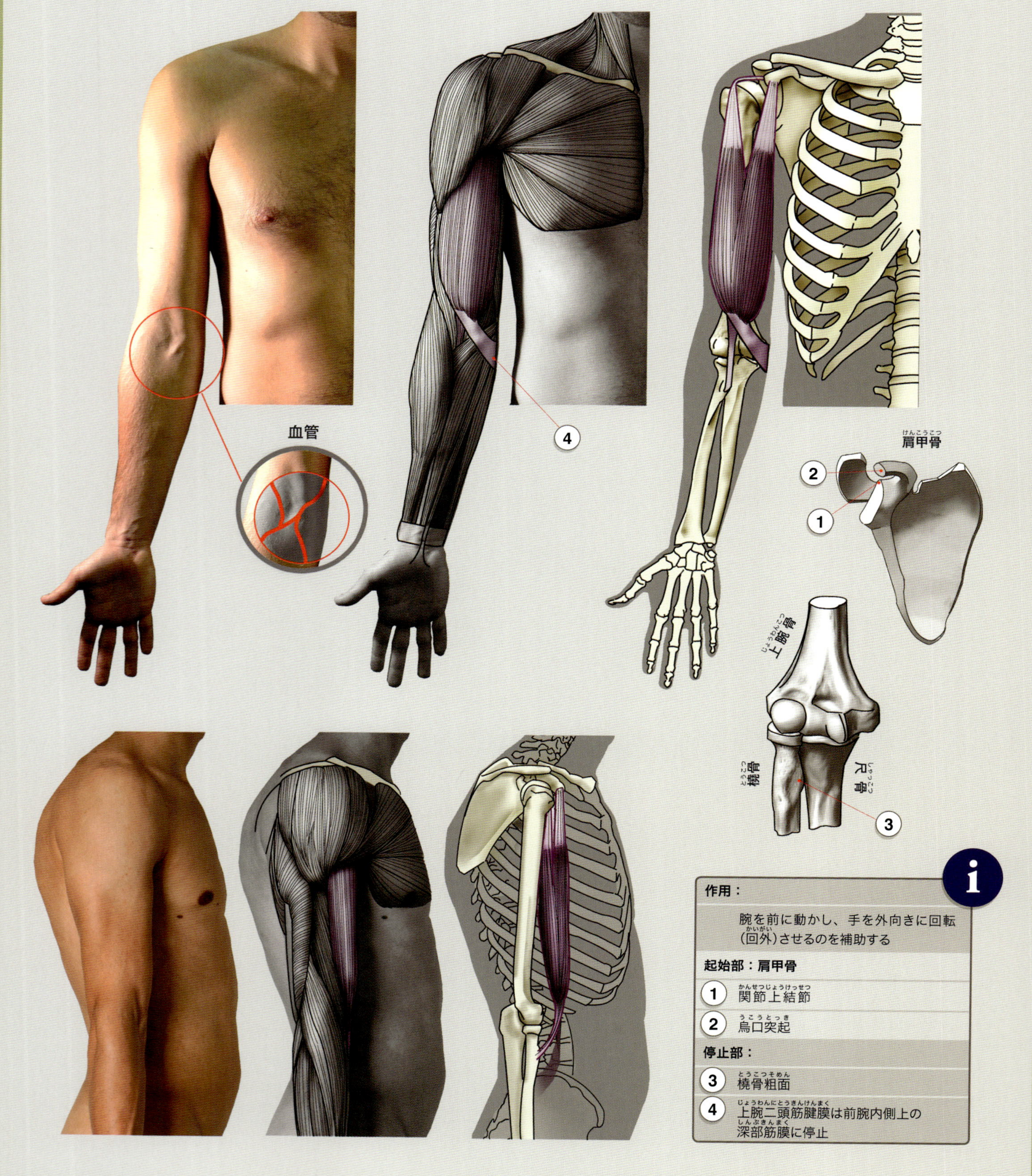

血管
4
肩甲骨
2
1
上腕骨
橈骨
尺骨
3

作用：

腕を前に動かし、手を外向きに回転（回外）させるのを補助する

起始部：肩甲骨

1 関節上結節

2 烏口突起

停止部：

3 橈骨粗面

4 上腕二頭筋腱膜は前腕内側上の深部筋膜に停止

二頭筋
（にとうきん）

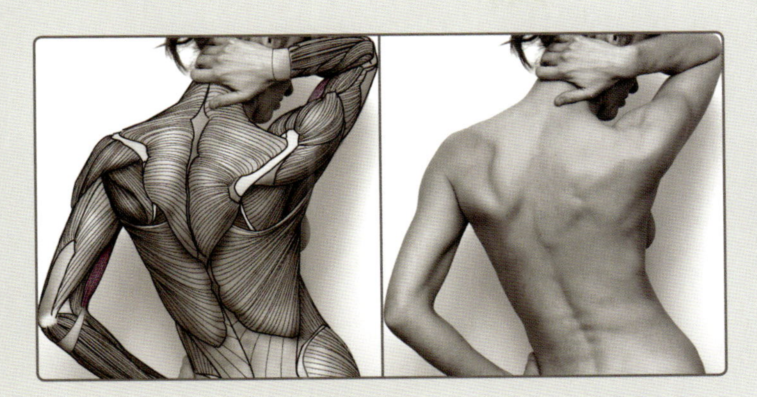

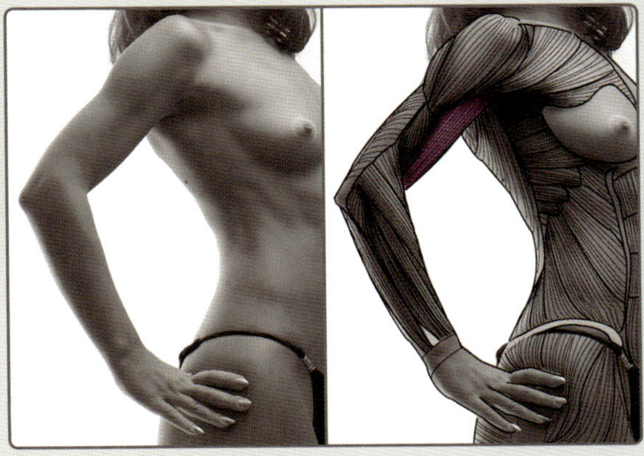

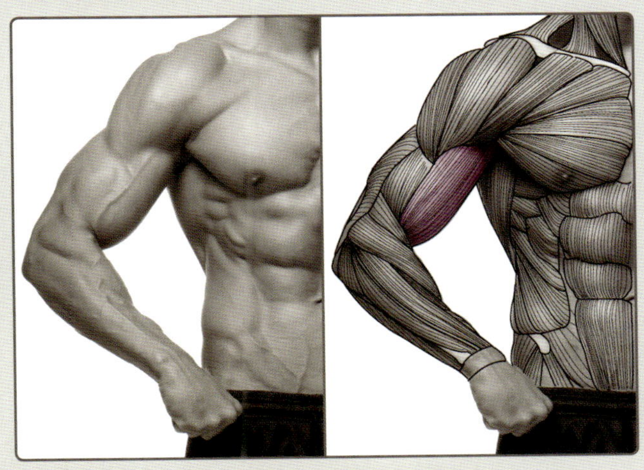

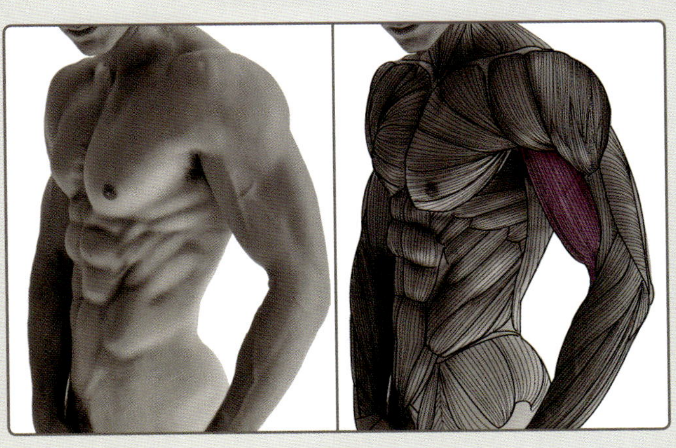

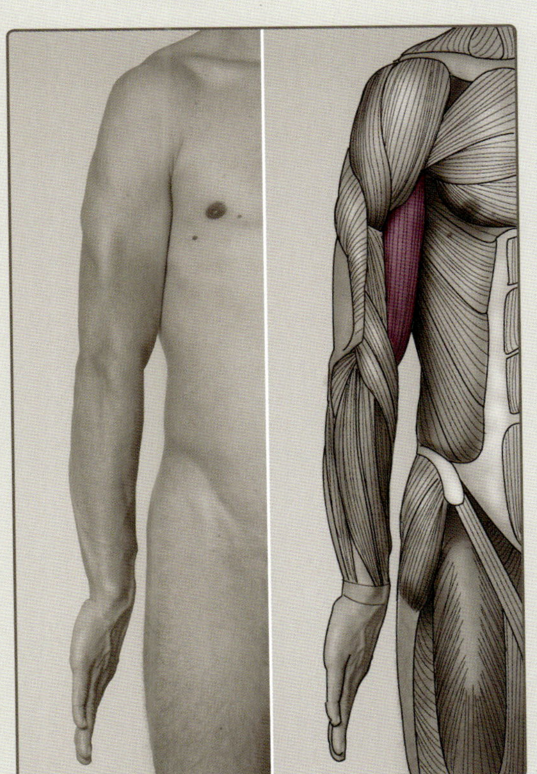

上腕三頭筋

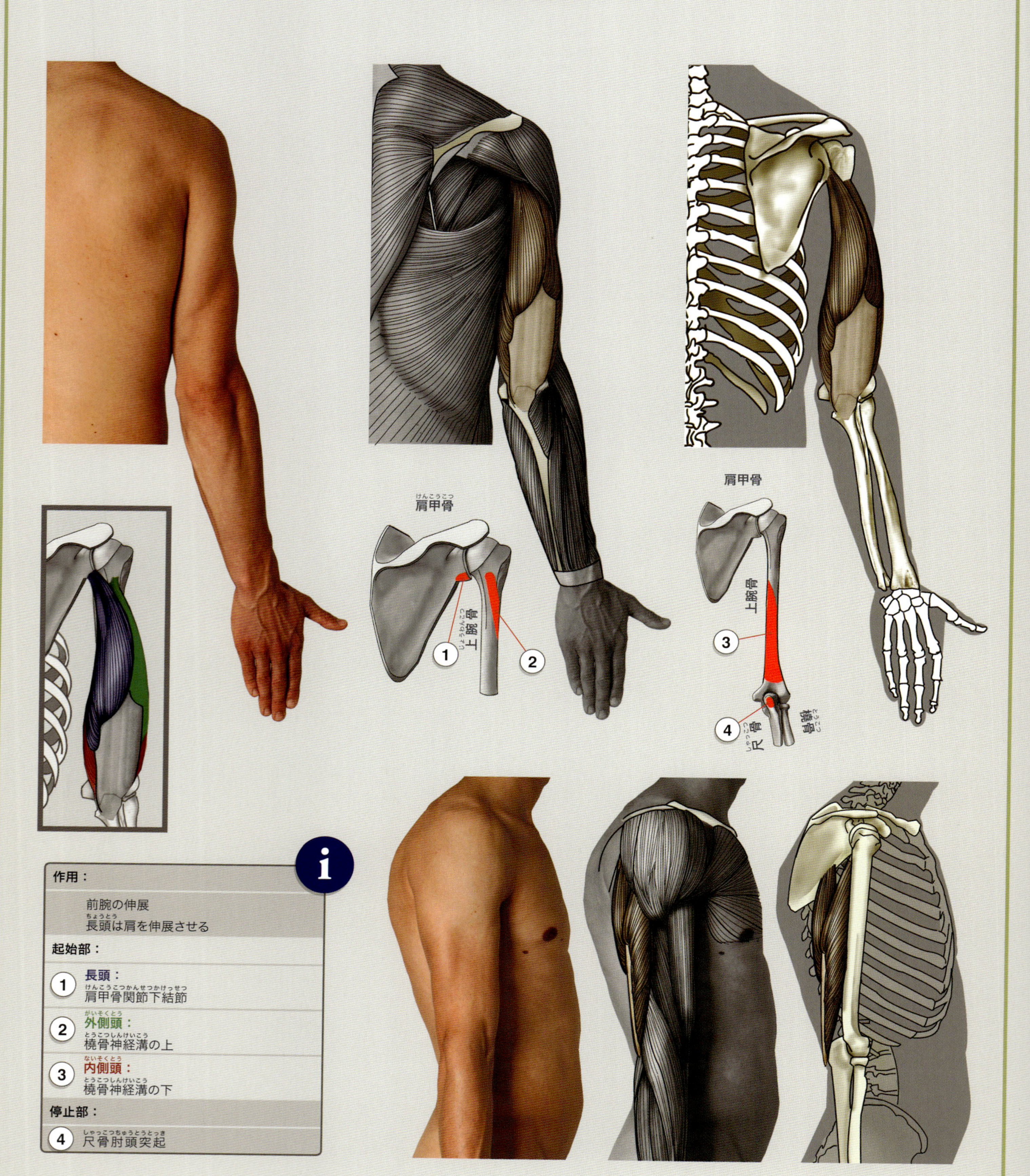

肩甲骨
上腕骨
1
2
肩甲骨
上腕骨
3
4
尺骨
橈骨

作用：

前腕の伸展
長頭は肩を伸展させる

起始部：

1 **長頭：**
肩甲骨関節下結節

2 **外側頭：**
橈骨神経溝の上

3 **内側頭：**
橈骨神経溝の下

停止部：

4 尺骨肘頭突起

三頭筋（さんとうきん）

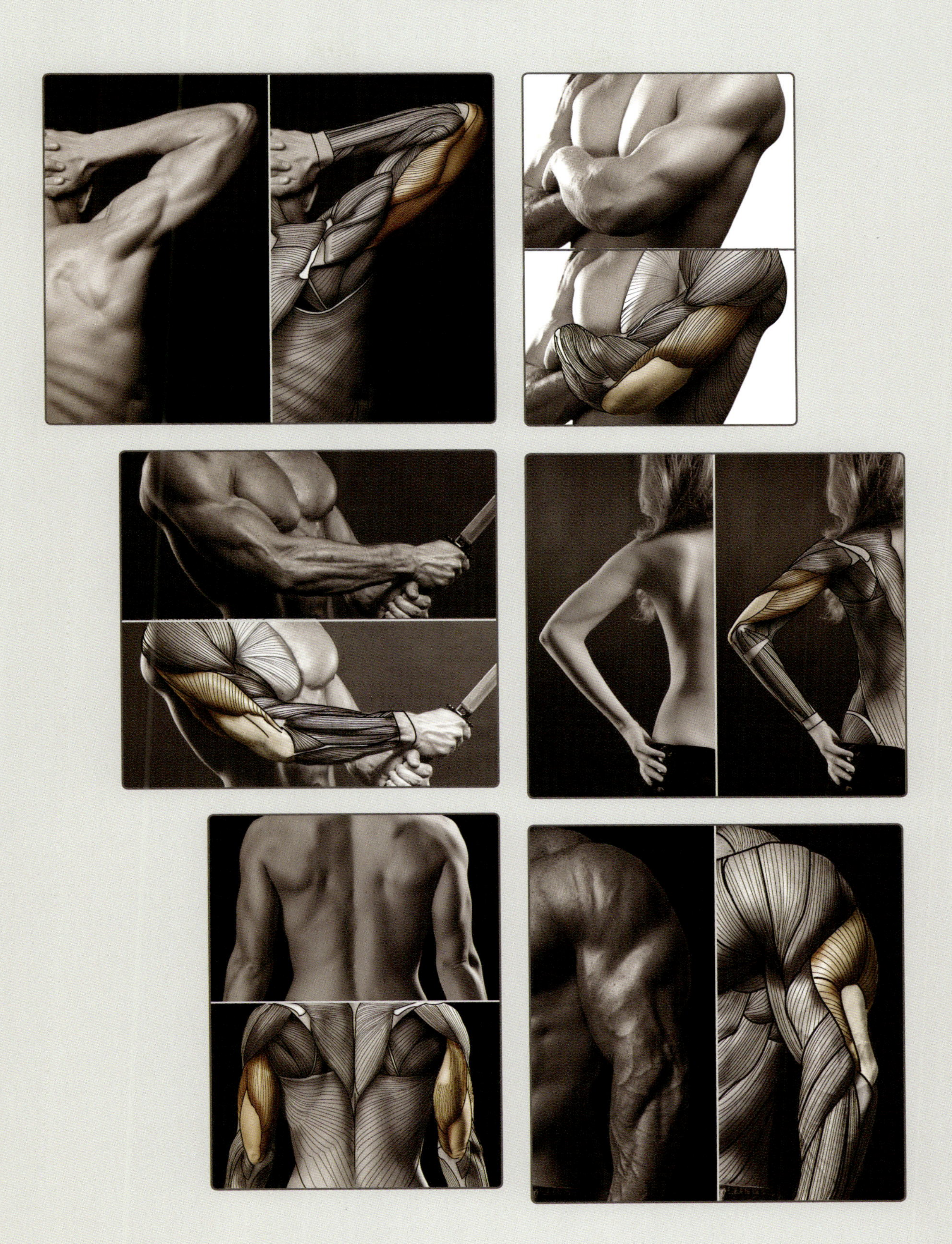

上腕筋、烏口腕筋

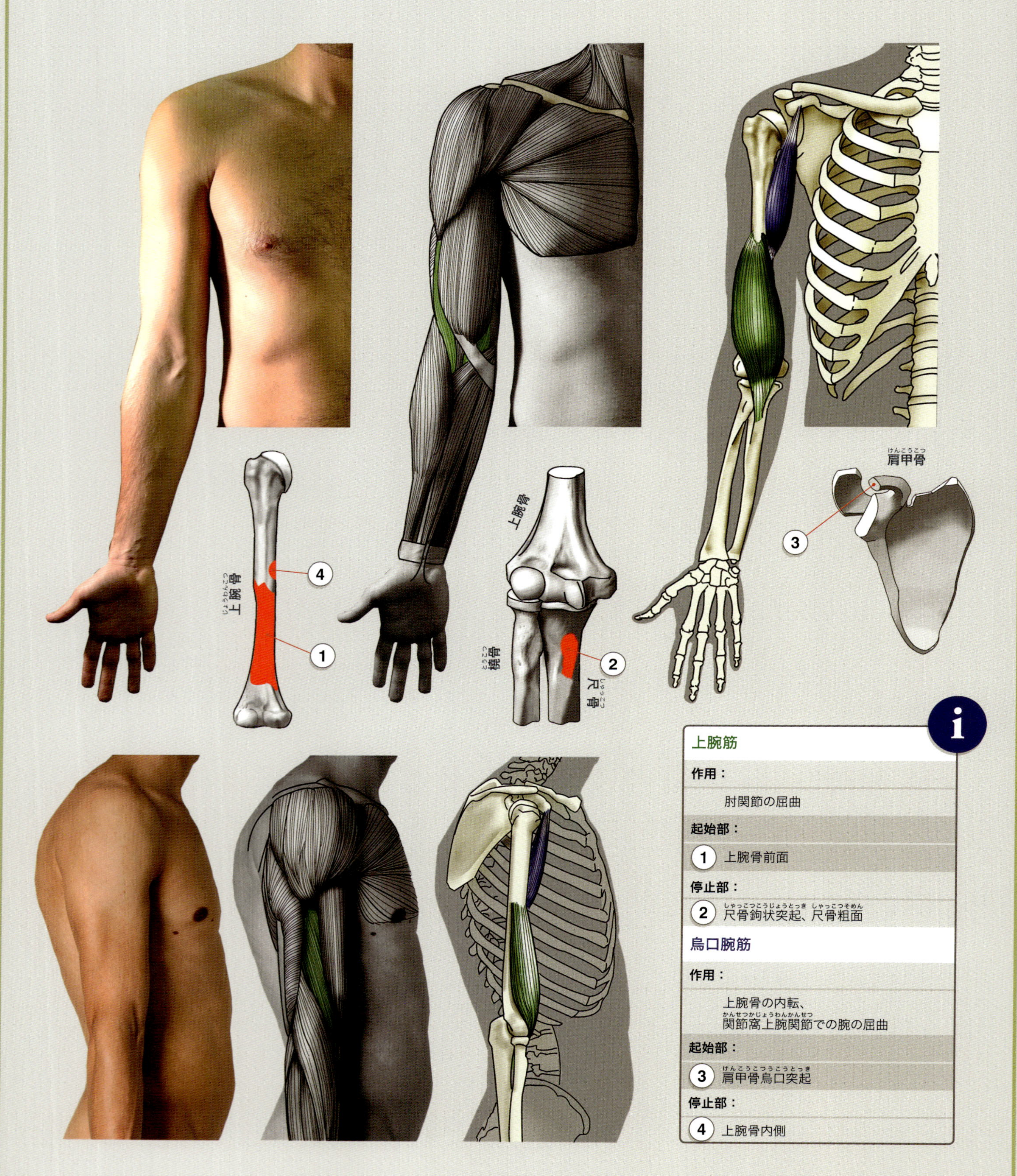

上腕骨
4
1
上腕骨
尺骨
2
肩甲骨
3
上腕筋
作用：
肘関節の屈曲
起始部：
1 上腕骨前面
停止部：
2 尺骨鉤状突起、尺骨粗面
烏口腕筋
作用：
上腕骨の内転、
関節窩上腕関節での腕の屈曲
起始部：
3 肩甲骨烏口突起
停止部：
4 上腕骨内側

上腕筋(じょうわんきん)、烏口腕筋(うこうわんきん)

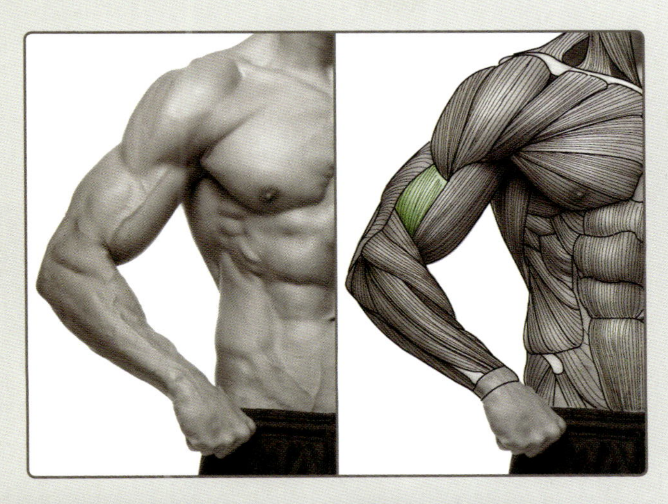
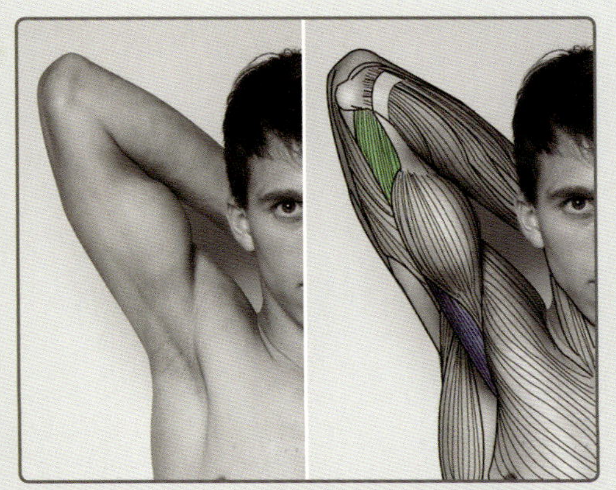
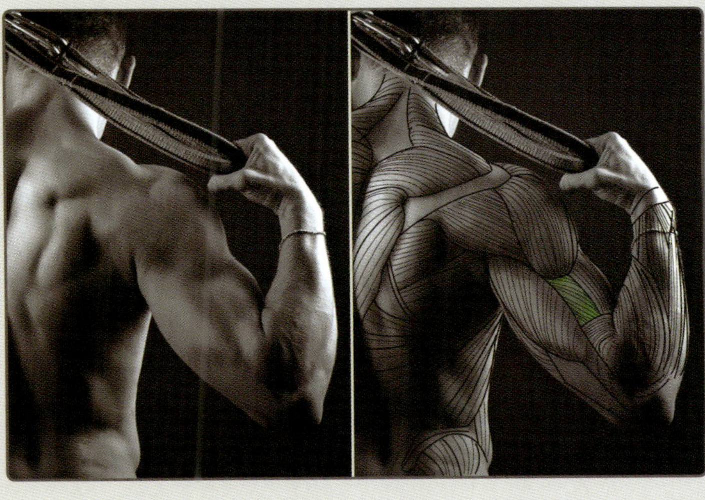
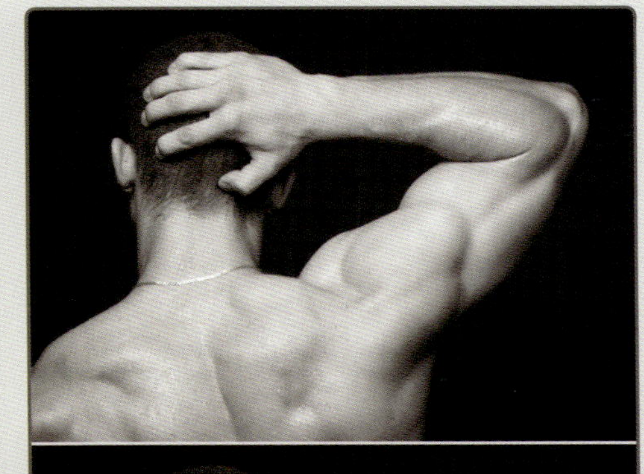
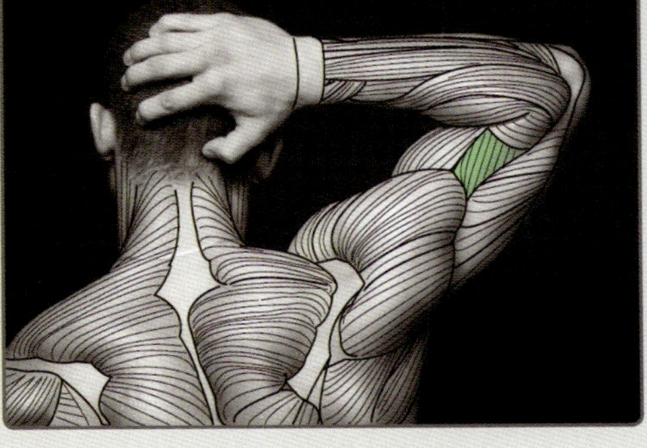
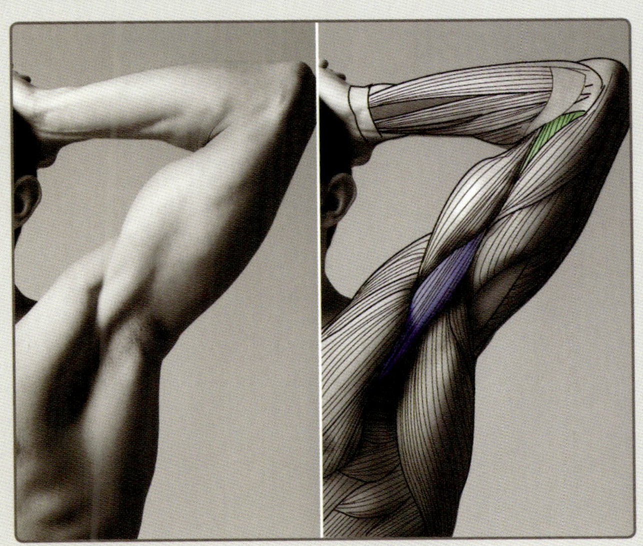
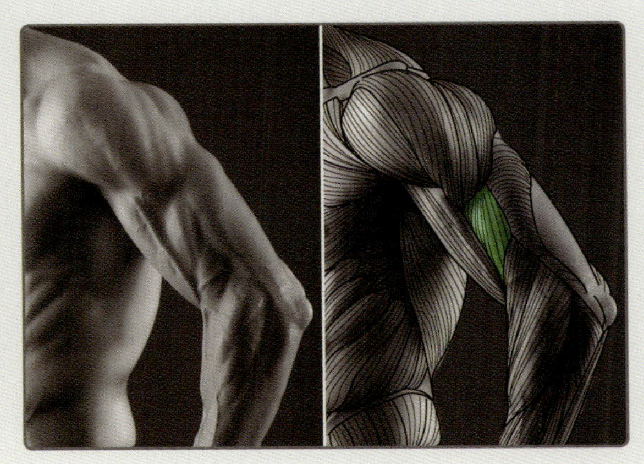

腕橈骨筋、長橈側手根伸筋

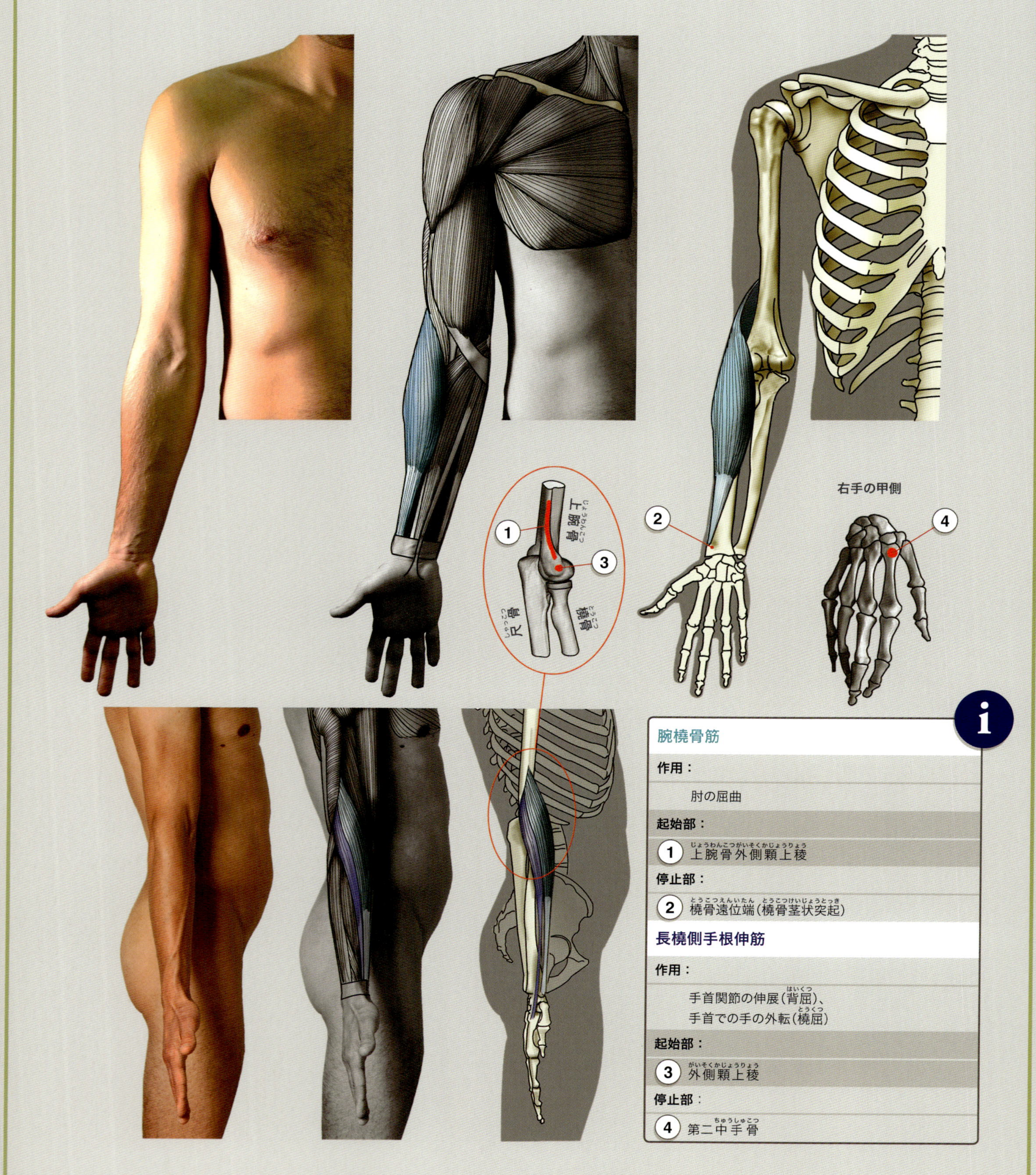

1
2
3
4
上腕骨
橈骨
尺骨
右手の甲側

腕橈骨筋

作用：

肘の屈曲

起始部：

① 上腕骨外側顆上稜

停止部：

② 橈骨遠位端（橈骨茎状突起）

長橈側手根伸筋

作用：

手首関節の伸展（背屈）、
手首での手の外転（橈屈）

起始部：

③ 外側顆上稜

停止部：

④ 第二中手骨

腕橈骨筋（わんとうこつきん）、長橈側手根伸筋（ちょうとうそくしゅこんしんきん）

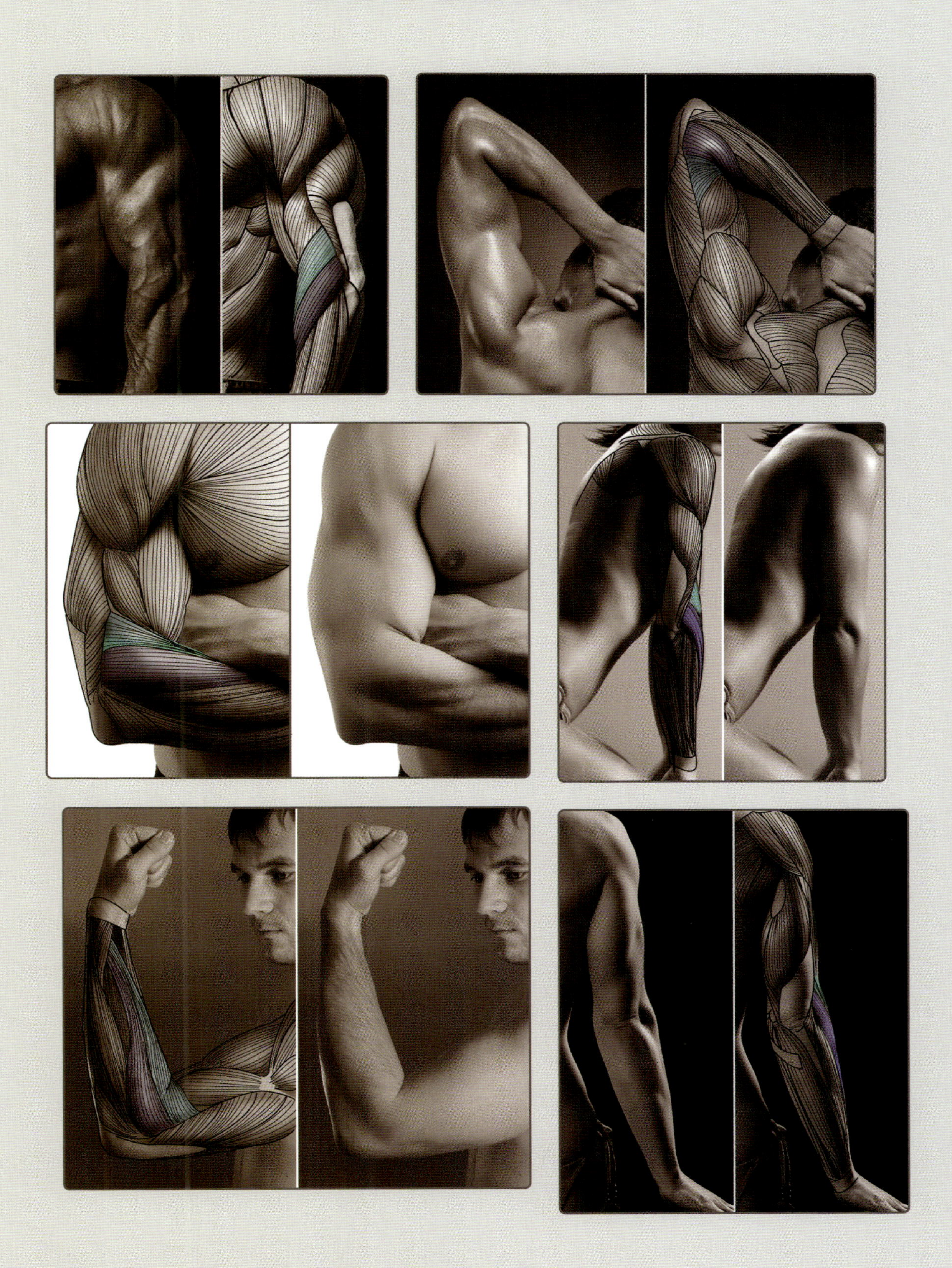

前腕の肘筋、尺側手根伸筋、小指伸筋、総指伸筋

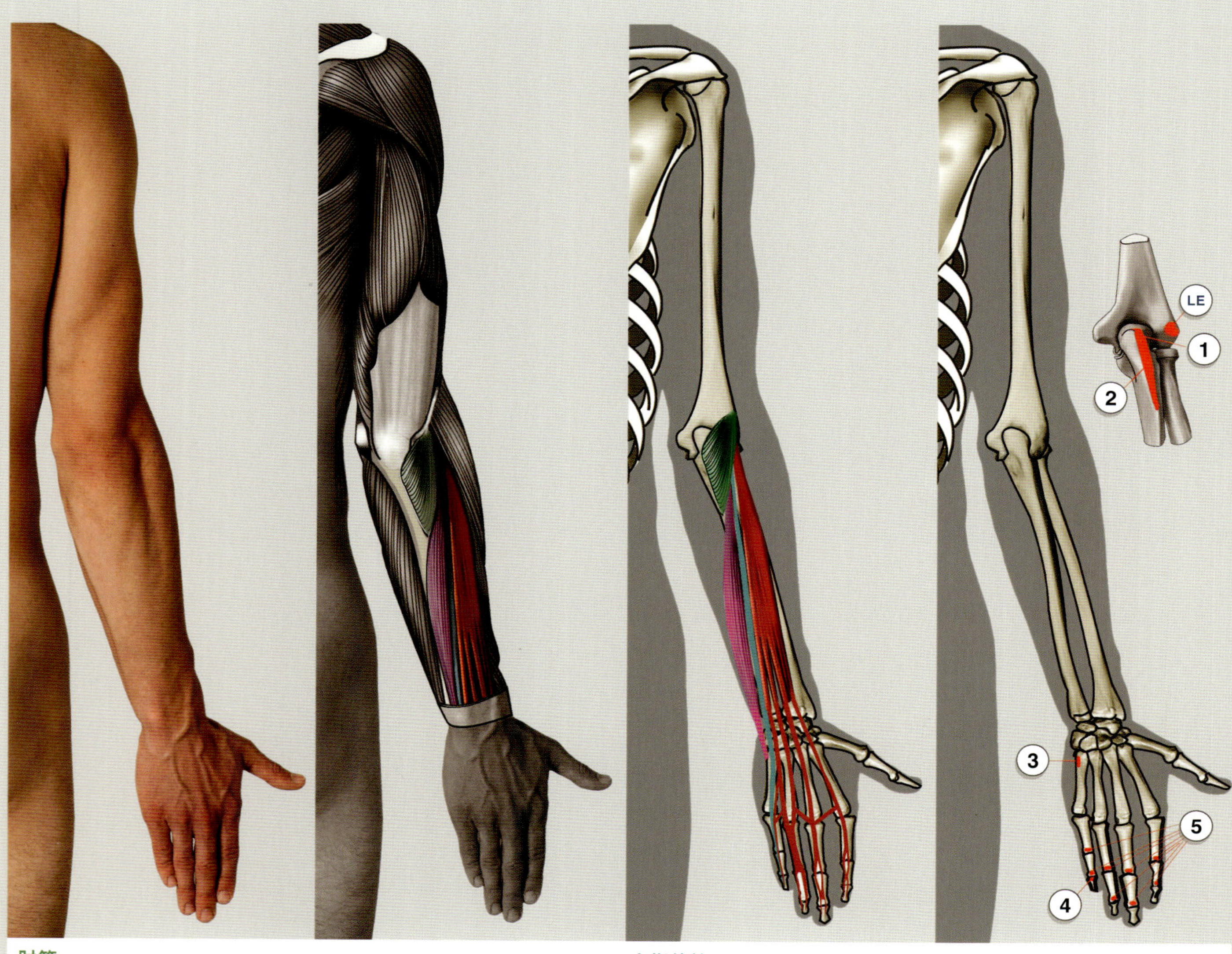
LE
1
2
3
4
5

肘筋

作用：

肘を安定させる

起始部：

LE 上腕骨外側上顆

停止部：

1 肘頭突起の外側面

2 尺骨後縁の上部

尺側手根伸筋

作用：

手首の伸展（背屈）、内転（尺屈）

起始部：

LE 上腕骨外側上顆、尺骨

停止部：

3 第五中手骨

小指伸筋

作用：

手首の伸展、小指の各関節の伸展

起始部：

LE 上腕骨外側上顆

停止部：

4 小指基節骨上の指背腱膜

総指伸筋

作用：

手、手首、指の伸展

起始部：

LE 上腕骨外側上顆

停止部：

5 第二～五指の中節骨および末節骨の指背腱膜

回外と回内

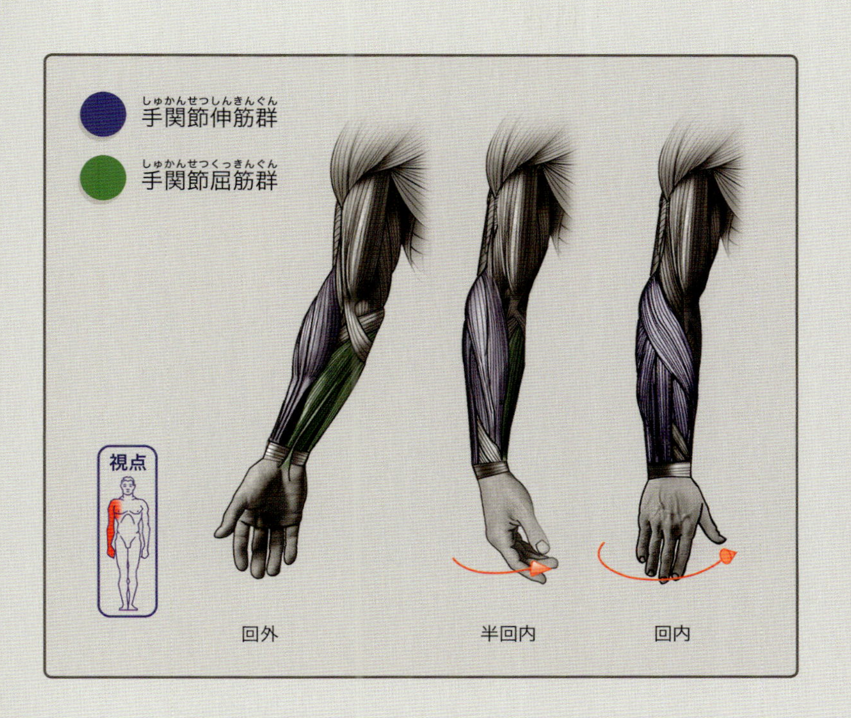
手関節伸筋群
手関節屈筋群
視点
回外
半回内
回内

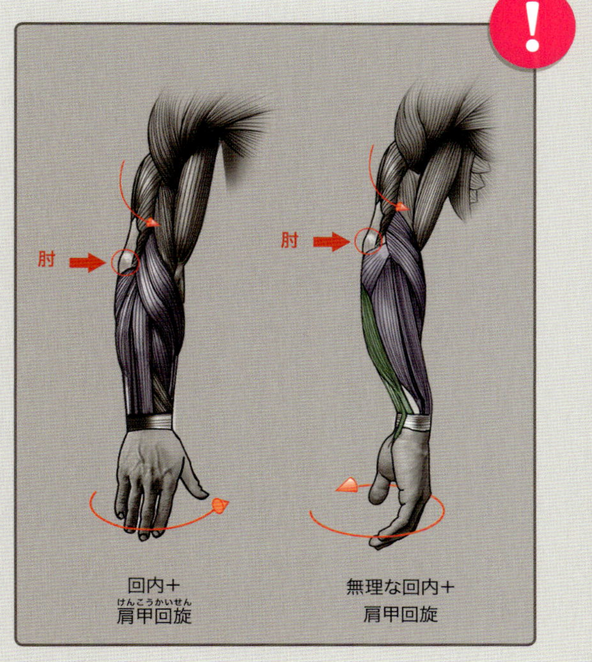
肘
肘
回内+
肩甲回旋
無理な回内+
肩甲回旋

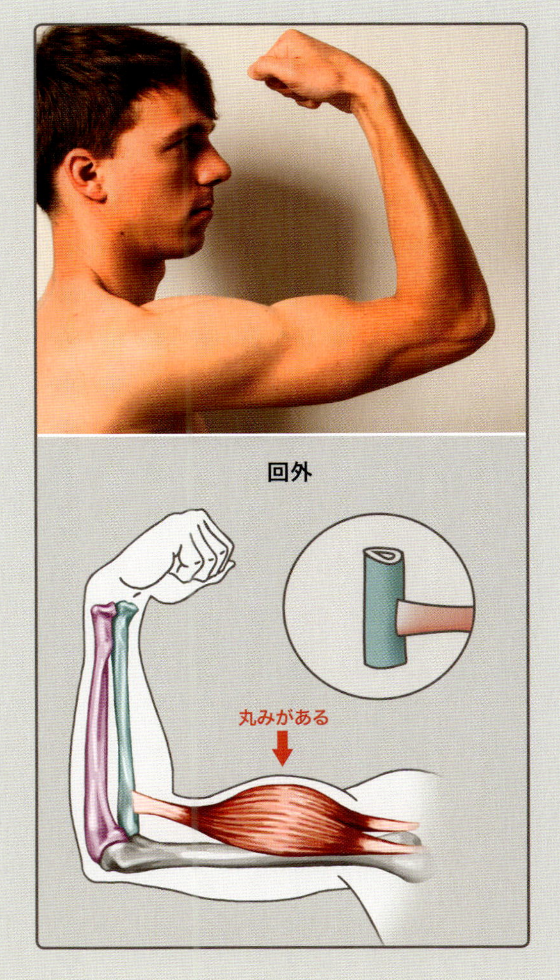
回外
丸みがある

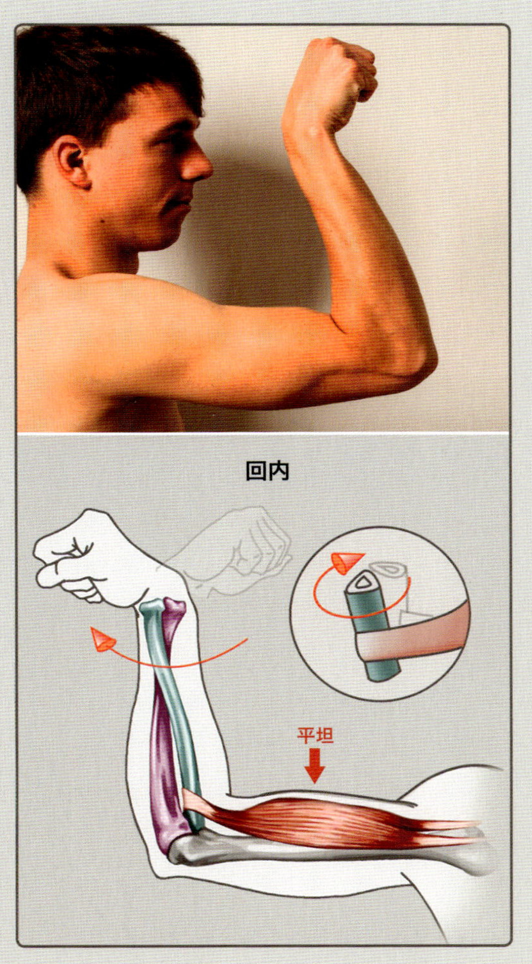
回内
平坦

屈筋

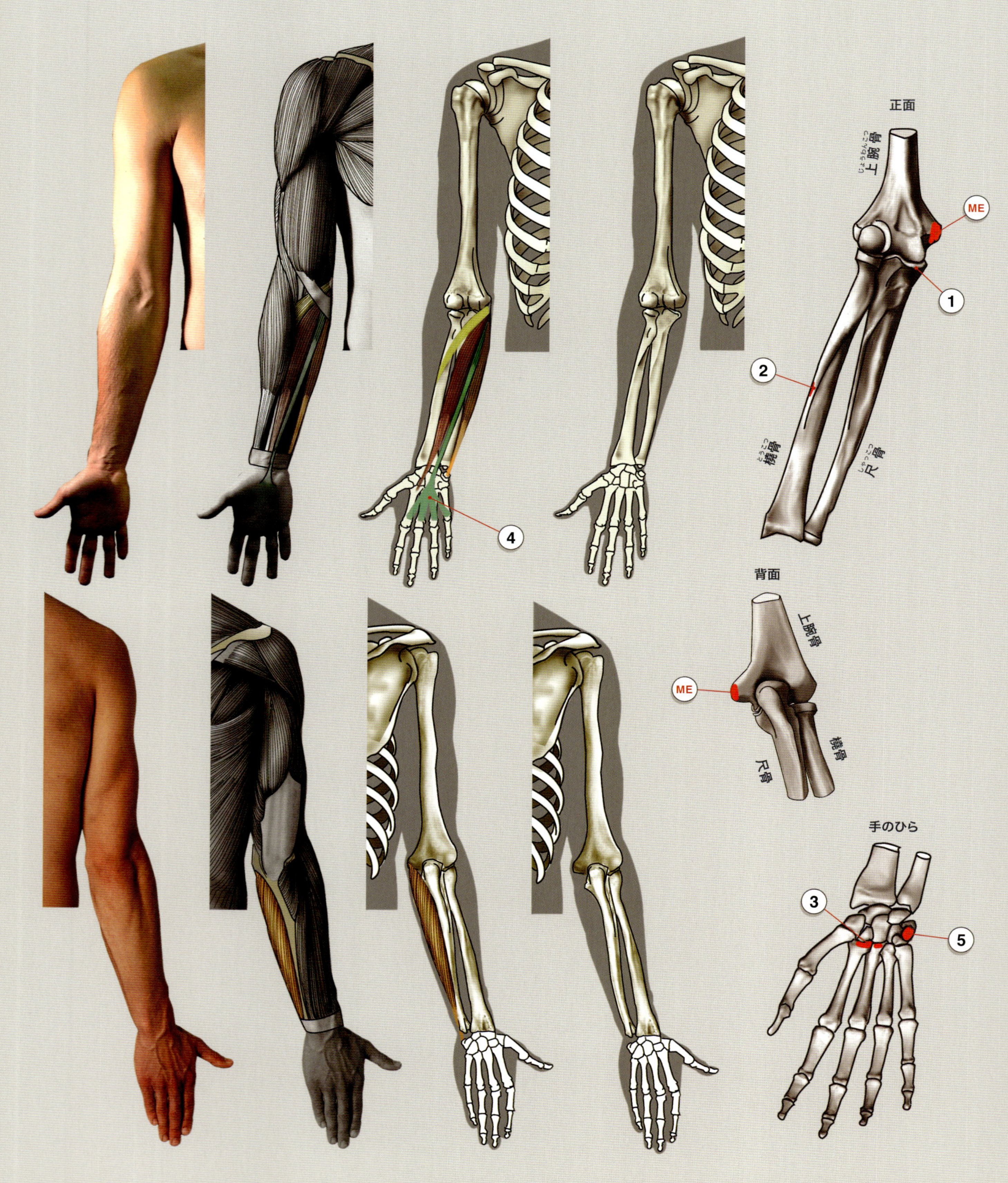
正面
上腕骨
ME
1
2
橈骨
尺骨
4
背面
上腕骨
ME
橈骨
尺骨
手のひら
3
5

屈筋
（内側から見た状態）

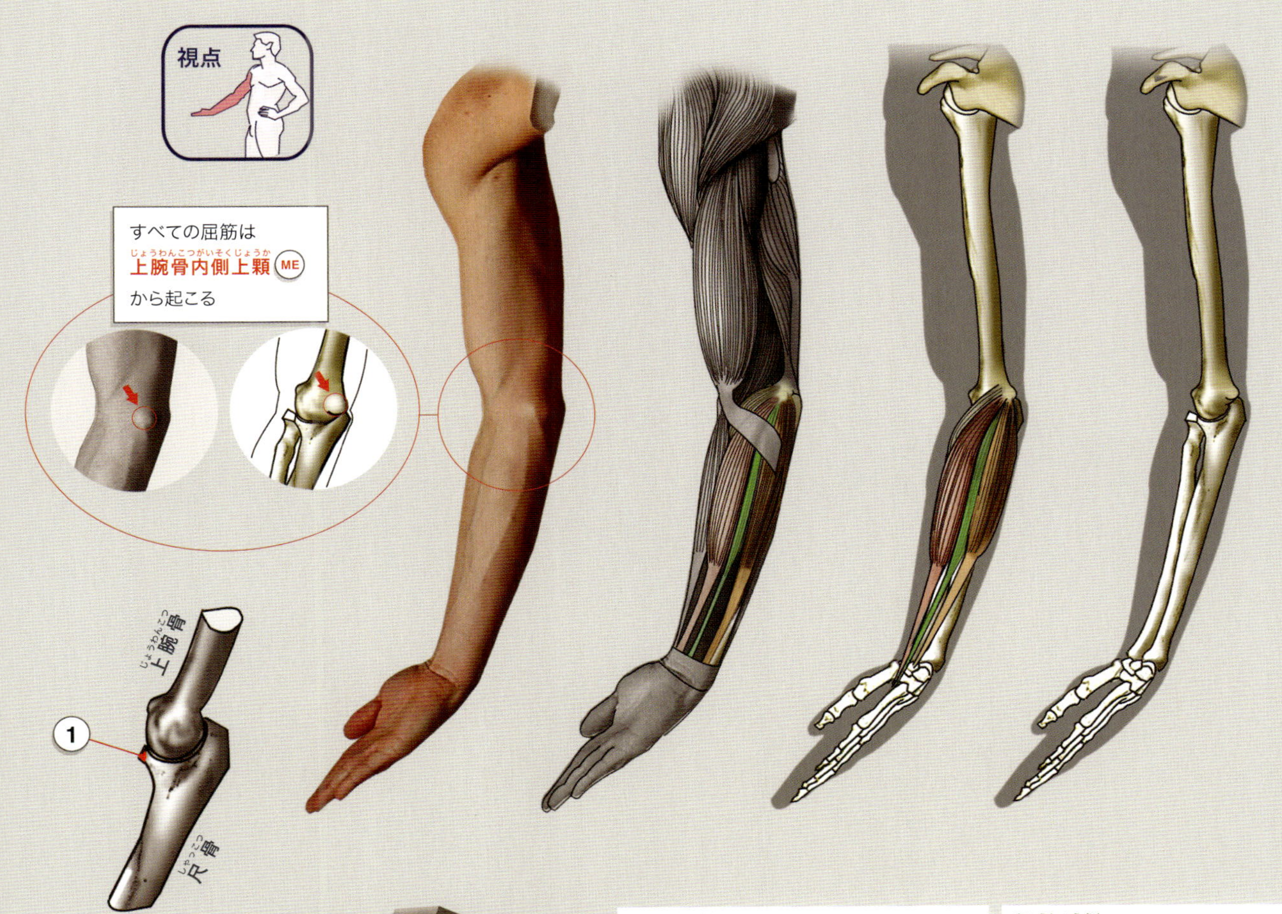
視点
すべての屈筋は
上腕骨内側上顆 ME
から起こる
上腕骨
1
尺骨

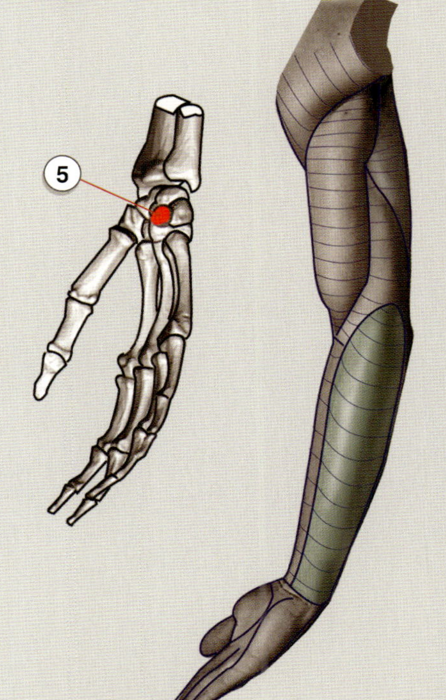
5

円回内筋

作用：

前腕の回内、肘の屈曲

起始部：

ME 上腕骨内側上顆（総屈筋腱）

1 尺骨頭：尺骨鉤状突起

停止部：

2 橈骨の外側面中央

長掌筋

作用：

手首の掌屈

起始部：

ME 上腕骨内側上顆（総屈筋腱）

停止部：

4 手掌腱膜

橈側手根屈筋

作用：

手首の掌屈、外転（橈屈）

起始部：

ME 上腕骨内側上顆（総屈筋腱）

停止部：

3 第二、第三中手骨底

尺側手根屈筋

作用：

手首の掌屈、内転（尺屈）

起始部：

ME 上腕骨内側上顆（総屈筋腱）

停止部：

5 豆状骨

屈筋(くっきん)

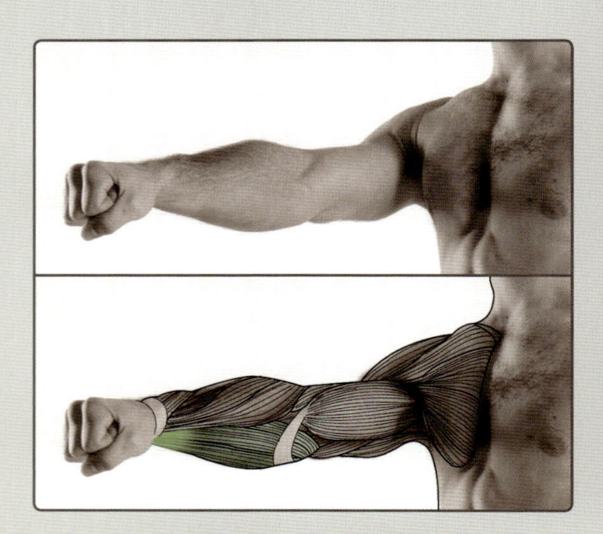

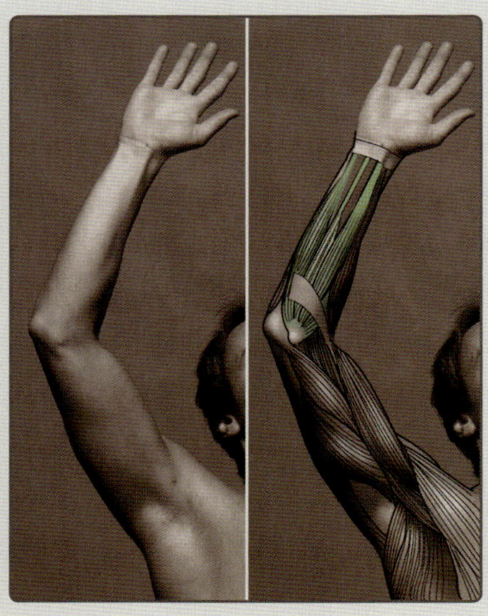

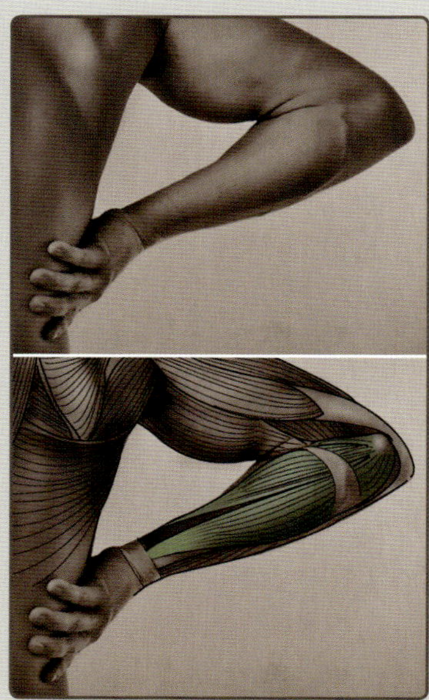

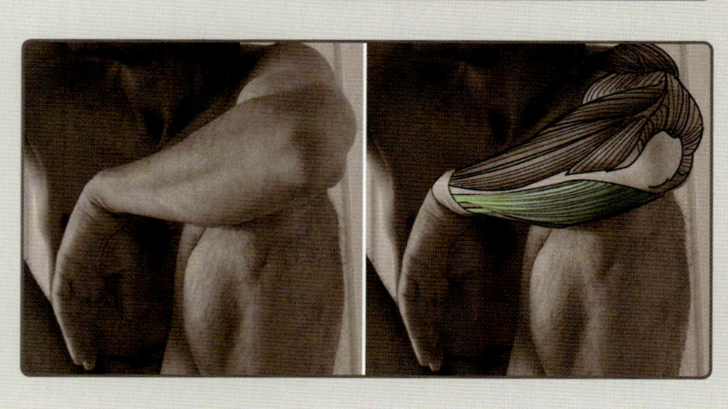

長母指外転筋、短母指伸筋

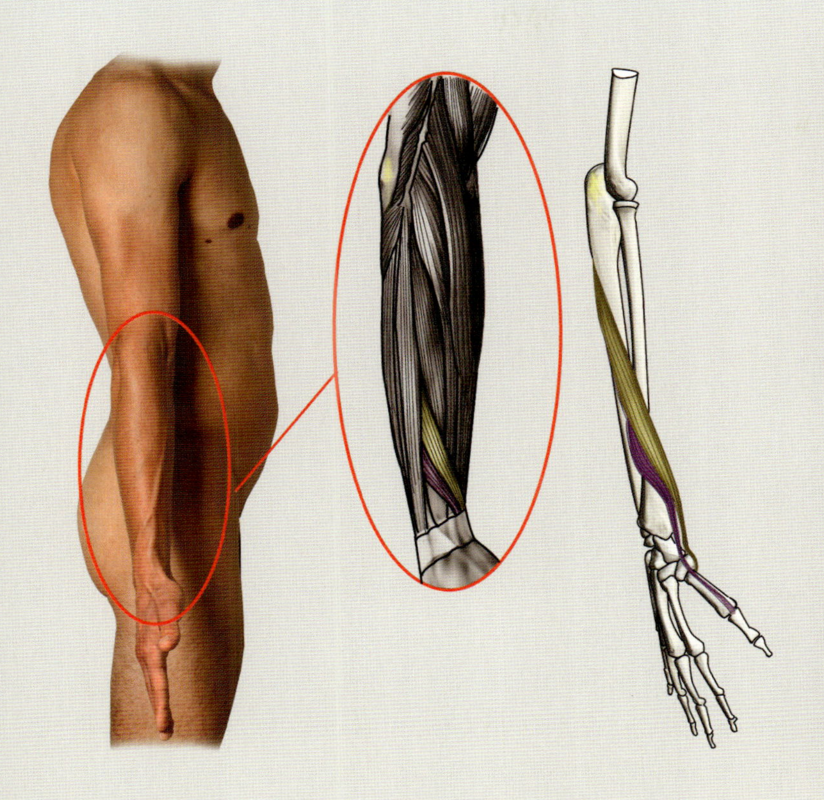

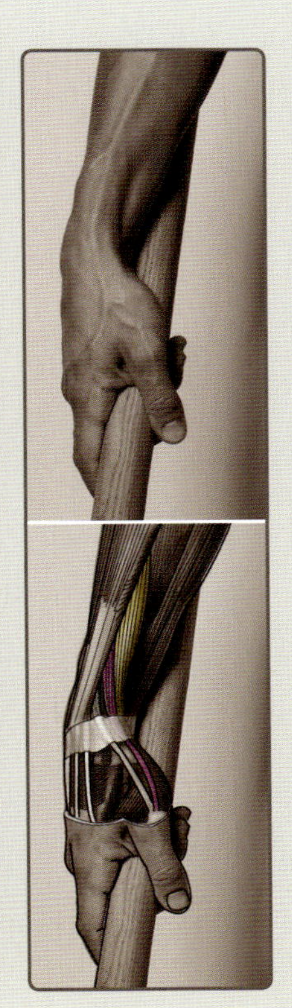

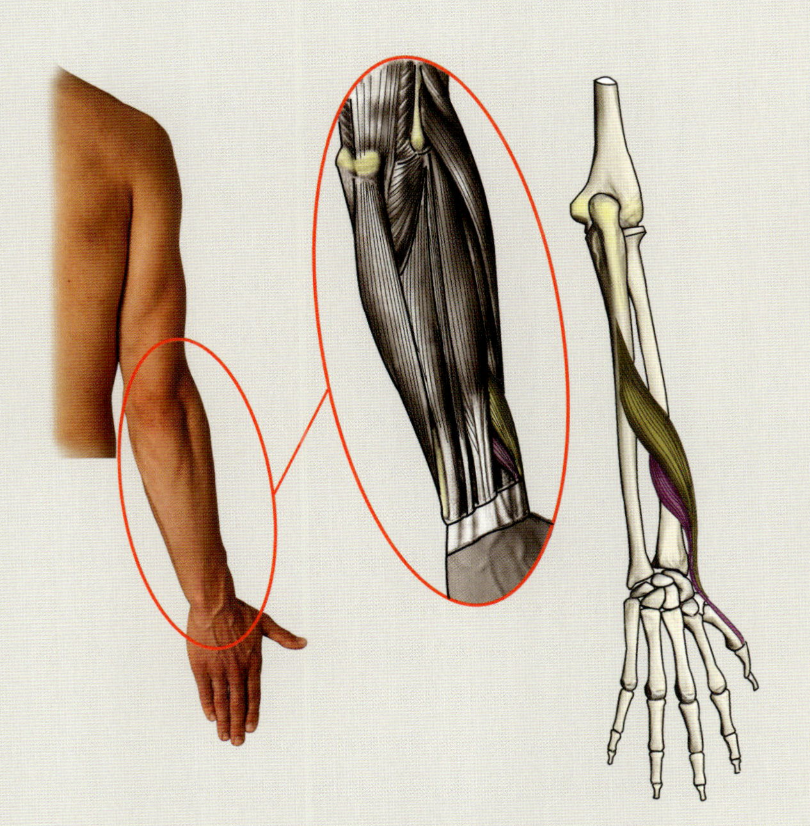

長母指外転筋

作用：

親指の外転と伸展

起始部：

尺骨、橈骨、骨間膜

停止部：

第一中手骨

短母指伸筋

作用：

親指の中手指節関節の伸展

起始部：

橈骨近位端、骨間膜

停止部：

母指基節骨

尺骨体(しゃくこつたい)

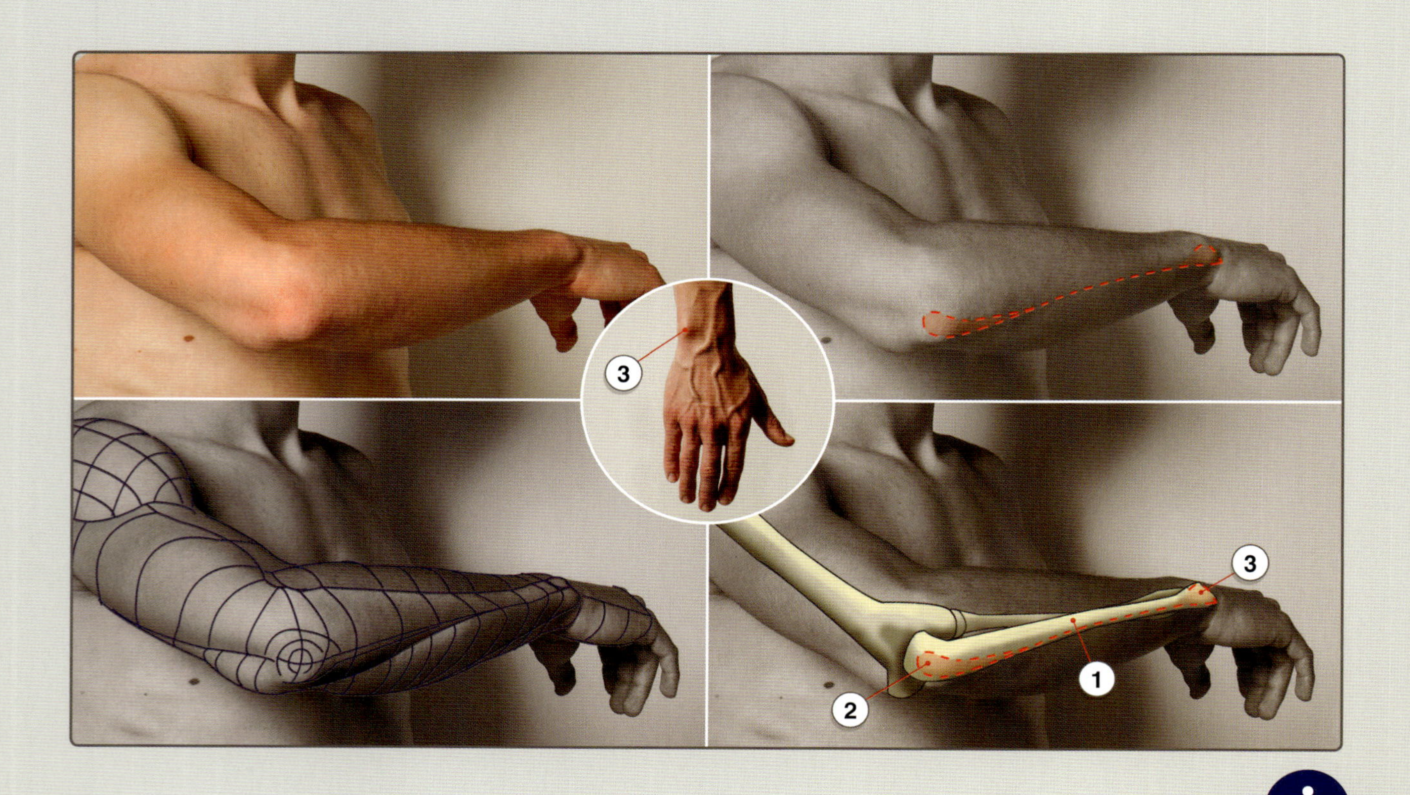
3
3
1
2

尺骨体①は重要なランドマーク。手をどのように回転させても、尺骨(しゃっこつ)は常に**肘**②から手の小指側に伸び、その部分に**突起**③が見える。常に細長い隆起または溝として見えている。尺骨の両端は、筋肉には覆われておらず、薄い皮膚の層だけに覆われている。

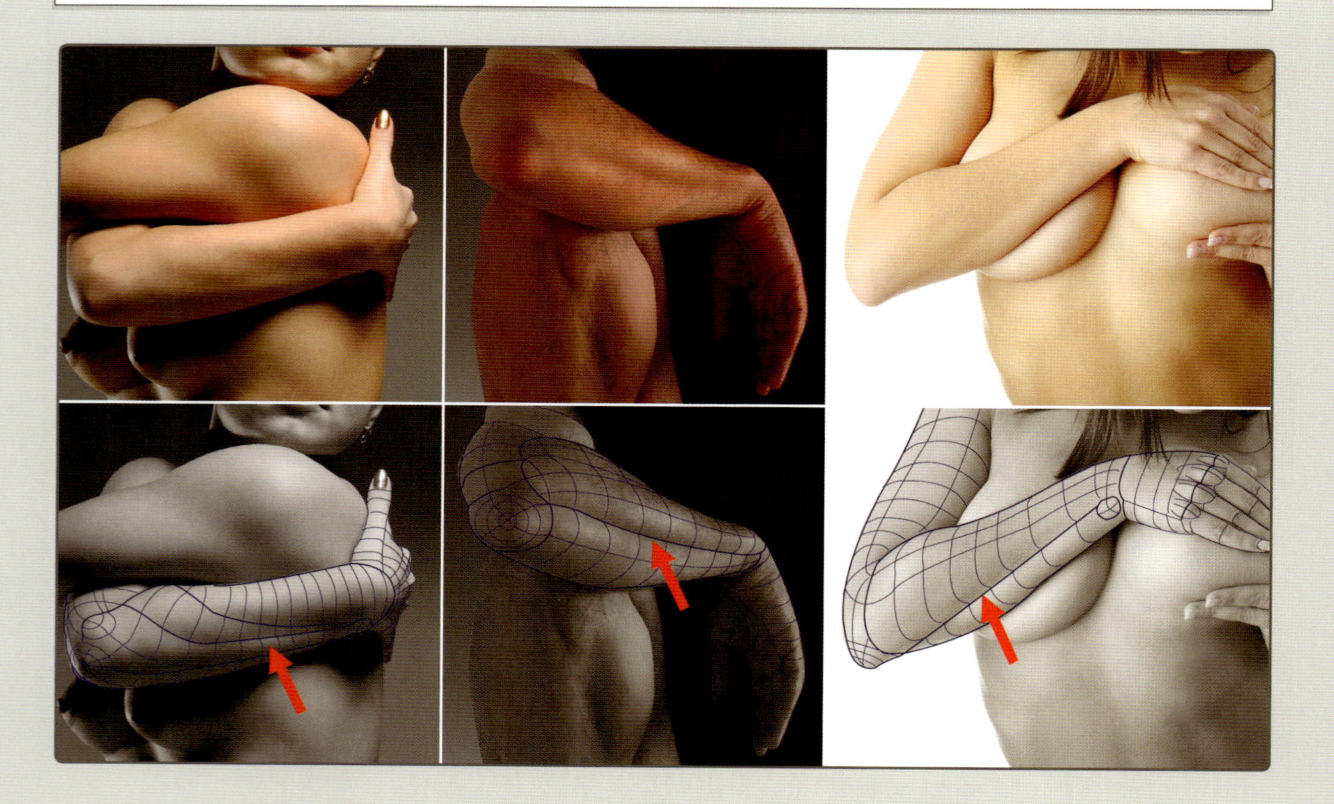

腕はどのように胴体につながっているか

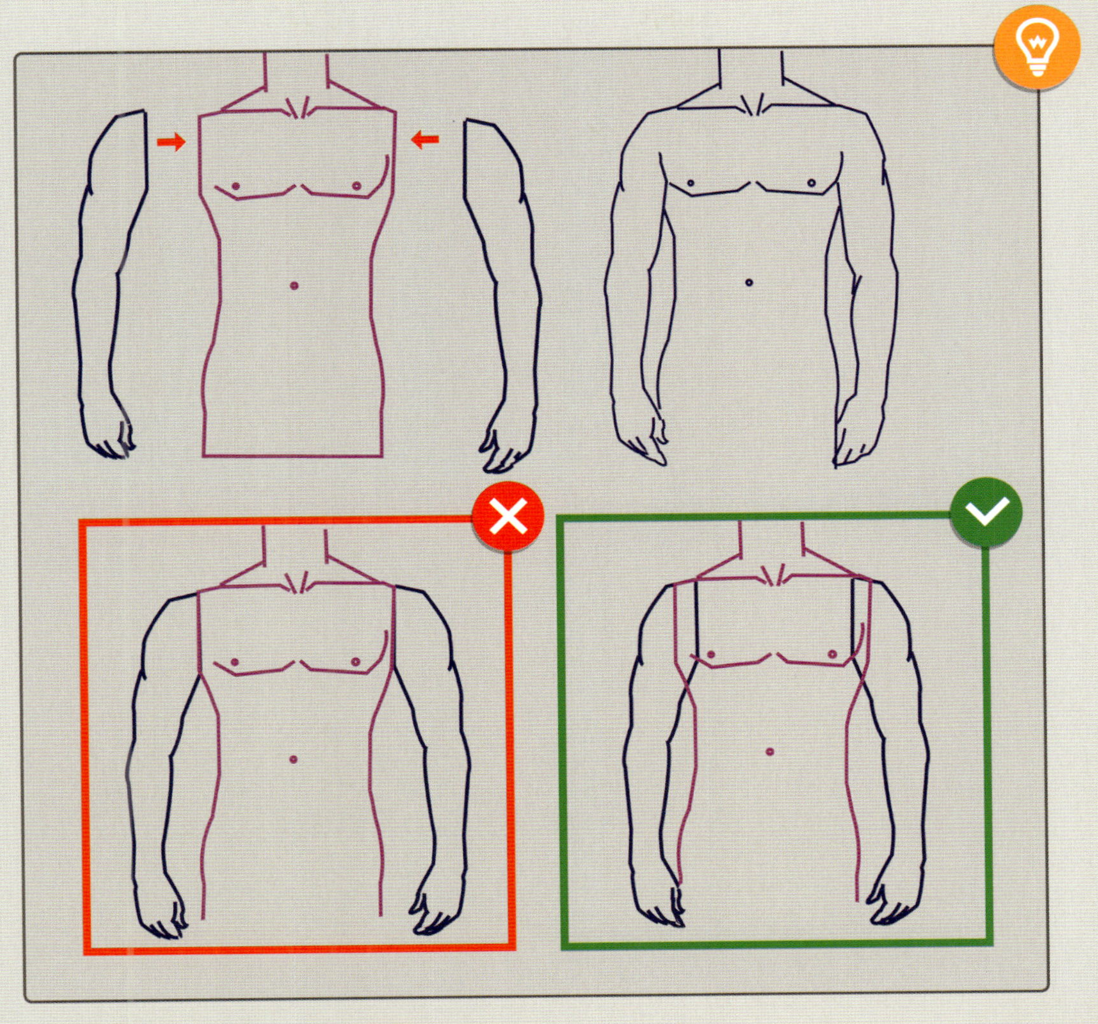

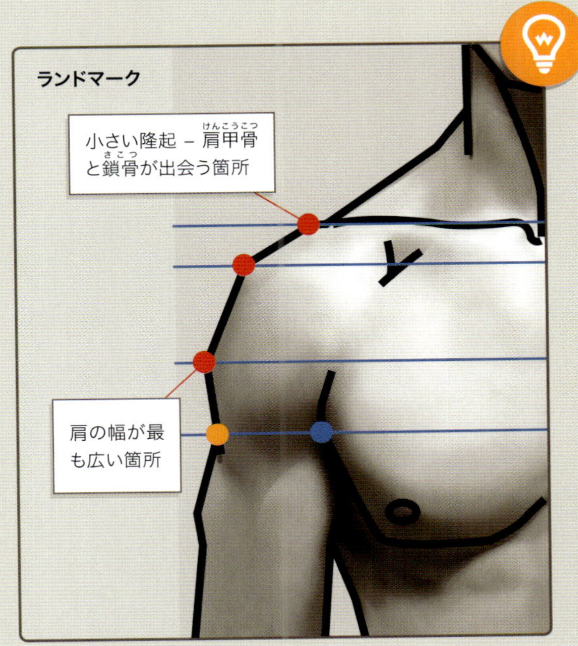
ランドマーク
小さい隆起 − 肩甲骨と鎖骨が出会う箇所
肩の幅が最も広い箇所

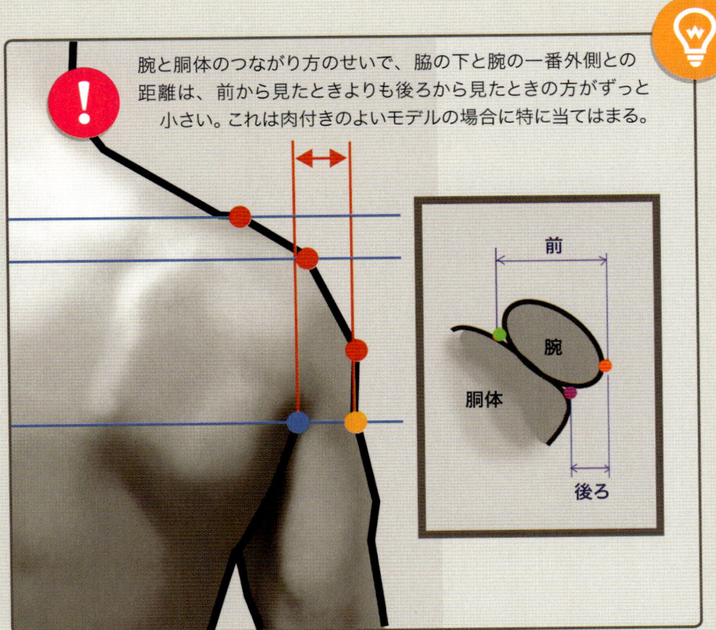
腕と胴体のつながり方のせいで、脇の下と腕の一番外側との距離は、前から見たときよりも後ろから見たときの方がずっと小さい。これは肉付きのよいモデルの場合に特に当てはまる。
前
腕
胴体
後ろ

半回内位の腕の概形

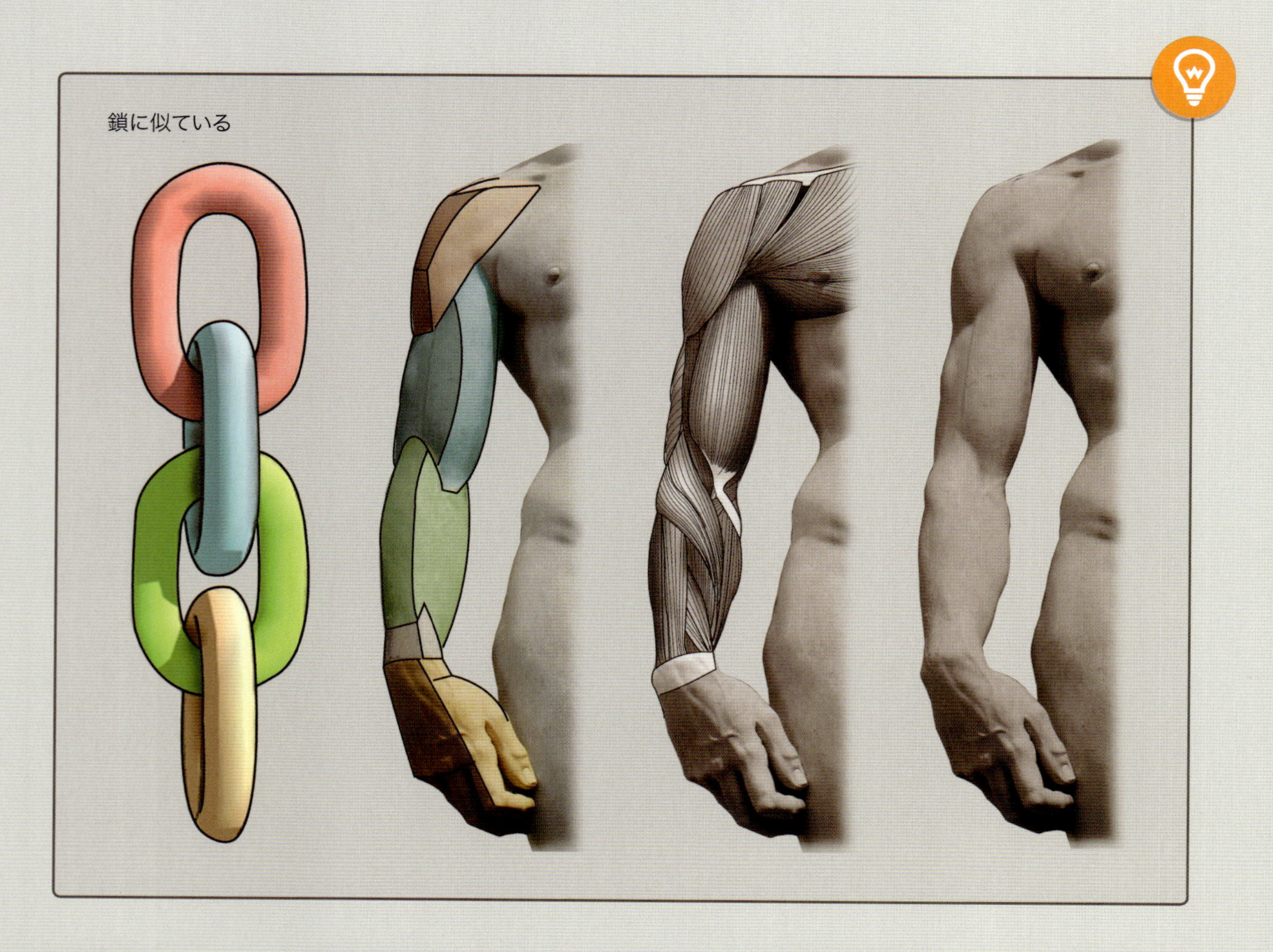
鎖に似ている

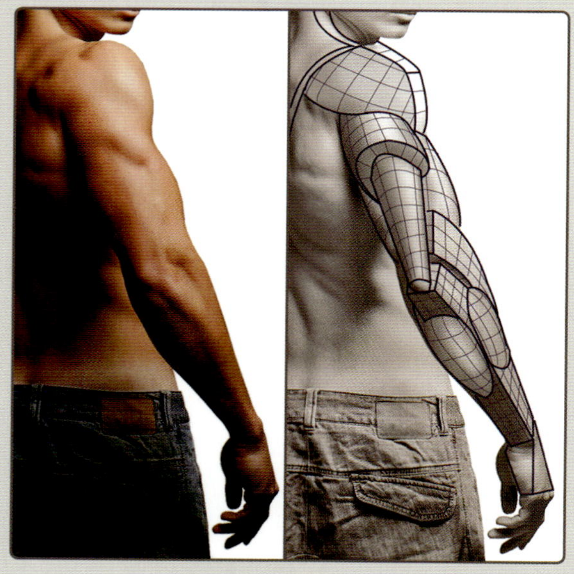

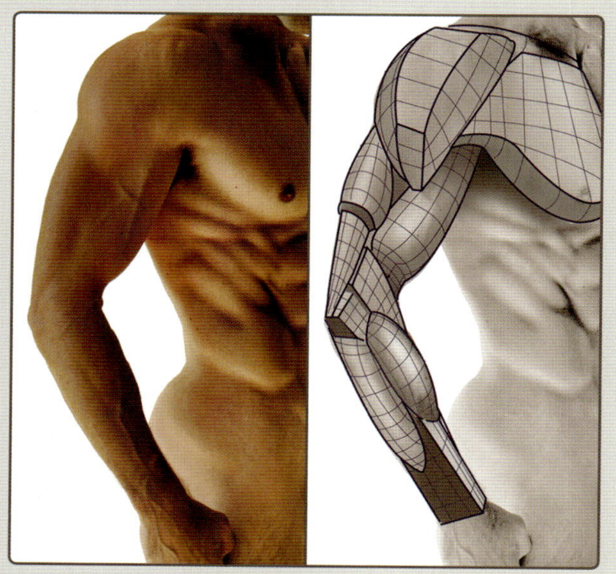

腕の概形

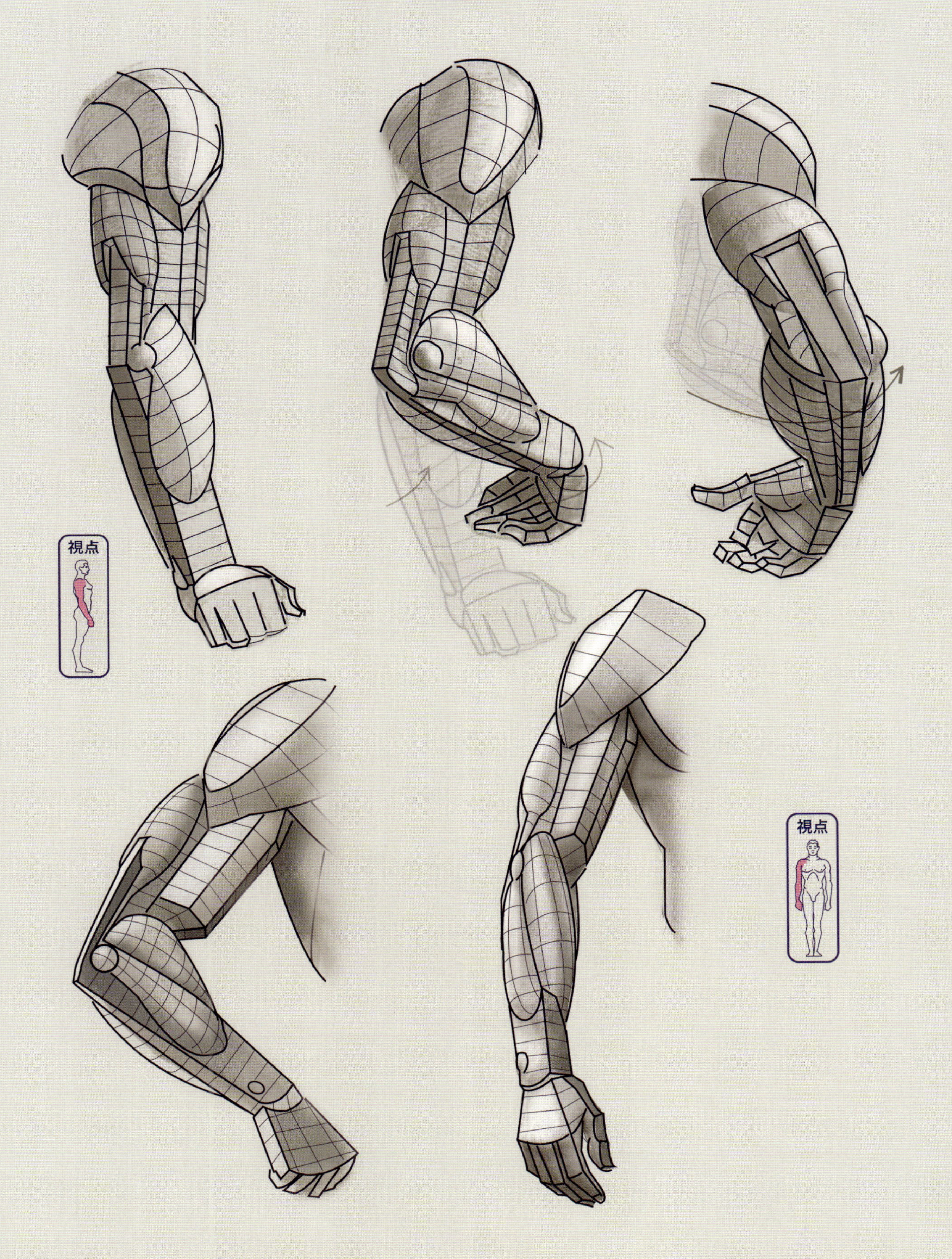
視点
視点

腕や手がリラックスしているように見せる方法

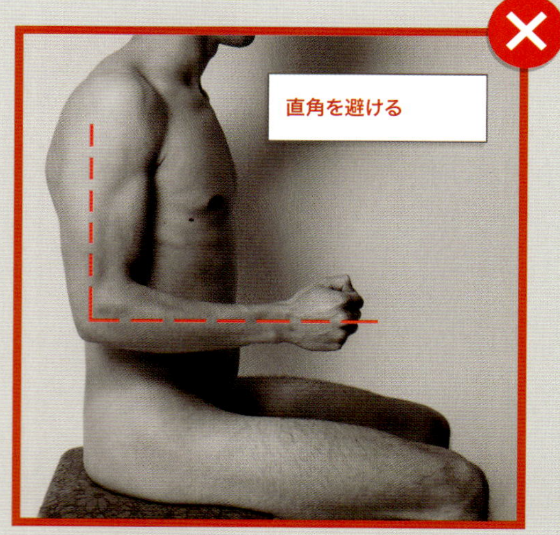
直角を避ける

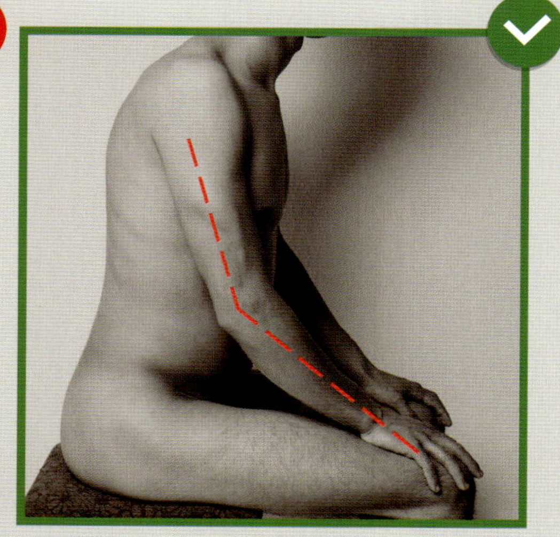

特別な理由がなければ腕や手を真っすぐにしない。

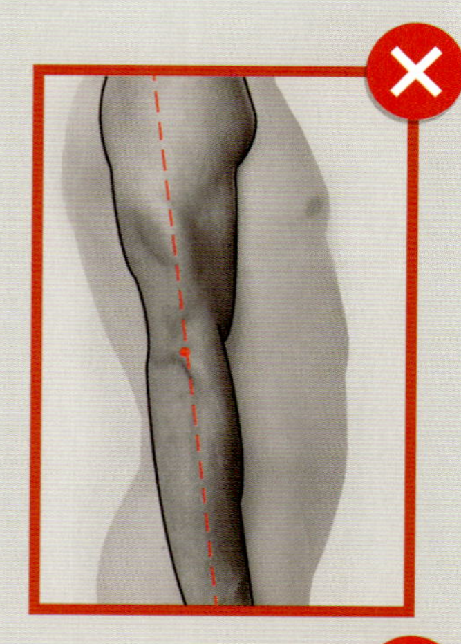

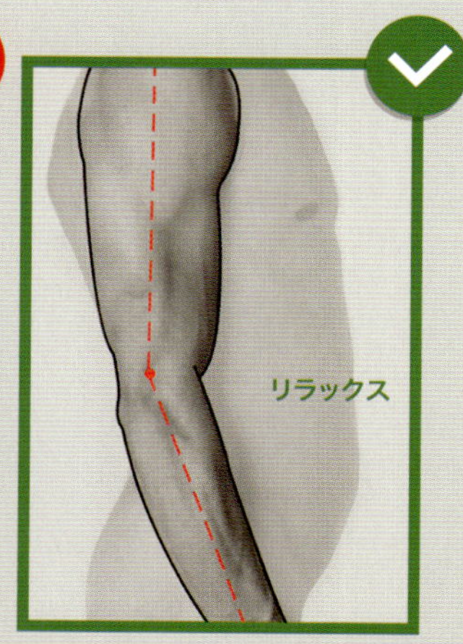
リラックス

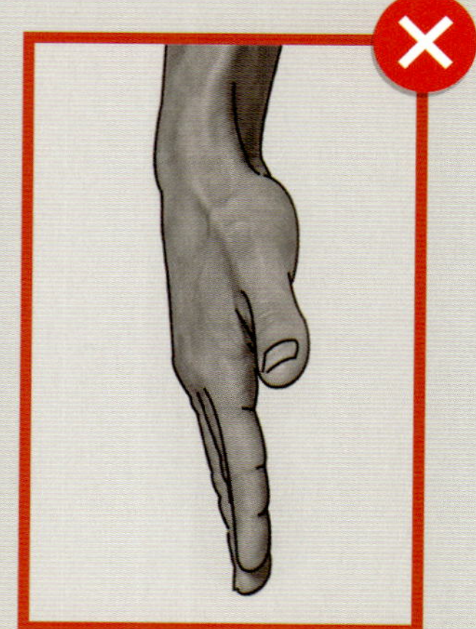

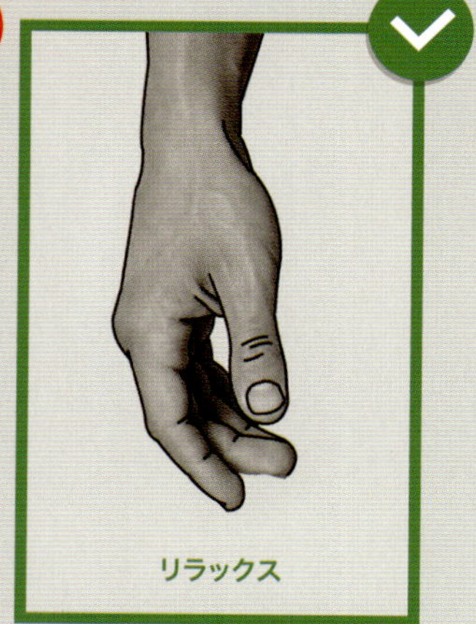
リラックス

全身のポーズが不自然に見えてしまうので、腕は平行にしない。

役立つヒント

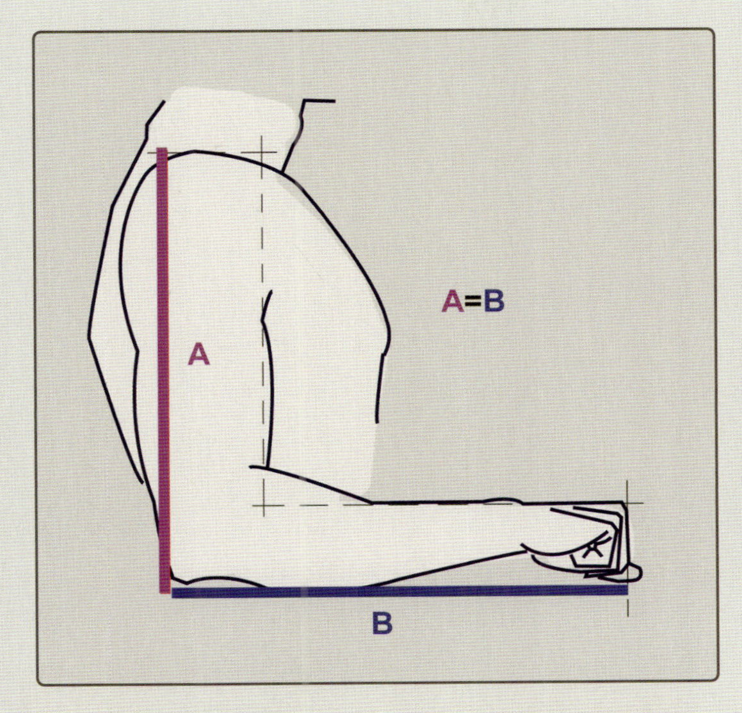
A=B
A
B

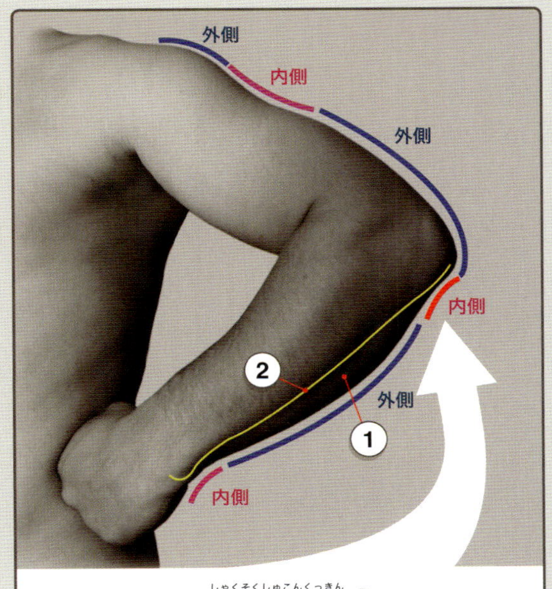
外側
内側
外側
内側
2
外側
1
内側

腕のシルエットは、尺側手根屈筋①が**外側**に盛り上がっているため、肘のすぐ下が**内側**に曲がっているように見える。

尺骨②は真っすぐのまま。

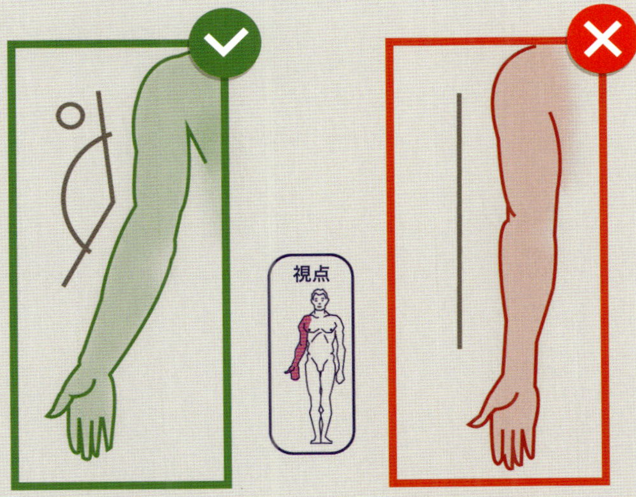
視点

腕を脇に下して手のひらを前に向けている(回外)ときは、前腕と手は外側に約5～15度曲がっている。これは肘外偏角と呼ばれる。

女性の方が**肘外偏角**が大きい。

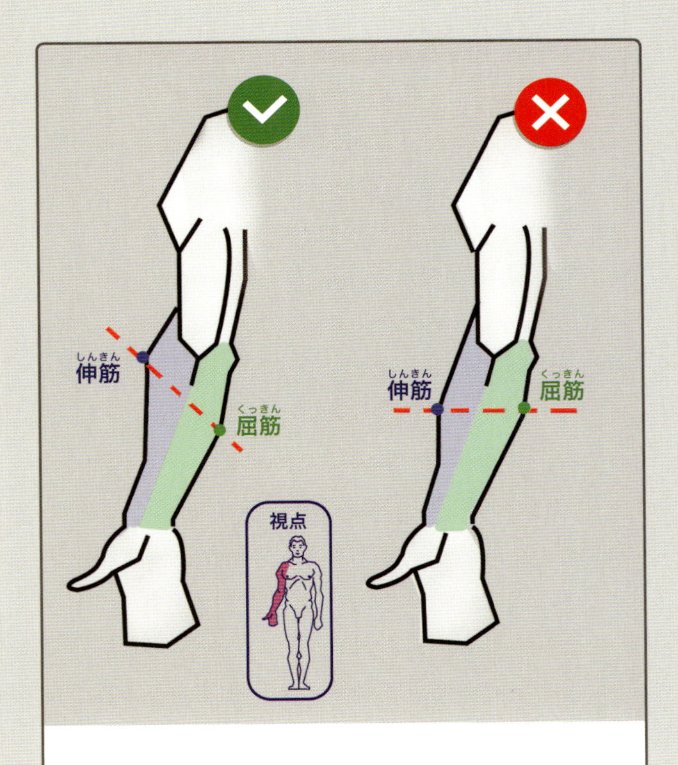
伸筋
屈筋
視点
伸筋
屈筋

伸筋の最も高い点は、**屈筋**の頂点よりも上にある。

手の形

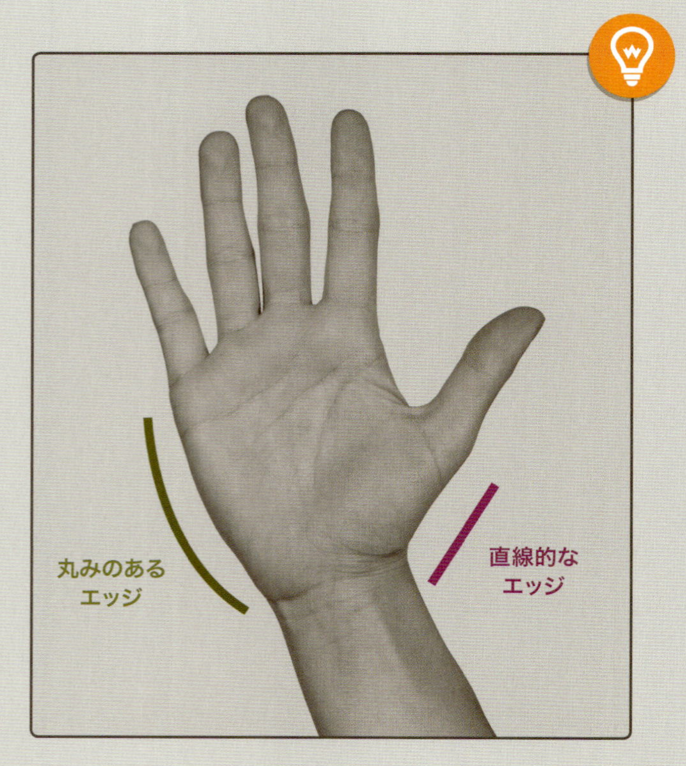
丸みのある
エッジ
直線的な
エッジ

手のひらには３つの肉の膨らみがある

手の断面

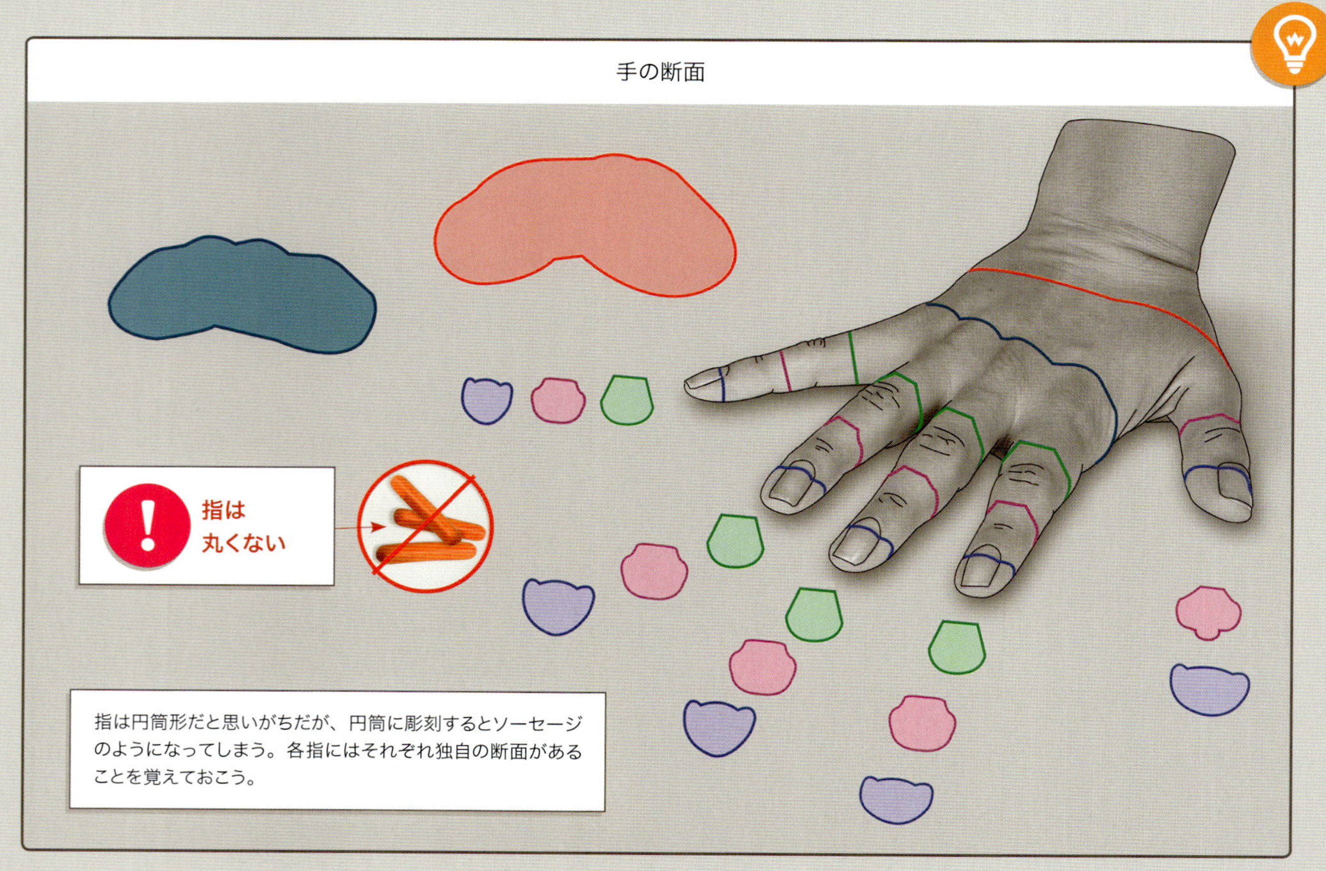
指は
丸くない

指は円筒形だと思いがちだが、円筒に彫刻するとソーセージのようになってしまう。各指にはそれぞれ独自の断面があることを覚えておこう。

理想的な手の比率

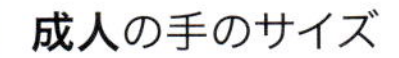

成人の手のサイズ

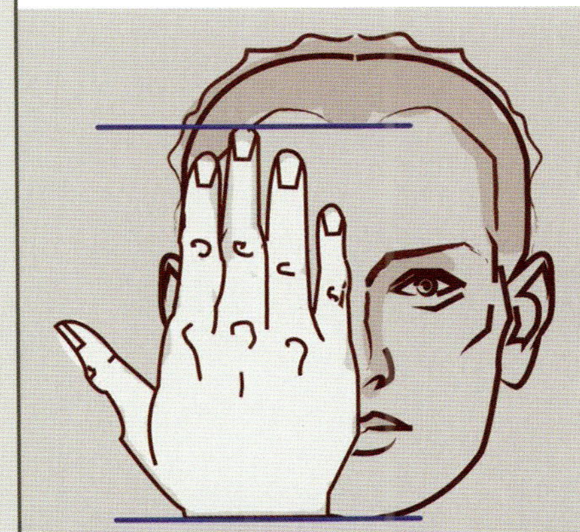

対象に応じて、十分な大きさの手を作るようにする。

手と顔（顎先から髪の生え際まで）が同じサイズなのが理想的。

乳幼児

手の長さは顎先から眉のラインに相当する。

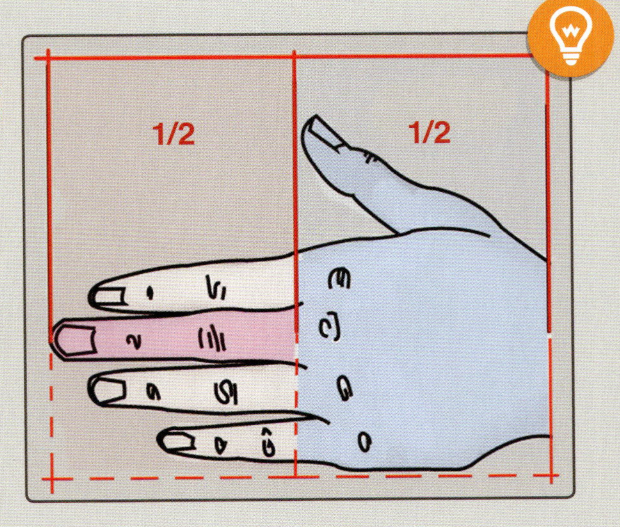
1/2
1/2

十代の若者

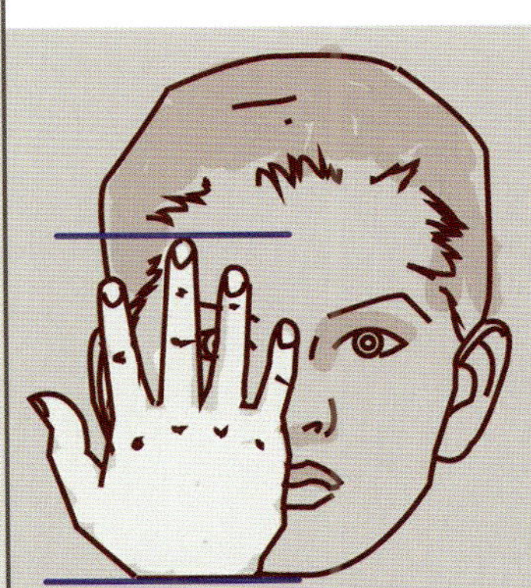

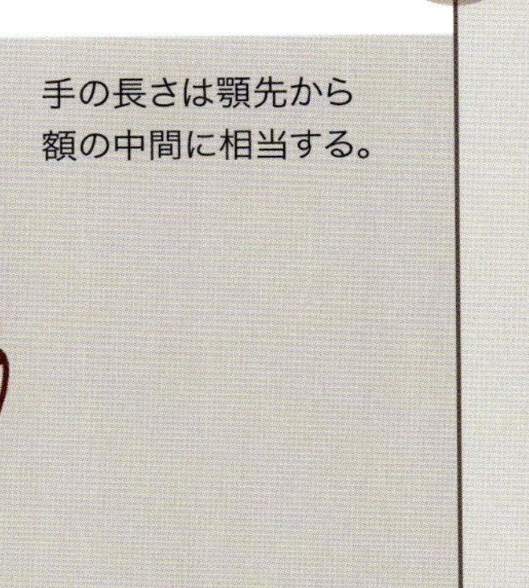

手の長さは顎先から額の中間に相当する。

指の長さを割り出す２つの方法。

方法１

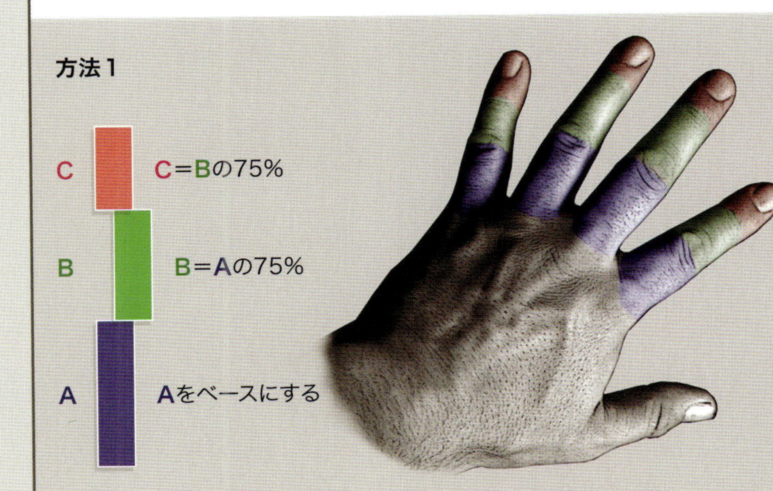
C
C＝Bの75%
B
B＝Aの75%
A
Aをベースにする

方法２（9＋1/4のパーツ）

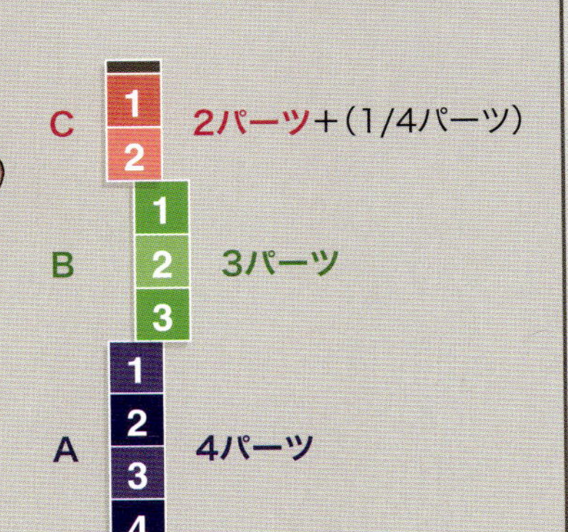
C
1
2
2パーツ＋（1/4パーツ）
B
1
2
3
3パーツ
A
1
2
3
4
4パーツ

手

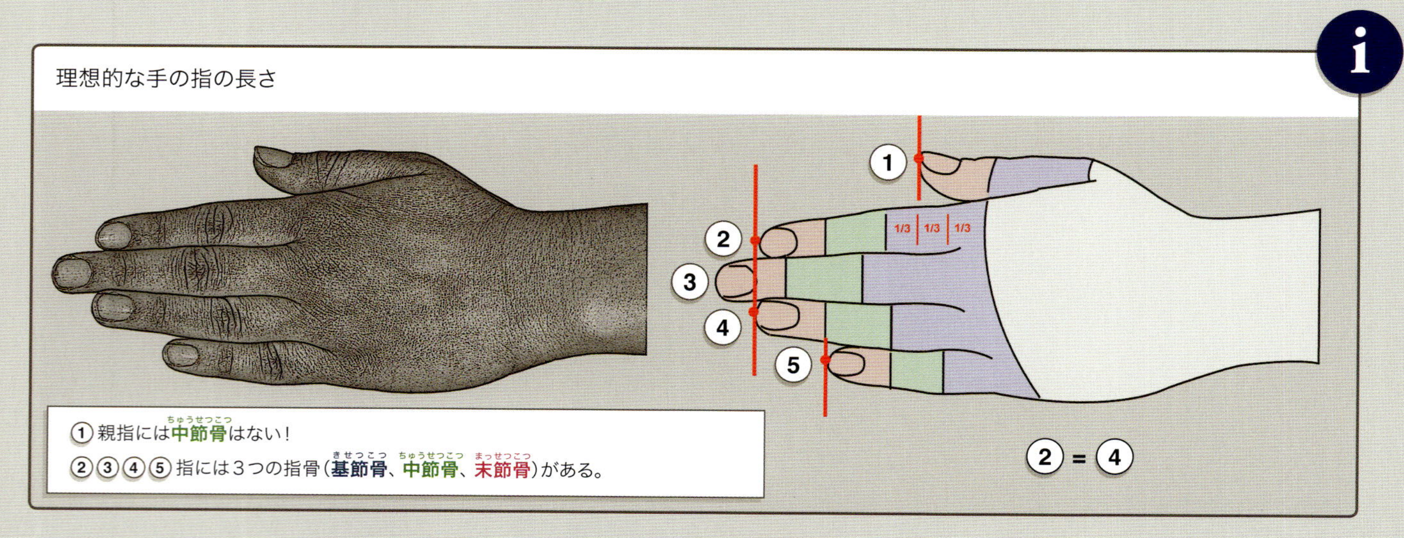
理想的な手の指の長さ
①
②
③
④
⑤
1/3
1/3
1/3
①親指には中節骨はない！
②③④⑤指には３つの指骨（基節骨、中節骨、末節骨）がある。
② = ④

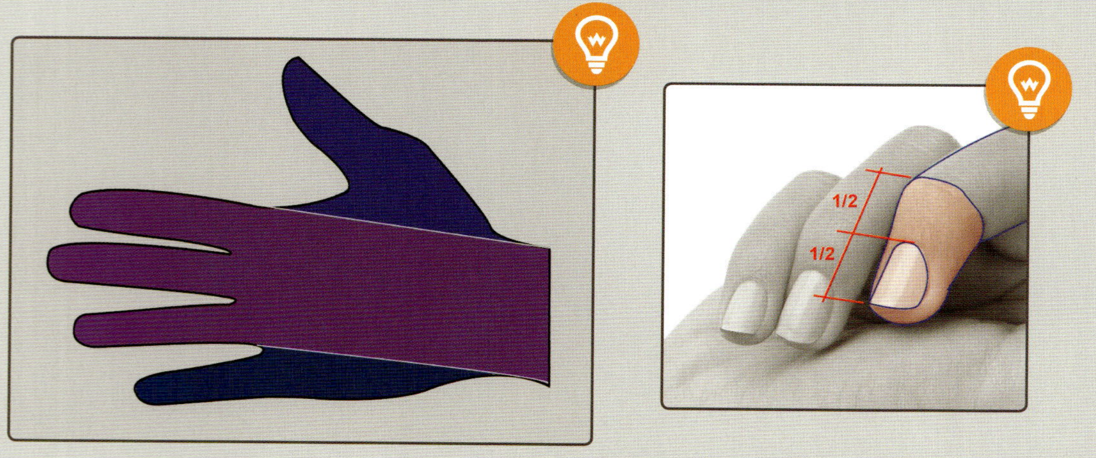
1/2
1/2

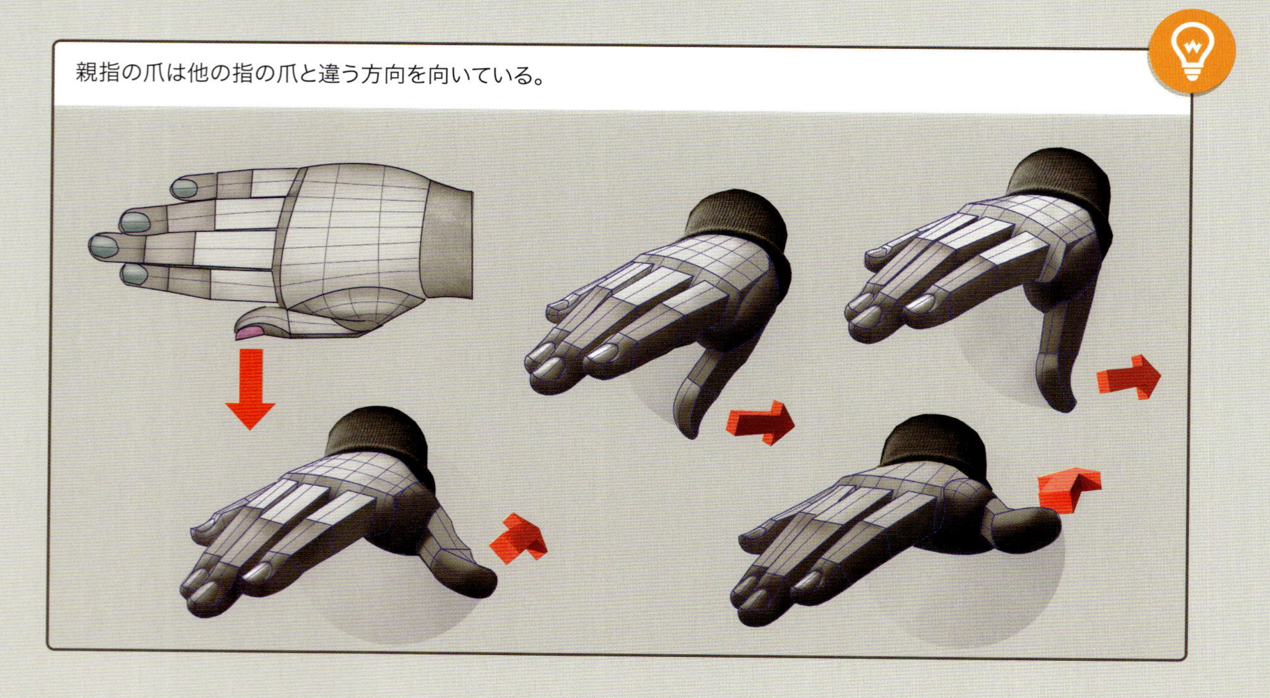
親指の爪は他の指の爪と違う方向を向いている。

手と指の形成

指の造形は、シンプルな四角い形から始める方がずっと簡単。

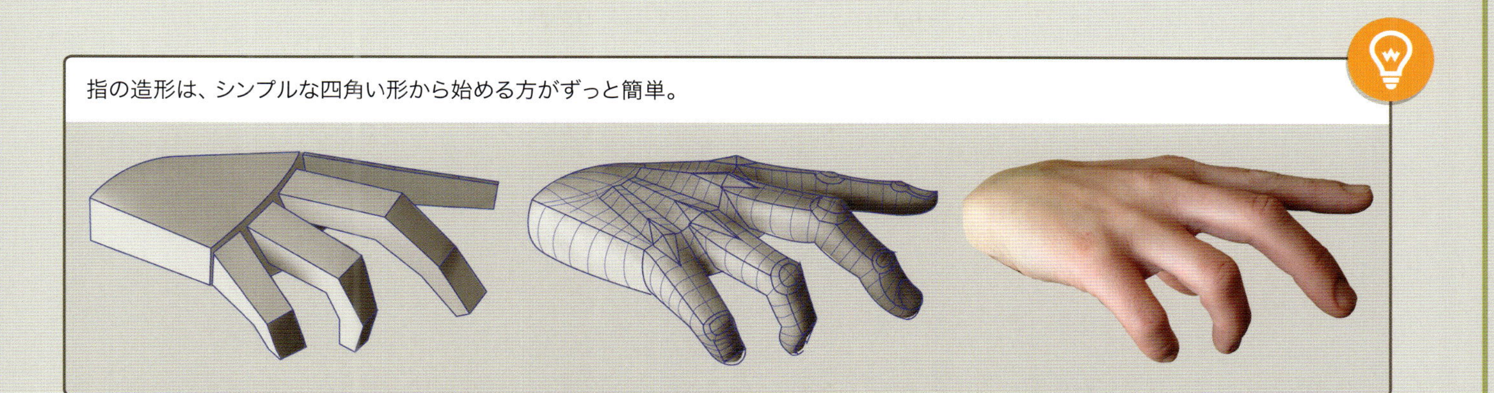

爪

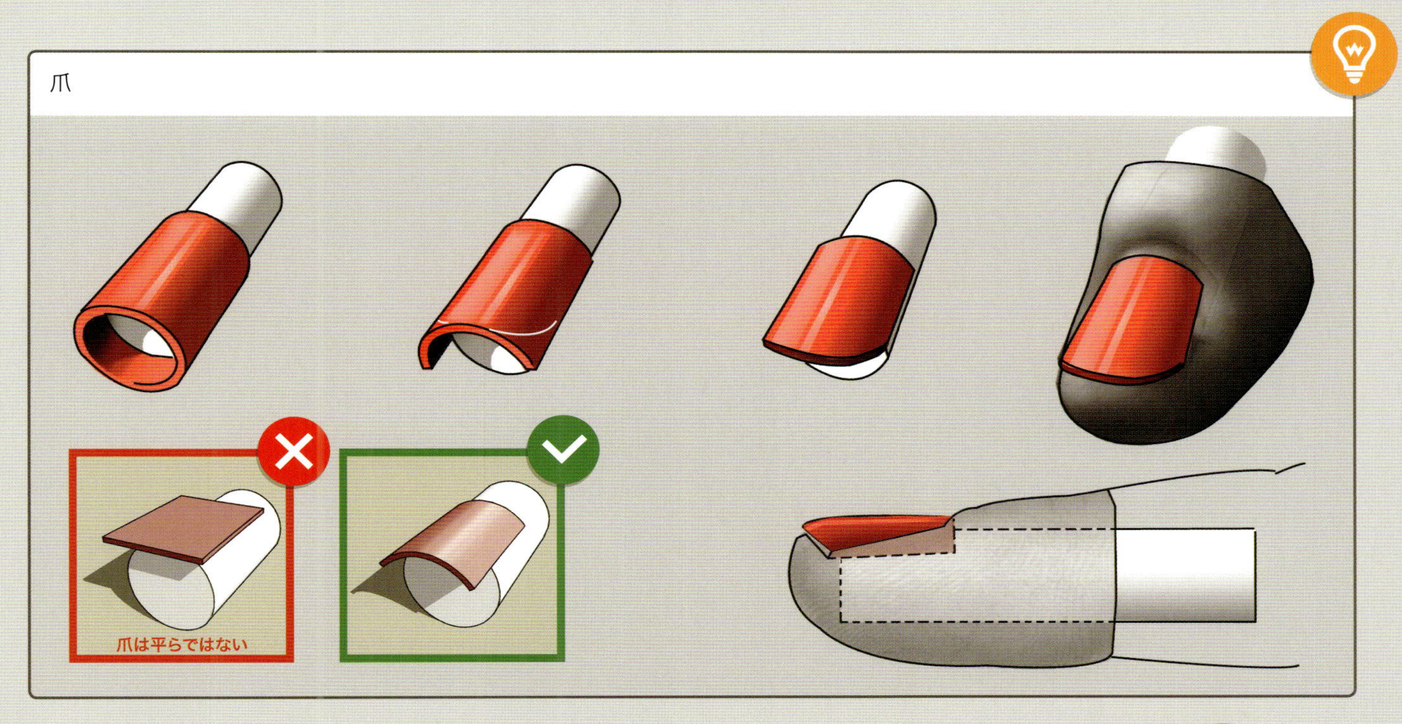
爪は平らではない

親指は他の指とは異なった形をしている。

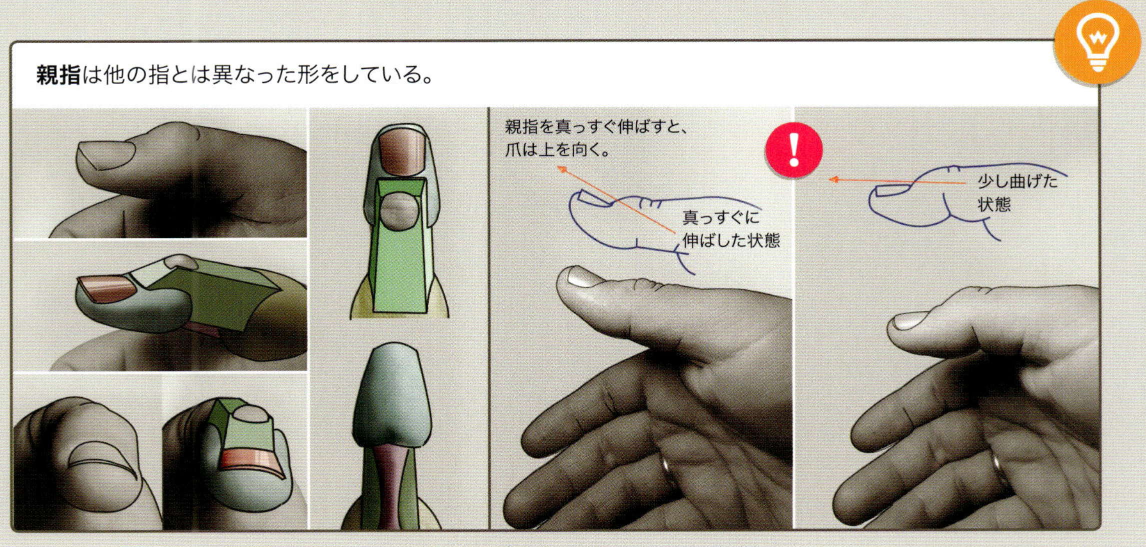
親指を真っすぐ伸ばすと、
爪は上を向く。
真っすぐに
伸ばした状態
少し曲げた
状態

手の動き

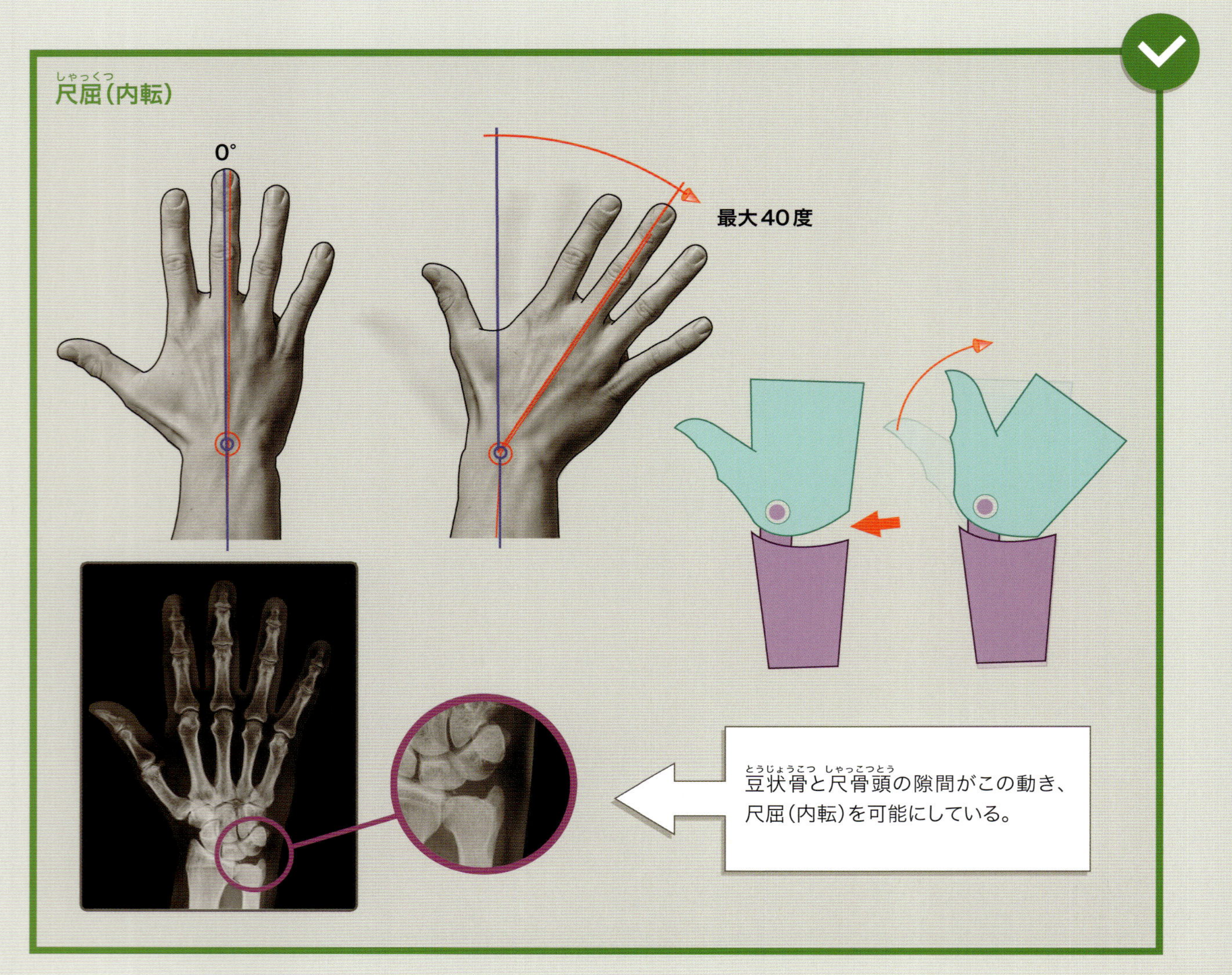
尺屈(内転)
0°
最大40度
豆状骨と尺骨頭の隙間がこの動き、
尺屈(内転)を可能にしている。

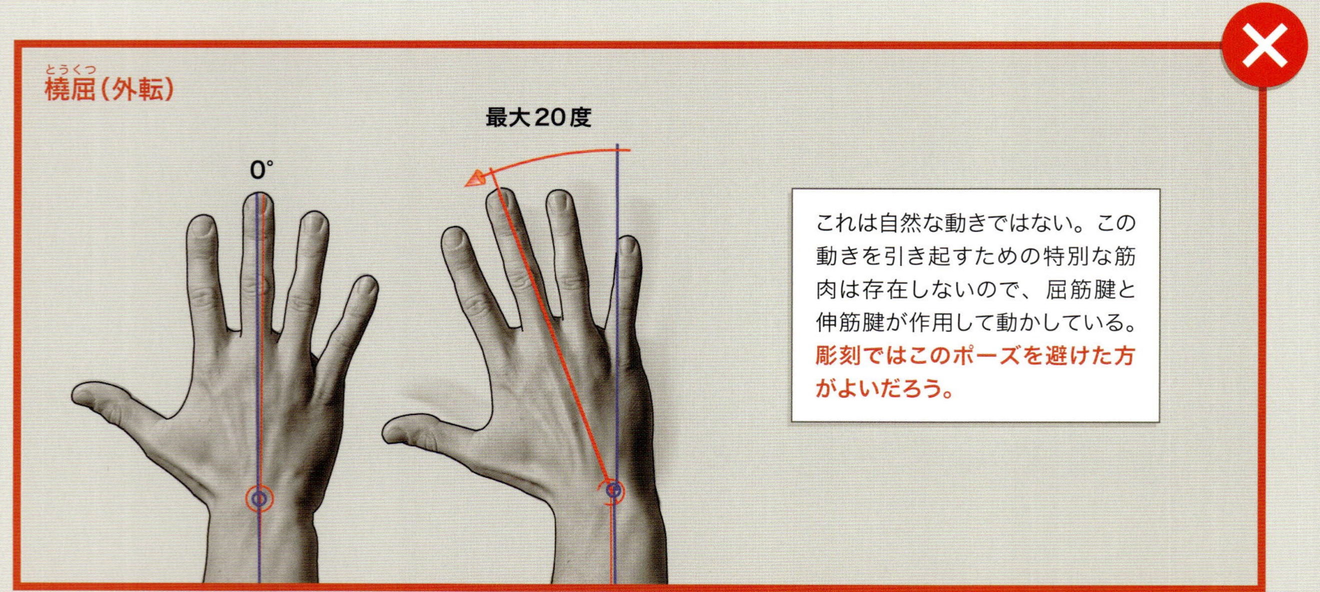
橈屈(外転)
最大20度
0°
これは自然な動きではない。この
動きを引き起すための特別な筋
肉は存在しないので、屈筋腱と
伸筋腱が作用して動かしている。
彫刻ではこのポーズを避けた方
がよいだろう。

手首の姿勢

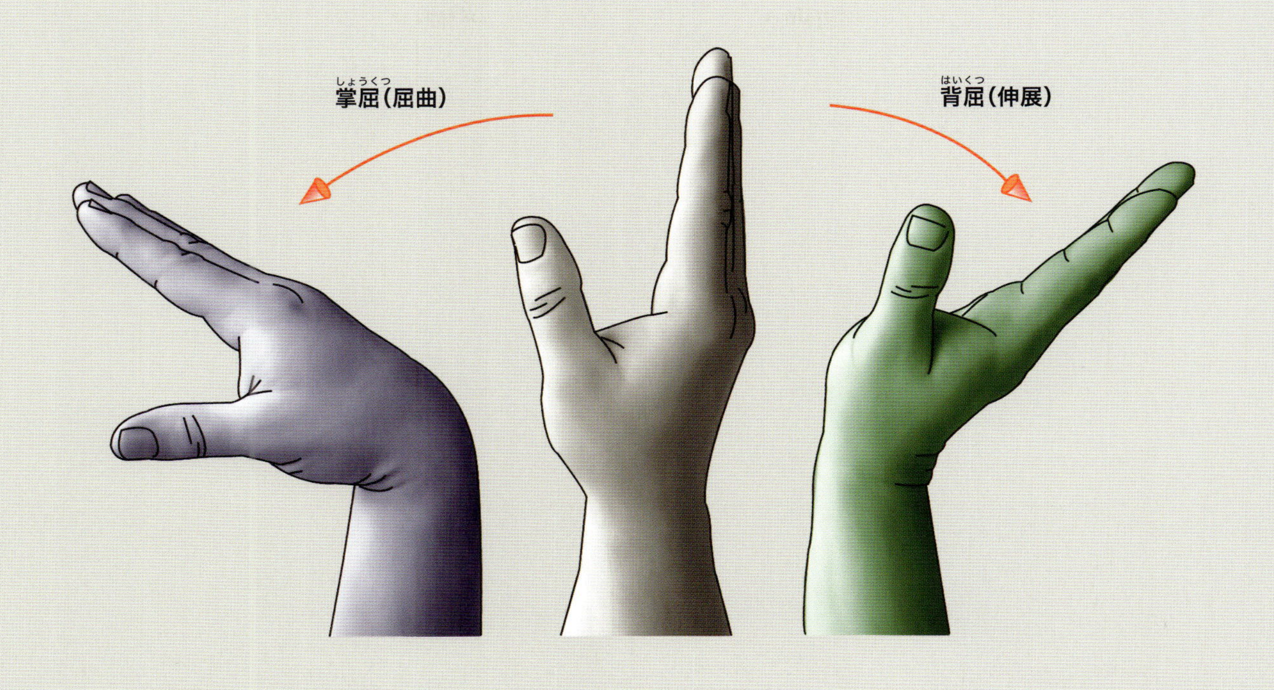
掌屈(屈曲)
しょうくつ
背屈(伸展)
はいくつ

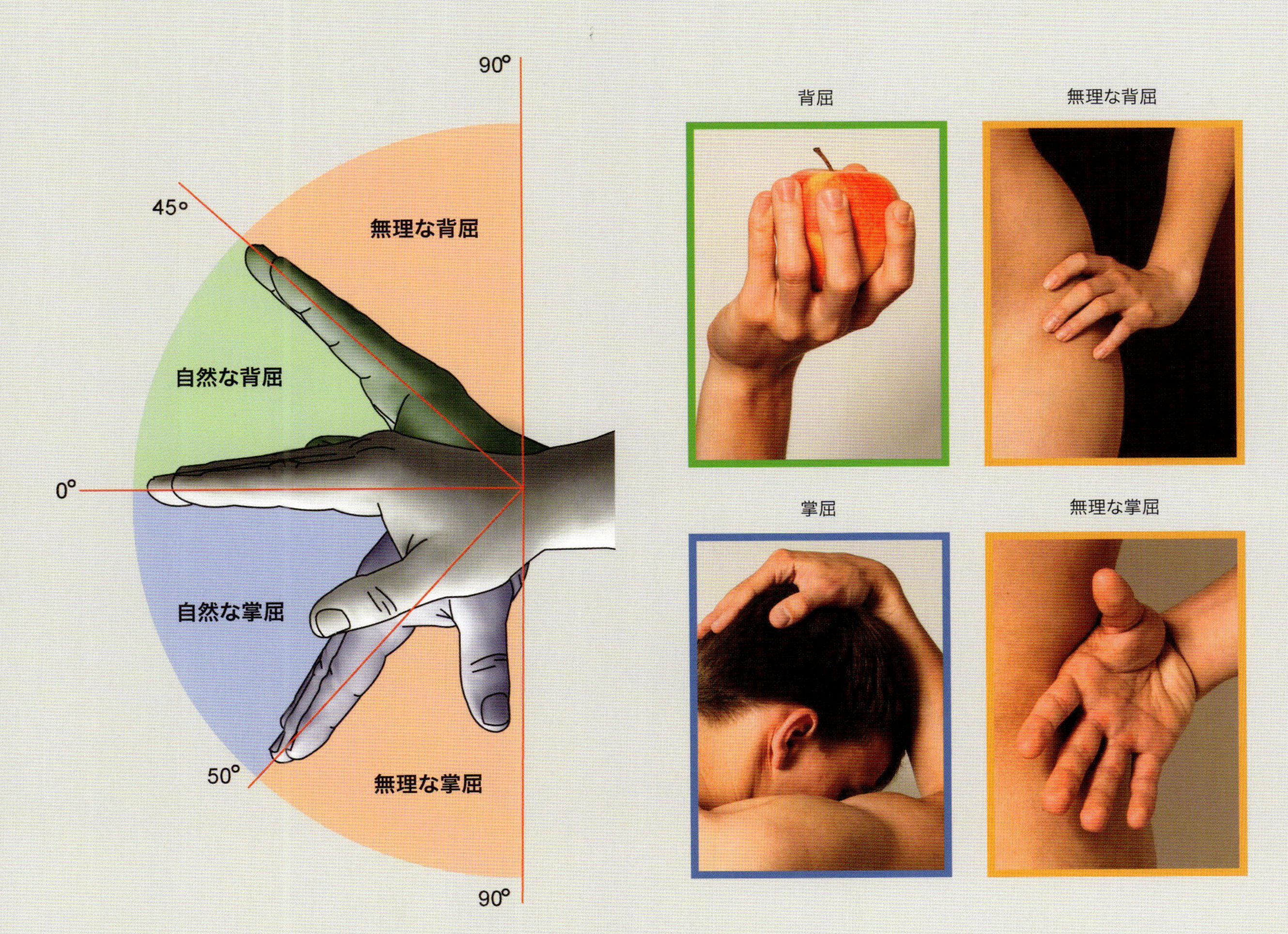
90°
45°
無理な背屈
自然な背屈
0°
自然な掌屈
50°
無理な掌屈
90°
背屈
無理な背屈
掌屈
無理な掌屈

指のしわとすき間

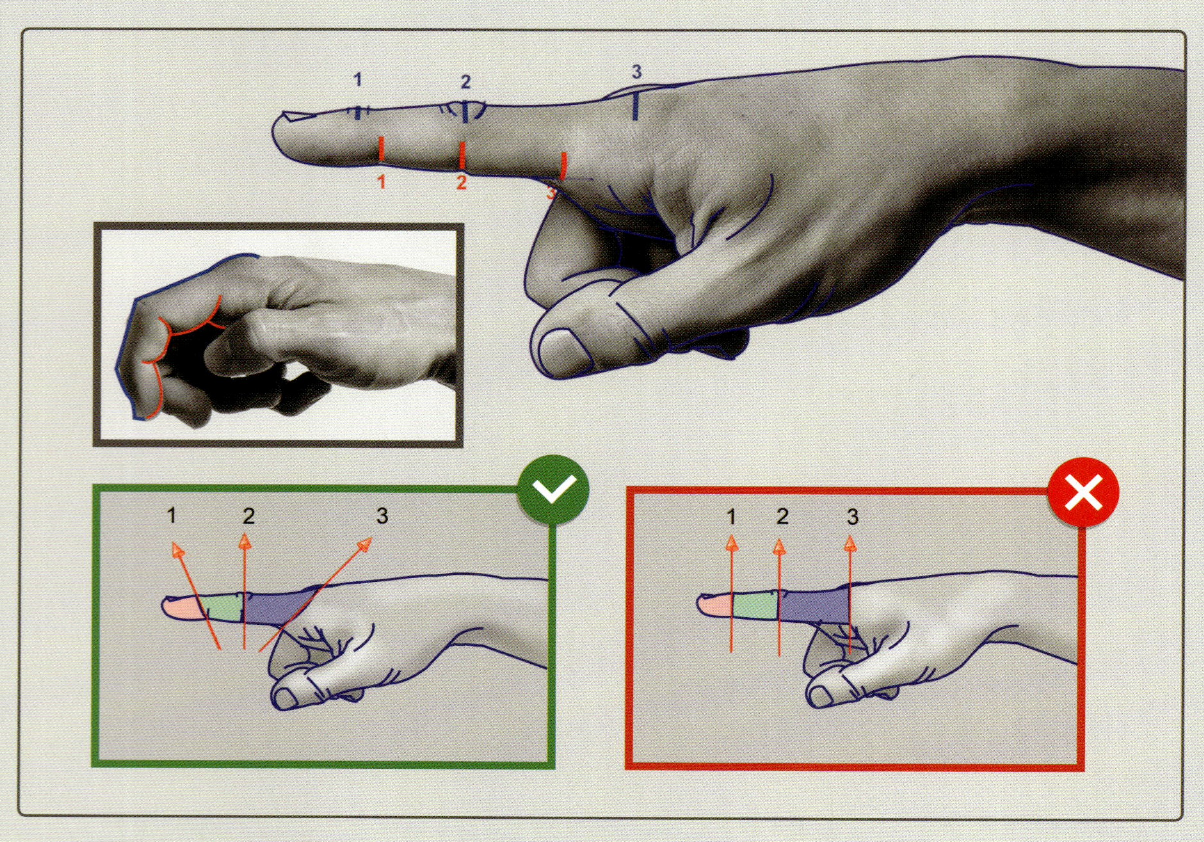
1
2
3
1
2
3
1
2
3
1
2
3

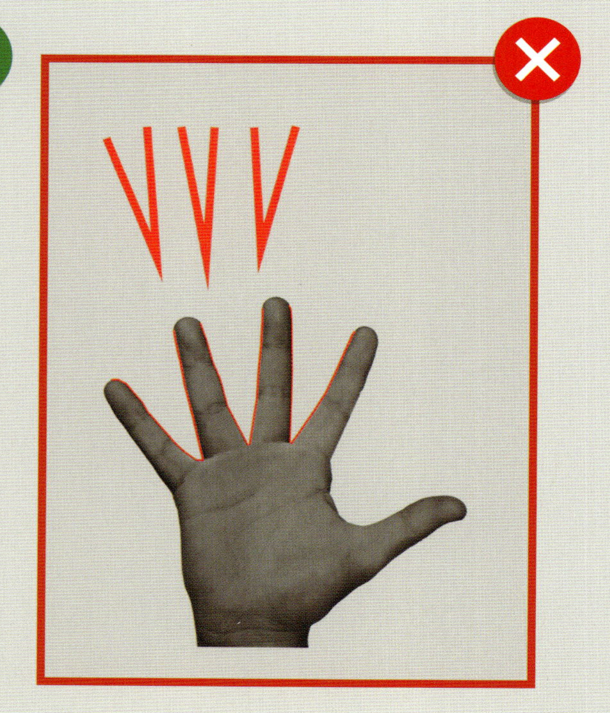

指を曲げる、指のラインを結ぶ

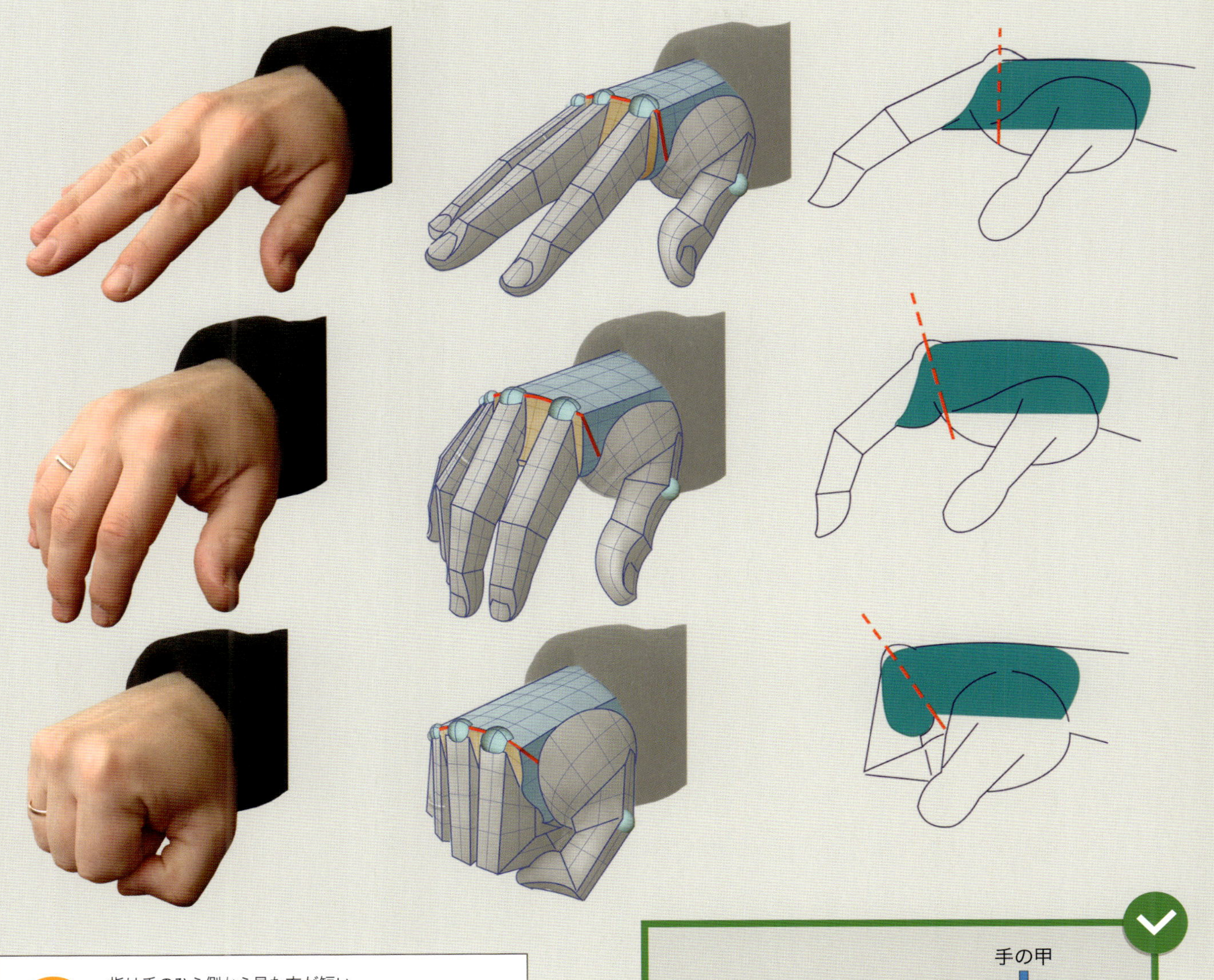

指は手のひら側から見た方が短い。
手のひらのしわのラインは、指が手の本体に接合する箇所を結んだラインとは一致しない。

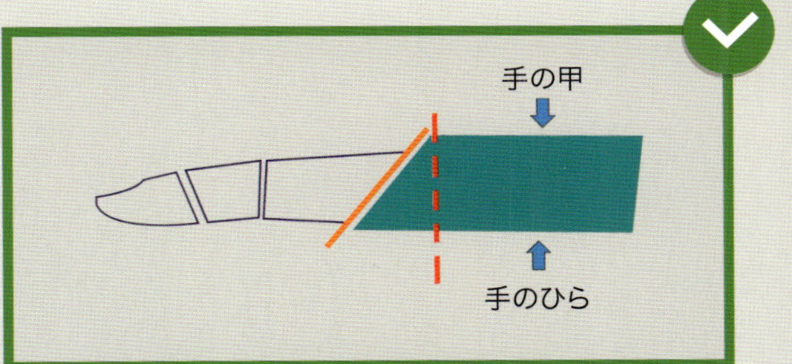
手の甲
手のひら

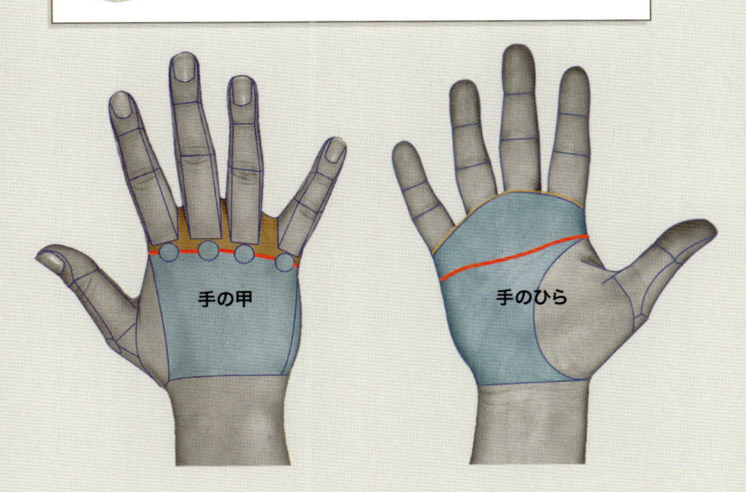
手の甲
手のひら

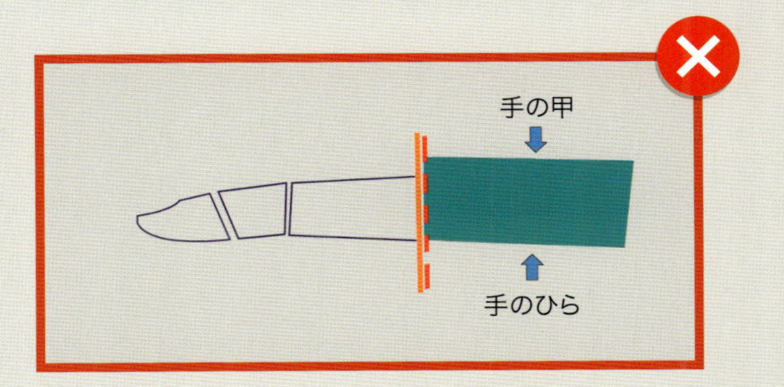
手の甲
手のひら

手の加齢

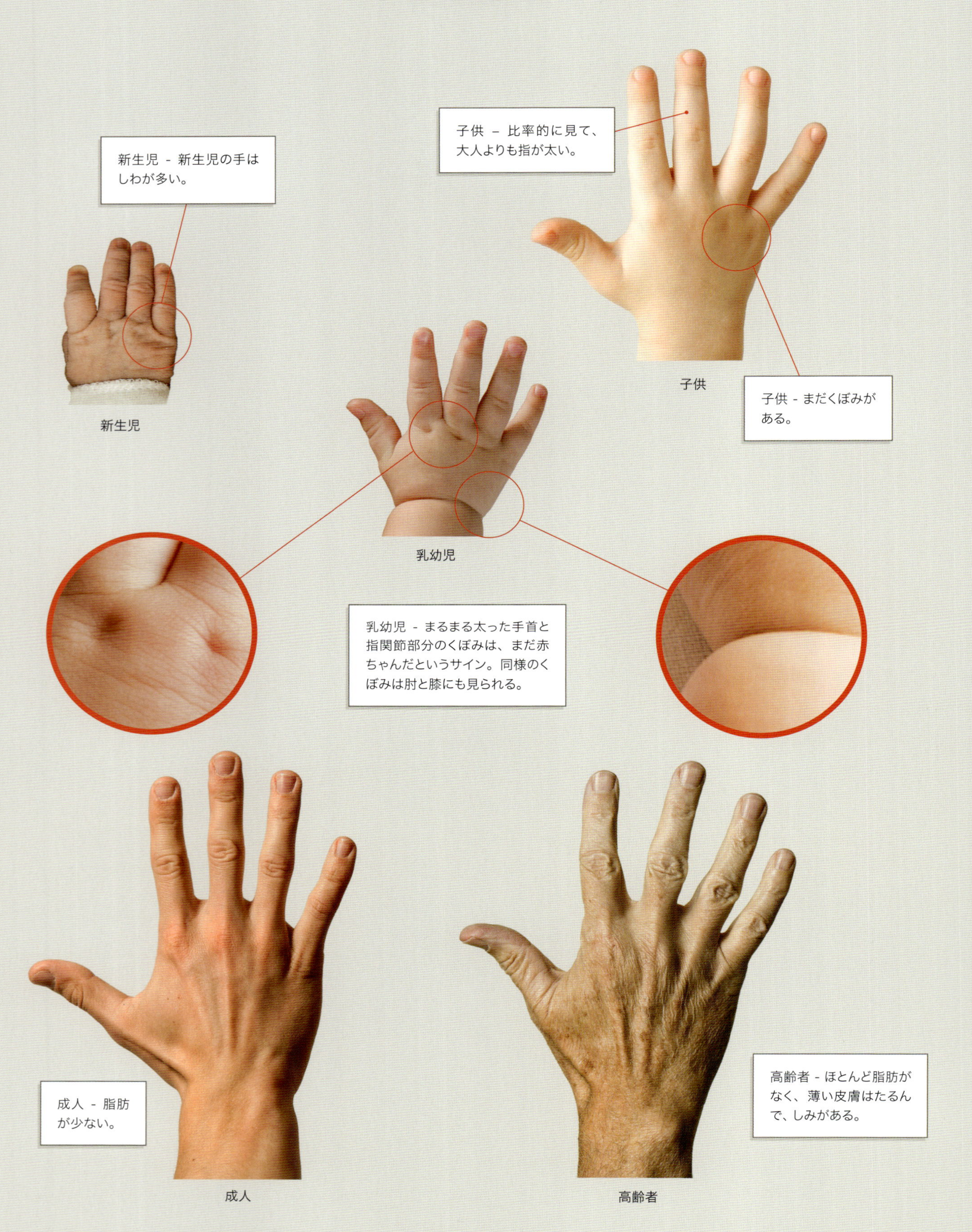
子供 – 比率的に見て、大人よりも指が太い。
新生児 - 新生児の手はしわが多い。
子供
子供 - まだくぼみがある。
新生児
乳幼児
乳幼児 - まるまる太った手首と指関節部分のくぼみは、まだ赤ちゃんだというサイン。同様のくぼみは肘と膝にも見られる。
成人 - 脂肪が少ない。
高齢者 - ほとんど脂肪がなく、薄い皮膚はたるんで、しみがある。
成人
高齢者

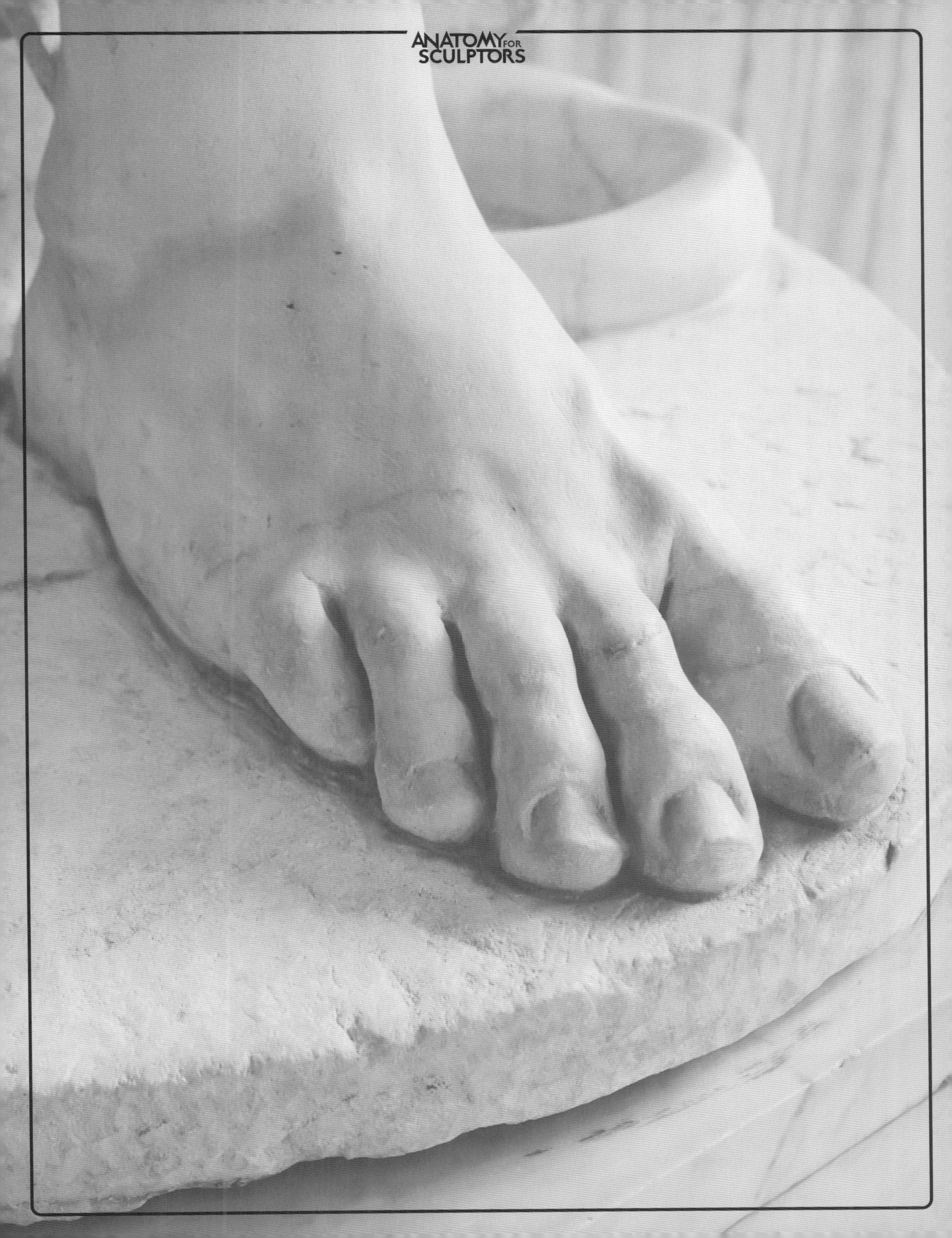

下肢の骨

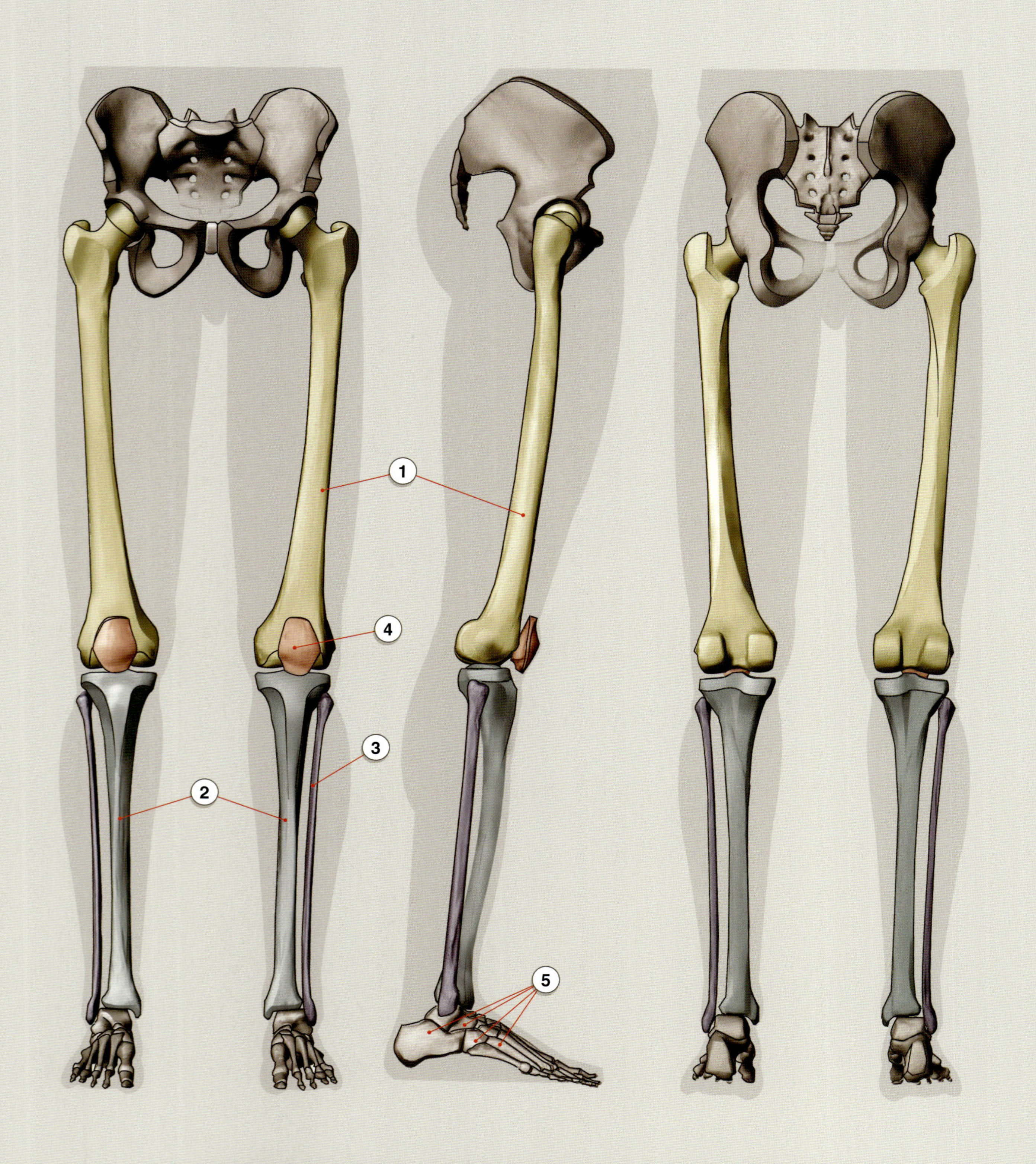
1
4
3
2
5

1 大腿骨
2 脛骨
3 腓骨
4 膝頭（膝蓋骨）
5 足の骨

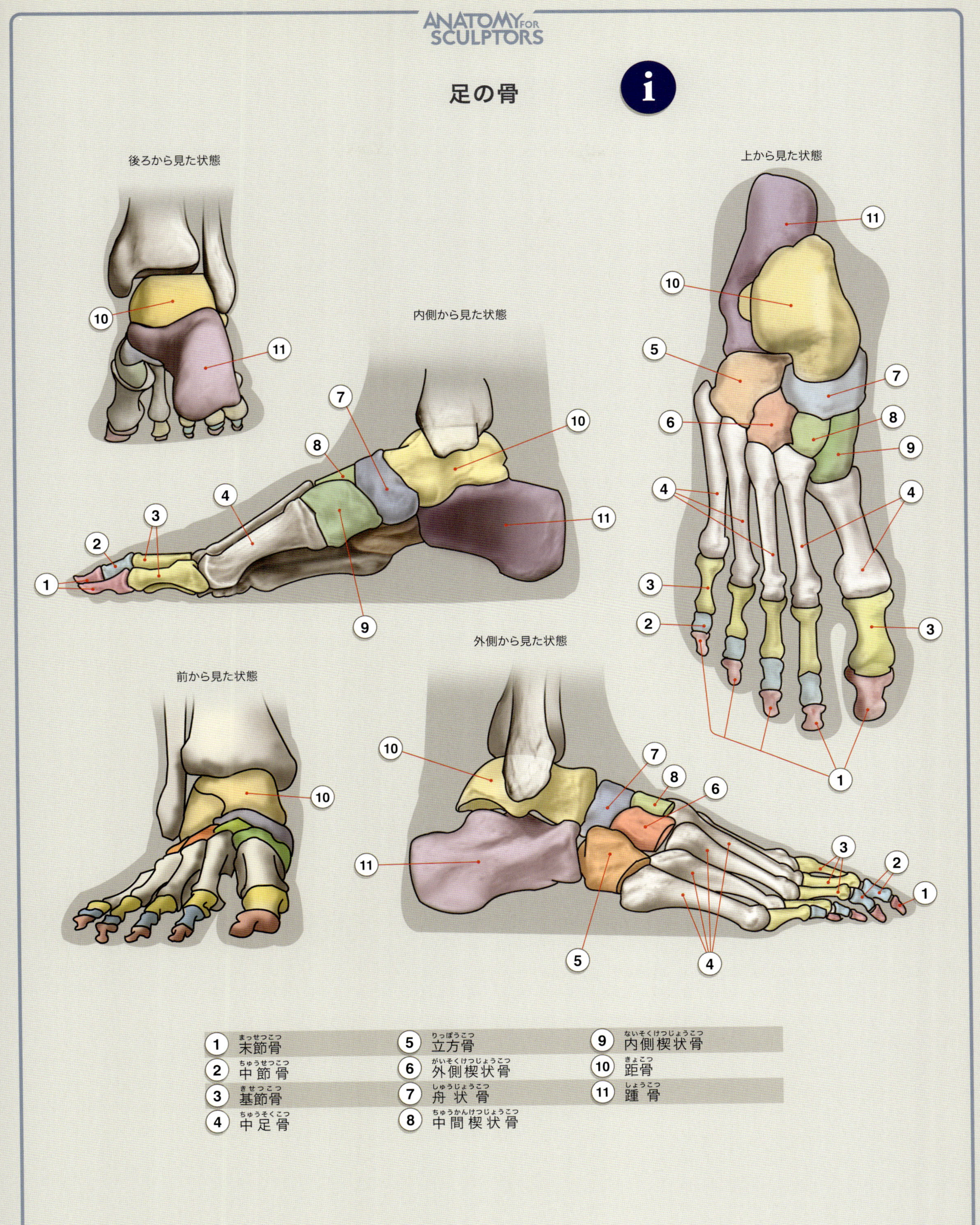
ANATOMY FOR SCULPTORS
足の骨
i
後ろから見た状態
内側から見た状態
上から見た状態
前から見た状態
外側から見た状態
1 末節骨
2 中節骨
3 基節骨
4 中足骨
5 立方骨
6 外側楔状骨
7 舟状骨
8 中間楔状骨
9 内側楔状骨
10 距骨
11 踵骨

下肢の筋肉

i

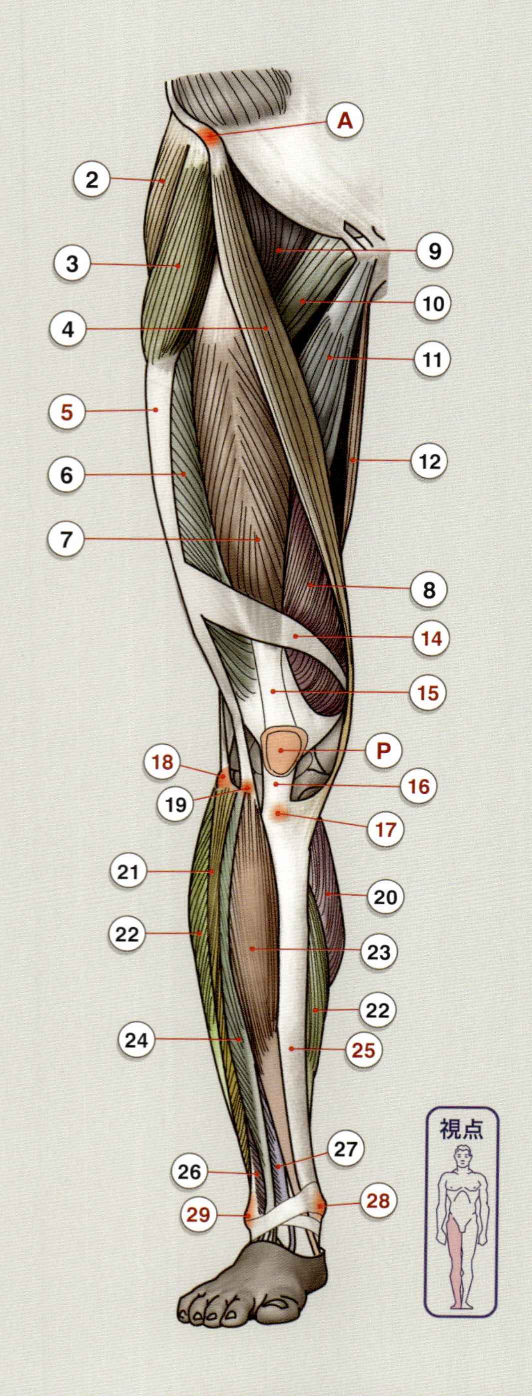
A
2
3
4
5
6
7
9
10
11
12
8
14
15
P
18
16
19
17
21
20
22
23
22
24
25
27
26
28
29
視点

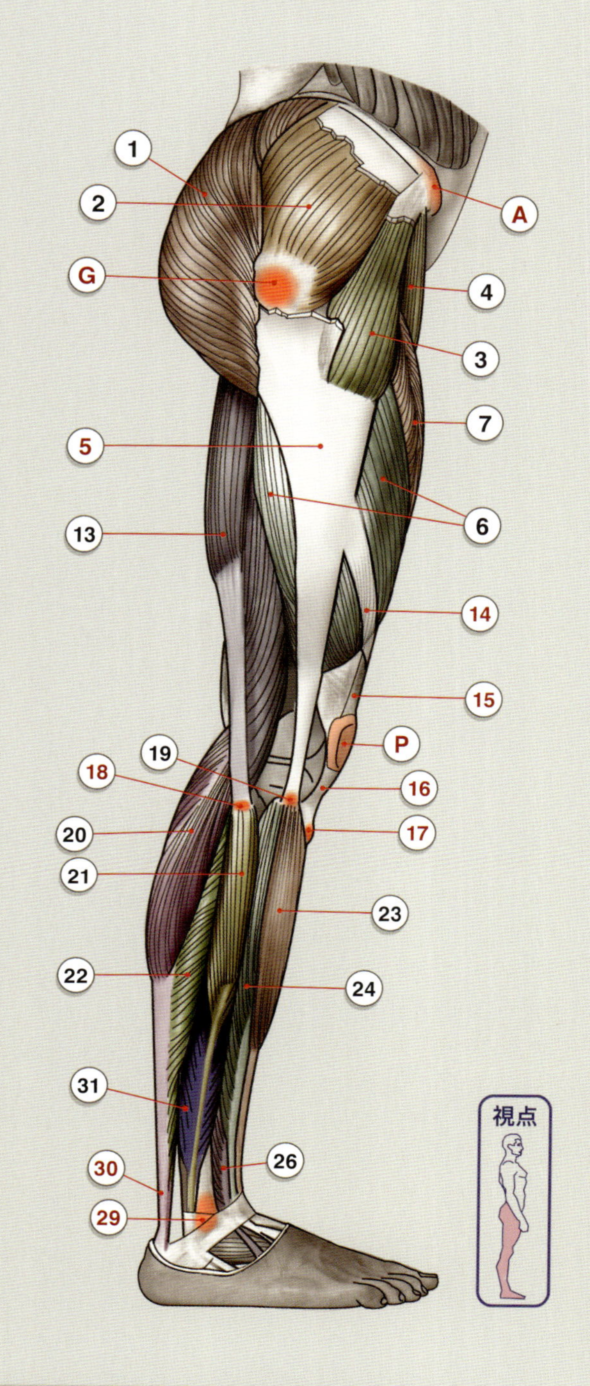
1
2
A
G
4
3
7
5
6
13
14
15
P
19
18
16
20
17
21
23
22
24
31
26
30
29
視点

A	上前腸骨棘	5	腸脛靭帯	12	薄筋
G	大転子	6	外側広筋	13	大腿二頭筋
P	膝頭(膝蓋骨)	7	大腿直筋	14	リッチャー靭帯
1	大臀筋	8	内側広筋	15	四頭筋腱
2	中臀筋	9	腸腰筋	16	膝蓋靭帯
3	大腿筋膜張筋	10	恥骨筋	17	脛骨粗面
4	縫工筋	11	長内転筋	18	腓骨頭

下肢の筋肉

i

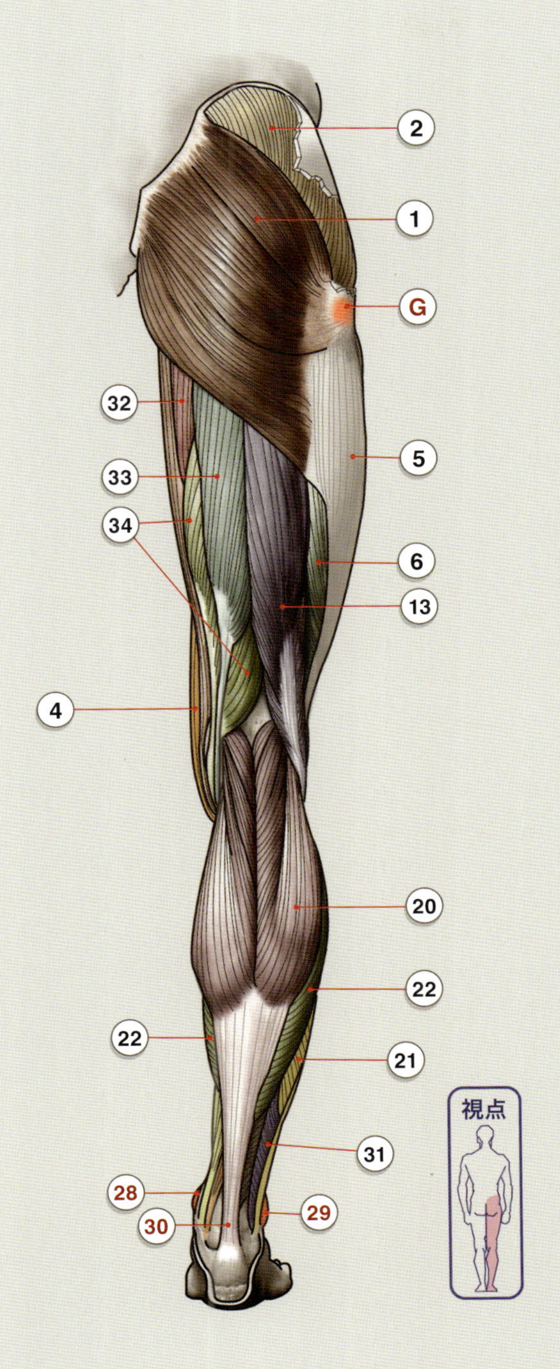
2
1
G
32
5
33
34
6
13
4
20
22
22
21
31
28
29
30
視点

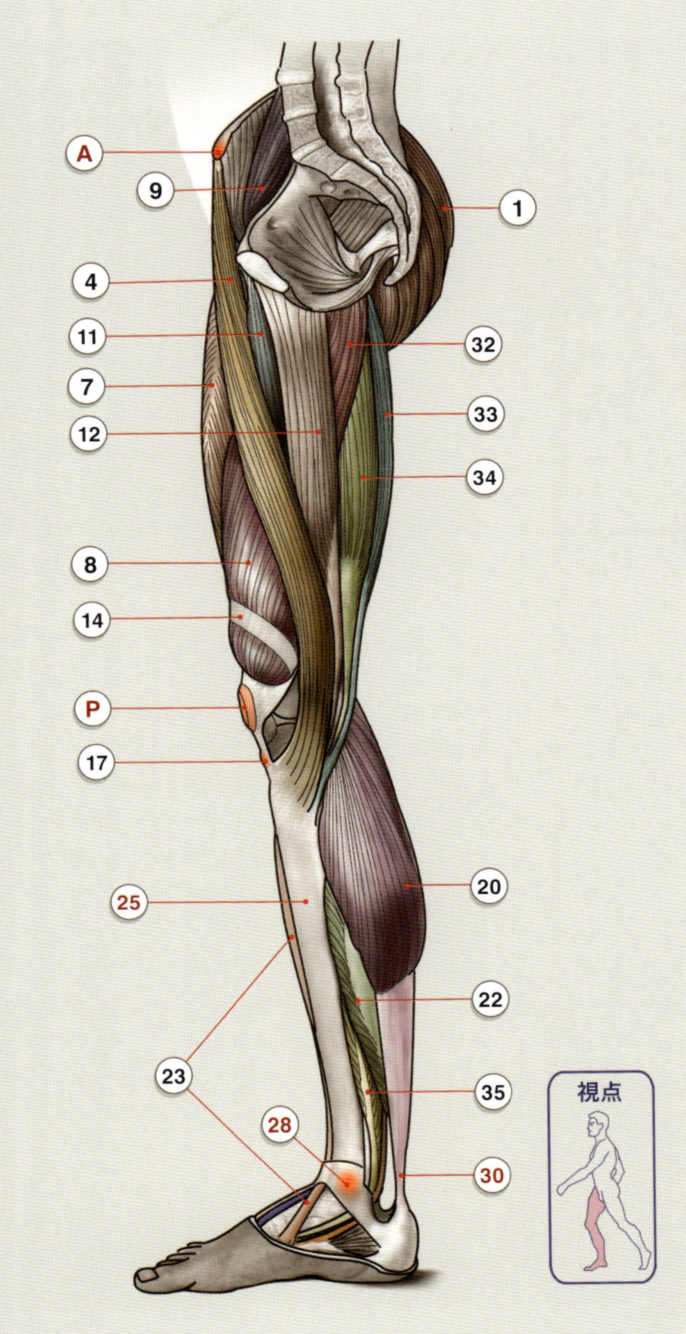
A
9
1
4
11
32
7
33
12
34
8
14
P
17
20
25
22
23
35
28
30
視点

19 脛骨外顆
20 腓腹筋
21 長腓骨筋
22 ヒラメ筋
23 前脛骨筋
24 長趾伸筋
25 脛骨内側面
26 第三腓骨筋
27 長母趾伸筋
28 内果
29 外果
30 アキレス腱
31 短腓骨筋
32 大内転筋
33 半腱様筋
34 半膜様筋
35 長趾屈筋

右脚の3Dスキャン

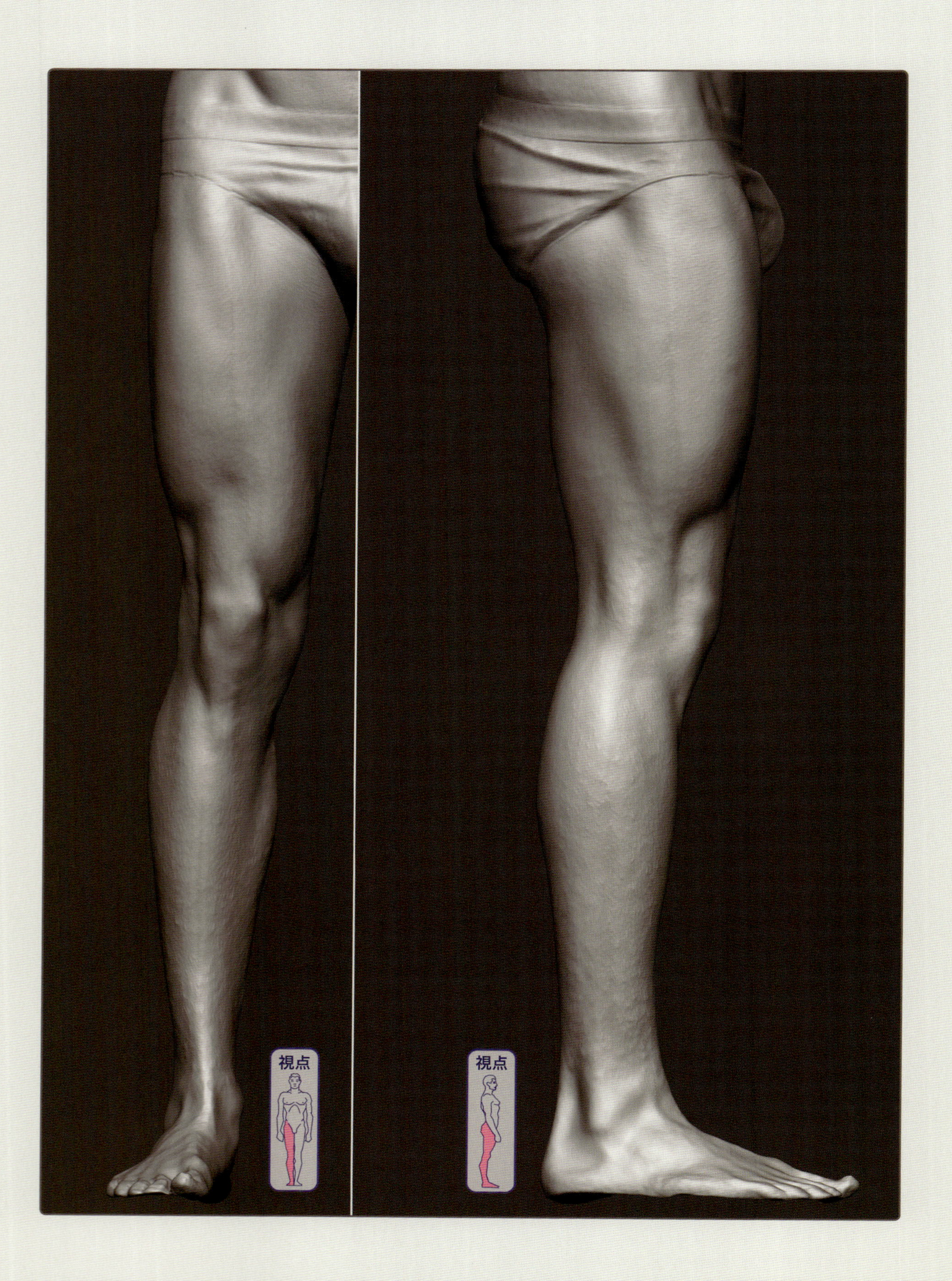
視点
視点

右脚の3Dスキャン

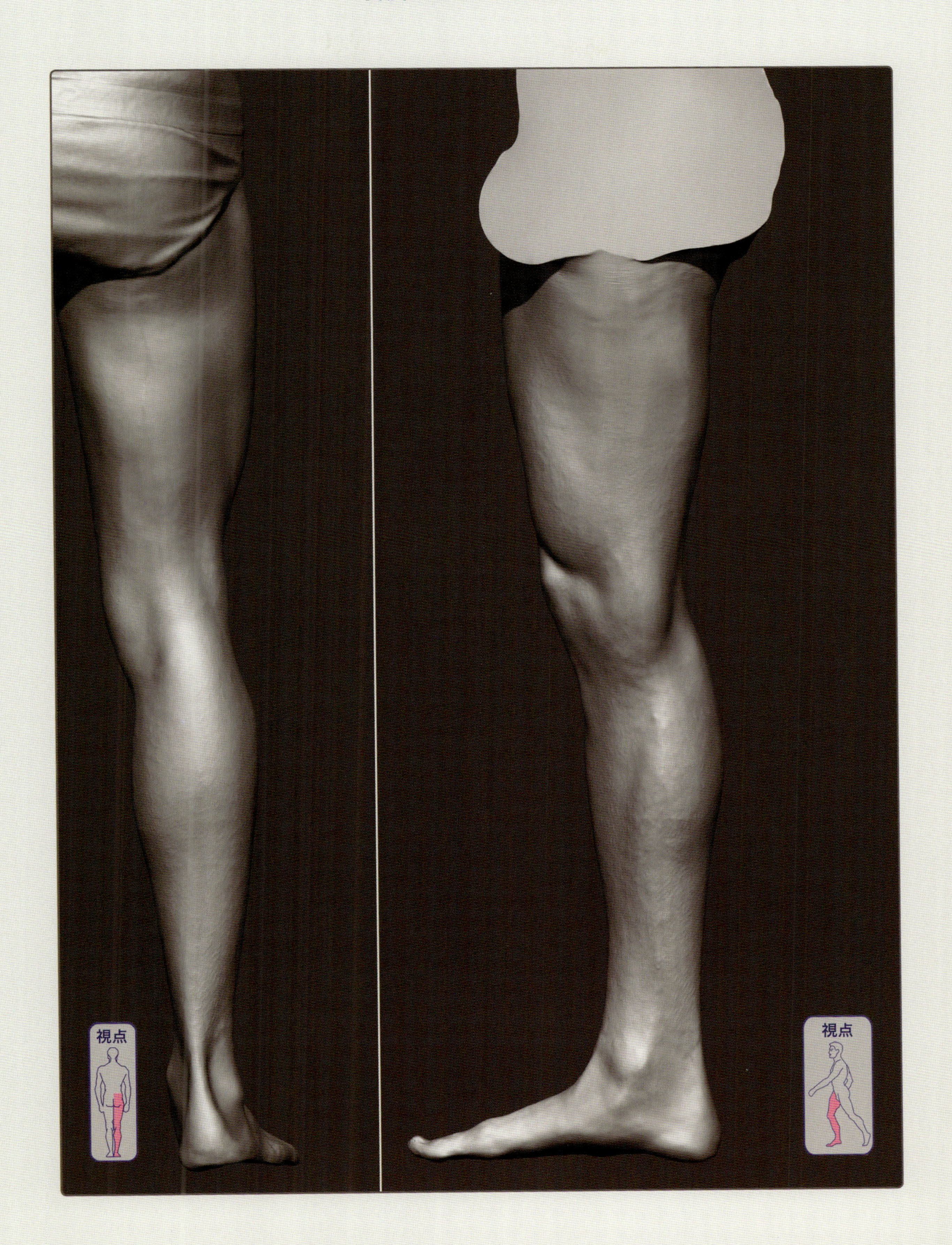
視点
視点

下肢の骨ランドマーク

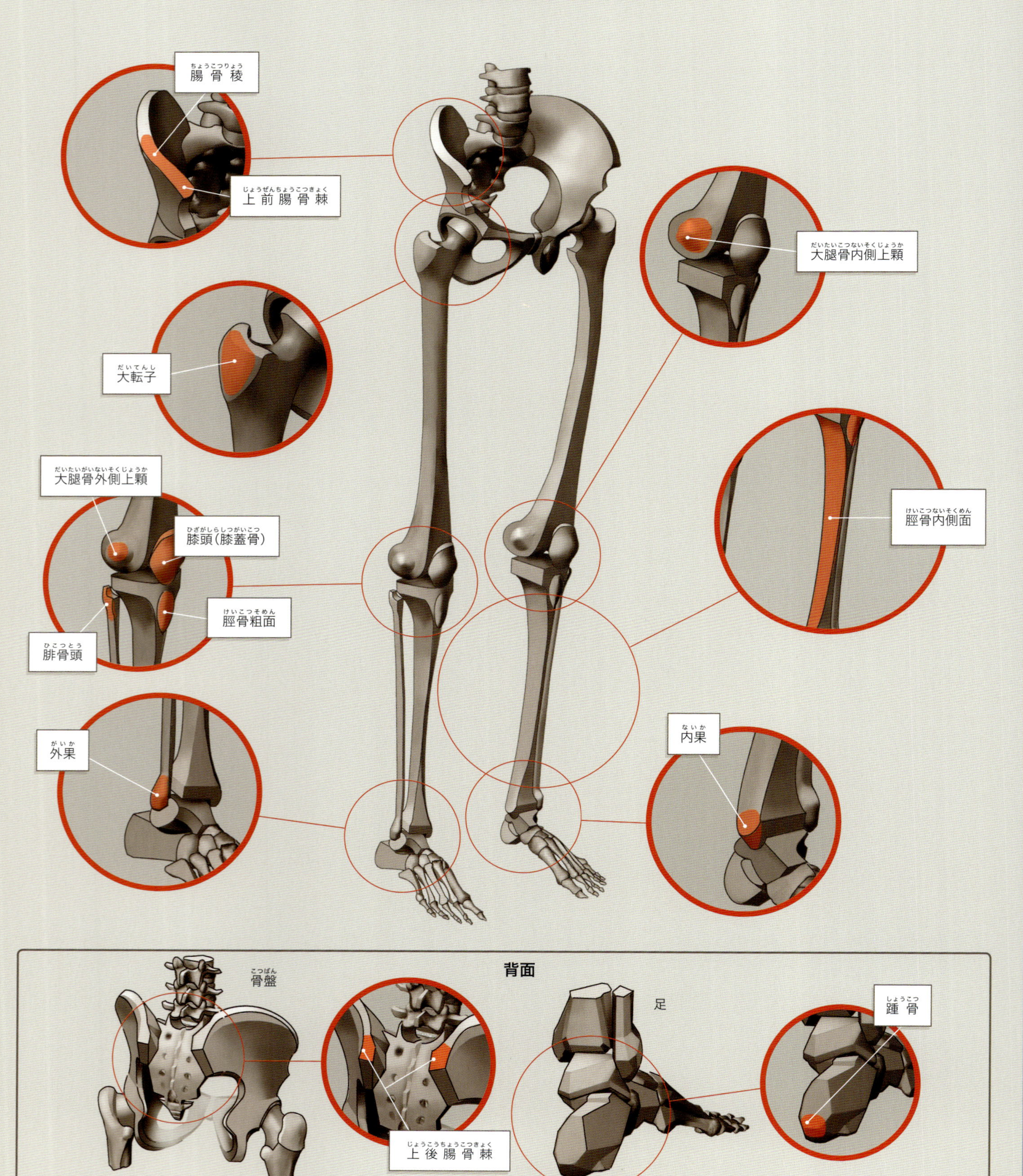

腸骨稜
上前腸骨棘
大腿骨内側上顆
大転子
大腿骨外側上顆
膝頭(膝蓋骨)
脛骨粗面
腓骨頭
脛骨内側面
外果
内果
背面
骨盤
足
踵骨
上後腸骨棘

骨盤(こつばん)の骨ランドマーク

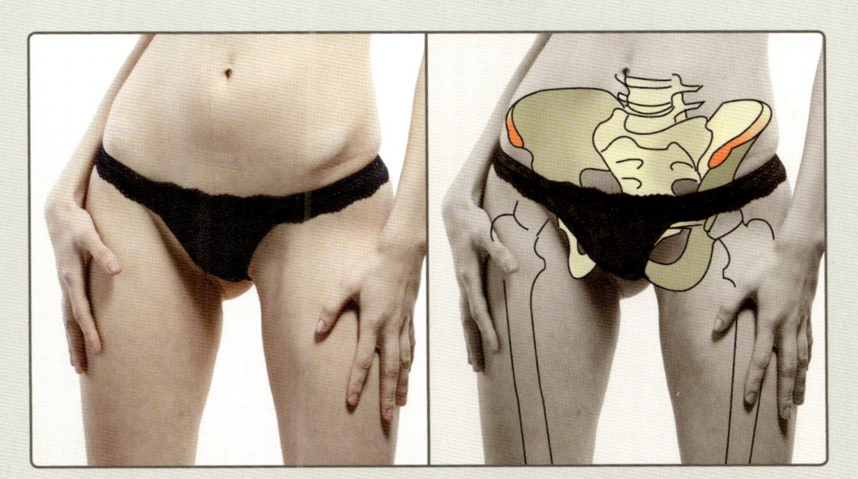

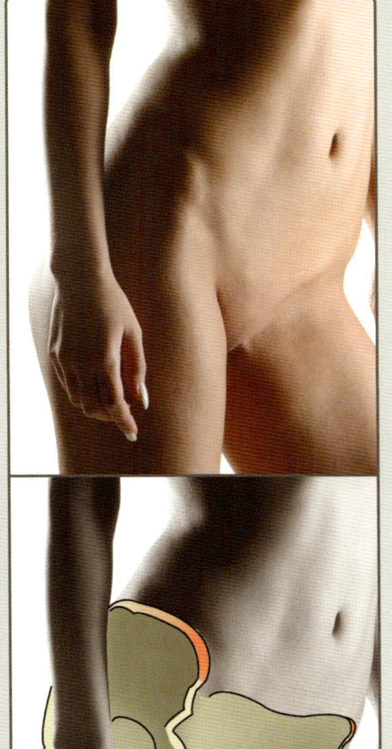

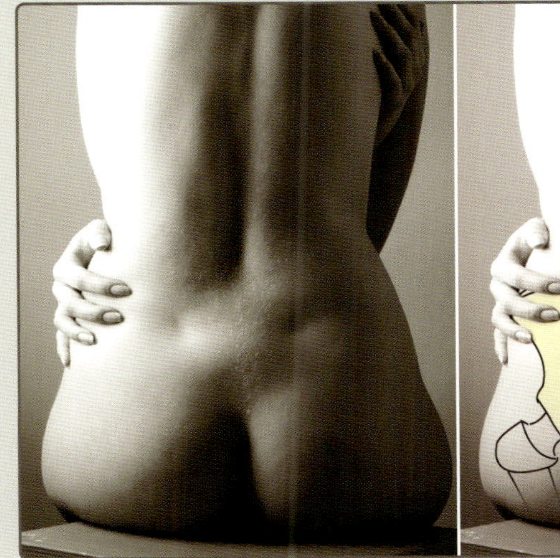

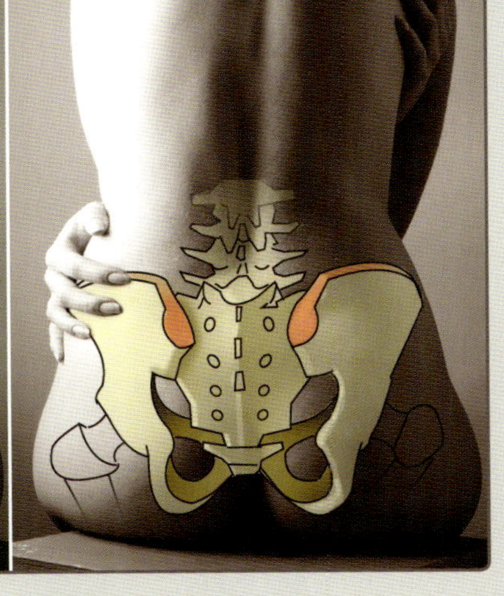

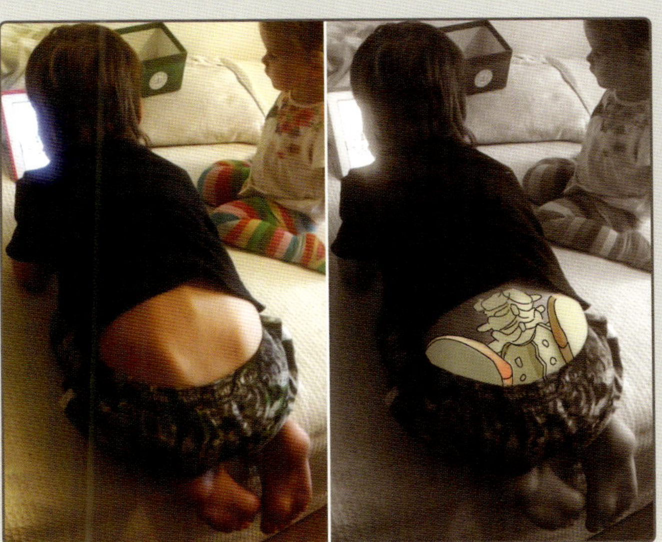

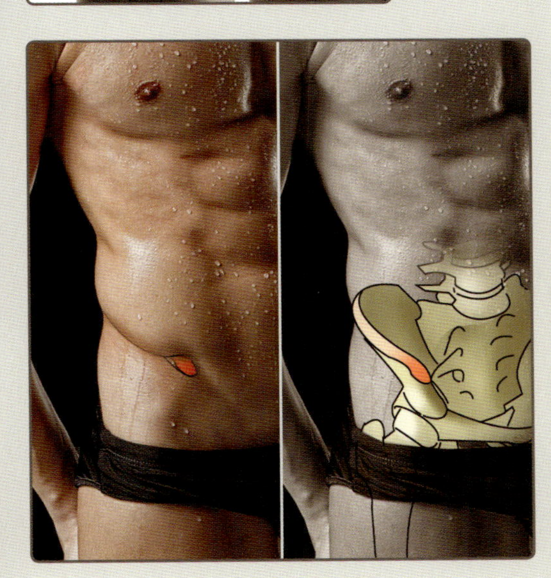

下肢の骨ランドマーク
大転子(だいてんし)

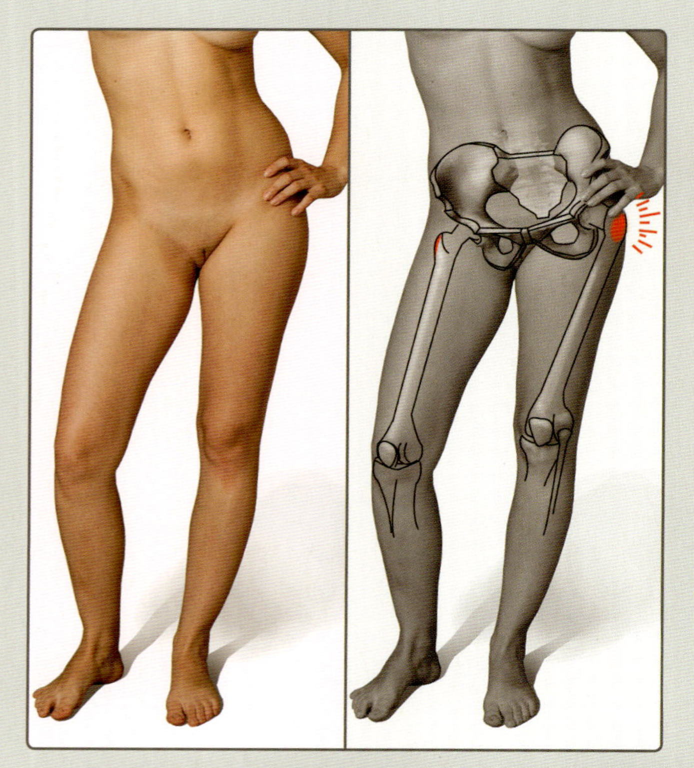

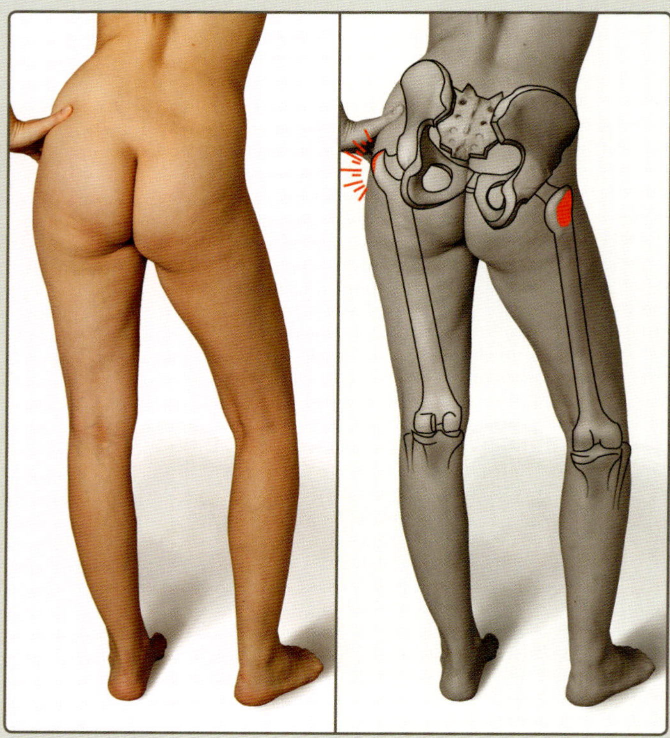

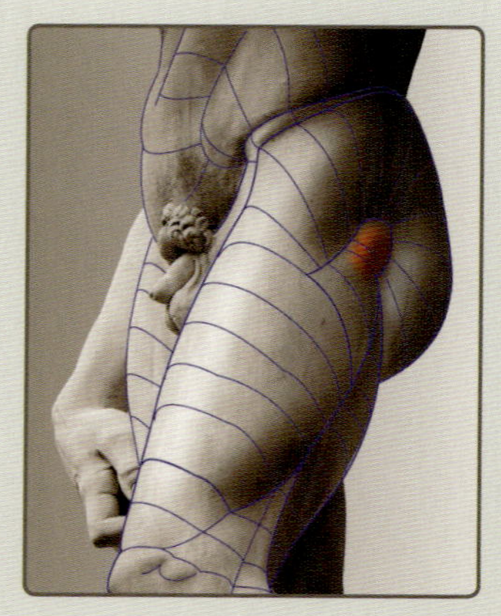

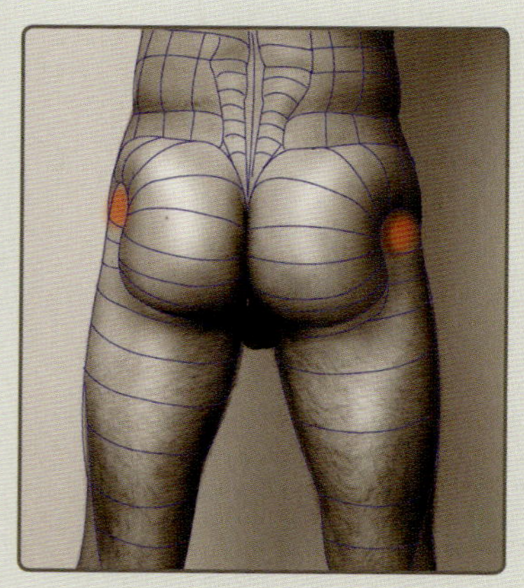

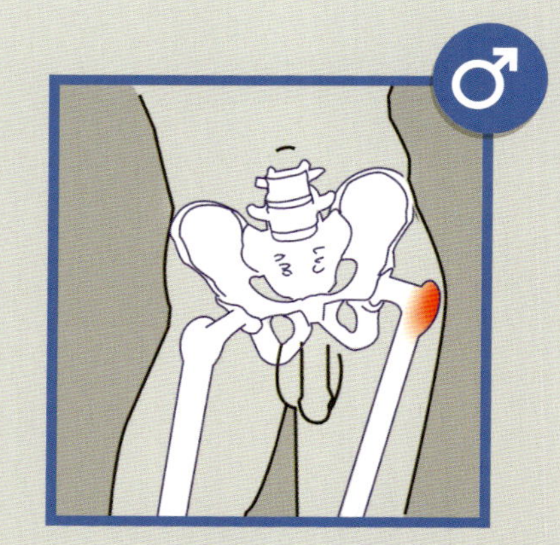
♂

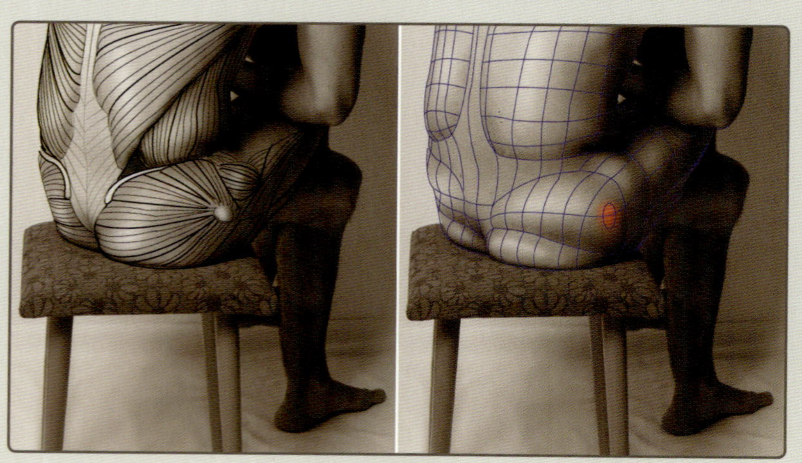

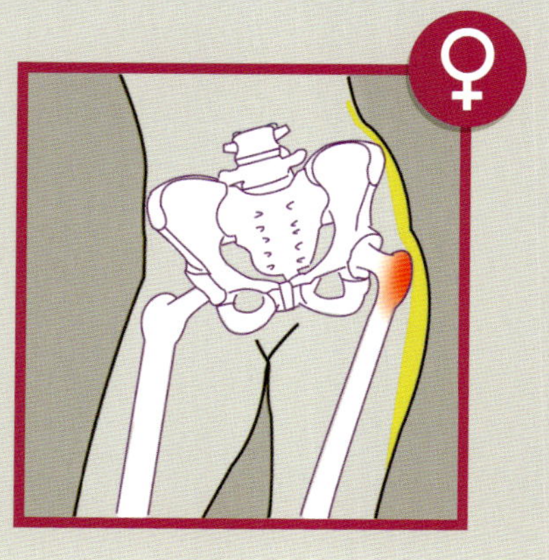
♀

女性の腰の場合、大腿骨(だいたいこつ)の上部の**大転子**は**皮下脂肪**に覆われているため、男性よりも立たない。

男性の脚の形

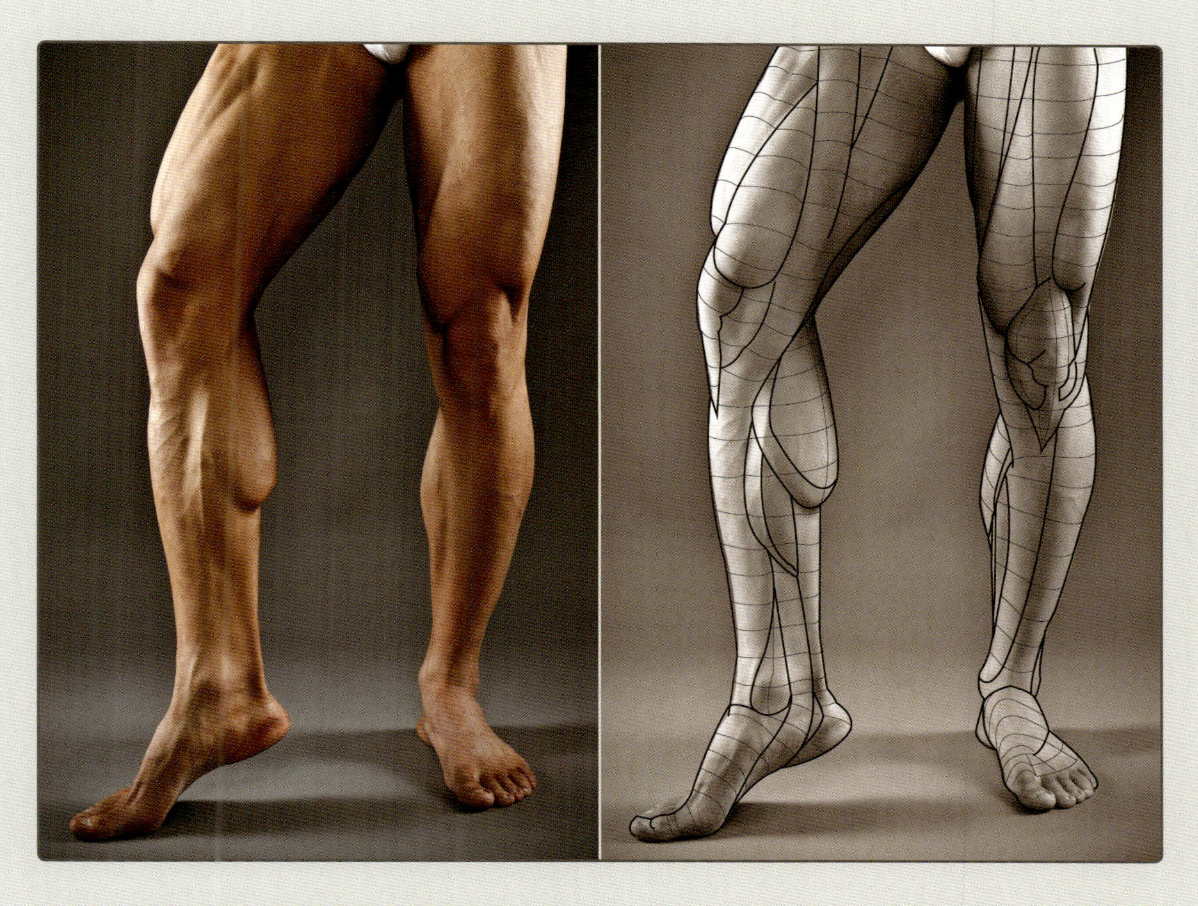

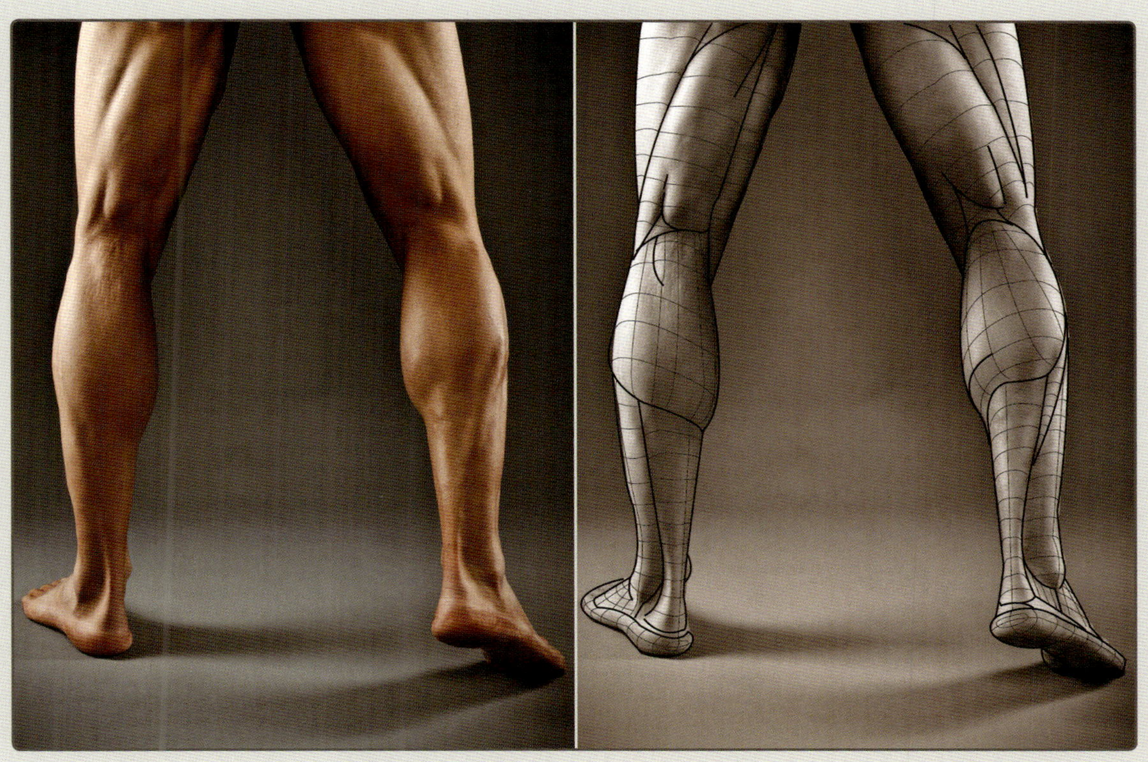

大腿四頭筋

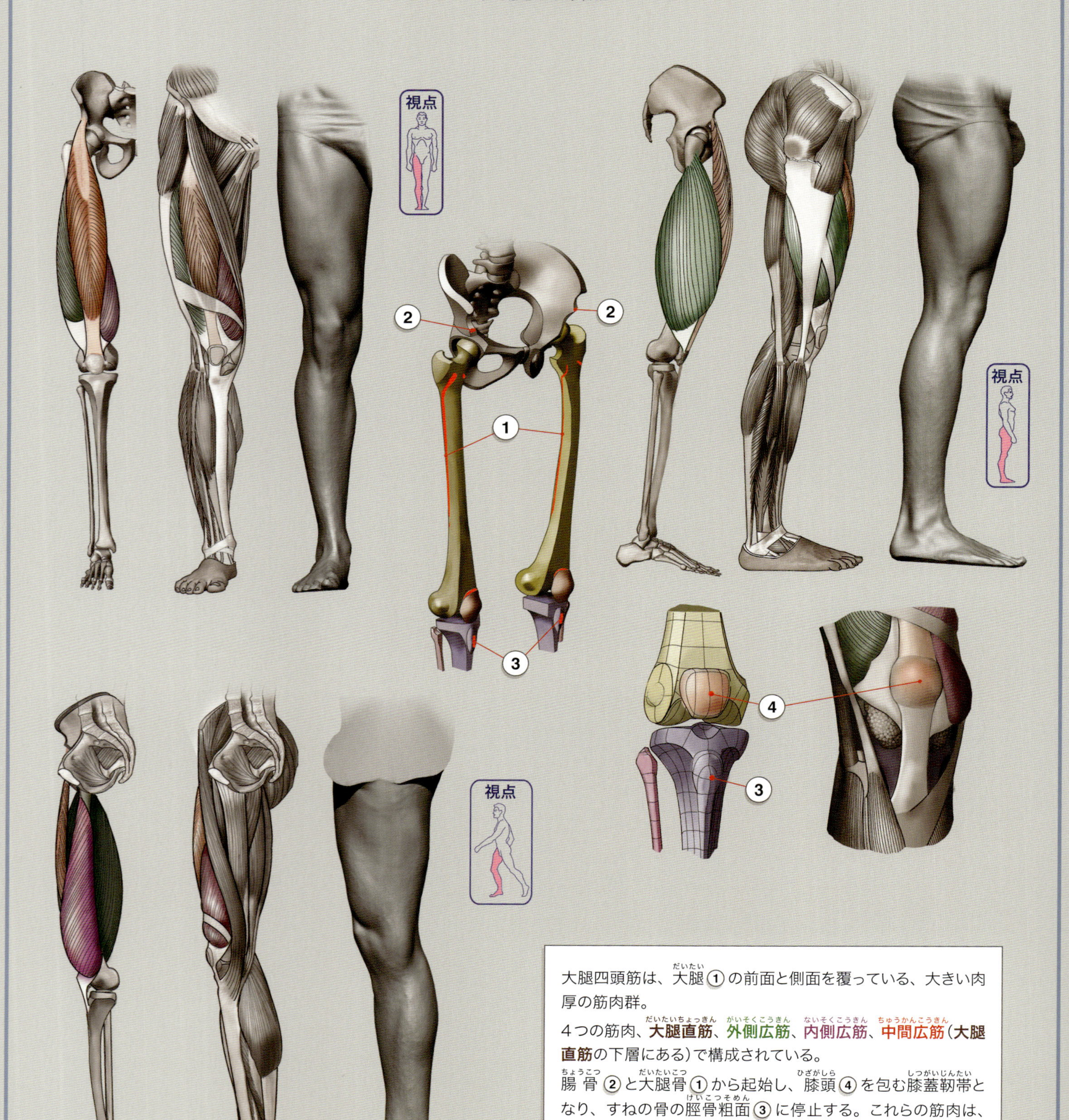
視点
2
2
1
3
視点
4
3
視点

大腿四頭筋は、大腿①の前面と側面を覆っている、大きい肉厚の筋肉群。

4つの筋肉、**大腿直筋**、**外側広筋**、**内側広筋**、**中間広筋**（**大腿直筋**の下層にある）で構成されている。

腸骨②と大腿骨①から起始し、膝頭④を包む膝蓋靭帯となり、すねの骨の脛骨粗面③に停止する。これらの筋肉は、膝での脚の伸展を担い、立つ、歩くなど、脚に関係するほぼすべての活動にとって重要な役割を果たす。

縫工筋

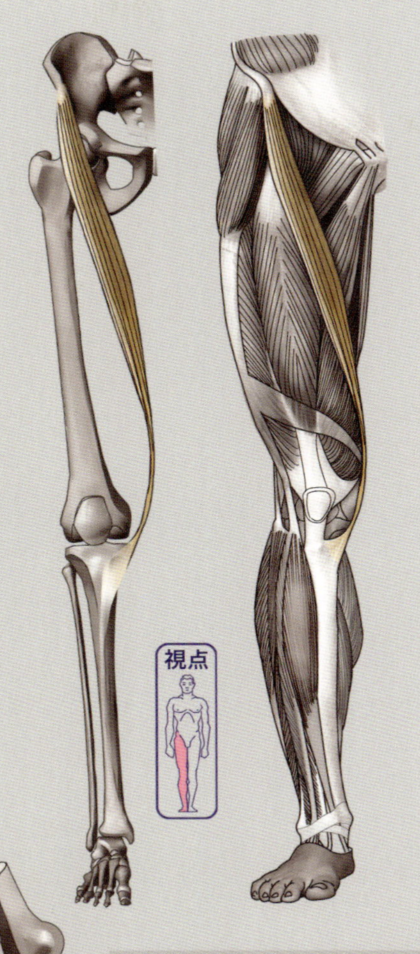
視点

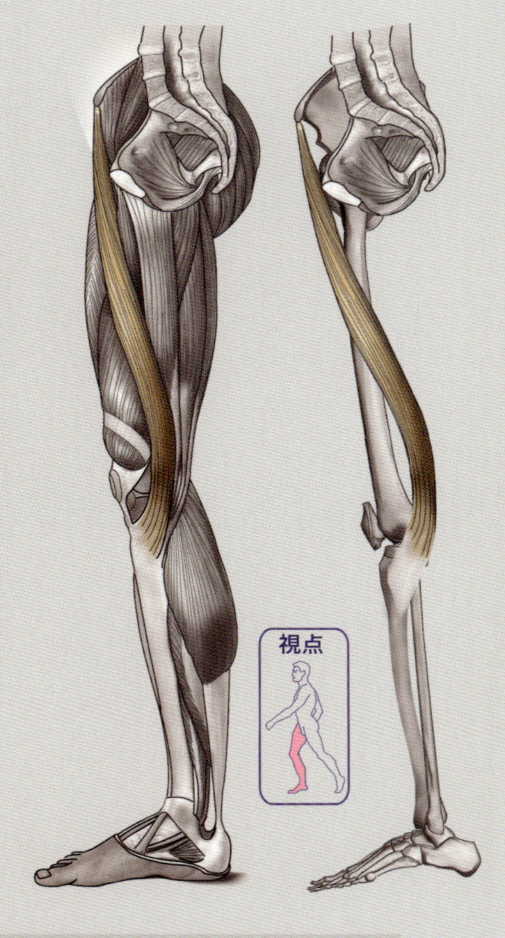
視点

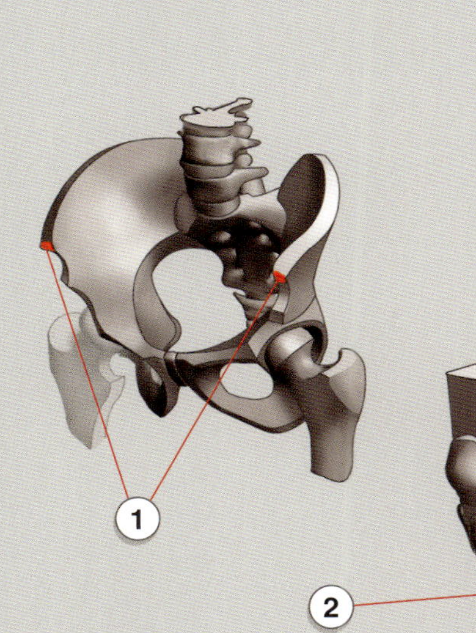
1

2

作用： 股関節の屈曲、外転、外旋、膝関節の屈曲

起始部： ① 上前腸骨棘下方

停止部： ② 脛骨上部の内側面

縫工筋は大腿を２つの面に分ける

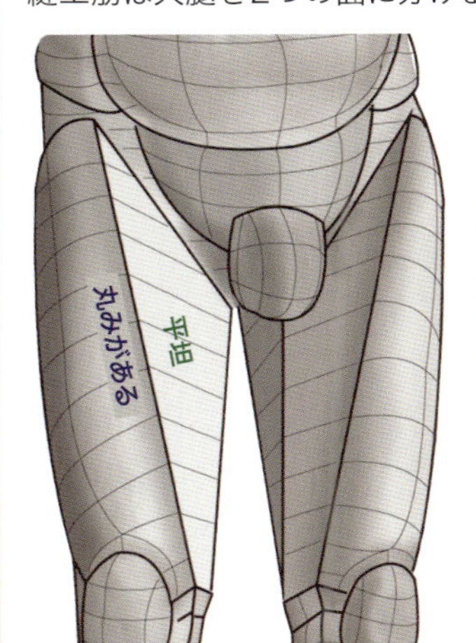
丸みがある
平坦

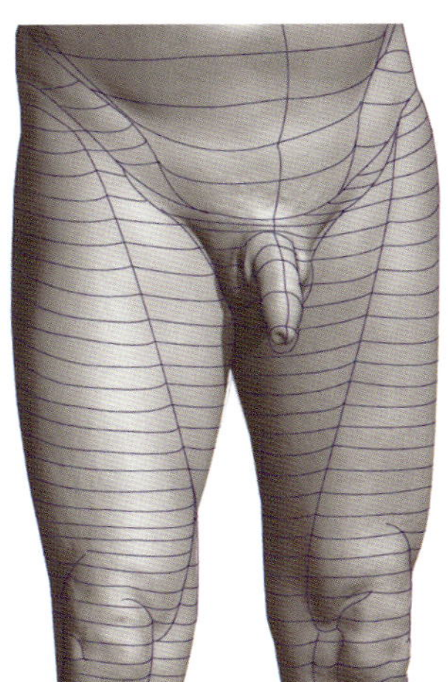

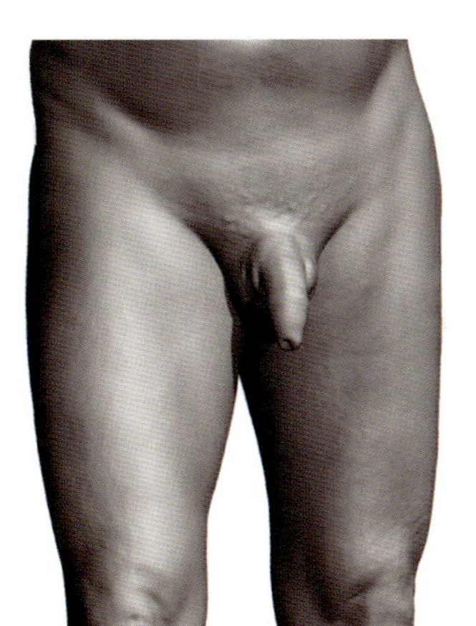

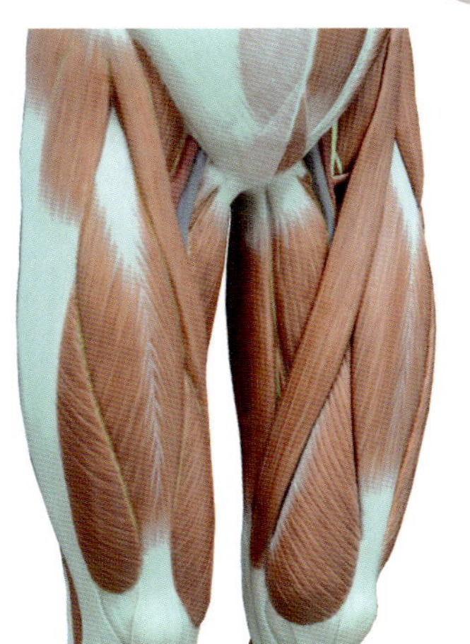

恥骨筋、長内転筋、薄筋、大内転筋

(股関節の内転筋群)

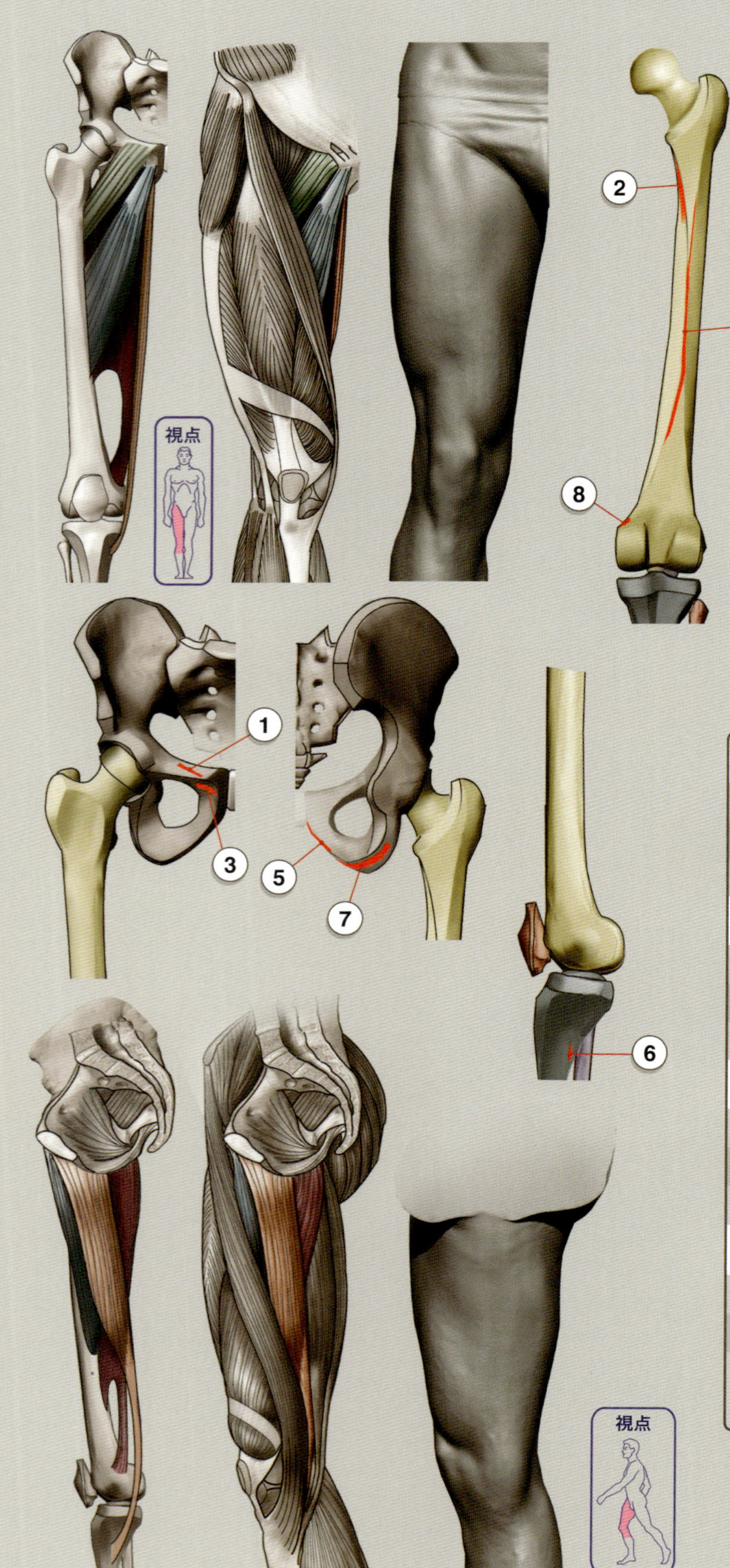
視点
1
3
5
7
6
視点

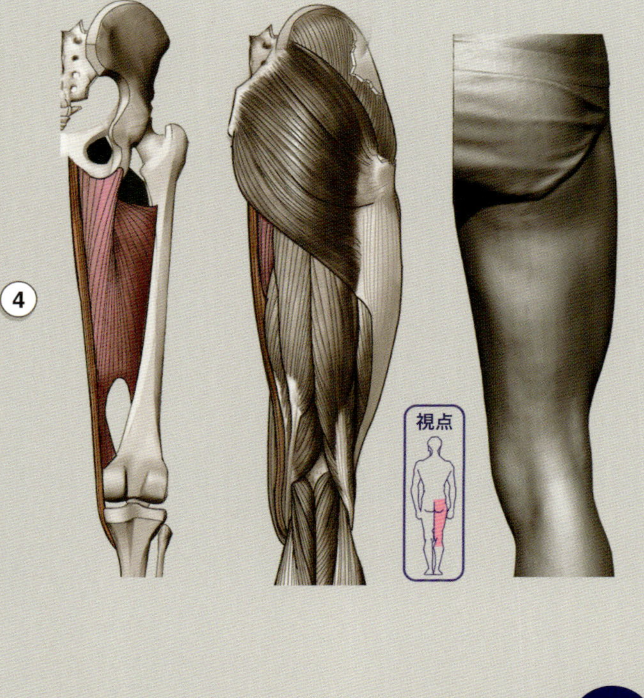
2
4
8
視点

恥骨筋		
作用：		大腿の屈曲、内転
起始部：	1	恥骨の恥骨櫛
停止部：	2	大腿骨の恥骨筋線
長内転筋		
作用：		股関節の内転、屈曲
起始部：	3	恥骨稜直下の恥骨体
停止部：	4	大腿骨粗線の中央 1/3
薄筋		
作用：		股関節の屈曲、内旋、内転、膝関節の屈曲
起始部：	5	坐骨恥骨枝
停止部：	6	鵞足
大内転筋		
作用：		股関節の内転、屈曲、伸展
起始部：	7	恥骨、坐骨結節
停止部：	4	大腿骨粗線
	8	大腿骨内転筋結節

ハムストリング筋（大腿屈筋群）
半膜様筋、半腱様筋、大腿二頭筋

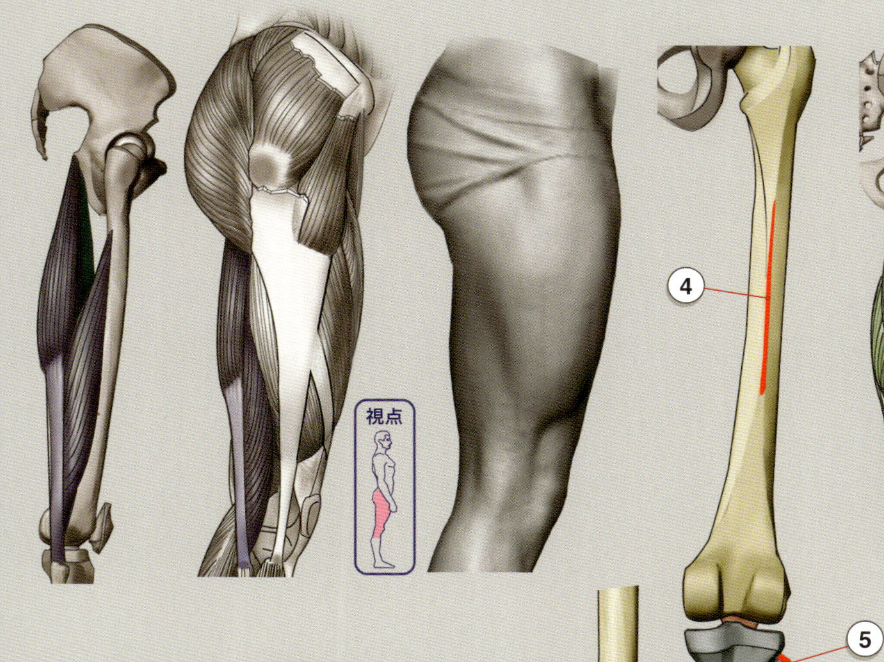
視点
4
5

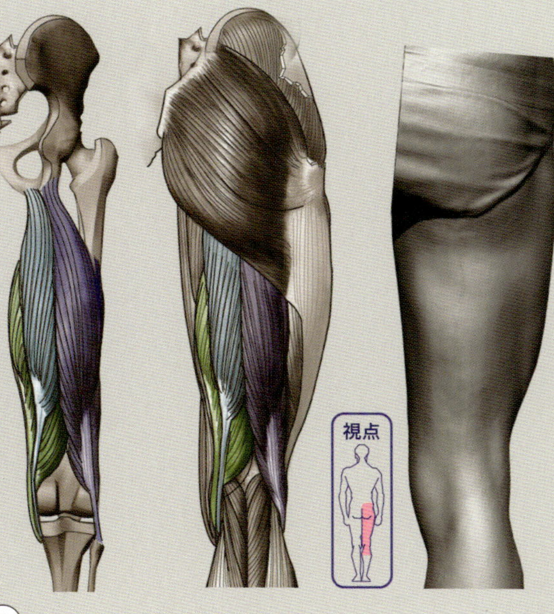
視点

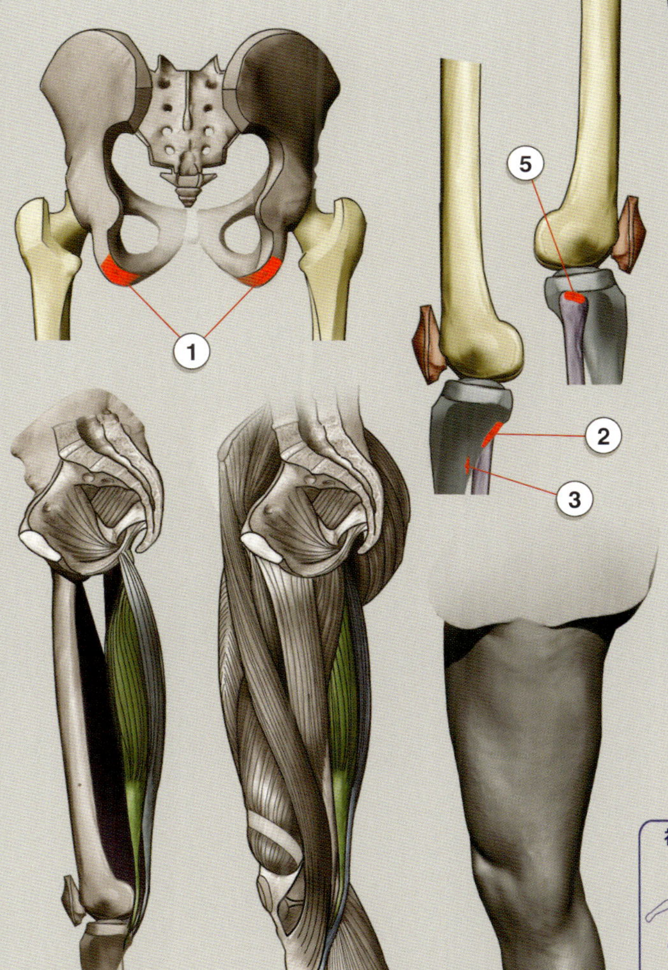
5
1
2
3
視点

半膜様筋		
作用：		股関節の伸展、膝関節の屈曲
起始部：	1	坐骨結節
停止部：	2	脛骨内側顆後面

半腱様筋		
作用：		膝関節の屈曲、股関節の伸展
起始部：	1	坐骨結節
停止部：	3	鵞足（脛骨）

大腿二頭筋		
作用：		膝関節の屈曲、（膝を曲げた状態での）膝関節の外旋、股関節の伸展
起始部：	1	坐骨結節
	4	大腿骨粗線
停止部：	5	腓骨頭

ふくらはぎ

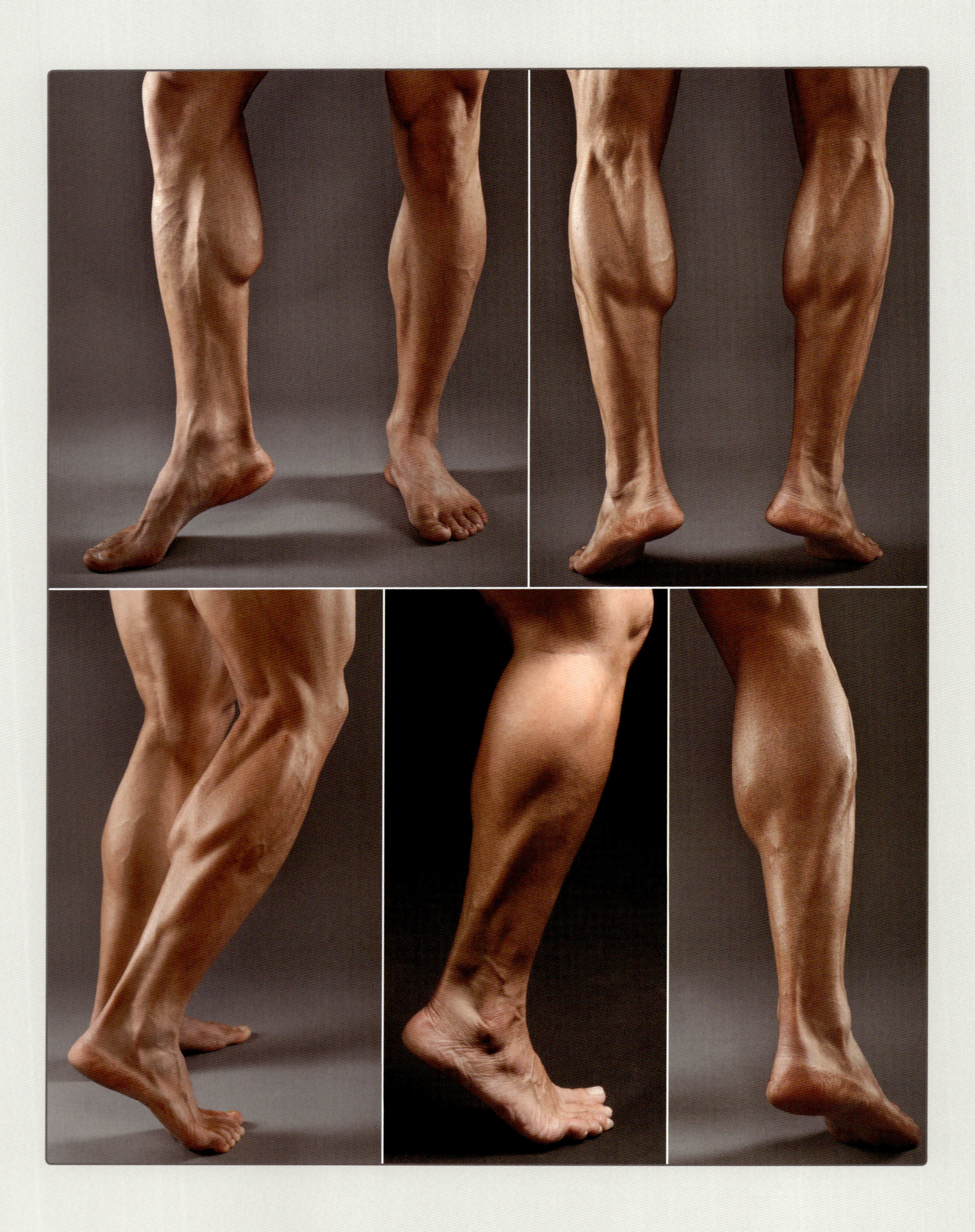

ふくらはぎ
(腓腹筋、ヒラメ筋)

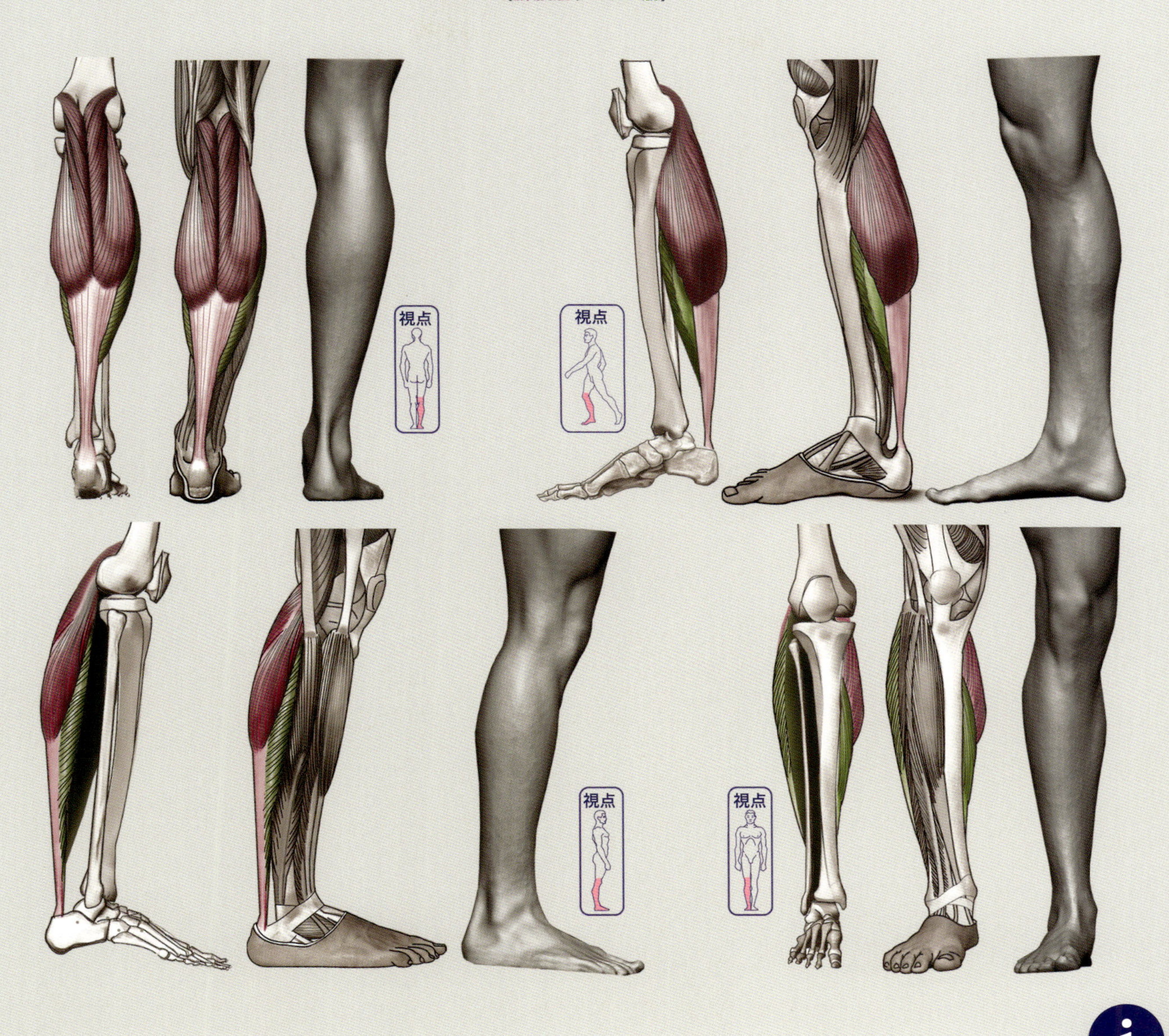

視点
視点
視点
視点

i

腓腹筋はふくらはぎの大きい筋肉で、皮膚の下に目立つ膨らみを作り出している。腓腹筋は2つの筋頭を持ち、ひし形を形成している。
ヒラメ筋は、腓腹筋の下層にある小さい平らな筋肉。ふくらはぎの筋肉の下部の結合組織はアキレス腱となる。アキレス腱は踵骨で停止する。

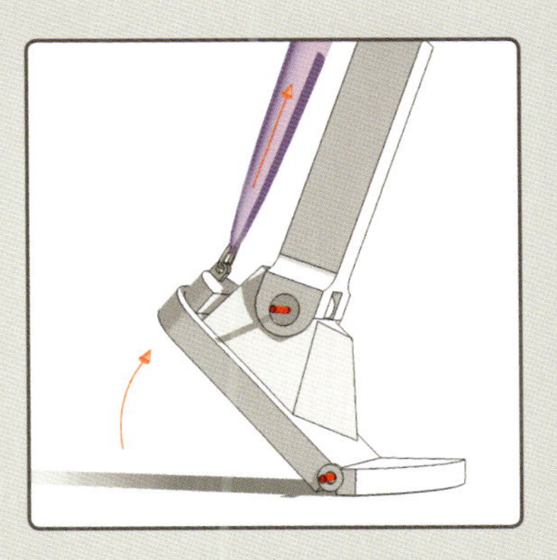

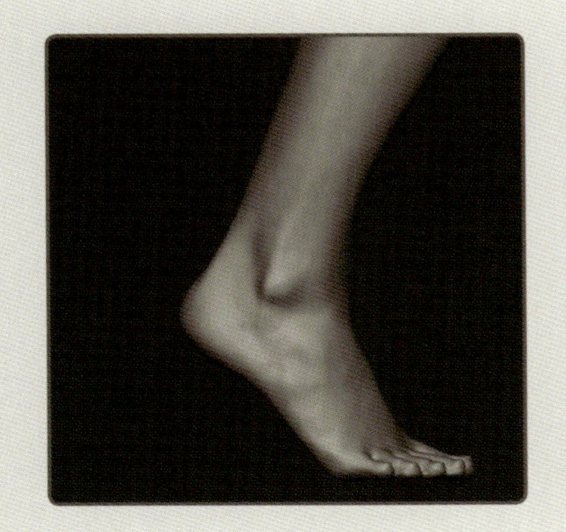

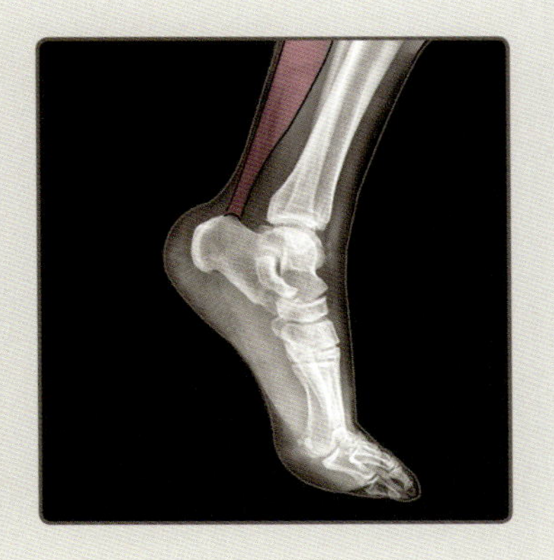

長趾伸筋、前脛骨筋

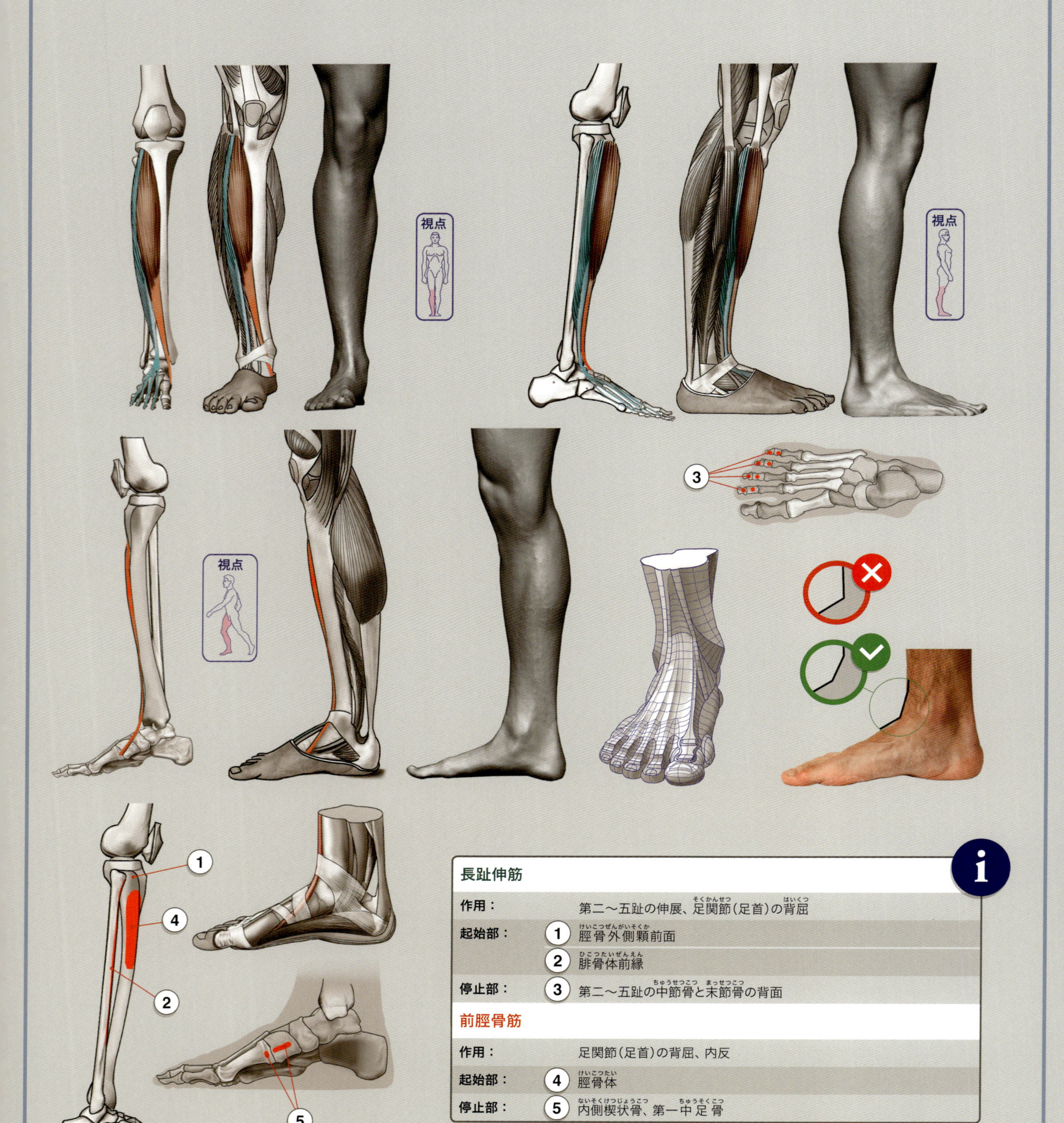
視点
視点
視点
1
2
3
4
5

		長趾伸筋
作用：		第二～五趾の伸展、足関節（足首）の背屈
起始部：	1	脛骨外側顆前面
	2	腓骨体前縁
停止部：	3	第二～五趾の中節骨と末節骨の背面
		前脛骨筋
作用：		足関節（足首）の背屈、内反
起始部：	4	脛骨体
停止部：	5	内側楔状骨、第一中足骨

短腓骨筋、長腓骨筋

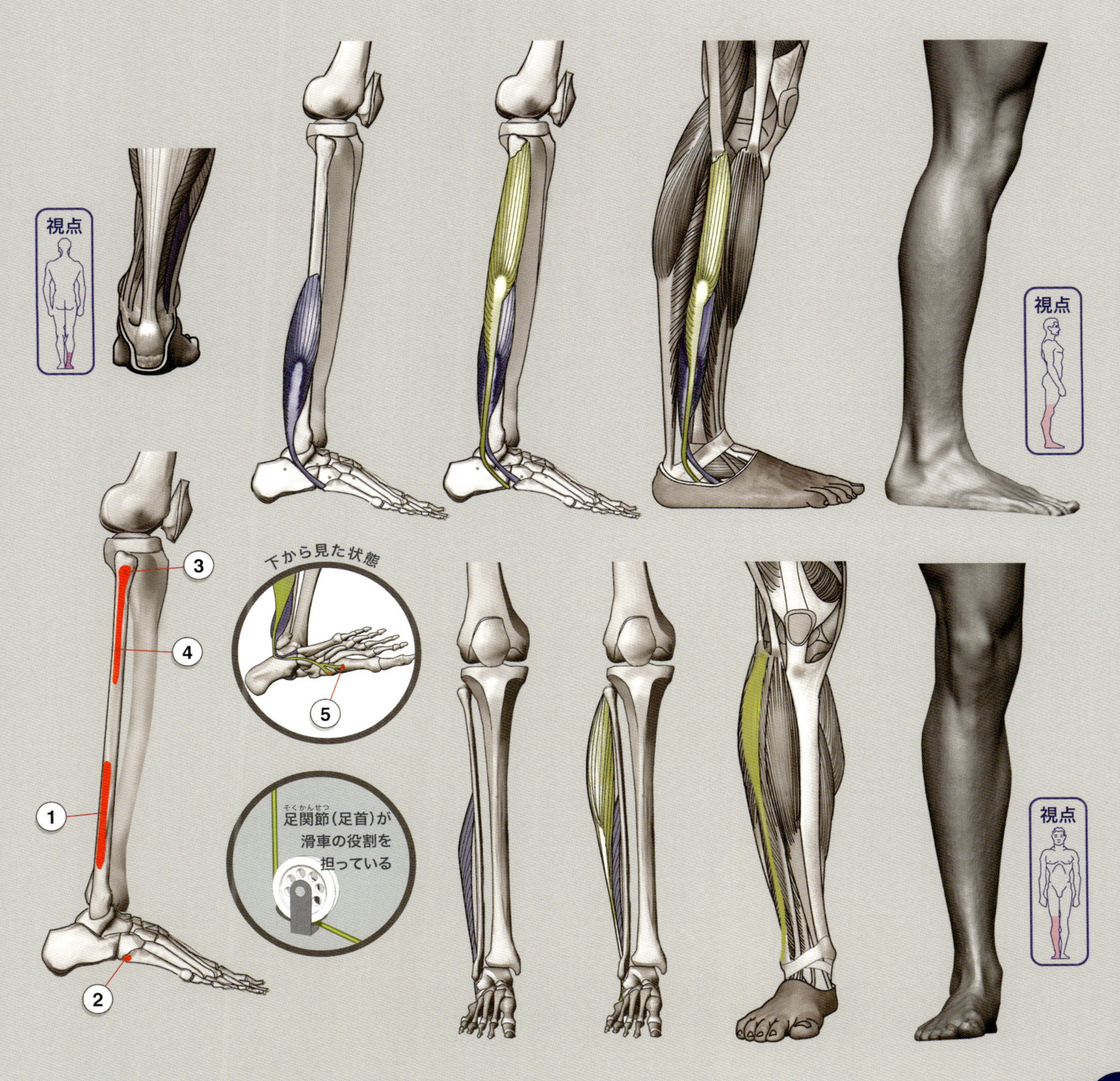
視点
視点
下から見た状態
1
2
3
4
5
足関節(足首)が
滑車の役割を
担っている
視点

短腓骨筋		
作用：		足関節(足首)の外反、底屈
起始部：	1	腓骨外側面の下部2/3
停止部：	2	第五中足骨基底部

長腓骨筋		
作用：		足関節(足首)の外反、底屈、土踏まずの形成
起始部：	3	腓骨頭
	4	腓骨体の上部2/3
停止部：	5	外果の下を通って、第一中足骨底部と内側楔状骨に停止

脚の背面のヒント

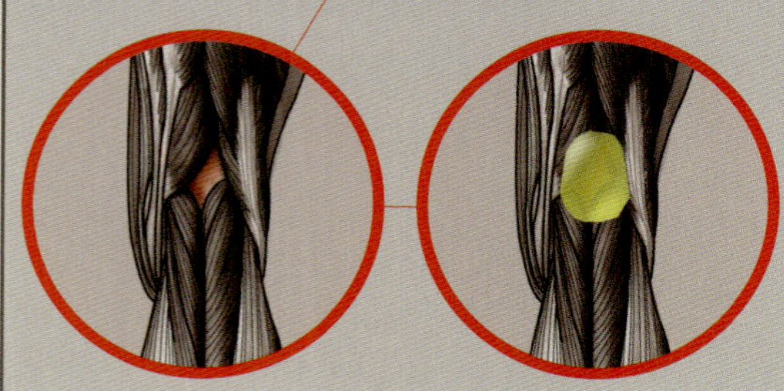

筋肉の図を見ると、膝の裏は浅くくぼんでいる。しかし実際には、脚を真っすぐに伸ばすとこの部分は盛り上がる（膝窩の上に脂肪体があるため）。

脚を曲げる、あるいは足を伸展位にすると、ふくらはぎの筋肉（腓腹筋とヒラメ筋）がより顕著になる。

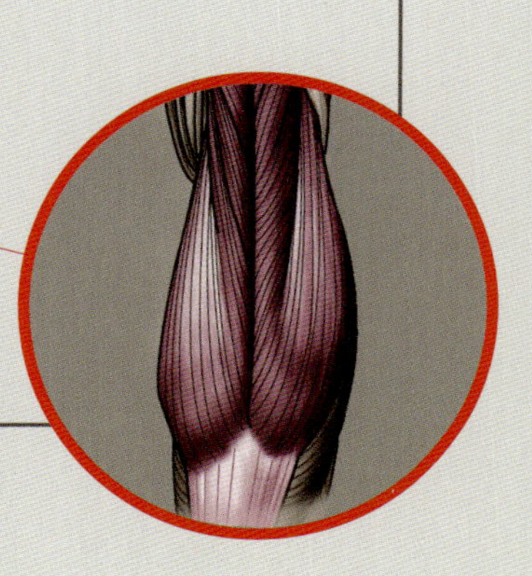

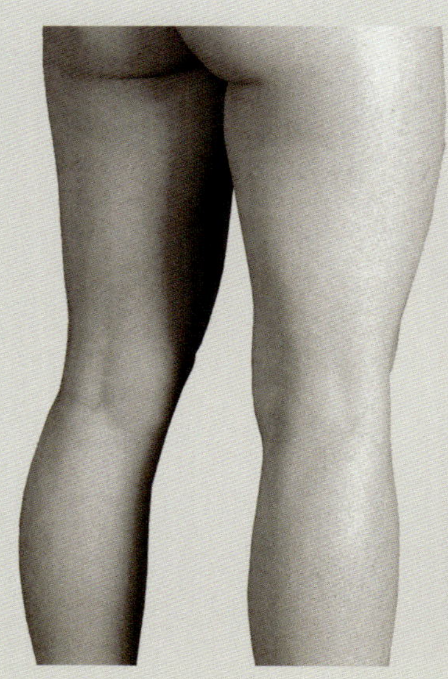

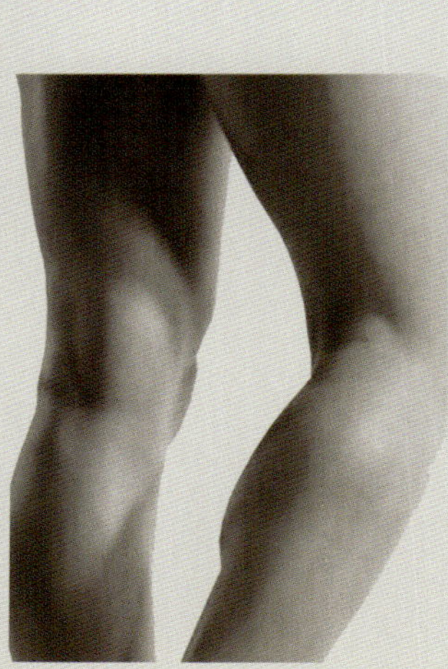

脚を大きく曲げるほど、膝窩と呼ばれるくぼみが深くなる。

1 膝窩が目立つようになる

2 ハムストリング筋

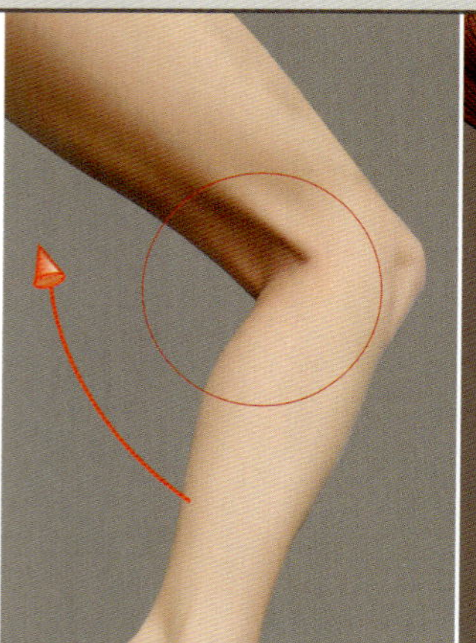

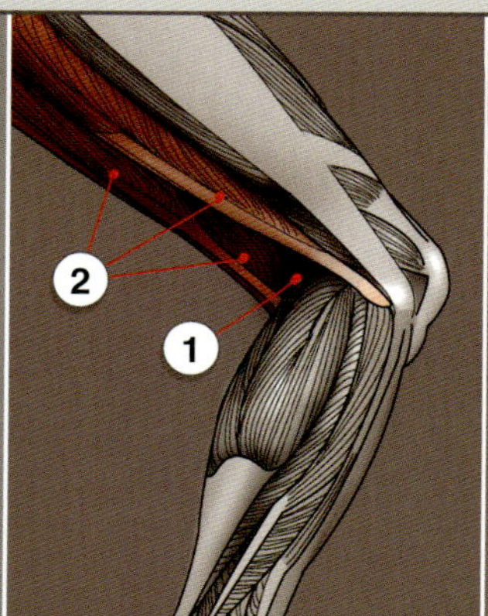
2
1

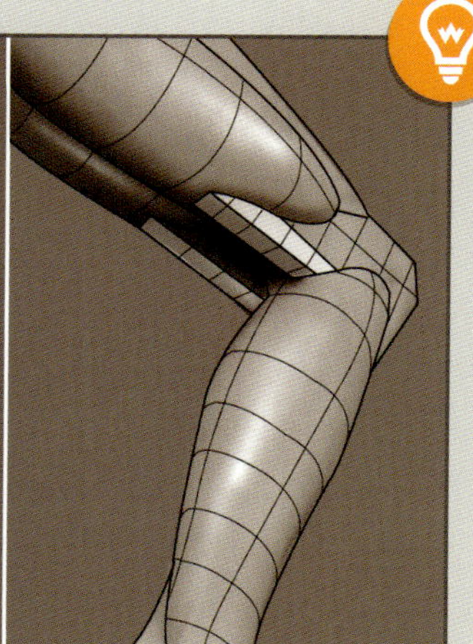

下肢の断面

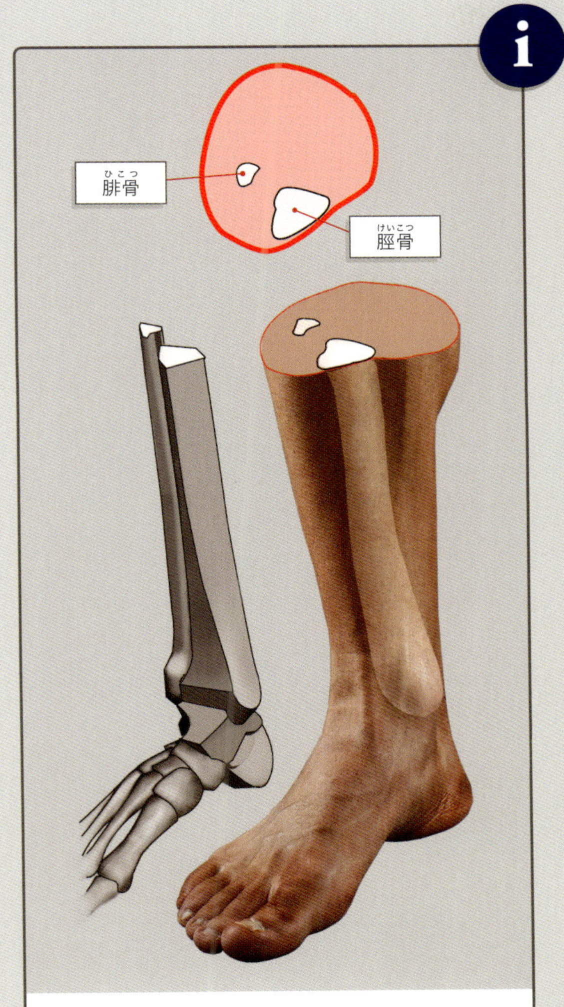
腓骨
脛骨

脛骨内側面は筋肉に覆われていないので、良い骨ランドマークになる。脛骨の形状で重要な点は、その遠位端が足首の内側の目立つ骨ランドマークになることだ。

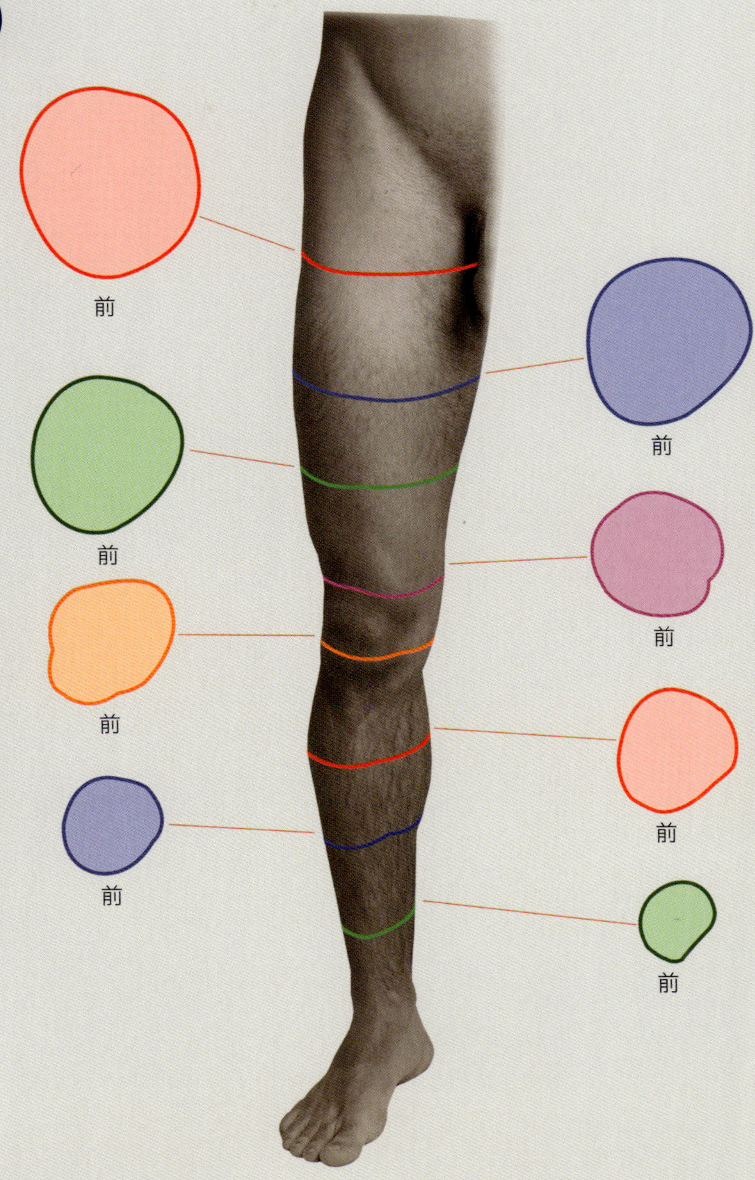
前
前
前
前
前
前
前
前
前
前

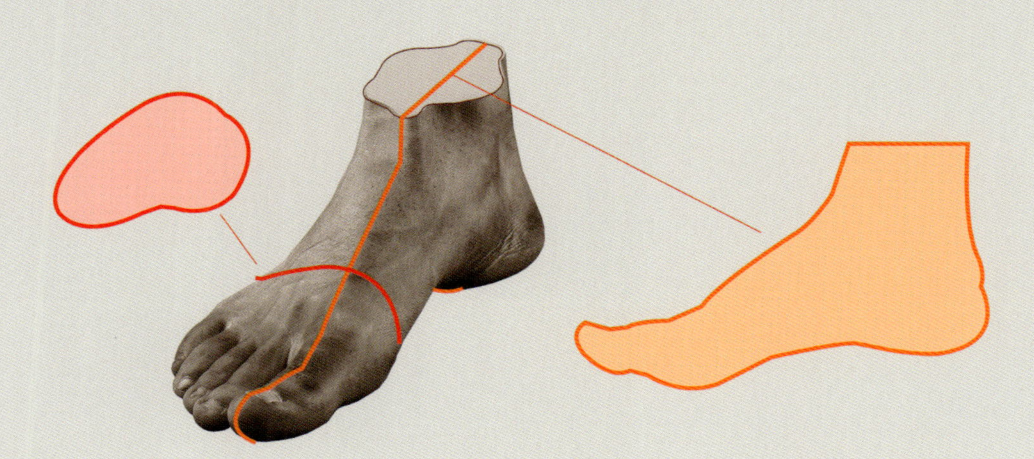

膝の仕組み

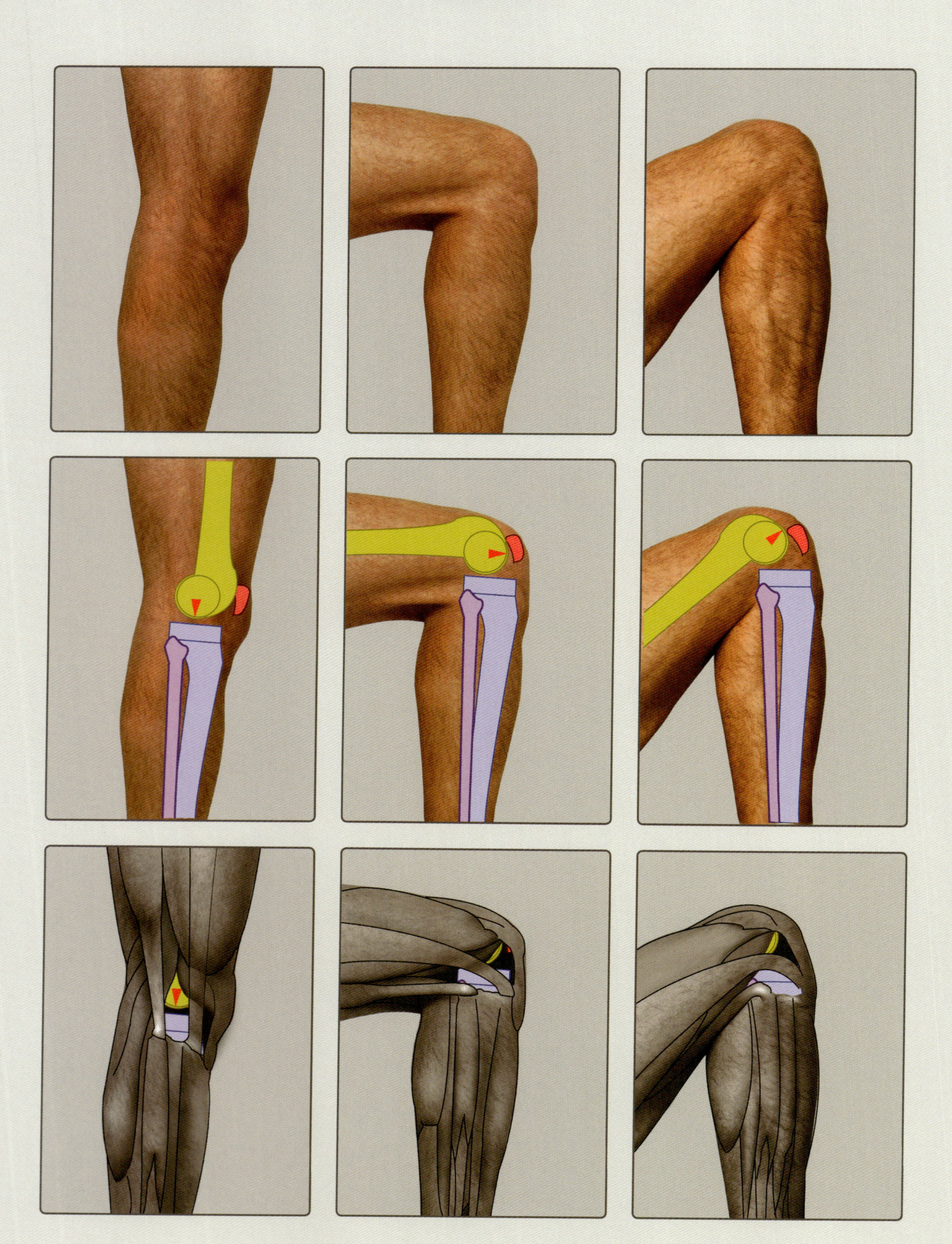

膝
（各隆起の正体）

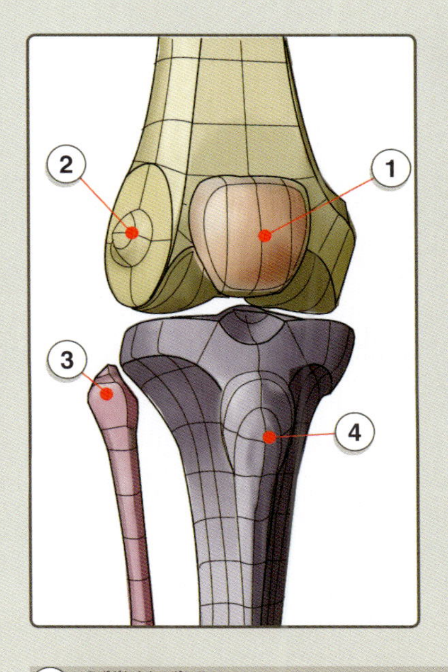

2
1
3
4

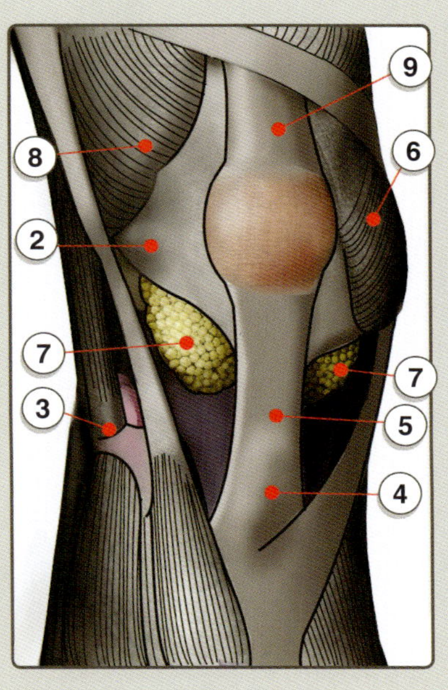

9
8
6
2
7
7
3
5
4

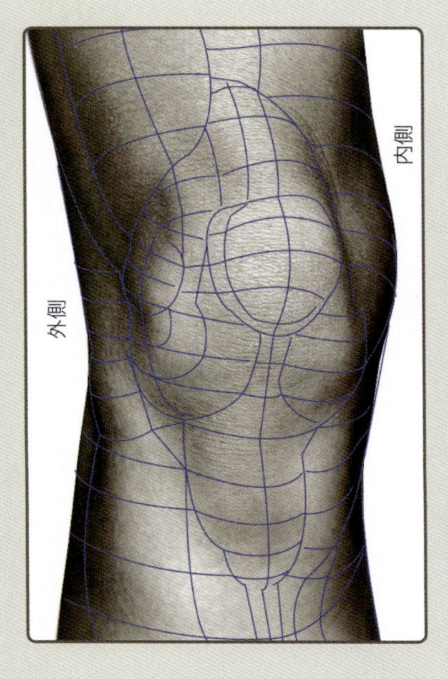

内側
外側

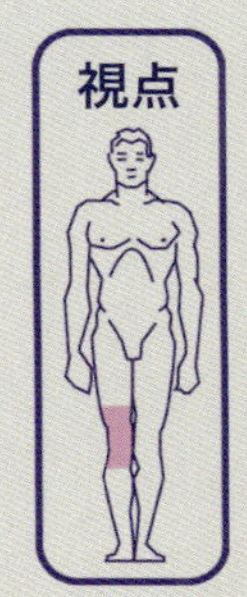

視点

① 膝頭（膝蓋骨）	④ 脛骨粗面	⑦ 膝蓋下脂肪体
② 大腿骨外側上顆	⑤ 膝蓋靭帯	⑧ 外側広筋
③ 腓骨頭	⑥ 内側広筋	⑨ 四頭筋腱

膝蓋靭帯⑤は、腱⑨のように伸びないので、膝頭と脛骨粗面④の距離は変化しない。

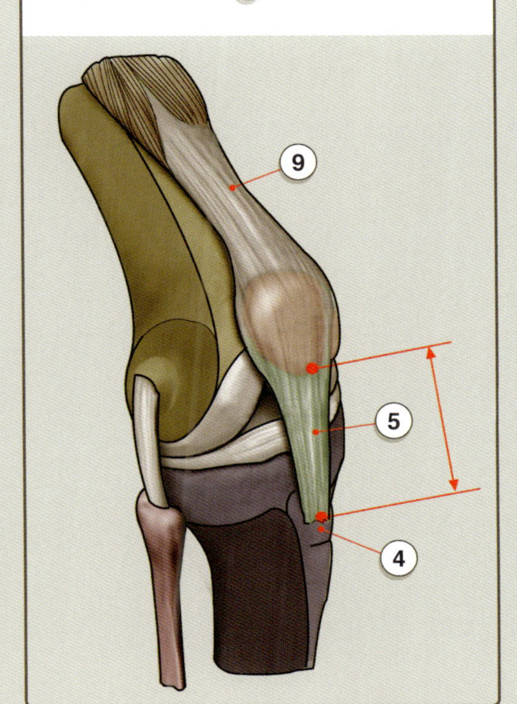

9
5
4

大腿骨頭は、**固定されていない軸機能によって**脛骨の上端上で**転がる**。

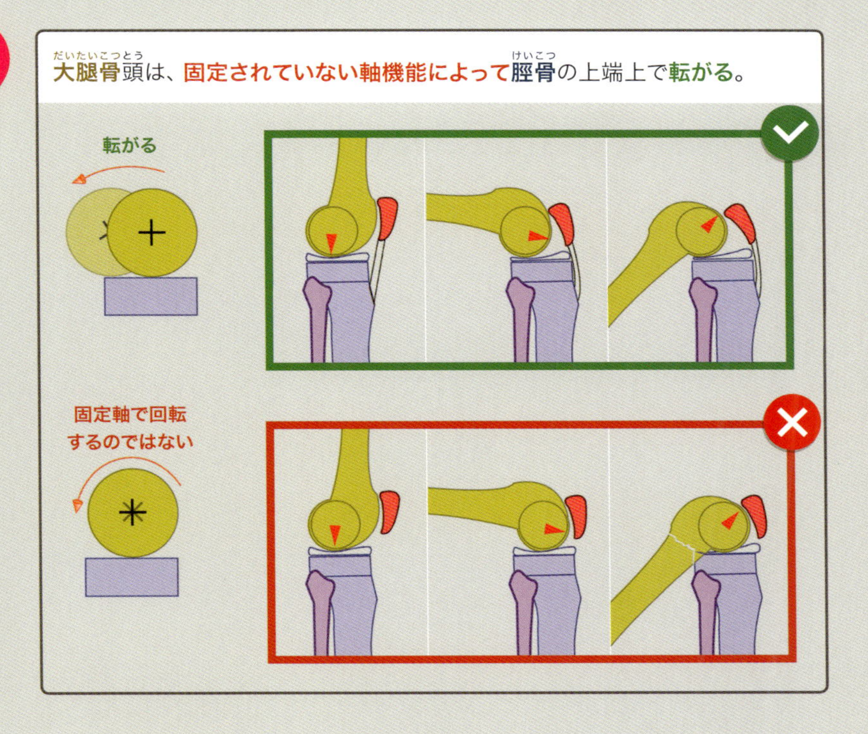

転がる
固定軸で回転
するのではない

右膝の3Dスキャン

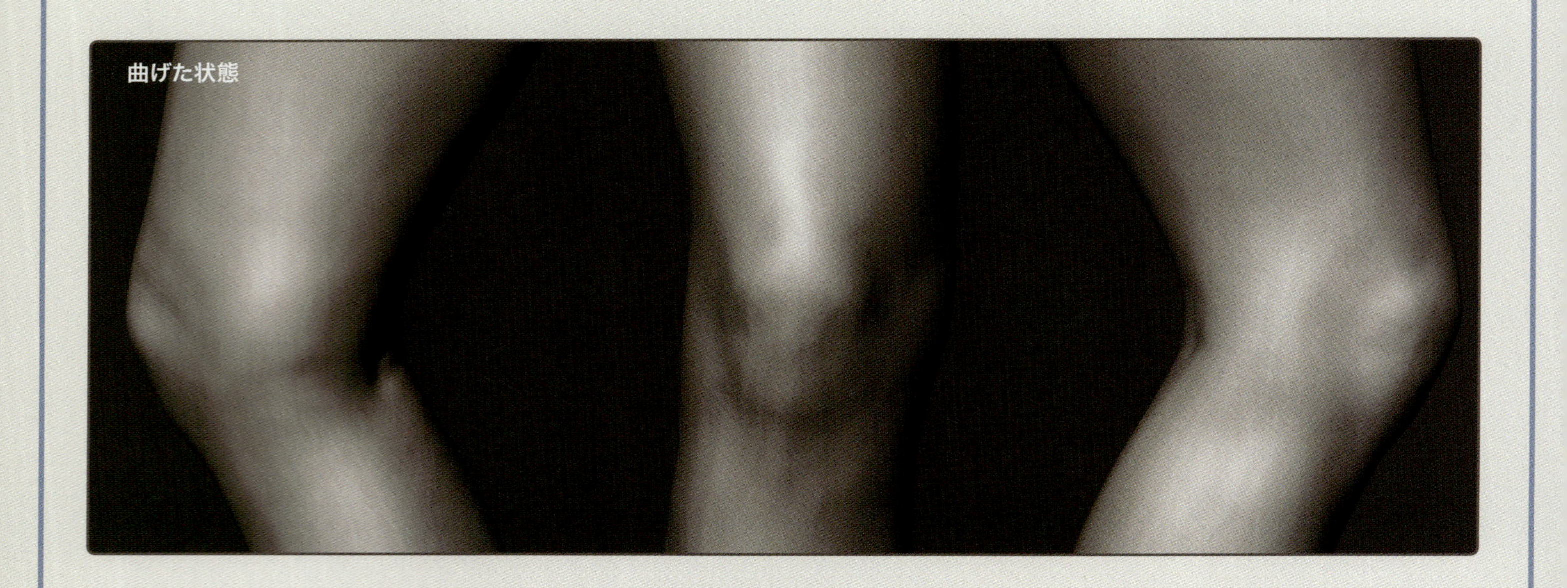
曲げた状態

視点

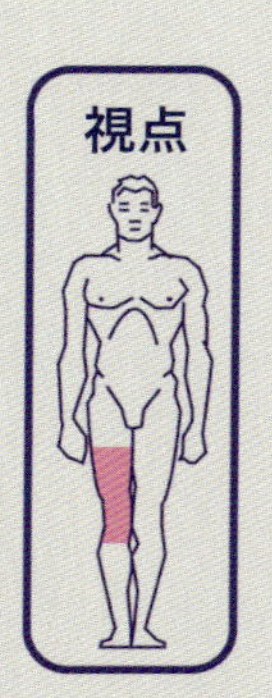
視点

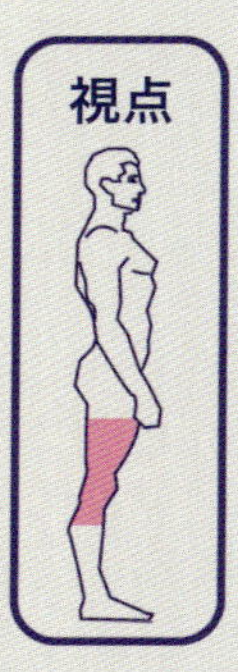
視点

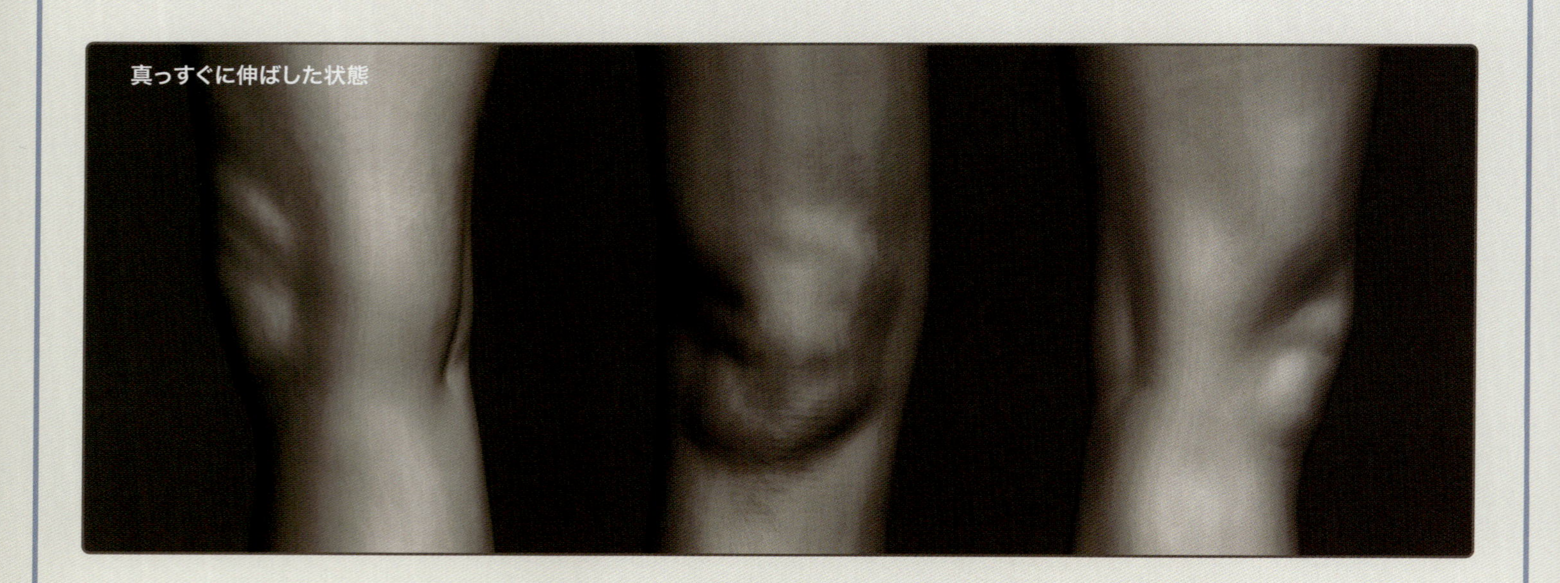
真っすぐに伸ばした状態

左膝の3Dスキャン

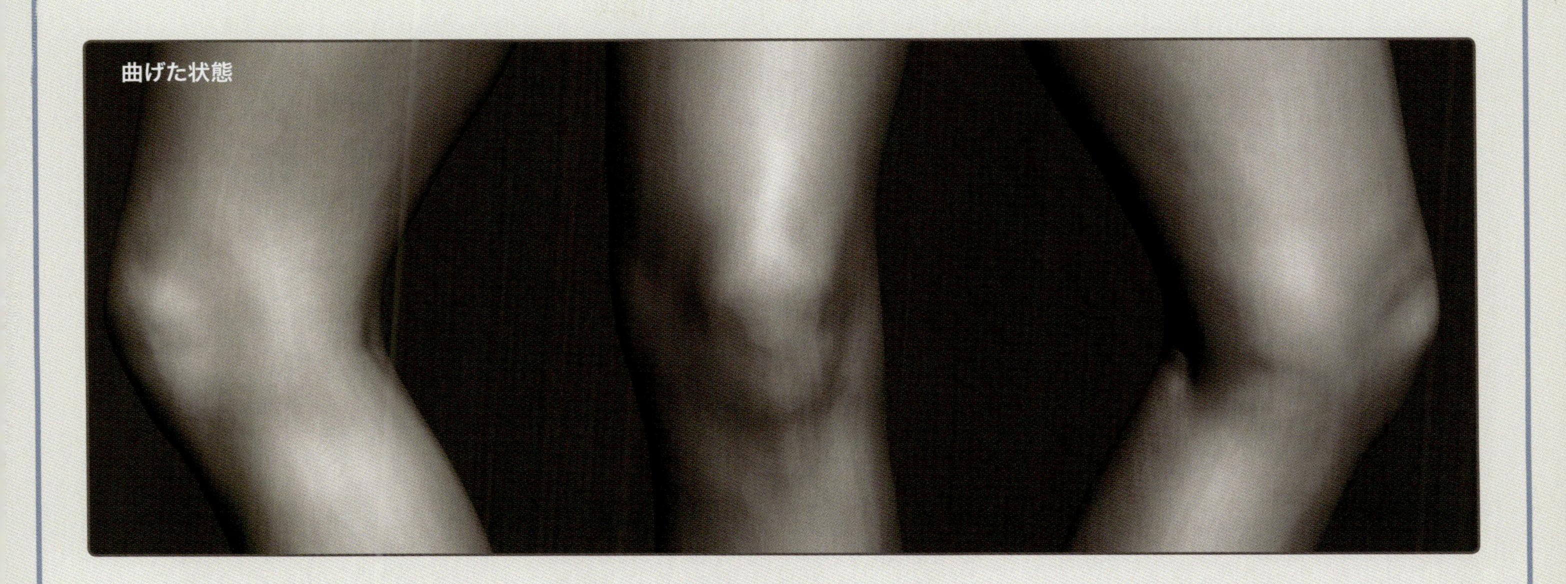
曲げた状態

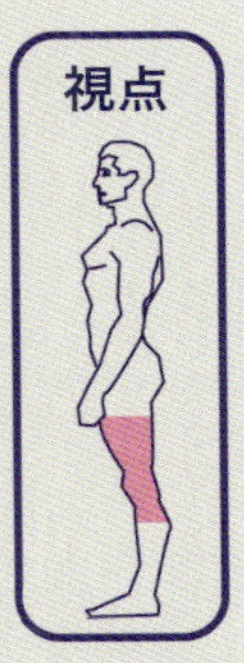
視点

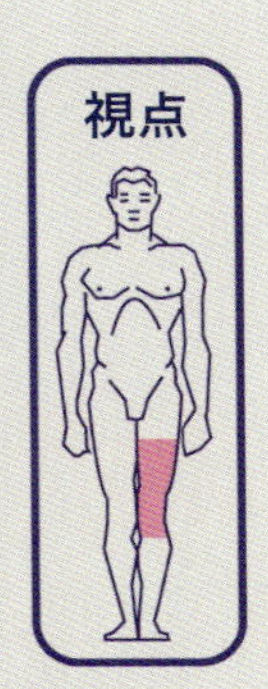
視点

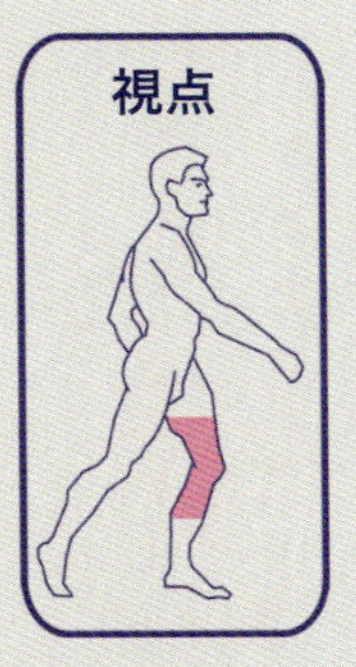
視点

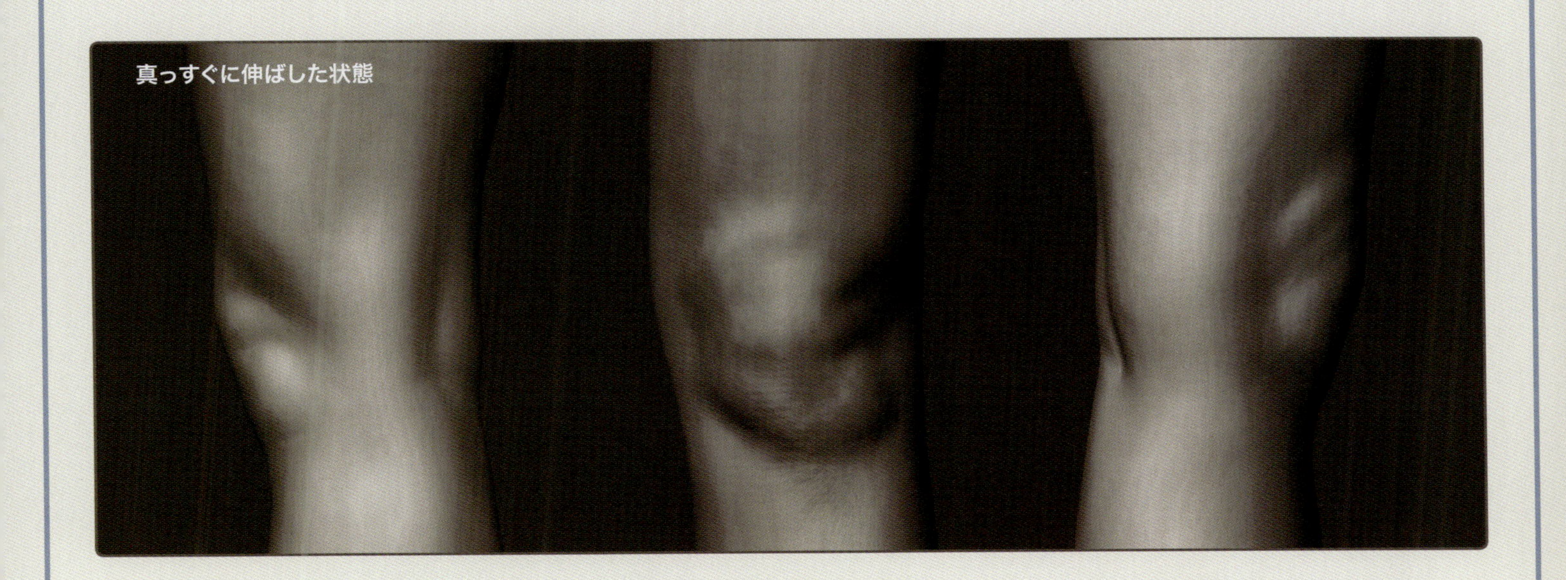
真っすぐに伸ばした状態

左右の膝の3Dスキャン

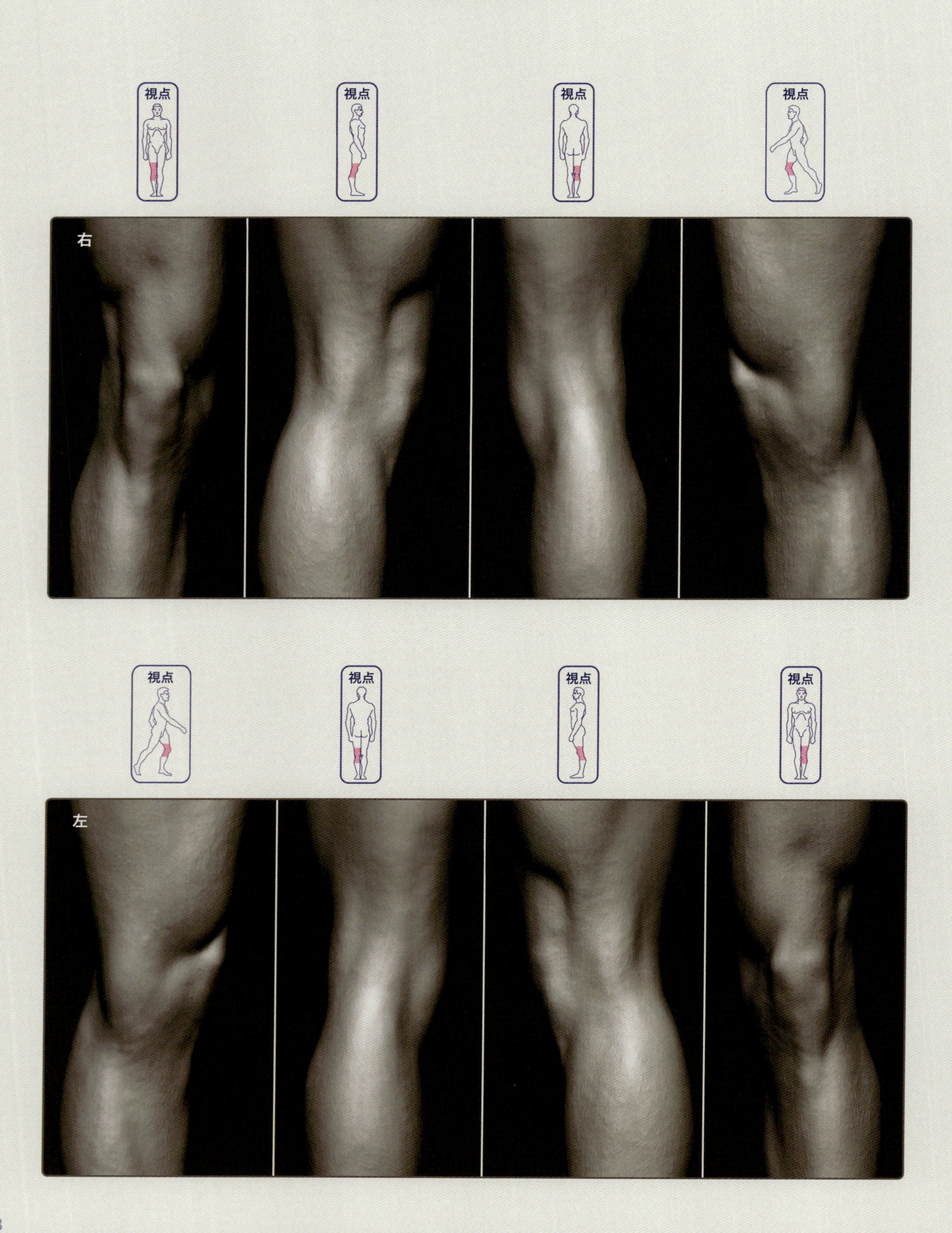
視点
視点
視点
視点
右
視点
視点
視点
視点
左

女性の脚

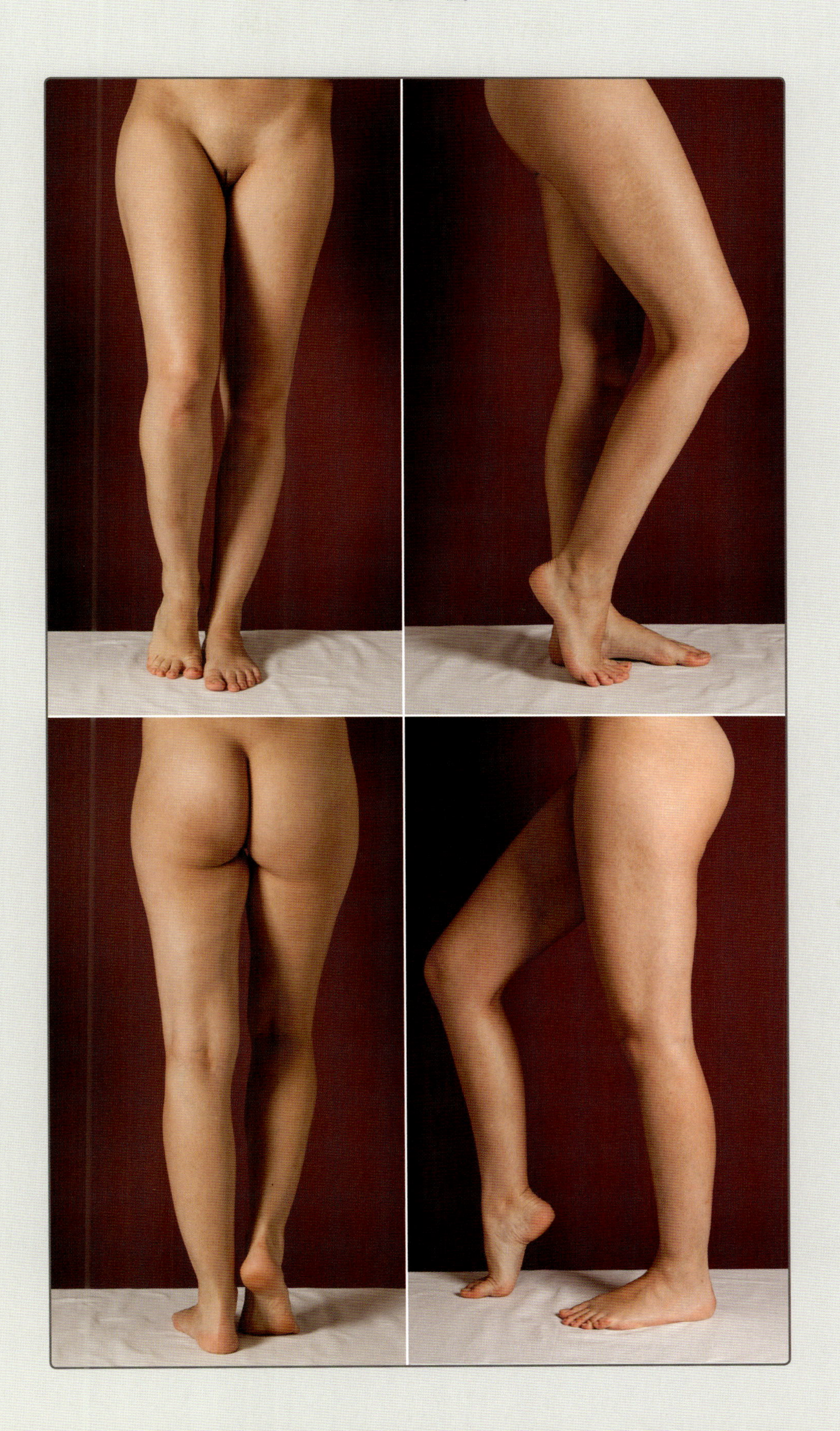

四方から見た脚の形

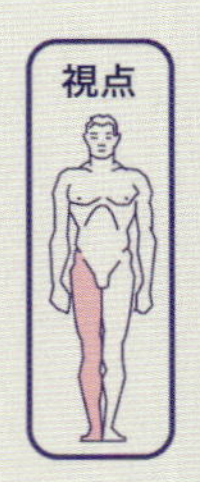
視点

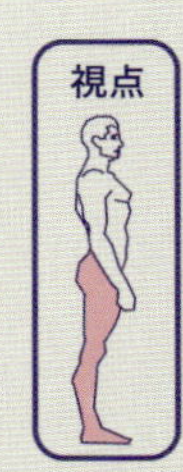
視点

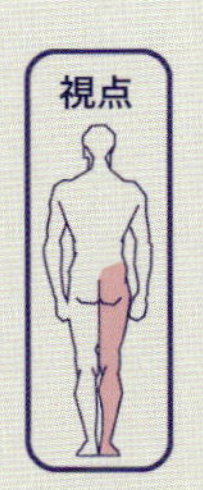
視点

視点

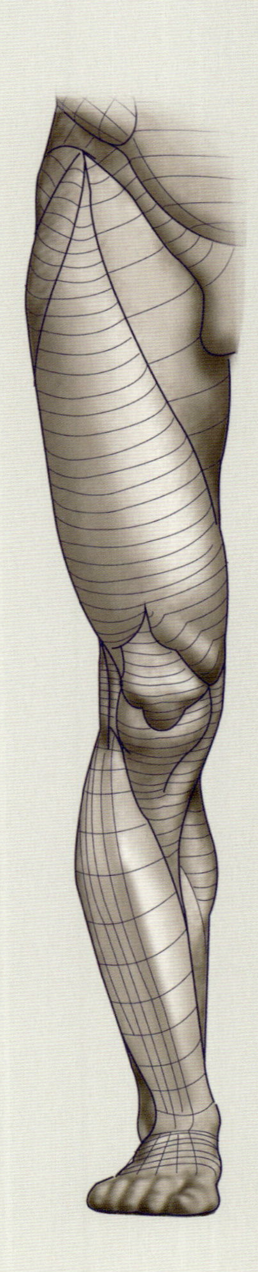

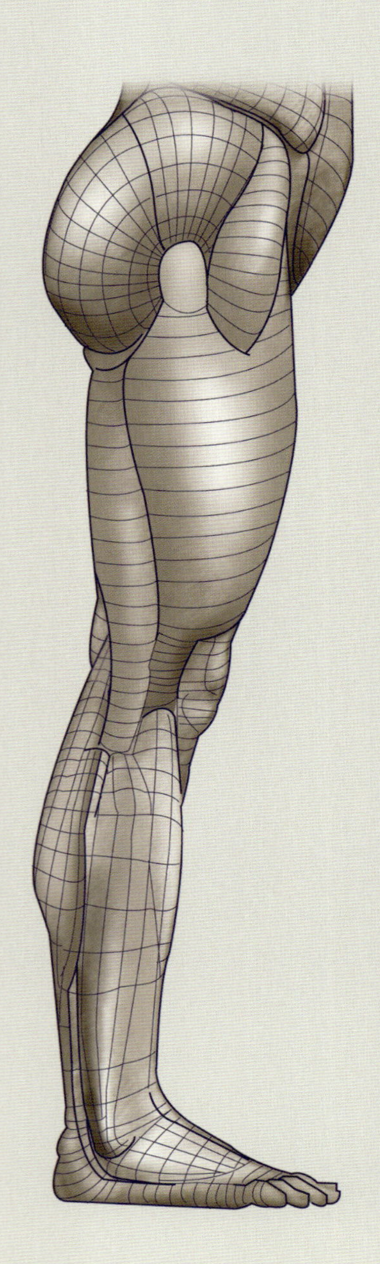

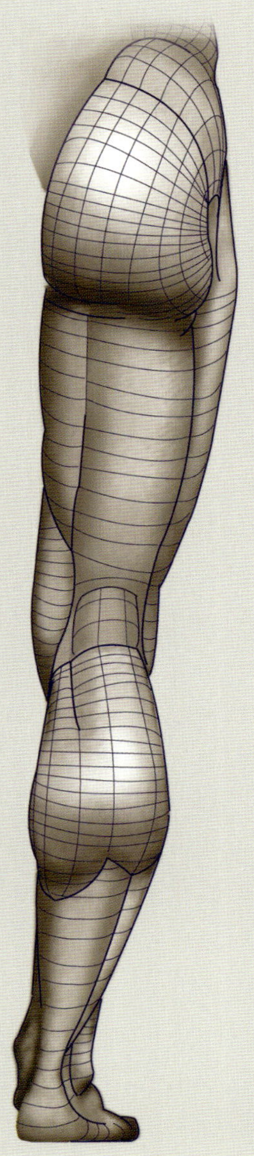

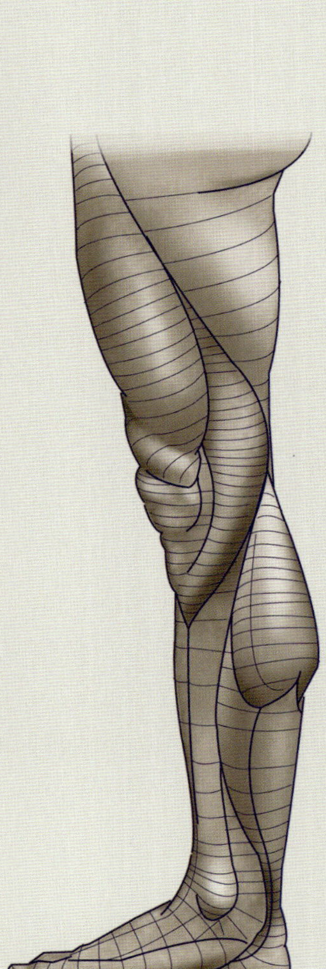

下肢の3Dスキャン

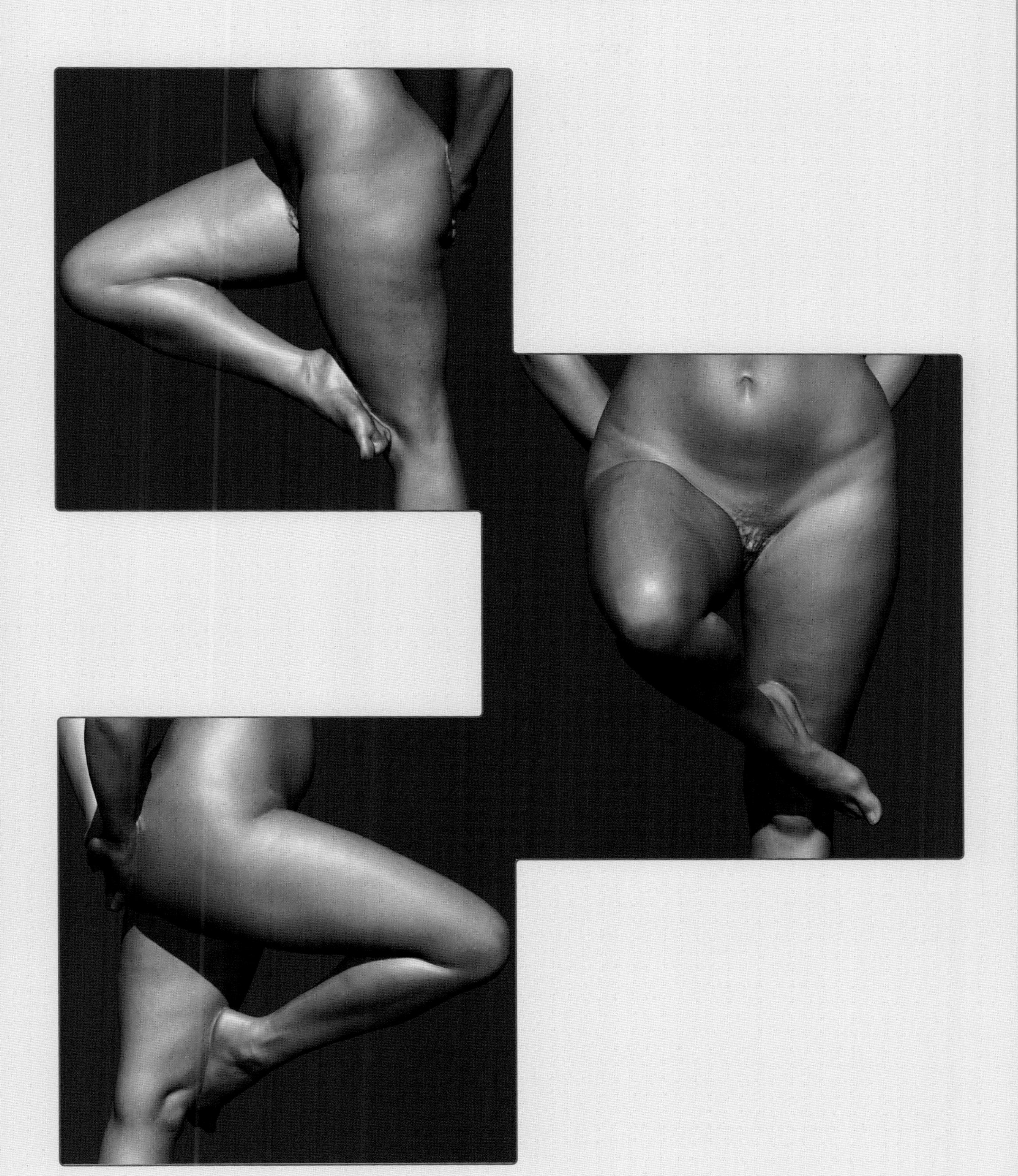

下肢を走る筋肉

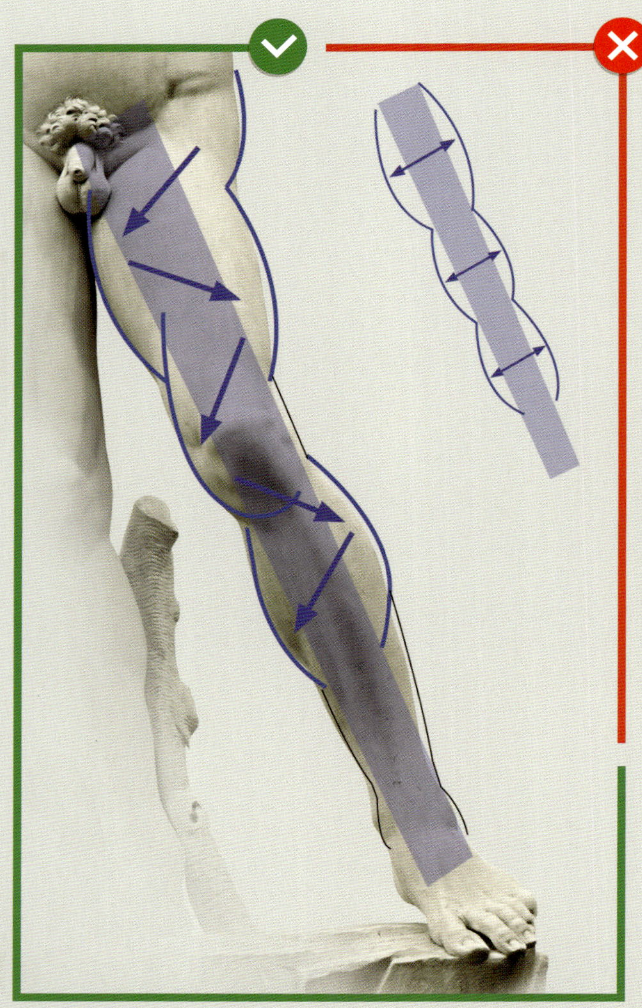

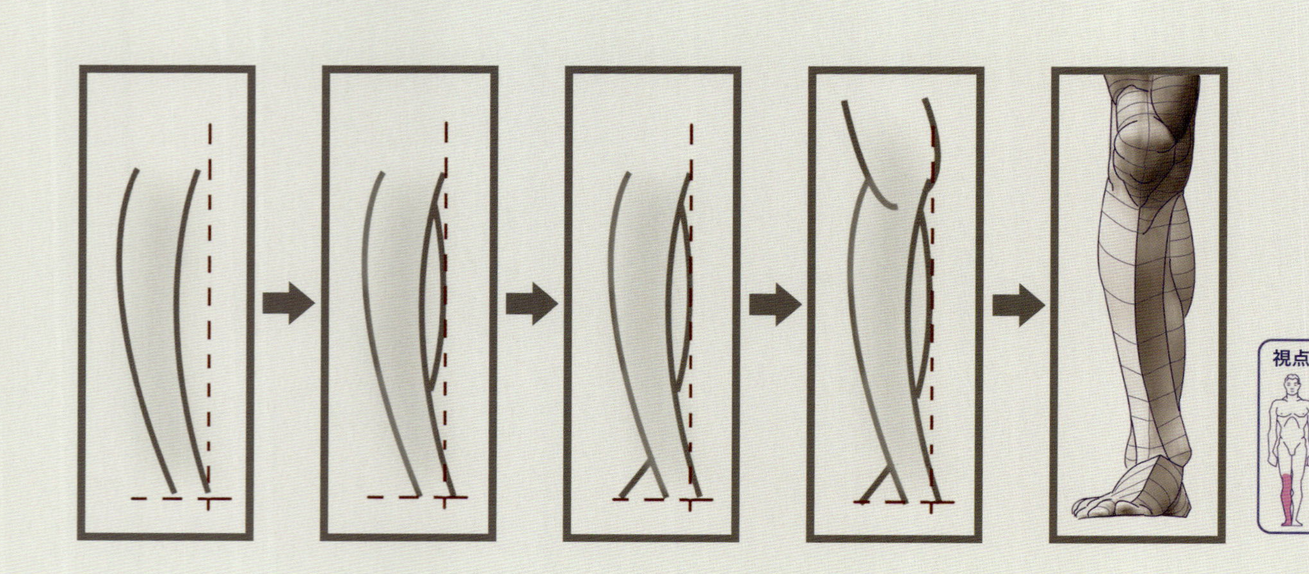
視点

脚と足のその他の形

かかとは主に脂肪体で形作られている。

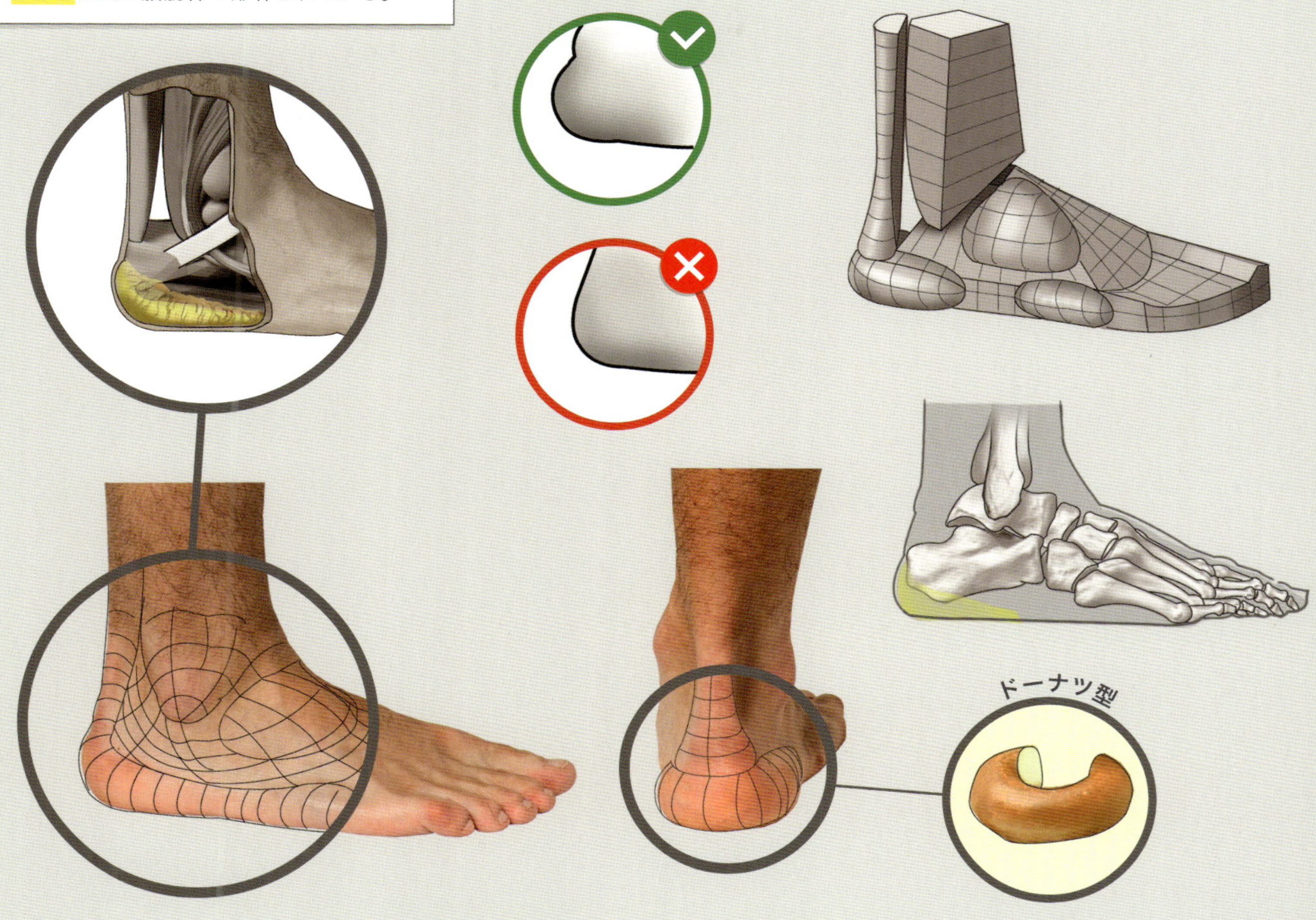
ドーナツ型

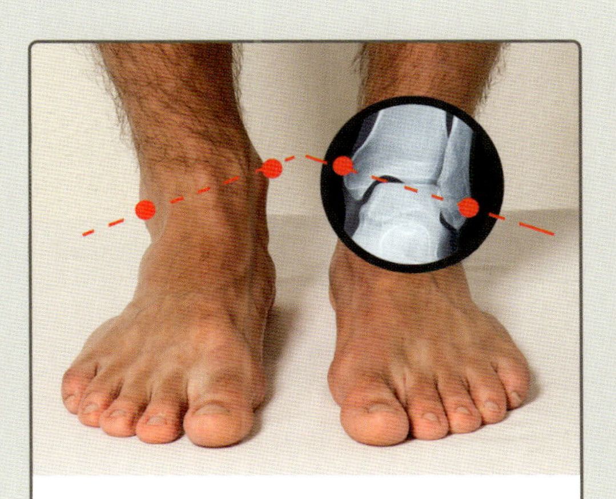

内くるぶしは外側の湾曲よりも高い位置にある。

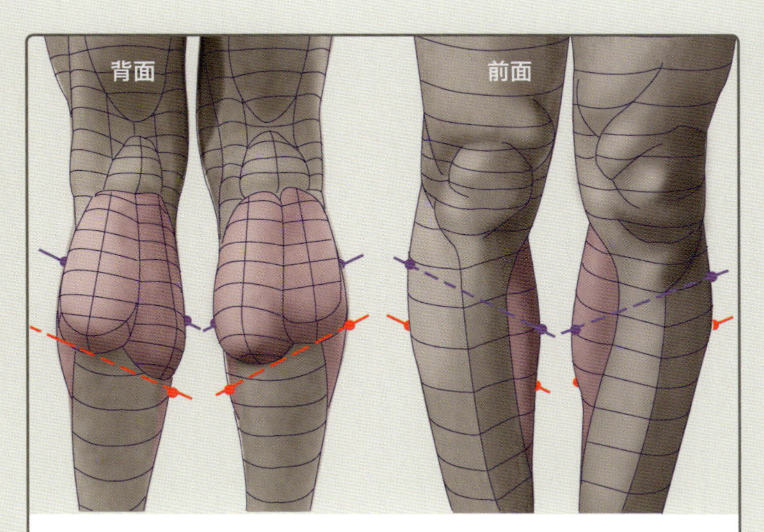
背面
前面

ふくらはぎの筋肉は、内側部分の方が外側よりも低い位置にあり、丸みがあって量も多い。

足の筋肉

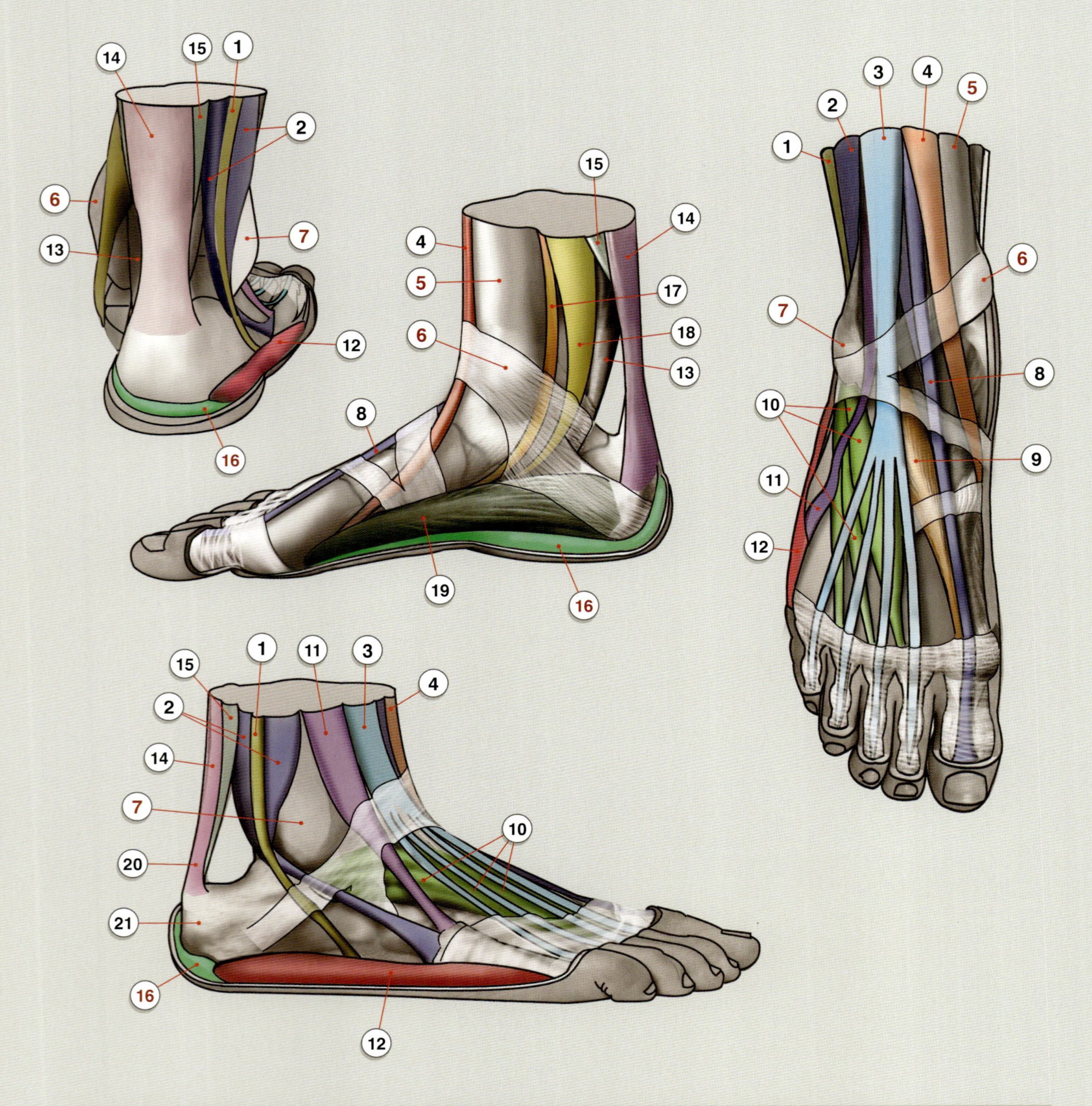

1. 長腓骨筋（ちょうひこつきん）
2. 短腓骨筋（たんひこつきん）
3. 長趾伸筋（ちょうししんきん）
4. 前脛骨筋（ぜんけいこつきん）
5. 脛骨内側面（けいこつないそくめん）
6. 内果（ないか）
7. 外果（がいか）
8. 長母趾伸筋（ちょうぼししんきん）
9. 短母趾伸筋（たんぼししんきん）
10. 短趾伸筋（たんししんきん）
11. 第三腓骨筋（だいさんひこつきん）
12. 小趾外転筋（しょうしがいてんきん）
13. 長母趾屈筋（ちょうぼしくっきん）
14. 腓腹筋（ひふくきん）
15. ヒラメ筋
16. 脂肪体（しぼうたい）
17. 後脛骨筋（こうけいこつきん）
18. 長趾屈筋（ちょうしくっきん）
19. 母趾外転筋（ぼしがいてんきん）
20. アキレス腱
21. 踵 骨（しょうこつ）

足の形

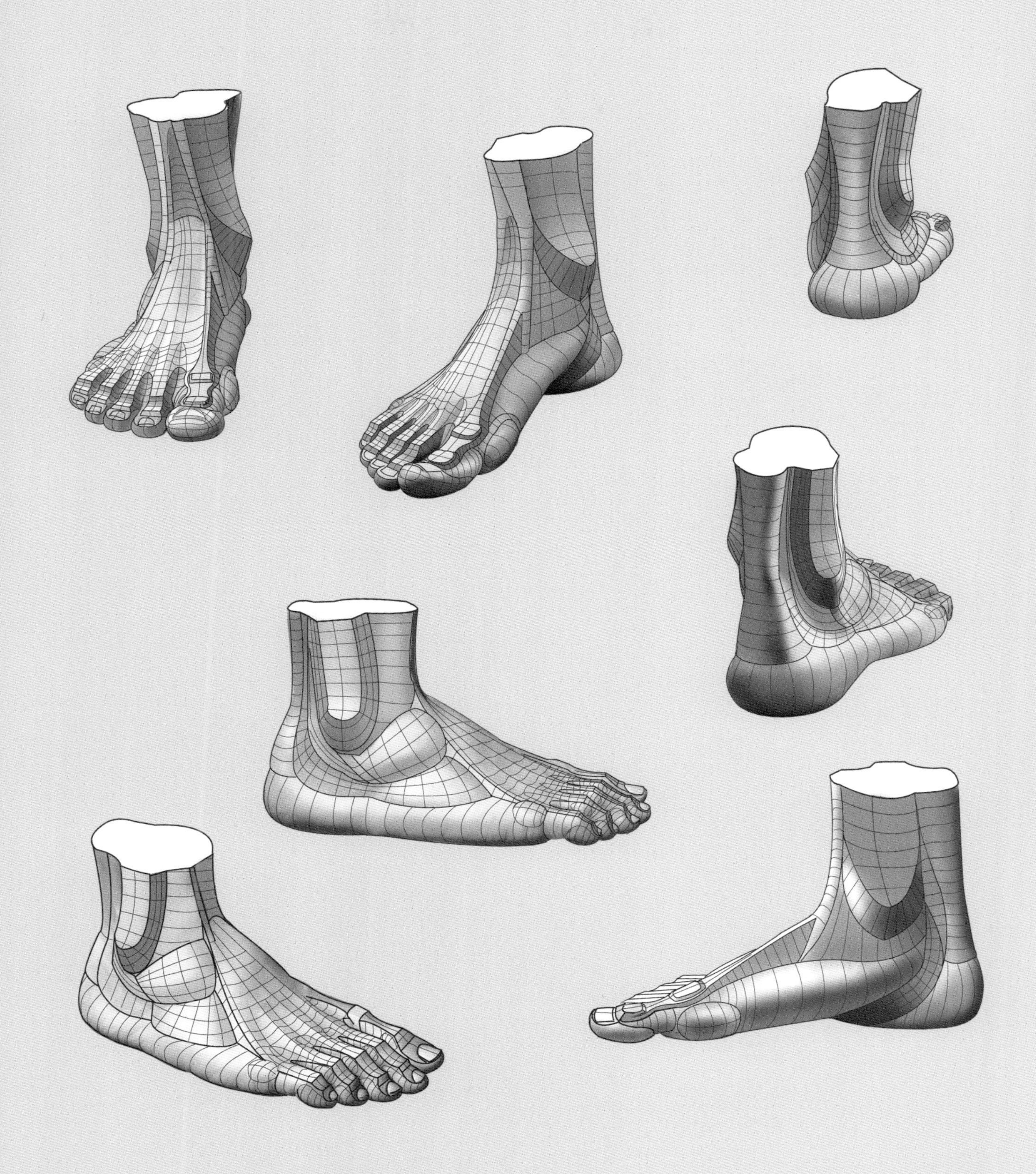

右足

足の形、足の形成

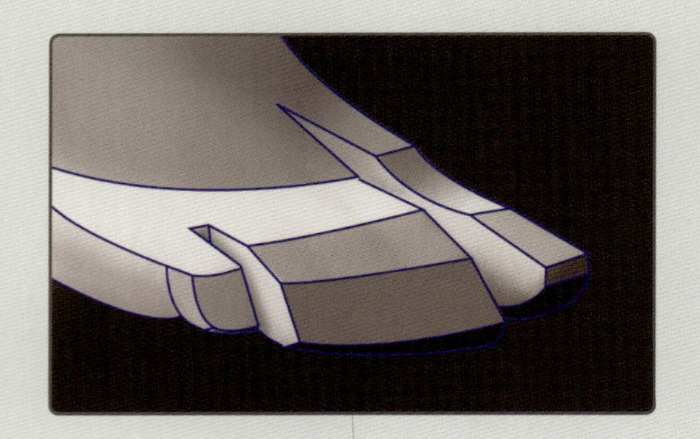

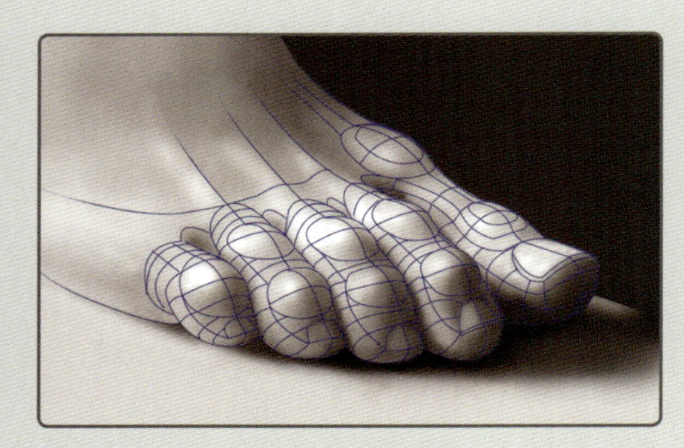

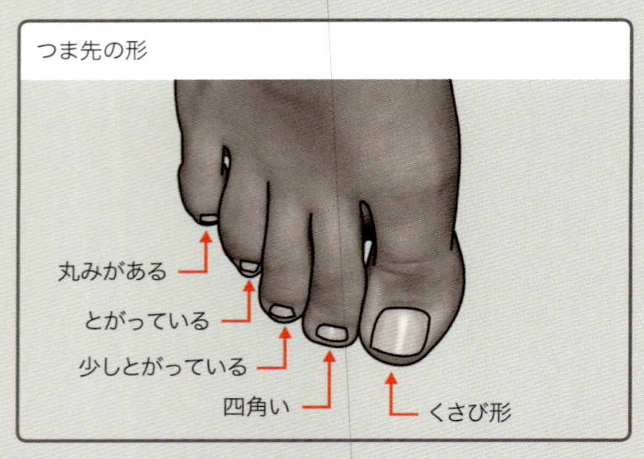
つま先の形
丸みがある
とがっている
少しとがっている
四角い
くさび形

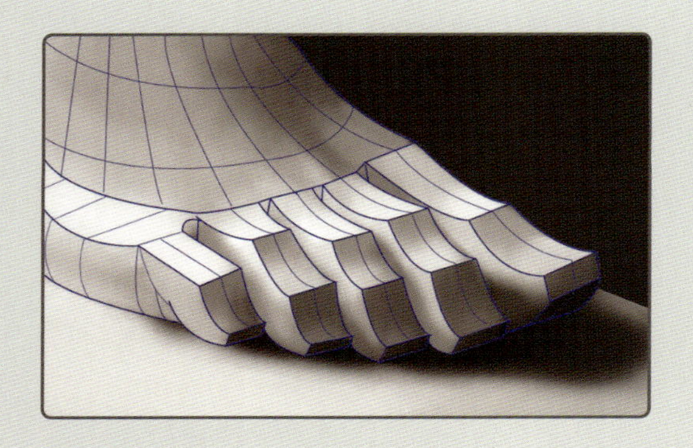

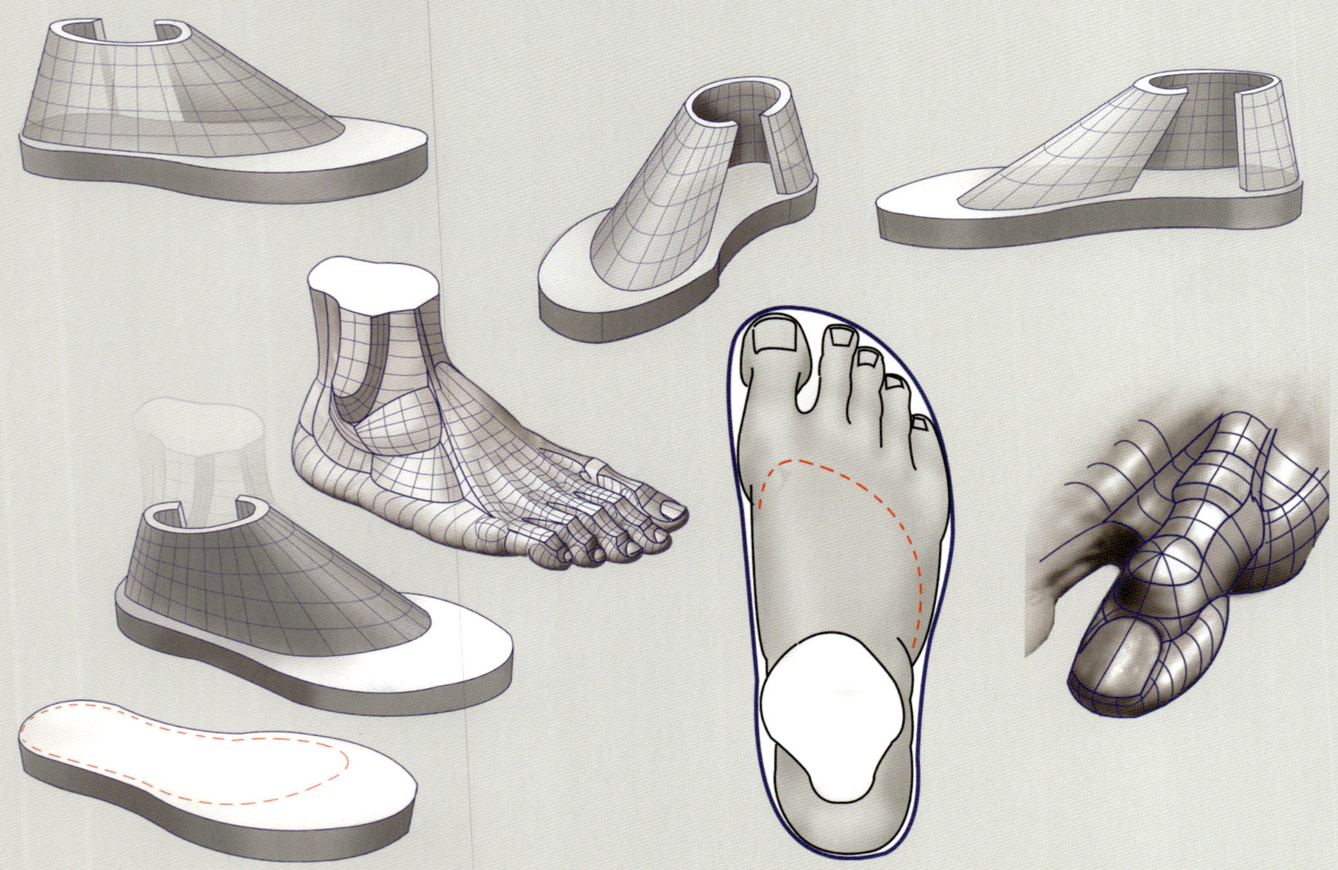

足の概形

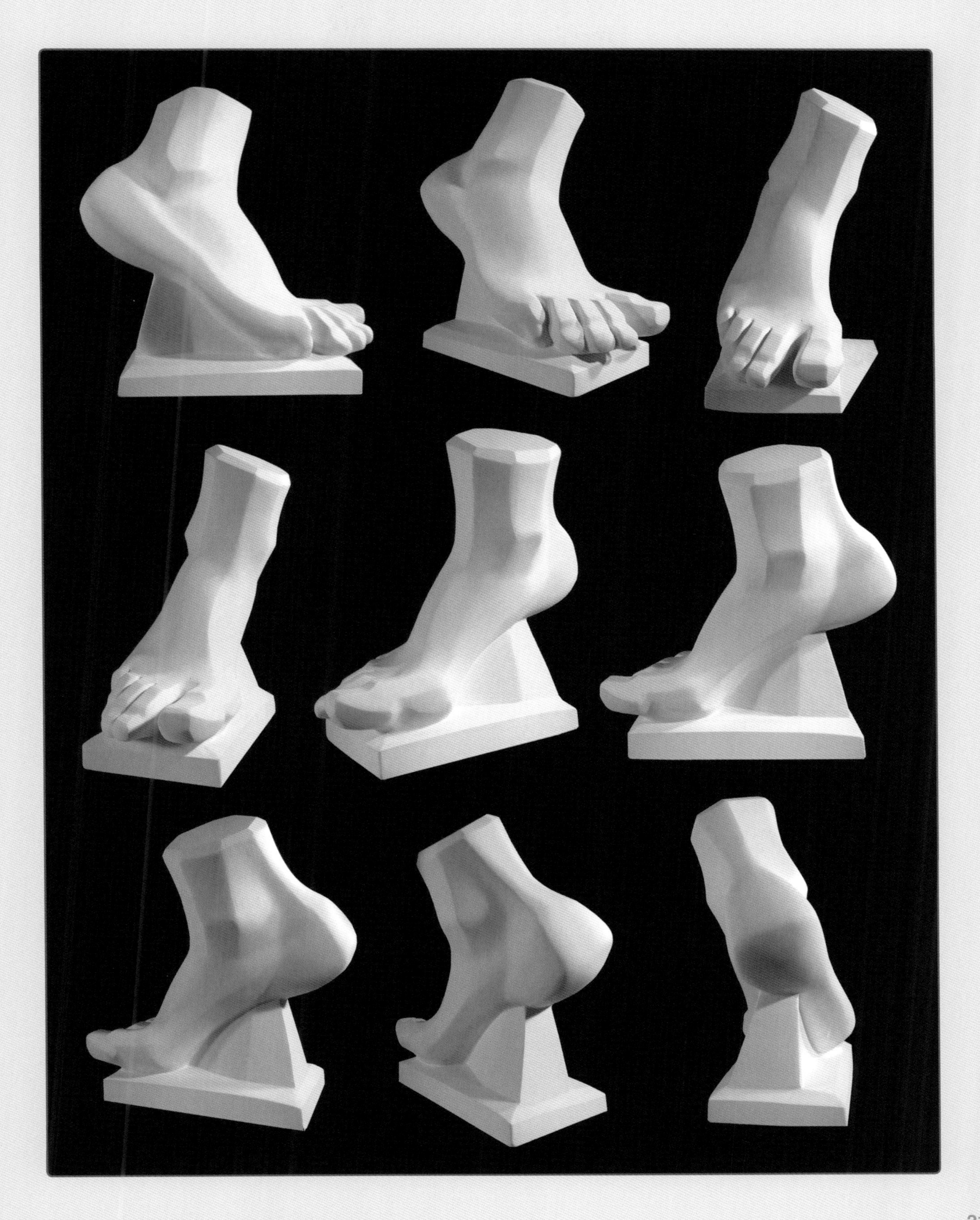

右足の3Dスキャン

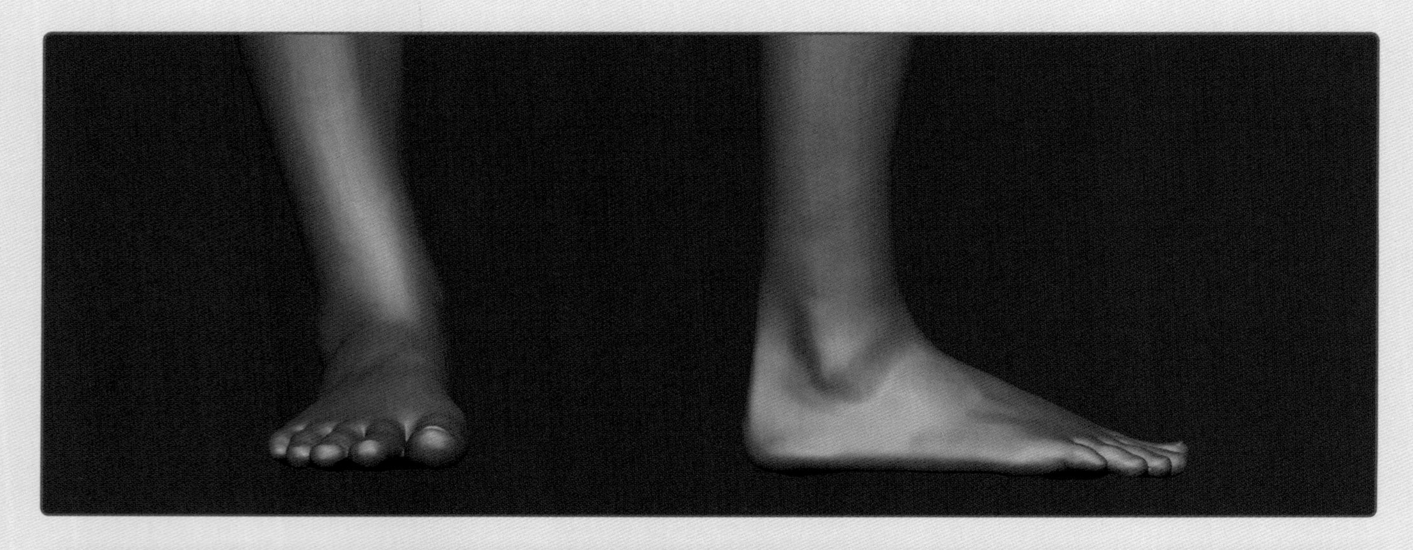

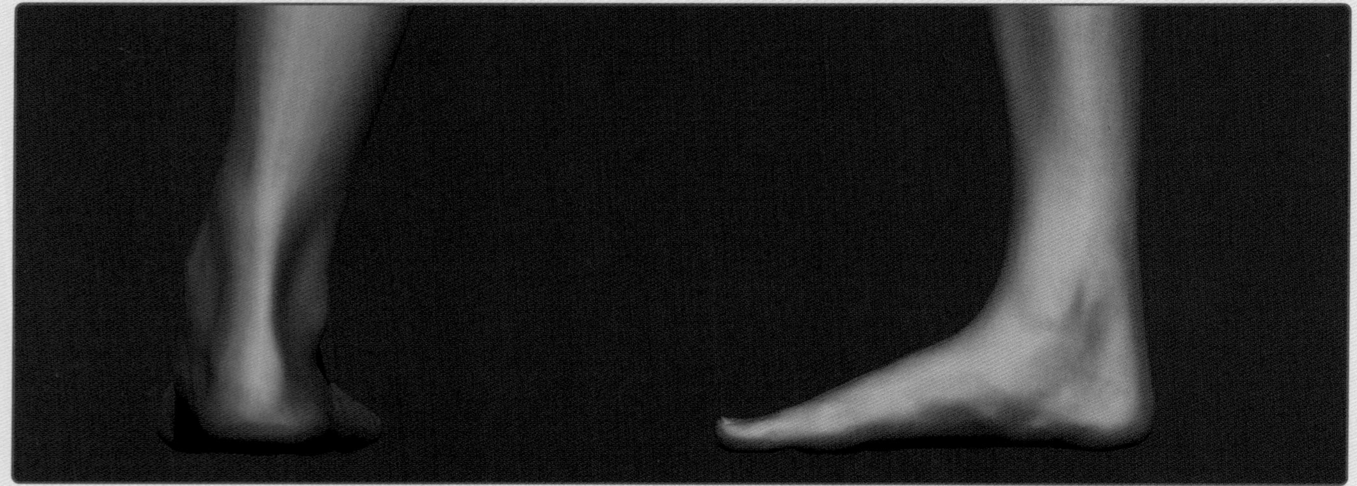

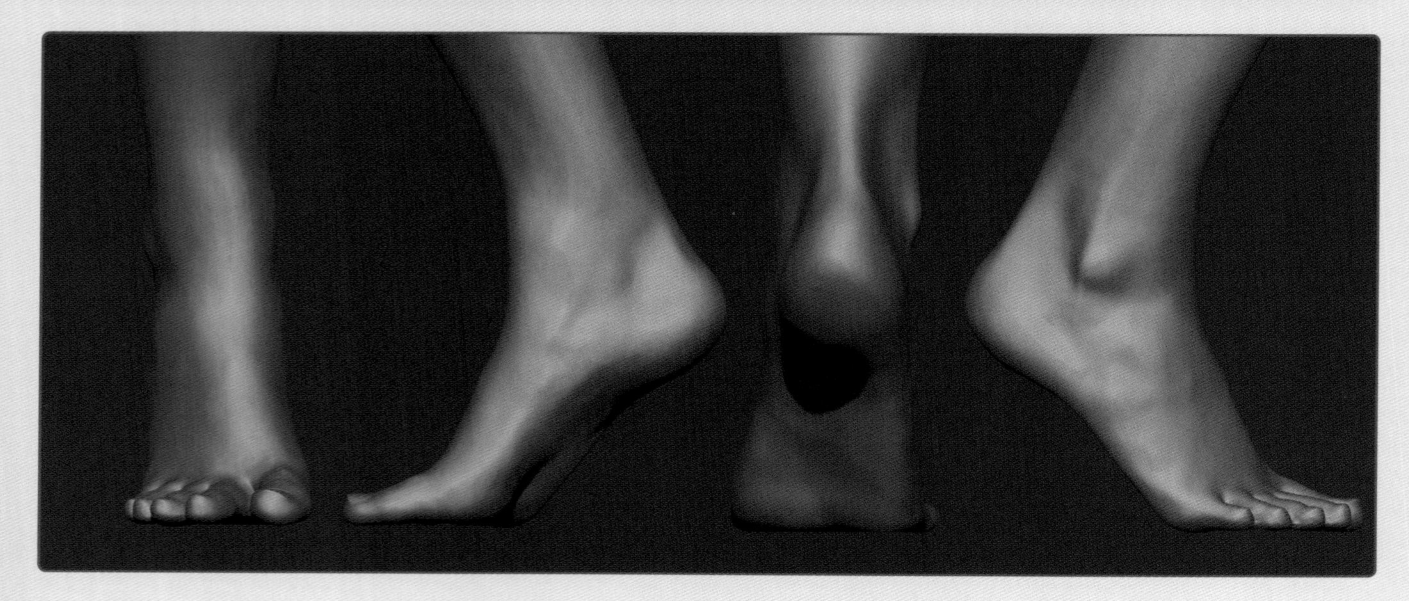

左足の3Dスキャン

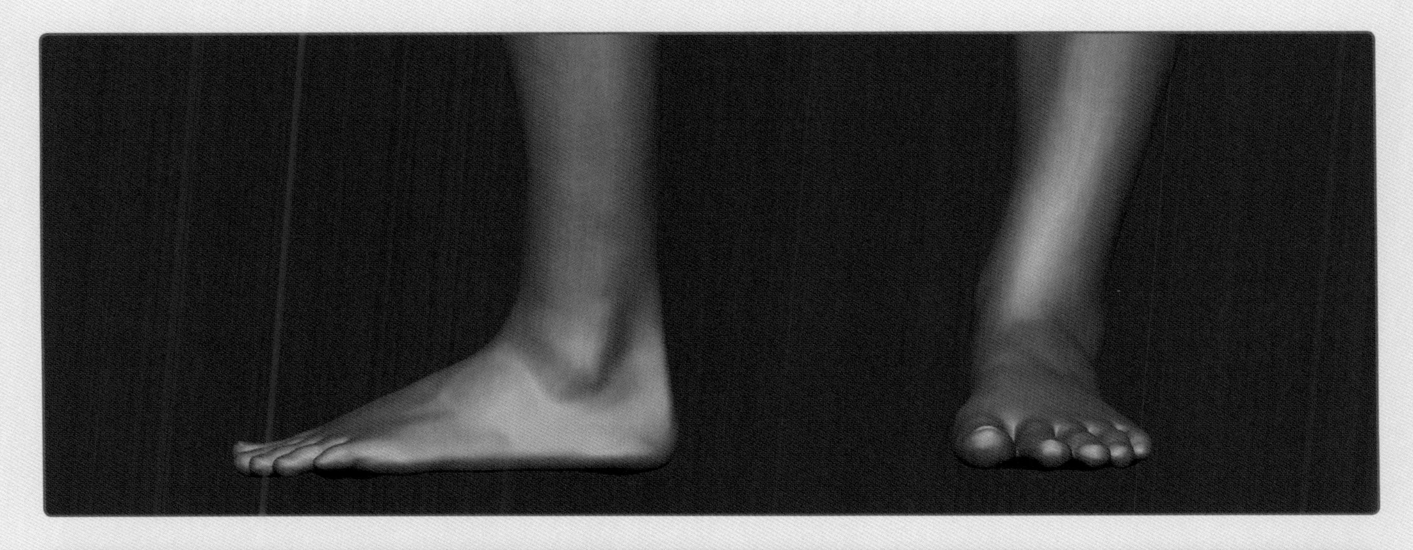

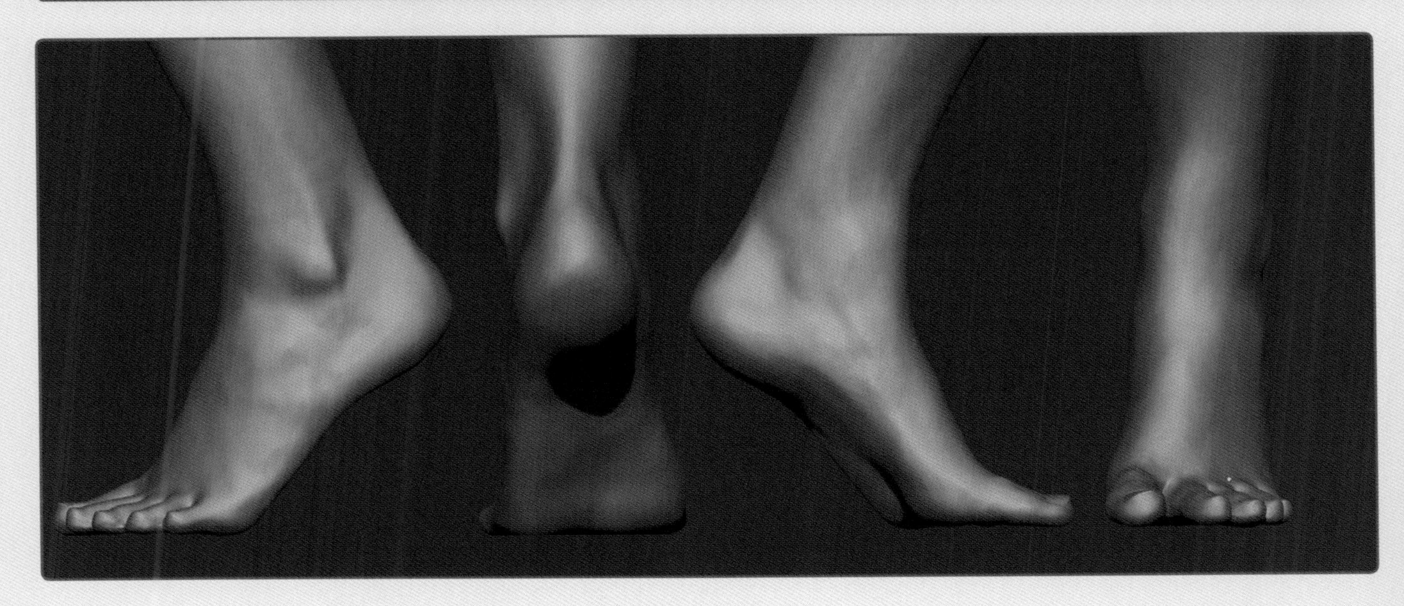

乳幼児の足

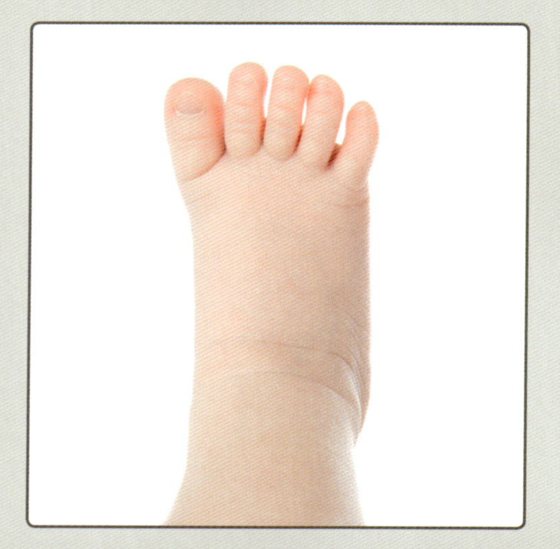

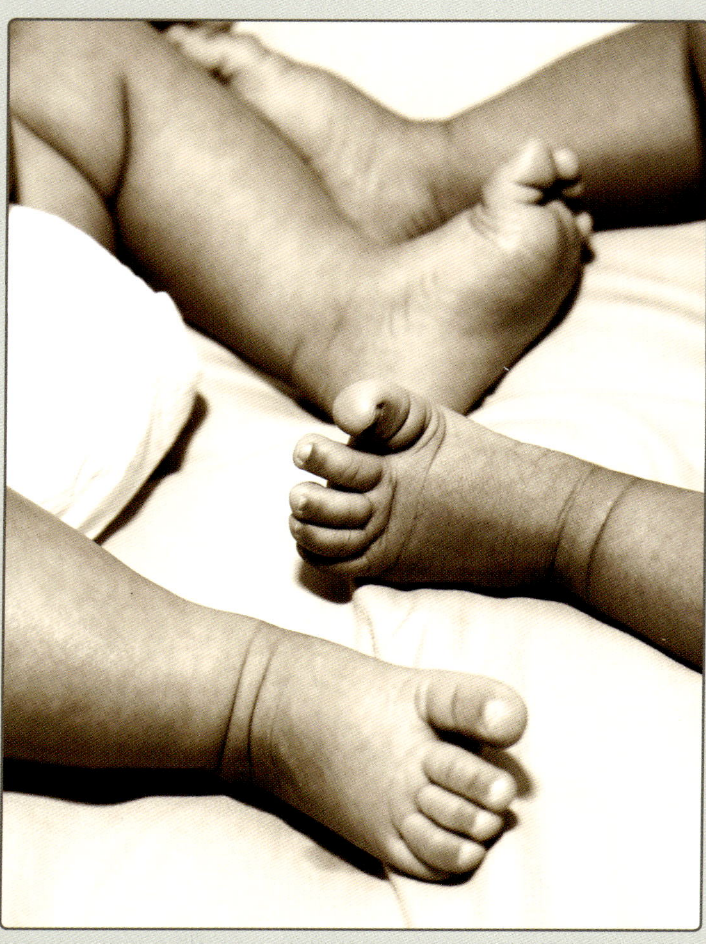

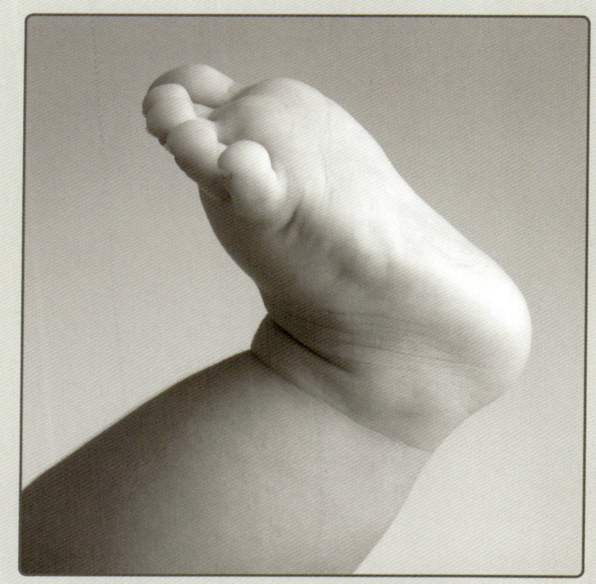

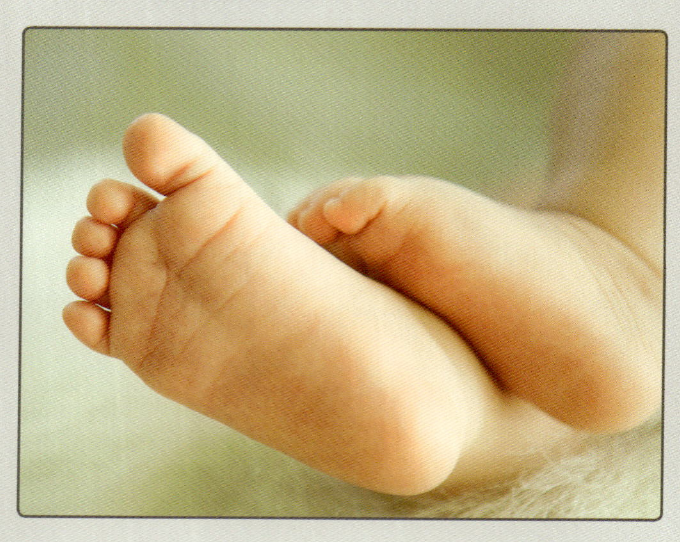

索引

数字

3Dスキャン 61

アルファベット

S字 14

あ

アキレス腱 187, 214
顎 10, 108
顎の輪郭 100

う

烏口突起 154
烏口腕筋 145, 158
腕の概形 171
腕をＹ字に開いた状態 69, 74
腕を上前方に上げた状態 78
腕を後ろに伸ばした状態 81
腕を体の後ろに回した状態 66
腕を自然に下した状態 70
腕を徐々に上げていく 85
腕を真上に上げた状態 76
腕を真横に伸ばした状態 68, 72
腕を横に配置した状態 67

え

円回内筋 24, 145, 165

お

オトガイ筋 93

か

外果 187, 190, 214
回外 146
回外位 146
回外位の上肢 148
外側楔状骨 185
外側広筋 186, 205
回内 146
回内位 146
回内位の上肢 150
外腹斜筋 24, 25, 26, 28, 51
外腹斜筋腱膜 26
顔の筋肉の機能 122
下顎 93, 95
下顎骨 92
顎舌骨筋 95
顎二腹筋 95
下唇下制筋 93
片腕を背中に回した状態 84
肩のシルエット 39
活動中の上腕三頭筋 153
活動中の上腕二頭筋 153
眼窩 10
眼窩上隆起 10
眼球 101
感情 130
関節上結節 154
眼輪筋 93

き

気管 95
基節骨 144, 185
胸郭 10, 26
胸筋 24
頬筋 93
胸骨 7, 94
頬骨 92, 93
頬骨弓 93
胸骨甲状筋 95
胸骨舌骨筋 95
胸鎖乳突筋 24, 25, 94, 95, 116, 117, 118
胸部の脂肪 55
棘下筋 29, 50
距骨 185
筋肉 24
筋肉模型 22

く

口 111
口の表情 112
屈筋 147, 164

け

頸筋 94
脛骨 184, 205
脛骨外顆 187
脛骨粗面 186, 190, 205
脛骨内側面 187, 190, 214
茎突舌骨筋 95
月状骨 144
肩甲挙筋 95
肩甲棘 25
肩甲骨 7, 24, 94
肩甲骨関節下結節 156
肩甲骨の回転 87
肩甲舌骨筋 95
現実的な人体比率 88
肩峰 8

こ

口角下制筋 93
口角結節 111
咬筋 93, 95, 108
広頸筋 115
後脛骨筋 214
後斜角筋 95
甲状腺 95
後頭筋 93
後頭骨 92
喉頭隆起 95
広背筋 24, 25, 28
口輪筋 93
高齢者の感情 140
高齢者の人体比率 90
高齢者の頭部の比率 127
腰骨 26
骨間膜 167
骨盤 7, 10
骨盤の水平断面 53
子供の人体比率 89, 90
子供の頭部の比率 125
コントラポスト 14

さ

サイレントキラー 13
鎖骨 7, 24, 25, 31, 94
鎖骨下窩 34
左右対称 13
三角筋 24, 25, 28, 40, 145
三角骨 144
三頭筋 157

し

耳下腺 95, 108
膝蓋下脂肪体 54, 55, 205
膝蓋骨 184, 186, 190, 205
膝蓋靭帯 186, 205
膝窩脂肪体 54, 56
四頭筋腱 186, 205
脂肪体 214
脂肪蓄積 60
尺骨体 168
尺側手根屈筋 25, 142, 143, 145, 165
尺側手根伸筋 25, 142, 143, 145, 162
尺屈 178
尺骨遠位端 145
尺骨鉤状突起 158
尺骨粗面 158
尺骨肘頭突起 156
尺骨頭 142, 143, 145
舟状骨 144, 185
十代の若者の人体比率 89
十代の若者の頭部の比率 128
皺眉筋 93
小円筋 25, 29, 50
上顎骨 92
小胸筋 35
小頬骨筋 93
笑筋 93
掌屈 179
上後腸骨棘 8, 25, 190
踵骨 185, 190, 214
小指外転筋 142, 143
小趾外転筋 214
小指伸筋 143, 145, 162
小指伸筋腱 143
上肢の筋肉 145
上唇挙筋 93
上唇鼻翼挙筋 93
上前腸骨棘 8, 24, 186, 190
小葉 35
小菱形筋 29
小菱形骨 144
上腕筋 24, 25, 145, 158
上腕骨外側顆上稜 160
上腕骨前面 158
上腕三頭筋 24, 25, 145, 156
上腕二頭筋 24, 25, 145, 154
女性の外腹斜筋 51
女性の胴体 18
女性の皮下脂肪 55
しわ 123
伸筋 147
伸筋支帯 143
新生児の人体比率 90
人体の骨格 6

す

頭蓋骨 10, 92
少し曲げた腕 152

せ

成人男女の人体比率 88
成人の頭部の理想的な比率 124
脊椎 8
舌骨 94, 95
舌骨下筋 94
舌骨上筋 94
舌骨舌筋 95
前鋸筋 24, 28, 46
前脛骨筋 187, 200, 214
浅指屈筋 142, 145
浅指屈筋腱 142
前斜角筋 95
前頭筋 93
前頭骨 92

そ

総指伸筋 25, 143, 145, 162
総指伸筋腱 143
僧帽筋 24, 25, 28, 44, 94, 95, 117, 118
側頭筋 93, 108
側頭骨 92
側頭線 10, 92, 100
側腹脂肪体 54, 55
咀嚼筋 108

た

大円筋 25, 29, 50
大胸筋 28, 32, 35
大頬骨筋 93
第三腓骨筋 187, 214
大腿骨外側上顆 190, 205
大腿筋膜張筋 186
大腿骨 184
大腿骨内側上顆 190
大腿四頭筋 194
大腿前面下部の脂肪体 55
大腿直筋 186
大腿二頭筋 186, 197
大腿部内側の脂肪体 55
大腿部外側の脂肪体 55
大臀筋 25, 30, 186
大転子 52, 186, 190, 192
大内転筋 187, 196
第七頸椎 25, 116
大菱形筋 25, 29

大菱形骨 144
唾液腺 108
多種多様な目 105
短趾伸筋 214
短掌筋 142
短小指屈筋 142
男女の体型の違い 11
男性の外腹斜筋 51
男性の胴体 19
男性の皮下脂肪 54
短橈側手根伸筋 25, 145
短橈側手根伸筋腱 143
短腓骨筋 187, 201, 214
短母指外転筋 142
短母指屈筋 142
短母指伸筋 143, 145, 167
短母趾伸筋 214
短母指伸筋腱 143

ち

恥骨筋 186, 196
恥骨結合 52
恥骨脂肪体 54, 55
中間楔状骨 185
肘筋 25, 145, 162
中斜角筋 95
中手骨 144
中節骨 144, 185
中足骨 185
中臀筋 186
虫様筋 142
蝶形骨 92
腸脛靭帯 186
腸骨翼 26
腸骨稜 8, 52, 190
長趾屈筋 187, 214
長趾伸筋 187, 200, 214
長掌筋 142, 145, 165
長橈側手根伸筋 25, 145, 160
長橈側手根伸筋腱 143
長内転筋 186, 196
長腓骨筋 187, 201, 214
長母指外転筋 25, 142, 143, 145, 167
長母趾屈筋 214
長母趾伸筋 187, 214
長母指伸筋腱 143
腸腰筋 186

つ

爪 143, 177

て

手 176
手首の筋肉 142
手首の骨 144
手で反対側の肩をつかむ 86
手の動き 178
手の形 174
手の加齢 182
手の筋肉 142
手首の姿勢 179
手の骨 144
臀溝 54
臀部 53
臀部下の脂肪の広がり 54, 56
臀部周辺の脂肪体 54, 55
臀部の脂肪体 56

と

橈屈 178
橈骨遠位端 160
橈骨茎状突起 160
橈骨神経溝 156
橈骨粗面 154
豆状骨 142, 144
橈側手根屈筋 24, 142, 145, 165
胴体の水平断面 21
頭頂骨 92
頭半棘筋 95
頭板状筋 95
頭部の筋肉 93
頭部の形状 100

な

内果 187, 190, 214
内側楔状骨 185
内側広筋 186, 205
内腹斜筋 26

に

二頭筋 155
乳児の頭部の比率 126
乳頭 35
乳房脂肪体 35, 54
乳幼児の感情 139
乳様突起 92
乳輪 35

は

背屈 179
背側骨間筋 143
薄筋 186, 196
鼻 121
ハムストリング筋 197
半回内位 146
半回内位の上肢 149
半腱様筋 187, 197
半膜様筋 187, 197

ひ

皮下脂肪 35
眉弓 10
鼻筋 93
鼻孔 121
腓骨 184
鼻骨 92
腓骨頭 186, 190, 205
鼻根 121
鼻根筋 93
膝 205
膝頭 184, 186, 190, 205
鼻尖 121
鼻柱 121
皮膚 35
腓腹筋 187, 199, 214
肥満女性 59
肥満男性 58
鼻翼 121
ヒラメ筋 187, 199, 214
鼻梁 121

ふ

腹横筋 26
腹直筋 24, 26, 28
腹壁脂肪体 55
ふくらはぎ 198

ほ

縫工筋 186, 195
帽状腱膜 93
母趾外転筋 214
母指対立筋 142
母指内転筋 142, 143
骨 24
骨の三角形 34
骨ランドマーク 7

ま

マッスの比率 17
末節骨 144, 185
眉 101

み

ミカエルの菱形 53
耳 119
魅力的な体形 12
民族性 138

む

無理に回内させた上肢 151

め

目 102
目の動き 106

ゆ

有鉤骨 144
有頭骨 144
指のしわ 180

よ

幼児の人体比率 90
幼児の頭部の比率 126

ら

ランドマーク 7, 24

り

理想的な人体比率 88
理想的な成人頭部の性別による違い 129
理想的な手の比率 175
理想的な鼻 121
リッチャー靭帯 186
立方骨 185
リラックス 172
輪状甲状筋 95

ろ

肋骨 35

わ

腕橈骨筋 24, 25, 142, 145, 160

IMAGES CREDITS

(SHUTTERSTOCK)

Warren, Goldswain, 90142621, 90096421
Sebastian, Kaulitzki, 149965676 149965781, 149965727, 151423058, 130092965, 130092941, 149965790,
Jessmine, 117845515, 64484938, 64481641, 117466771, 117466276, 117466264, 117845521
Natursports, 78467605
Bayanova, Svetlana, 111461918, 110833442
Hein, Nouwens, 96170264
videodoctor, 132651080
Jonathan, Feinstein, 55878313
Nomad, Soul, 93524935
Warren, Goldswain, 62395870
Vlue, 40254340
Ronald Sumners, 10960006
Aletia, 14865017
ostill, 57482818
Kuttelvaserova Stuchelova, 102217774
Piotr, Marcinski, 66205318
Mykhaylo, Palinchak, 135266447
Shuravaya, 92796607,
DJTaylor, 127760321,
lekcej, 132107012,
Mykhaylo, Palinchak, 133078430
Inga, Marchuk, 148184015
ollyy, 127373738
doglikehorse, 82312213,
Iaroslav, Neliubov, 87812053
Helder, Almeida, 73550245
MaleWitch, 48167611
Joseph, 110880
dreamerve, 113072752
Kaponia, Aliaksei, 132480443
Costazzurra, 56400217
Tatiana, Makotra, 111593462
Sergey, Mironov, 64570630
Denis, Pepin, 975538
Chad, Zuber, 81691177
Joshua, Resnick, 8330860
George, Muresan, 85930732
tanislav, Fridkin, 71181355
Carlos, Caetano, 45122581
damato, 134224493
Lana, K, 90288790
Alan, Bailey, 126181058
yurok, 5410969
windu, 68560594
Syda, Productions, 90817505
Dedyukhin, Dmitry, 65411122
Subbotina, Anna, 125307737
ARENA, Creative, 53914663
YuriyZhuravov, 79329139
AJP, 81447517
marcogarrincha, 111032450
Sofi, photo, 133387154
William, Perugini, 91137608, 91137608
Xiaojiao, Wang, 84857713
Robert, Kneschke, 46317160
Alan, Poulson, Photography, 39265951
Denis, Pepin, 50059336
Maksym, Bondarchuk, 85539439
YorkBerlin, 51940567
Alan, Bailey, 126179492
olyy, 95054386, 98139272, 116560987, 115103842, 125120741, 94663945, 93807922, 94663954, 93808090, 94663906, 94663975, 126009794, 124797709, 93752899, 125153480, 111131864
Zdorov, Kirill, Vladimirovich, 33974851
marcogarrincha, 127177706
CREATISTA, 8661502
William, Perugini, 83391154
Borja, Andreu, 105517841
Creativemarc, 147231275
Aspen, Photo, 94440007
Sanzhar, Murzin, 72845692
Victor, Newman, 19802044
Gorich, 17694211
sam100, 472914, 472912, 712065, 712062, 717898, 717890, 717889, 717889, 717885, 717887
MARSIL, 5789050
Hein, Nouwens, 98545544
ostill, 56259355
Nomad, Soul, 80069689
Warren, Goldswain, 90142603
Aaron, Amat, 99071363
NinaMalyna, 93202033
Nomad, Soul, 102945767, 144129199
Yeko, Photo, Studio, 128487161
Bevan, Goldswain, 123900769
Dan, Kosmayer, 124890325, 124912316, 124898642, 124925690
Warren, Goldswain, 62323036, 62371285, 62444041
Dan, Kosmayer, 124320916, 124320919, 124321279, 124317997
schankz, 96468725
KULISH, VIKTORIIA, 123856489, 123856489
Aleksandr, Markin, 85582952
Marcell, Mizik, 125010791
Elena, Kharichkina, 52284313
Eky, Studio, 60572491, 54317071
Vladimir, Wrangel, 12441757
Janna, Bantan, 97383932
vishstudio, 54725959
iofoto, 3160102
OLJ, Studio, 45691366
Oleg, Mit, 69238201
Valua, Vitaly, 6010267
bikeriderlondon, 122456650, 122456653, 122456641, 122456647, 122456638
steve, estvanik, 90487690
Robert, Kneschke, 46430419
sezer66, 135003521
inxti, 95080585
Steve, Heap, 110911556
Vikacita, 102467513
eAlisa, 105596630, 105596633
Kalcutta, 140991940
carlo, dapino, 16832836
Louis, W, 19469767
Piotr, Marcinski, 90142303
Aaron, Amat, 66987235
Dmitry, Lobanov, 145526410
Serov, 143200726, 143200708
rtem, 110345522
Vadym, Zaitsev, 117927676
juliasv, 142584553
Oleksii, Sagitov, 81766204
Praisaeng, 117990130
Dmitry, Naumov, 24936097
Stanislav, Popov, 62523448
nrt, 112947532
Zurijeta, 112947532
inxti, 95080585
schankz, 127089758
Praisaeng, 123171661
Sementer, 134986943
Hannamariah, 76297324
Dmitry, Naumov, 27592462
Olga, Nikonova, 126697919
Alexey, Losevich, 133365359
Nomad, Soul, 98375987
Photobac, 135561539
szefei, 112430531
Nate, Allred, 55656739
Thorsten, Schmitt, 89107843
Quan, Yin, 15798718
Vitalinka, 100348361
Phase4Studios, 10037467
SvetlanaFedoseyeva, 46941928
Flashon, Studio, 83828884
Giuseppe, R, 63399670
Khamidulin, Sergey, 67382611
Koroleva, Katerina, 59773162
Mike, Tan, 66141739
Hannamariah, 112791160
nikkos, 128463791
Oksana, Kuzmina, 124726813
Surachai, 99262190
Flashon, Studio, 103998416
Luis, Louro, 78481036
In, Green, 136475681
Oleksii, Khmyz, 88582219
postolit, 82399513
Inga, Marchuk, 57254398
aslysun, 100493398
Max, Bukovski, 103574327, 115992457, 103574267, 103574327
Hannamariah, 76297324
Flashon, Studio, 84783586
Ana, Blazic, Pavlovic, 87949297
Velazquez77, 107279963
postolit, 90889808,
Bevan, Goldswain, 105417869
szefei, 98595605
serg, dibrova, 106133648, 129193622
Aaron, Amat, 93831046, 88359478
bikeriderlondon, 144915292, 144914482
AJP, 53997115
doglikehorse, 49778341, 49778338, 49778398
Timothy, Boomer, 74689858
Refat, 148408208, 52914331, 38227024, 38442484, 77810734
Zastolskiy, Victor, 40567864
Daniel, Gale, 13940824
Dundanim, 44063488
Alexander, Mak, 86350783
luxorphoto, 68239186
Elena, Ray, 661302
Zurijeta, 69116677
Kuttelvaserova, Stuchelova, 107349326
iodrakon, 38128294
Warren, Goldswain, 62371276, 62323000
Anna, Lurye, 62395804
Sergiy, Telesh, 62395804
Aleksandar, Todorovic, 61064692
AJP, 55389220
Forster, Forest, 33255931
Kuzma, 38378068, 63929794
ChameleonsEye, 115577692
Oleg, Golovnev, 147241340
Sandra.Matic, 129019715
Khamidulin, Sergey, 116857471
AYakovlev, 4949932
Maksim, Shmeljov, 86482771
Zhernosek, FFMstudio.com, 103060244
iofoto, 3226404
Piotr, Marcinski, 31948714 44205058, 38194312, 98473775, 84929041
AXL, 31948714
Todd, Kuhns, 59770861, 59770870, 59770864
ArtFamily, 124432360
Lana, K, 93898561, 98120972, 100152506, 93898381, 93898378, 98120948, 93813823, 93813832, 98120945
Nomad, Soul, 113083900, 114014062
Ase, 99025028
iofoto, 3160808
Andrei, Shumskiy, 88876774
Jochen, Schoenfeld, 94676488
AstaforovE, 68666050, 68666056, 68650279, 67821814, 67741342
George, Allen, Penton, 3257724
valdis, torms, 60985117
Sergieiev, 84811939
Oleg, Mit, 76138873
Hermann, Danzmayr, 310347
jecka, 40329715
Shots, Studio, 116083300
vita, khorzhevska, 121731133 120882262, 120882310, 144977953
Elena, Kharichkina, 90098173
Iablonskyi, Mykola, 110840702, 125974517, 91203764
OLJ, Studio, 70157020
leolintang, 108579308
Kozachenko, Oleksandr, 114875779, 114875749, 114875752
matka, Wariatka, 34116832
nanka, 13903318
Geo, Martinez, 274127
vishstudio, 69574723
stihii, 119687539, 141240655
Dundanim, 47032852
Cleomiu, 17586670
MAKENBOLUO, 148822124
David, Davis, 2098801
Kokhanchikov, 38159932
hartphotography, 49547803
Timur, Kulgarin, 34385119
Hugo, Felix, 136090493
Alan, Bailey, 126968855
Lana, Langlois, 65826652
nanka, 17785402
Christo, 59119813, 59119819, 59119807
Suzanne, Tucker, 1321449
Warren, Goldswain, 62371354 62323048, 62395789, 62443999
Deklofenak, 121368253
rangizzz, 125847749
Violanda, 134275850
Dan, Kosmayer, 124784974, 124782820, 122024002, 122024002
ollyy, 98507627, 101007865, 98139272
Photobac, 76018261
Isantilli, 126522221
Jessmine, 96225569, 96198590
Fatseyeva, 98660858
Olinchuk, 148247585
Kjpargeter, 65487289
violetblue, 78869944, 131827208
Juriah, Mosin, 956664
somchaij, 62692903
iko, 75874852, 76814590, 75874867, 76814665, 80006443
hartphotography, 51858520
Horst, Petzold, 94209688
Sergieiev, 82760317
ArturNyk, 131505737, 132891266
upthebanner, 59227513
Kletr, 88913938
bikeriderlondon, 122049238, 110933405, 147841997
Kletr, 129612107
Luis, Louro, 78226891
Kokhanchikov, 38159935 29712238, 51129436, 66129568, 30315178, 31617010
eelnosiva, 138749075
ZouZou, 72063973
MaxFX, 42114472, 22119046
Kzenon, 129836039
Alan, Bailey, 126174785
postolit 106193234, 93084466, 95135101
Boonsom, 92967964
Victor, V.Hoguns, Zhugin, 57337156, 56069317
Warren, Goldswain, 62326027
Hasloo, Group, Production, Studio, 84060625
Kaponia, Aliaksei, 130919744
wtamas, 53709325
Elena, Kharichkina, 108823715
Valua, Vitaly, 115693456, 4634093993, 21003097
David, Davis, 2077001, 2077089, 2076672, 2076667, 2076748, 2077331
Mikhail, Vorotnikov, 2429207
Bernhard, Richter, 28722796
simpleman, 95740441
Sergiy, Telesh, 79615684, 79636525, 79271062
Maxim, Kalmykov, 28977712 28977721, 70652293, 70606951, 71000272, 28977718
iko, 77772673, 97302827
William, Perugini, 84814474
bikeriderlondon, 149428529
Serhiy, Kobyakov, 71001646
icsnaps, 147768557, 147766070
Eugenio, Marongiu, 126027872
tommaso, lizzul, 106845431
ArtFamily, 124432360, 134849492
YanLev, 65835514
Sebastian, Kaulitzki, 130094879
vishstudio, 113680927
Deklofenak, 67174966
tommaso, lizzul, 75189454, 75189451, 134739695, 103418333, 68948665
Dmitry, Bruskov, 125408216
Dmitry, Bruskov, 126070703, 127487615, 127487612, 127487627
Sasharijeka, 52336384
vishstudio, 101070697, 58290025, 76555699
ollyy, 105117029, 123005791, 91811378, 123005701, 89863132, 95544481, 71358556
Louis, W, 13940698
Igor, Kireev, 71429899, 71430685
FXQuadro, 73134109
luxora, 35682727
wang, song, 124547809
CURAphotography, 104513321
In, Green, 128661260
Mayer, George, 135668174, 146504588
Belovodchenko, Anton, 124849435
Dundanim, 27603112
Aaron, Amat, 83175736
alessandro0770, 75684934
Sebastian, Kaulitzki, 133427252
R, O, M, A, 100985506
DRAGONFLY, STUDIO, 90702166
Draw05, 136054685
Vladimir, Korostyshevskiy, 110612435
bikeriderlondon, 144403021, 144570887
Alexander, Image, 149135501
Uros, Jonic, 131892440
Belovodchenko, Anton, 130980335,
Robert, Kneschke, 46446019
margo, black, 104257925
CURAphotography, 128052461
Sergey, Dubrov, 73364230
Lucky, Business, 94820398
Levichev, Dmitry, 52367506
Guryanov, Andrey, 121658866
Daniel, M., Nagy, 81984739
Vibrant, Image, Studio, 68242369
Iablonskyi, Mykola, 68606581
Artgo, 69883066
Malakhova, Ganna, 132921032
Oksana, Kuzmina, 131219351, 124726813
greiss, design, 146514278
aniad, 66312775
Ocskay, Bence, 44899549
Kletr, 67947757, 76760608, 75166060
Eric, Isselee, 3567765
Luis, Louro, 73300603
sunabesyou, 138970757
eelnosiva, 138807854
Chris, Harvey, 1773480
Andreas, Meyer, 31321123
Tinydevil, 94287730, 94287712
Spectral, Design, 66526930
CURAphotography, 79745983
Anetta, 41354335
Irisska, 62809045
Tatyana, Vyc, 35406931
Ronald, van, der, Beek, 5825719
Mihai, Simonia, 15643963
SH, Vector, 137517479
vishstudio, 130162256, 72123028, 76555699, 127868369
holbox, 123446350
Aleksey, Klints, 46925731
conde, 47773348
Kamira, 52796635, 52796641
PerseoMedusa, 86306503
Chanclos, 90928370, 93048880
javarman, 46340962
goghy73, 148497206
conde, 49361215
Kletr, 76760611
irakite, 32486428
Malgorzata, Kistryn, 148988921
rebirth3d, 72389452
abxyz, 130948268
voylodyon, 44557759
ndphoto, 137194166, 137194163
GlebStock, 129528308
Katrina, Elena, 146677214
aastock, 132065747
LoloStock, 129093899, 129728291
paffy, 109371149
lenetstan, 84442258
damato, 128977808
cristovao, 135674684
Fesus, Robert, 17154814
Baloncici, 58064404
tadijasavic, 981586
Photobac, 106285127
Willem, Havenaar, 110823767
Sergieiev, 113493250
Sebastian, Kaulitzki, 126579557
Sementer, 144883762, 144883771
Dundanim, 25353145
Vasilchenko, Nikita, 95523337
vishstudio, 130300763, 142746520, 100875295, 127868369, 95061403, 95061445, 127868372
Philip, Date, 190015
Hein, Nouwens, 96170261
Sebastian, Kaulitzki, 128019521, 130094843
percom, 115599847
alexwhite, 125790008, 125789990, 144606533, 125789936, 127036865, 126343718, 127726292
Alexandr, Shebanov, 920178
Piotr, Marcinski, 74535925, 76353238, 40915099
Eldad, Carin, 135692660
Sergieiev, 104672387
Sebastian, Kaulitzki, 128575907, 128575973, 128575865, 128575868
leo, ello, calvetti, 89966491
decade3d, 128700983, 128697350
CLIPAREA, l, Custom, media, 130713542, 130713533
Sebastian, Kaulitzki, 128575298, 128575364, 130095269, 130095167, 128573051
Potapov, Alexander, 131849297,
Mariya, Ermolaeva, 118737772
gresei, 94395274
mexrix, 73744534
v.s.anandhakrishna, 116582779
Samuel, Micut, 93065095
pisaphotography, 107117294
Praisaeng, 120751945
imagedb.com, 144366610
wonderisland, 116574748, 116574772, 140830465, 143865949
Michal, Vitek, 144972160
Nomad, Sou, 80397598
Mayer, George, 15244612
samodelkin8, 98868017, 75700972
Anton, Zabielskyi, 25114882, 25114888
Alexei, Tacu, 115821382, 115821376, 115821376, 115821379
Piotr, Marcinski, 84909685, 105628688, 38194330, 38194315, 85844866
AleX, Studio, Z, 132903422
Maslov, Dmitry, 53316211
iofoto, 3154664
gregg, Cerenzio, 183867
Serg, Zastavkin, 113626030
Sean, Nel, 145249483
Jeff, Thrower, 112401821,
Pavel, L, Photo, and, Video, 120235651
salajean, 147467363
Bairachnyi, Dmitry, 70276336, 72068845, 69233110, 69447340
AXL, 98208059, 95739112
Maksim, Shmeljov, 52107052, 62671336, 63029314, 63747613
Piotr, Marcinski, 118532797, 118532794, 38194330, 38194315
Jeff, Thrower, 114156706, 114156715
Action, Sports, Photography, 56848450
Iablonskyi, Mykola, 111343364, 111343376
Igor, Kireev, 92182354
Falcona, 107724995
vishstudio, 113504449, 142746529, 142746523, 142746520
AleX, Studio, Z, 128654051, 128654021
OLJ, Studio, 65187949, 83170411, 54332437
Anetta, 48991999
InnervisionArt, 112247789, 140418397
Sergieiev, 138036872
FXQuadro, 136191587, 89394481
Petrenko, Andriy, 130469996
Andriy, Solovyov, 3601669
matka, Wariatka, 9885190
Pressmaster, 42560929 42560938, 42560932
vishstudio, 42119887, 42119857, 105197285
Jessmine, 117804904
Anetta, 41354320, 48819106, 41421901, 48819091
Iakov, Filimonov, 44014663
Iablonskyi, Mykola, 64748125
Igor, Kireev, 76388302, 82353619, 82353637
Pressmaster, 78236884
Catalin, Petolea, 8887686
ollyy, 89863132
T, Anderson, 93698323
CURAphotography, 104513321
Stefanie, Mohr, Photography, 105197285
Martin, Valigursky, 109132289
Vladimir, Wrangel, 115657282
Solovyova, Lyudmyla, 122970343
Luca, Elvira, 123976450
Hank, Shiffman, 129511613 138699461, 138699452, 138699491, 138822731
Anetta, 41421910
Dave, Kotinsky, 135050138
Ase, 98901398, 98901398
cristovao, 140158585
AlenD, 141052573
rangizzz, 141067915
Undrey, 140709025
Guryanov, Andrey, 140540572
Hank, Shiffman, 141654913, 141654919
Kruglov, Orda, 143080630, 144070609
Kiselev, Andrey, Valerevich, 143238061
sassystock, 143635654
hemail, 144680255, 144680264, 145542805, 145542811, 145542817
Guryanov, Andrey, 145681400
Vibrant, Image, Studio, 145034443
PutilichD, 144048916, 144048889
Kiselev, Andrey, Valerevich, 144438340
Syda, Productions, 144887467

Exonicus, Inc.は、デジタルスカルプター、彫刻家、グラフィックデザイナー、フォトグラファー、プログラマー、
さまざまな経歴を持つ多才なアーティストの国際的なチームです。

小規模な単独のフリーランスプロジェクトから、企業のお客様向けの複雑なソリューションまで、幅広い専門知識を有しています。
独自のプロジェクトを立案、計画、実施しています。また、企業と提携して、解剖学的に正確なデジタルアセットを提供しています。
詳しい情報はWebページ(www.anatomy4sculptors.com)をご覧ください。

スカルプターのための美術解剖学

2016年11月25日 初版第1刷 発行
2017年 4月25日 初版第4刷 発行

著　　者　アルディス・ザリンス、サンディス・コンドラッツ
翻　　訳　株式会社 Bスプラウト
発 行 人　村上 徹
編　　集　加藤 諒
発　　行　株式会社 ボーンデジタル
〒102-0074
東京都千代田区九段南一丁目5番5号 九段サウスサイドスクエア
Tel : 03-5215-8671　Fax : 03-5215-8667
www.borndigital.co.jp/book/
E-mail : info@borndigital.co.jp

レイアウト　梅田 美子（株式会社 Bスプラウト）
印刷・製本　株式会社 東京印書館

ISBN : 978-4-86246-360-9
Printed in Japan